Eric Ambler

Bitte keine Rosen mehr

Roman
Aus dem Englischen
von Tom Knoth

Diogenes

»Schicken Sie doch bitte keine Rosen mehr, um Ihre Schuld zu mildern, Herr Oberholzer«, sagte ich lächelnd. »Derartige Blumen könnten, wie Sie bereits auf so hochnotpeinliche Weise erfahren haben, explodieren, während Sie sich noch in der Gefahrenzone befinden.«

Frits Bühler Krom
DER KOMPETENTE KRIMINELLE
Eine Fallstudie

Eins

Sie parkten den Wagen beim Tor in der Mauer an der unteren Küstenstraße. Wenig später kamen die drei, denen die Hemden am Rücken klebten, dann steifbeinig herausgeklettert. Es war eine lange, heiße Fahrt gewesen.

Vom Schatten am Ende der Terrasse aus konnte ich sie durchs Fernglas deutlich sehen.

Professor Krom, den älteren Mann, kannte ich schon; er war es ganz ohne Zweifel. Der jüngere Mann und die Frau jedoch mußten anhand der Schnappschüsse identifiziert werden, die private Auskunfteien von den Subjekten kürzlich auf deren jeweiligem Universitätscampus gemacht hatten. Obschon ich fotografische Identifizierungen nie so recht für voll nehmen kann – dazu habe ich allzu viele falsche Pässe gesehen und selber benutzt –, fand ich, daß mir diese beiden hinlänglich so aussahen wie die Personen, für die sie gehalten wurden, um davon ausgehen zu können, daß es sich in der Tat um diese Personen handelte.

Der Wagen war ein gemieteter Fiat 127 mit Mailänder Kennzeichen. Ihre Koffer, abgesehen vom Handgepäck, lagen auf dem Dachgepäckträger. Es befand sich keine unautorisierte vierte Person im Auto. Für den Augenblick schien es, als hätten sie sich an die Bedingungen des Abkommens gehalten, das ich mit Krom ausgearbeitet hatte.

Ein paar Sekunden lang standen sie bloß da und starrten zur Villa Esmaralda hinauf. Dann bewegten sich Lippen, und es wurde gestikuliert. Man brauchte nicht im Lippenlesen geübt zu sein, um zu wissen, was sie sagten.

»Erwartet man von uns, daß wir unsere Koffer all diese Treppen hinauftragen?« Das war die Frau, die sich betreten mit schweißnassen Fingern durchs Haar fuhr, während sie sprach.

Krom, der Anführer der Expedition, tätschelte ihr väterlich die Schulter. »Ich bezweifle es, meine Liebe. Aber warum gehen wir nicht und finden es heraus?« Er blickte wieder herauf, wobei er mir diesmal seine Zähne zeigte; ihm war klar geworden, daß ich ihn beobachten mußte. »Ich bin mir ganz sicher, daß er da ist.«

»Und sich totlacht.« Dr. Connell, der jüngere Mann, beäugte das Haus mit Abneigung und massierte sich die schmerzenden Nackenmuskeln. Er hatte die ganze Zeit am Steuer gesessen. »Ich wette, daß es auch eine obere Zubringerstraße gibt«, fuhr er fort. »Niemand baut eine Villa wie diese ohne Auffahrt. Das ist pure Schikane. Der Hund will, daß wir geschafft ankommen.«

Gänzlich recht hatte er nicht damit. Zugegeben, auf der Kartenskizze, die ich Krom schickte, hatte ich die obere Straße ausgelassen, aber nicht lediglich, um ihnen Unbequemlichkeiten zu bereiten. Was ich ebenfalls gewollt hatte, das war reichlich Zeit und Gelegenheit, um sie und ihre Siebensachen in Augenschein zu nehmen, bevor sie mich und meine allzu eingehend in Augenschein nehmen konnten. Nicht daß sie in diesem zu einem sündhaften Preis angemieteten *petit palais* von meinen Sachen viel zu sehen bekommen würden, aber sie alle würden außer mir auch Yves und Melanie sehen. Es gab keine Möglichkeit, sie daran zu hindern – wir waren, bis zu einem gewissen Grad, abgeschrieben –, aber zumindest die damit einhergehenden Risiken konnten verringert werden.

Gründe für die Notwendigkeit derartiger Vorkehrungen wurden bald offenkundig.

Nachdem sie einmal festgestellt hatten, daß es sinnlos sei, dort bloß so herumzustehen, und besser, mit dem Aufstieg zu beginnen, holte Connell etwas, das zunächst aussah wie ein Transistorgerät, aus dem Wagen, bevor er ihn abschloß. Als er sich umdrehte, sah ich dann, daß es vielmehr ein Tonbandgerät war.

Dieser flagrante Verstoß gegen vereinbarte Grundregeln überraschte mich nicht sonderlich. Dr. Connell, so hatten mich meine Quellen informiert, war ein junger Mann just dieser Sorte; das akademische Gegenstück zum Kost-und-Logis-Wunderknaben, stets voller Zuversicht, jeden, der verblendet genug ist, nicht mit ihm übereinzustimmen, dazu überreden zu können, die Dinge so zu sehen wie er.

Nun, Yves würde mit ihm umzugehen wissen. Wer mich, aus Sicherheitserwägungen heraus, stärker zu interessieren begann, das war die Frau, Dr. Henson.

Als sie die steinerne Vortreppe hinter sich gelassen hatten und den Springbrunnen am Fuß der Haupttreppe passierten, schwang sie die bestickte Wandertasche, die sie an einem Riemen über der linken Schulter getragen hatte, über die rechte. Die Tasche sah harmlos genug aus, ein Objekt von der Art, wie es eine Herrenhemden-und-Herrenhosen-Frau ihres Typs normalerweise bei sich tragen mag. Was mich störte, war die Tatsache, daß der Inhalt von dem Ding, der Art und Weise nach, wie sie es von einer Seite ihres Körpers zur anderen hieven mußte, viel schwerer war, als man hätte annehmen sollen.

Ich sprach Melanie darauf an, als ich ins Haus trat.

»Bevor Sie hinausgehen, um sie zu empfangen, sagen Sie Yves, daß die Frau etwas in ihrer Tasche haben könnte, was dort nicht hineingehört. Ich werde auf meinem Zimmer sein, wenn er soweit ist, mir zu berichten.«

Während ich wartete, nahm ich mir die drei Dossiers wieder vor und las meine eigenen Anmerkungen dazu nochmals durch.

Die Subjekte, geordnet nach dem Gewicht ihres Alters sowohl als auch ihres akademischen Rangs, waren:

FRITS BÜHLER KROM, Professor für Sozialwissenschaften und Sozialpolitik
Nationalität: Niederländisch
Alter: 62
Personenstand: Verheiratet, zwei Söhne, eine Tochter.

Mein eigenes Büro hatte diese Informationen anhand von Standard-Nachschlagewerken in wenigen Minuten zutage gefördert. Die einzige zusätzliche Information über sein Privatleben, an die heranzukommen mir gelungen war, beschränkte sich – ganz im Gegensatz zu denen über seine offenbar bis in die kleinste Einzelheit bekannte berufliche Tätigkeit an der westdeutschen Universität, wo er lehrte – auf die Auskunft, daß er acht Enkelkinder hatte und ein neuntes unterwegs war.

GEORGE KINGHAM CONNELL, Assistenzprofessor, Sozialwissenschaftliche Fakultät
Nationalität: USA
Alter: 36
Personenstand: Verheiratet, eine Tochter (von erster

Ehefrau, die sich von ihm scheiden ließ), zwei Söhne (aus jetziger Ehe).

Ich hatte eine Notiz in Händen, die besagte, daß er sich gegenwärtig in Europa aufhalte, um auf Einladung der Universität Freiburg im Breisgau, BRD, an einem Seminar teilzunehmen, und daß seine Familie derzeit an einem See im Staat Maine, USA, in der Sommerfrische sei.

Die amerikanische Agentur, die von mir mit der Connell-Ermittlung beauftragt worden war, hatte sich über den ihr kurzfristig gesetzten Termin beschwert. Sie hatte es jedoch geschafft, innerhalb der verfügbaren Zeit Campusklatsch in überraschender Menge zusammenzutragen. Eine Eintragung berichtete von einer »weitverbreiteten Annahme«, daß gewisse Mitglieder des Universitätsvorstandes heftig gegen jedwede Erneuerung von Dr. Connells Vertrag opponierten, die zu seinem Aufstieg in den Rang eines Associate Professor und damit zur Sicherung einer Dauerstellung führen könnte. Die Opponenten, hieß es, seien ausnahmslos Rechtsanwälte.

GERALDINE HOPE HENSON, Wissenschaftliche Assistentin, Sozialwissenschaftliche Fakultät
Nationalität: Britisch
Alter: 33
Personenstand: Geschieden, keine Kinder.

Die britische Agentur hatte dem detaillierten Bericht über Dr. Hensons Werdegang und der Einschätzung ihrer Kreditwürdigkeit zum Schluß eine trauliche Note angefügt. Henson war ihr Mädchenname, und nach ihrer Scheidung hatte sie ihn wieder angenommen. Von ihren vielen Freunden jedoch war sie immer zärtlich »Hennie« genannt worden.

Krom, Connell, Henson.

Soziologen sie alle, ansonsten aber offenbar ohne sonderlich viele Gemeinsamkeiten. Dann wirft man einen Blick auf die Titel einiger ihrer veröffentlichten Bücher und Schriften, und das Bild ändert sich. Diese Gelehrten sind alle drei nicht nur Kriminologen, sondern Kriminologen einer neuen und besonderen Spezies; sie haben alle den gleichen Tick.

Kroms *Die Lombrosische Fehldiagnostik in der gegenwärtigen Kriminologie* und seine *Grenzbereiche der Kriminaluntersuchungsmethodik* mögen nicht so eindeutig bilderstürmerhaft sein wie Connells *Legende vom organisierten Verbrechertum* oder Hensons *Der Berufsverbrecher – sechs Untersuchungen von Inkompetenz,* aber sein Vorwort zur monumentalen *Verbrechensstatistik 1965–1975, eine analytische Auswertung,* verdeutlicht seinen Standpunkt. Gemeinsam mit solchen Kapazitäten wie John A. Mack (Glasgow) und Hans-Jürgen Kerner (Tübingen), aber auch jüngeren Gelehrten wie Connell und Henson, hat er sich den Reihen jener kriminologischen Häretiker angeschlossen, die glauben, daß die Mehrzahl der gegenwärtigen Vorstellungen über Kriminalpsychologie, Kriminalbiologie und Kriminalpsychiatrie entweder irrig oder irrelevant sei. Sie glauben dies, weil sie überzeugt sind, daß das, was die Kriminologen jahrein, jahraus so emsig studiert haben, nicht der Kriminelle ist, wie er oder sie vorkommen mag, sondern nur ein, zwei Unterarten der Gattung sind, die sich erwischen lassen und immer schon haben erwischen lassen.

Zur grimmigen Erheiterung von Polizeibeamten alter Schule, denen die Idee naturgemäß beunruhigend erscheint, glauben sie überdies an die Existenz einer ganzen kriminellen Spezies oder Subspezies, von der bislang wenig oder gar nichts bekannt ist: an die des Kompetenten Kriminellen.

Kroms Beschreibung der Spezies gehört zu den berühmteren. Sie war Teil eines Vortrags, der auf einer Tagung der International Police Association in Bern gehalten wurde. Wenngleich er, der deutsch schreibt, es seinerseits vorzieht, seine Entdeckung mit *Der Kompetente Kriminelle* zu apostrophieren, sprach er aus Rücksicht auf die Mehrheit seiner polyglotten Zuhörerschaft bei dieser Gelegenheit englisch. Nachdem er die Wendung ›Able Criminal‹ erstmals von einem Vortragspult aus laut ausgesprochen hatte, fuhr er fort:

»Ich spreche hier, meine Freunde, keineswegs vom Meisterverbrecher seligen Angedenkens, diesem berückenden Produkt erzählerischer Phantasie des neunzehnten Jahrhunderts, das Amateurdetektiven so häufig zum Opfer fiel, sondern von einem zeitgenössischen Mitbewohner dieser realen Welt.

Vom Kompetenten Kriminellen, sei er männlichen oder weiblichen Geschlechts, darf angenommen werden, daß er einen hohen Intelligenzquotienten besitzt, emotional stabil und ›gut angepaßt‹ ist, keines der Anzeichen einer defekten Persönlichkeit aufweist, von denen behauptet wird, sie seien für den herkömmlichen ›kriminellen‹ Typus charakteristisch, und keinem der vielberedeten und -publizierten Verbrechersyndikaten angehört, die den Romantikern in einigen unserer Strafverfolgungsbehörden so lieb und teuer sind. Er wird diesen Behörden, außer in der Mimikry-Rolle des ehrbaren Staatsbürgers, nicht bekannt sein, geschweige denn ihnen verdächtig erscheinen. Er (oder sie, das Geschlecht ist hier ohne Bedeutung) hat keinen erkennbaren und somit auch keinen klassifizierbaren Modus operandi, und sofern nicht Krankheit oder zunehmendes Alter seine Fähigkeiten beeinträchtigen, ist er praktisch nicht faßbar.

Unter den diversen Arten von Verbrechen, die er begeht, steht Betrug naturgemäß obenan auf der Liste; und doch ist Betrug für gewisse Exemplare der Spezies weder die einzige noch auch nur eine hauptsächliche Erwerbsquelle. Hier in Bern wird es überflüssig sein, Sie daran zu erinnern, daß die Gesetze gegen Steuervermeidung – Vermeidung, nicht Hinterziehung! – in unseren verschiedenen Ländern beträchtlich differieren. In Amerika und England ist Steuervermeidung ein Verbrechen. In der Schweiz nicht. In sehr vielen Teilen der Welt, an Orten wie Monaco, Grand Cayman, Bermuda und den Neuen Hebriden, gibt es überhaupt keine Einkommensteuer, die zu vermeiden wäre. Innerhalb der vielschichtigen Komplexitäten internationaler Steuer- und Körperschaftsgesetze sind die Möglichkeiten für den Kompetenten Kriminellen unbegrenzt. Dem Beweismaterial nach zu urteilen, das mir zugänglich war – bedauerlicherweise kein Beweismaterial jener Qualität, von deren Vorhandensein unsere demokratische Justiz abzuhängen beliebt –, umfassen diese Möglichkeiten in großem Stil betriebene, aber strafrechtlich irrelevante Unterschlagung und Erpressung, plus nicht nachweisbare Fälschung ebenso wie Eigentumsdelikte traditioneller Art, letztere hauptsächlich im Zusammenhang mit hochversicherten Kunstwerken. Ich brauche dieser meiner Zuhörerschaft nicht eigens zu sagen, daß, wo immer es Verbrechen aus Habgier in dieser Größenordnung gibt, früher oder später auch deren unvermeidliche Begleiter anzutreffen sein werden – Gangstertum und Gewalttätigkeit.«

Krom hatte seinen Vortrag fortgesetzt, um einige der technischen Hindernisse aufzuzählen, die bei der Erforschung der Spezies überwunden werden mußten, und sie mit jenen verglichen, welche den Physikern entgegenstanden, die es als erste unternahmen, das Verhalten energiegeladener Teilchen in einem Zyklotron zu untersuchen.

»Die Forscher mögen *denken*, sie wüßten, was darin vor sich geht, aber solange sie keine exakte Möglichkeit ausgeknobelt haben, zu *wissen*, was vor sich geht, kann die Gültigkeit ihrer Vermutungen nicht abgeschätzt werden.«

Betrübt hatte Connell den Vergleich in seiner Doktorarbeit kommentiert: »Professor Krom hätte hinzufügen können, daß wir, die neuen Kriminologen, während die Physiker diese und viele andere Problemstellungen längst gelöst haben, uns noch immer mit den allerelementarsten unserer Probleme herumschlagen. Wir haben noch nicht einmal gelernt, Quellenmaterial als solches zu erkennen, selbst wenn wir unverwandt darauf starren.«

Dr. Henson hatte sich in *The New Sociologist* eindeutiger über ihre Schwierigkeiten ausgelassen:

»Gleichgültig wie inspiriert die angewandten Ermittlungstechniken auch sein mögen, die Wahrscheinlichkeit, daß der Forschende irgend etwas erfährt, was unser Kompetenter Krimineller geheimzuhalten wünscht, ist gering. Die Autorin, die sich im übrigen nicht für sonderlich gehandikapt hält, mußte beim Datensammeln auf Befragungs- und Erhebungsmethoden rekurrieren, die nur der Nachsichtige als seriös bezeichnen könnte. Sie bestehen, um es ohne Umschweife zu sagen, weitgehend aus stümperhaftem unwissenschaftlichem Umgang mit kleineren Glücksfällen; beispielsweise dem zufälligen Auftauchen eines konventionell kriminellen Informanten, der unwissentlich von Dingen redet, deren wahre Bedeutung ihm selber noch nicht einmal andeutungsweise aufgegangen ist.«

Sie hatte ihren Gesichtspunkt unmißverständlich geltend gemacht. Es wäre möglicherweise klüger gewesen, wenn sie es damit hätte gut sein lassen. Statt dessen war sie damit fortgefahren, einige ihrer Kritiker abzukanzeln.

»Verständlicherweise haben Anhänger älterer Schulen der Kriminologie es aus Furcht vor den Schwierigkeiten für richtig befunden, die Existenz des Kompetenten Kriminellen zu leugnen. Sie haben es vorgezogen, die bereits übermäßig beackerten Studienfelder der Jugendkriminalität und des nach Mafia-Art organisierten Verbrechens weiterhin zu kultivieren oder den Gerichtsmedizinern ins Handwerk zu pfuschen.«

Die Kritiker hatten wütend zurückgeschossen. Unter den vergleichsweise höflicheren war einer gewesen, der sie daran erinnert hatte, daß Phänomene, die ohne ›unwissenschaftliche Stümperei‹ so ungemein schwierig zu beobachten seien, sich häufig als bloß in der Einbildung der wenigen existent erweisen, die behaupten, sie beobachtet zu haben. Der Kompetente Kriminelle könne in diesem Zusammenhang durchaus mit solchen Abwegigkeiten wie den Fliegenden Untertassen und den Kleinen grünen Männern aus dem Weltraum verglichen werden. Und gab es nicht auch schlichte Gemüter, die noch immer an Geister glaubten?

Arme Dr. Henson. Mit ihrer wahrheitsgemäßen, aber unglückseligen Anspielung auf Stümperei hatte sie ihren Gegnern die einzige Waffe geliefert, die sie wirksam anwenden konnten. Dennoch blieb ihre Offenheit nicht unbelohnt, denn die Kontroverse, die durch sie hervorgerufen wurde, lenkte Professor Kroms besondere Aufmerksamkeit auf sie. Er hatte natürlich von ihrem Buch gewußt, aber jetzt wurde er an sie und an die Ansichten, die sie vertrat, erinnert, und das in einem entscheidenden Augenblick.

Etwas Bemerkenswertes war ihm begegnet, und er brauchte verwandte Seelen, mit denen er das Erlebnis teilen konnte.

Connell hat unterstrichen, welche Schwierigkeiten es den neuen Kriminologen bereitet, Quellenmaterial als solches zu erkennen, wenn sie es vor sich sehen. Henson hat von der Unwahrscheinlichkeit dieser Chance gesprochen. Einzig Krom, mit seiner reichen Erfahrung, kann jetzt, nachdem er zufällig an eine ergiebige und verläßliche Quelle geraten ist und sie als solche erkannt und seinerseits beschlossen hat, geduldig zuzuwarten und zu observieren, ermessen, welches Glück er gehabt hat.

Mir sind nur zwei weitere ähnlich gelagerte Fälle dieser Größenordnung bekannt. In beiden waren die Folgen für alle Betroffenen höchst unerfreulich. Es kam zum Versagen von Nerven und zu bedauerlichen Rückfällen in primitive Verhaltensweisen, nicht ganz so unerwarteten wie diejenigen, von denen ich zu berichten habe, aber nicht weniger empörenden. In keinem dieser Fälle jedoch gab es irgendwelche Überlebenden.

Krom hat also, ob er es nun zugeben will oder nicht, in mehrfacher Hinsicht Glück gehabt. Die entscheidende war ohne Zweifel die Entdeckung seiner Glücksfall-Quelle in mir.

Von den Versagern der Welt, in der ich mich bewege, bin ich zu meiner Zeit bezichtigt worden, nahezu sämtliche antisozialen Eigenschaften zu besitzen. Man hat behauptet, daß ich sowohl als Geschäfts- wie auch als Privatmann durchweg treulos, verschlagen, rücksichtslos und betrügerisch, nachtragend, heimtückisch, sadistisch und schlechthin abscheulich sei. Ich könnte diese Liste erweitern. Aber bislang hat kein Mensch, *kein* Mensch je behauptet, daß ich einen Versuch, Zuflucht zur Gewalt zu nehmen, bei anderen auch nur gutheißen, geschweige denn ihre Anwendung selber betreiben oder organisieren würde. Zimperlichkeit? Ängstlichkeit? Halten Sie davon, was Sie wollen. Ich habe genügend Gewalttätigkeit erlebt, um mich davon zu überzeugen, daß, selbst wenn sie erfolgversprechend zu sein scheint, wie in manchen politischen Machtkämpfen, der Erfolg sich gewöhnlich am Ende eher als ein scheinbarer denn als ein realer erweist.

Selbstverständlich erwarte ich keine Gerechtigkeit; das hieße zuviel verlangen; aber ich glaube, daß ich ein Anrecht habe auf einen fairen Prozeß vor der einzigen Instanz, die ich anerkenne, der einzigen Instanz, deren Urteilssprüche ich heute respektiere; und das ist die Instanz der öffentlichen Meinung.

Jetzt, da der wahre ›Mister X‹ von mir identifiziert worden und das ganze Ausmaß seiner Perfidität kein Geheimnis mehr ist, sollte es denjenigen, die bereit sind, das Beweismaterial unvoreingenommen und objektiv abzuwägen – Beweismaterial, welches über jeden Zweifel und alle Schönfärberei hinaus belegt, daß ich, weit entfernt davon, der Erzschurke des Dramas zu sein, sein Hauptopfer bin –, erlaubt sein, ebendies zu tun.

Wenn Krom noch immer zögert, seinen kostbaren Ruf aufs Spiel zu setzen, indem er die Fakten, die ihm bekannt, aber nicht genehm sind, in die richtige Perspektive rückt und der Öffentlichkeit zugänglich macht, so muß ich diesen Job selber übernehmen. Vielleicht auch wird Connells und Hensons Integrität als Wissenschaftler – von ihrem menschlichen Anstand ganz zu schweigen – sie veranlassen, mir den Rücken zu stärken. Sollten sie sich nicht dazu veranlaßt sehen, nun, so werden mein eigenes Wohlergehen und das von Männern vergleichsweise konventionelleren guten Willens ausnahmsweise einmal vor den gleichen Karren gespannt werden. Ausnahmsweise liegt es einmal in nahezu jedermanns Interesse, daß eine ganze Wahrheit allgemein und uneingeschränkt bekannt wird.

Das Haustelefon summte.

»Paul?« Es war Yves.

»Wir haben Schwierigkeiten«, sagte er. »Dr. Connell protestierte, als ich ihm sein Tonbandgerät wegnahm. Erklärte, daß er nicht beabsichtigt habe, es ohne Erlaubnis zu benutzen, und behauptet steif und fest, das Band laufen zu lassen sei seine Art, Fallnotizen zu fixieren. Wäre aufgeschmissen ohne. Wies darauf hin, daß er es offen getragen hatte, und das nach Kroms nur zögernd gegebener Einwilligung.«

»Was haben Sie entschieden?«

»Es ihm zu lassen, unter gewissen Auflagen, weil wir es möglicherweise ebenfalls nützlich finden könnten, wenn Sie wissen, was ich meine.«

»Ich denke schon. Was für Auflagen?«

»Ich habe gesagt, daß es in seinem Zimmer stehen und dort bleiben müßte. Er dürfe es benutzen, aber kein anderer es besprechen als er selber. Ich kann alles, was wir anstößig finden, später ohne Schwierigkeiten löschen. Inzwischen werde ich es auf zusätzliche Stromkreise überprüfen.«

»Okay. Na, und was ist mit Dr. Hensons Schultertasche?«

»Paul, das ist weit ernster. Das schwere Objekt, das Ihnen aufgefallen ist, hat sich als eines von diesen Plastikgehäusen erwiesen, die Frauen jetzt auf Reisen benutzen, um Kosmetika in kleineren Mengen bei sich zu tragen. Sie sind mit auslaufsicheren Fläschchen und kleinen Töpfen ausgestattet, um Gewicht einzusparen.«

»Warum war es dann so schwer?«

»Wegen einer Kollektion von Objekten, die im Hohlraum unter dem Kasteneinsatz verstaut war. Dazu gehörte auch eine Kamera.«

»Ach, du lieber Gott! Was für eine Kamera?«

»Spezialanfertigung, aber basierend, glaube ich, auf einem Gehäuse, das von dieser kleinen Unterwasser-Nikon stammt. Unter dem Zubehör dafür haben wir auch Grün- und Infrarotfilter und zwei Vorsatzlinsen, eine davon für Nahaufnahmen. Absolut erstklassige Ausrüstung. Muß ein Vermögen gekostet haben.«

»Was hat Dr. Henson ihrerseits dazu zu sagen gehabt?«

»Was zu erwarten stand, nehme ich an. Nie vorgehabt, Apparat ohne Genehmigung zu benutzen. Darauf hingewiesen, daß Sie Kameras laut von ihr unterzeichnetem Protokoll ausdrücklich untersagt haben, reagierte sie indigniert. Ging zum Gegenangriff über. Tonbandgeräte seien ebenfalls verboten. Connell führe eines mit sich. Ob wir deswegen ein ebensolches Theater machen wollten?«

»Wie reagierten Krom und Connell auf all das?«

Yves klang überrascht. »Oh, die waren nicht dabei. Ich habe sie alle einzeln gesprochen.« Er machte eine Pause. »Aber Paul, sie hatte mehr als bloß das Fotozeug in diesem Geheimfach.«

»Keine Pistole, hoffe ich.«

»Nein, etwas womöglich noch ein bißchen Gefährlicheres. Eine kleine Sprühdose. Sie hatte ein bedrucktes Etikett, das besagte, daß es ein Nagellackentferner sei.«

»Was Sie nicht geglaubt haben.«

»Die Nagellackentferner, welche die Frauen benutzen, die ich kenne, sind normalerweise in kleinen Flaschen erhältlich, nicht in Sprühdosen. Das Etikett sah auch nicht echt aus.«

»Was haben Sie gesagt?«

»Ich bat sie, mir auf einem ihrer Fingernägel zu zeigen, wie er wirkt.«

»Und?«

»Weigerte sich. Warum sie mir zu Gefallen eine einwandfreie Maniküre ruinieren solle?«

»Aber Sie ließen sich nicht beeindrucken.«

»Paul, sie *hatte* keine einwandfreie Maniküre. Ich glaube, die Sprühdose ist mit dieser schwedischen Chemikalie getankt, die heutzutage zur Untersuchung verdächtiger Dokumente, zum Beispiel gefälschter Schecks, benutzt wird, diesem Zeug, das auf Aminosäuren reagiert, um latente Fingerabdrücke auf Papier herauszubringen, damit man sie fotografieren kann. Sie färben sich purpurn. Deshalb der Grünfilter für die Nahaufnahmen.«

»Deshalb auch die Weigerung, es sich auf die Finger zu sprühen. Das Zeug heißt Ninhydrin und ist hochgiftig, selbst in verdünnten Lösungen. Jemand muß sie gewarnt haben.«

»Sollte mich nicht wundern. Das ganze Geheimfach, der ganze Kasten sieht aus wie von irgendeiner Polizei- oder Geheimdienststelle ausgeheckt und in einem Labor bestückt, zum Gebrauch vor Ort.«

Ich seufzte. »Und Krom? Irgendwas in der Klappmanschette versteckt? Morseapparat? Giftpfeile?«

»Nein, er war sauber. Ich habe ihren Wagenschlüssel. Ich gehe jetzt nach unten und fahre ihn rauf.«

Er würde auch das Gepäck sorgfältig durchsuchen, sobald es auf ihre Zimmer gebracht worden war.

»Wo sind sie jetzt?«

»Melanie gibt ihnen besänftigende Drinks.«

»Lassen Sie es mich wissen, wenn Sie mit dem Gepäck durch sind. Ich komme dann nach unten und mache mich mit unseren Gästen bekannt.«

»Okay, Paul. Sehe Sie noch.« Er legte auf.

Mit für ihn charakteristischer Höflichkeit hatte er sich versagt, die krasse Absurdität der soeben von mir geäußerten Worte zu kommentieren.

Es bestand keinerlei Notwendigkeit, mich mit Professor Krom bekannt zu machen.

Unglückseligerweise waren er und ich einander bereits begegnet – und das mehr als einmal.

Das war der Grund des ganzen Ärgers.

Ich konnte ihn noch immer verkünden hören, was sehr wohl mein Todesurteil hätte sein können, ebenso wie seines.

»Sie waren zu freundlich, Mr. Firman. Ich rate Ihnen dringend, in Zukunft keine Blumen zu schicken, wenn einer Ihrer Angestellten aufgerufen ist, vor das Antlitz seines Schöpfers zu treten.«

Das ist es, was er *wirklich* sagte, nicht was er jetzt behauptet, gesagt zu haben. Seinerzeit war keine Rede von all dem Unsinn über explodierende Blumen und Gefahrenzonen; und das Wort ›Schuld‹ ist bestimmt nicht benutzt worden, weder ›lächelnd‹ noch sonstwie.

Welche Schuld denn überhaupt? Nur ein Idiot würde mir in diesem Fall ein Gefühl der Schuld andichten.

Ich bin nicht der Angeklagte.

Ich bin der Kläger.

22

Zwei

Professor Kroms Bericht über die Ereignisse, die ich beschreibe, unterscheidet sich kraß von meinem; und er tut das, glaube ich, hauptsächlich deswegen, weil er geschrieben wurde, als Krom von seinen Erlebnissen in der Villa Esmaralda noch zu aufgewühlt war, um klar denken zu können. Er ist schließlich ein älterer Herr und Explosionen nicht eben gewohnt. Es ist anzunehmen, daß mein Bericht in allen gravierenden Punkten der ausgewogenere von beiden ist.

Dies vorausgeschickt, bleibt sein ursprüngliches Verdienst jedoch unbestritten und sollte als das gewürdigt werden, was es ist: als ein Triumph des Zufalls über alle berechenbaren Wahrscheinlichkeiten und, jedenfalls aus seiner Sicht, als Beweis dafür, daß einige seiner Theorien sich letztlich als nachprüfbar herausstellen mögen. Seine entschlossene, von einem geradezu fotografischen Gedächtnis unterstützte professionelle Hartnäckigkeit führte einen Augenblick herbei, in welchem zwei offenkundig verschiedene Personen, die er in ganz unterschiedlichen und nicht miteinander verknüpften Zusammenhängen gesehen hatte, als eine und dieselbe identifiziert wurden.

Ich war die in dieser Weise identifizierte Person, und die Nachricht von der erfolgten Identifizierung erreichte mich vor zwei Monaten während eines der Seminare über

23

Steuerfreiheit, die von der Symposia S.A. veranstaltet wurden.

Der Ort war Brüssel.

Soviel eingeräumt, möge nunmehr mein guter Ruf wie auch derjenige nachfolgend aufgeführter Firmen in gewissem Umfang von dem Unrat reingewaschen werden, mit dem er so ausgiebig beworfen wurde. Ich möchte kategorisch klarstellen, daß weder die zur Symposiagruppe zählenden Firmen – als da sind: die Symposia A.G., die Symposia S.A., die Symposia N.V. und die Symposia (Bermuda) Ltd. – noch die ihr angeschlossene beratende Körperschaft, das Institut für Internationale Anlage- und Treuhandberatung – in irgendeinem Land oder in irgendeiner Weise gegen bestehende Gesetze verstoßen oder diese untergraben. Nicht einmal unsere schärfsten Konkurrenten im Bereich der Anlage- und Treuhandberatung haben es, so begierig sie auch sein mochten, aus Kroms sogenannten ›Enthüllungen‹ für sich Kapital zu schlagen, gewagt, Anderslautendes zu behaupten. Die Idee ist schlechthin absurd, und wer dies noch immer bezweifelt, braucht nur einen Blick auf die lange Liste derjenigen Banker, Vermögenstreuhänder, Anwälte für Internationales Recht sowie Steuerexperten zu werfen, die am April-Seminar teilnahmen, wie auch auf die Namen der Sachverständigen – allesamt hochangesehen in der internationalen Geschäftswelt –, die zu hören sie gekommen waren. Männer von solchem Zuschnitt verstehen und achten das Recht. Mit Kriminellen zu paktieren wäre das letzte, was sie zu tun wünschten.

Das Thema jenes betreffenden Seminars war von ziemlich allgemeinem Interesse, ein Überblick über die diversen Anti-Steuervermeidungsgesetze, die derzeit von einigen mißgünstigen westlichen Regierungen eingebracht werden, und die Anzahl der angemeldeten Teilnehmer war hoch. Sie belief sich auf einhundertdreiundzwanzig; und wer töricht genug sein sollte anzunehmen, die Organisation derartiger Veranstaltungen stelle als solche bereits einen Weg zur Erlangung von Reichtümern dar, den dürfte es interessieren zu erfahren, daß Symposias Reingewinn für die Arbeit jener Woche bloße zwanzigtausend Dollar betrug. Niemand kann behaupten, dieser Teil des Steuervermeidungsgeschäfts werfe hohe Profite ab. Ohne seine Nebenvergünstigungen wäre das Spiel nicht wert, gespielt zu werden. Durch das Aufziehen dieser Veranstaltungen lernen wir die Leute kennen und lernen wir die Dinge kennen.

Nicht daß wir jemals irgend jemanden bespitzelt hätten; das meine ich nicht. Wenn irgend etwas, so waren wir, wie ich jetzt erkenne, zu arglos. Natürlich haben wir uns stets für die Identität derjenigen interessiert, die an unseren Seminaren teilnahmen, für ihre Herkunftsländer, die Pässe, die sie bei sich trugen, und die Gebiete, auf denen sie sich spezialisiert hatten; aber diese kleinen Dossiers, die wir zusammenstellten, kamen in erster Linie unseren Seminarleitern zugute. Von Anfang an war es stets Symposia-Politik gewesen, zu unseren Seminarveranstaltungen, wie delikat ihr Gegenstand auch sein mochte, jeden zuzulassen, der willens war, seinem Antrag einen Scheck zur Begleichung der Aufnahmegebühren beizulegen. Wir erwarten von den maßgeblicheren Regierungen, daß ihre Finanzbehörden vertreten sind – und für gewöhnlich sind sie das –, wodurch, besonders wenn der Vortragende seinerseits ein ehemaliger Finanzbeamter ist, der Diskussionsteil nicht selten spürbar an Lebhaftigkeit gewinnt. Die Atmosphäre ist jedoch im wesentlichen eine wohlwollender Rivalität und gegenseitiger Achtung. Beide Seiten tun ganz einfach ihre Arbeit, so gut sie irgend können und unter ziemlich klarer Einschätzung der gegenseitigen Stärken und Schwächen. Selbstverständlich wird Diskretion geübt, aber kaum jemals bis zu dem Punkt getrieben, wo das Versteckspiel beginnt. Ich weiß von nur zwei Fällen, wo Personen sich unter falschem Namen angemeldet haben.

In dem einen Fall handelte es sich um einen Journalisten, der für ein französisches Skandalblatt arbeitete. Das Seminar, an dem er teilnahm, war zur Hauptsache dem Thema uneingeschränkter und steuerfreier Treuhandkonzepte gewidmet. Er gab sich als Anwalt aus. In dem Artikel, den er nach dieser Maskerade verfaßte, brachte er es nicht nur fertig, eine gänzlich irrelevante Attacke gegen multinationale Konzerne zu reiten, sondern auch deutlich werden zu lassen, daß er nicht einmal genau wußte, was ein Trust ist.

Der zweite Fall war, wie wir sehen werden, anders gelagert.

Der Journalist war sogleich entdeckt worden. Krom war überhaupt nicht entdeckt worden; hauptsächlich deswegen nicht, weil der Name, unter dem er sich angemeldet hatte, nicht falsch genug gewesen war. Er hatte ihn sich mit Wissen und Billigung des Eigners geborgt, so daß die übliche nachrichtendienstliche Überprüfung nichts ergab, was uns hätte alarmieren können.

Daß ich in meiner offiziellen Eigenschaft als Direktor des Instituts den Vorsitz zu übernehmen und die Vortragenden einer oder zweier Veranstaltungen einzuführen hatte, war ganz natürlich. Die erste der Sitzungen, denen ich präsidierte, fand am Nachmittag des zweiten Tages statt. Sie endete um siebzehn Uhr. Eine Stunde später machte sich Krom mit mir bekannt.

Seine Art und Weise, das zu tun, hatte etwas Makabres an sich und wirkte, wie ich freimütig zugebe, höchst beunruhigend auf mich. Zweifellos entsprach genau das seiner Absicht.

Der Empfangschef rief mich auf meinem Zimmer an.

Er war ein Mann, der mich und meine Stimme gut kannte. Dennoch fragte er übervorsichtig, ob er mit Mr. Firman spreche.

»Gewiß tun Sie das. Was ist?«

Wir sprachen gewöhnlich französisch miteinander. Jetzt begann er englisch zu reden. Offenbar las er ab, was er zu sagen hatte.

»Mr. Firman, ich bin gebeten worden, zu erklären, daß Mr. Kramer und Mr. Oberholzer aus Zürich hier in der Hotelhalle warten, um Sie zu sprechen.«

Da beide Herren tot waren – Kramer im wörtlichen Sinn und Oberholzer im bildlichen –, versetzte mir die Ankündigung einen ziemlichen Schlag.

Ich sagte:» Ah, so. Diese *beiden* Herren sind da?«

»Das ist es, was man mir zu sagen aufgetragen hat, Sir.«

Seine Stimme klang ungewöhnlich formell. Ich hielt es für möglich, daß er glaubte, es mit irgendeiner polizeilichen Angelegenheit zu tun zu haben.

Da wir uns in Brüssel befanden, wußte ich, daß diese Möglichkeit höchst unwahrscheinlich war. Wir standen in bestem Einvernehmen mit den dortigen Behörden. Tatsächlich wäre ich, wenn ich hätte annehmen können, daß es sich lediglich um eine polizeiliche Angelegenheit handele, in jenem Augenblick ungemein erleichtert gewesen.

»Ich bin in ein paar Minuten unten, Jules.«

»Danke, Sir.« Noch immer sehr förmlich, nachgerade gequält förmlich.

Ich wartete nicht ein paar Minuten. Ich ging schnurstracks hinunter, und zwar über die Nottreppe. Das ermöglichte mir, die Umgebung von Jules' Empfangstisch zu überblicken, ohne die Halle durchqueren zu müssen.

Es waren einige soeben eingetroffene Hotelgäste da, die sich gerade eintragen ließen oder darauf warteten, eingetragen zu werden, und vor dem Empfangstisch stand eine ganze Ansammlung von Leuten herum. Keiner von ihnen war mir bekannt oder sah auch nur im mindesten so aus wie jemand, der einen erfahrenen Empfangschef hätte einschüchtern können.

Jules tat, als studiere er seine Übersichtstafel mit den darauf vermerkten Zimmerbestellungen, die hinter dem Tresen der Rezeption an der Wand hing, und selbst aus einiger Entfernung konnte ich sehen, daß er in einem schockartigen Zustand war. Ich warf einen weiteren ausgiebigen Blick in die Runde, ging dann rasch hinüber und bahnte mir mit den Ellenbogen meinen Weg zu ihm hindurch. Die indignierten Blicke seiner beiden Assistenten zu übersehen fiel mir leicht. Ich legte ihm die Hand auf die Schulter. Es war, als hätte er seine Verhaftung erwartet und sich bereits mit dem Gedanken abgefunden. Er lehnte sich ergeben gegen die Wand, bevor er sich umdrehte.

Er war, das wußte ich, in den Sechzigern. Jetzt, grau im Gesicht und schwitzend, sah er aus, als sei er achtzig und habe wenig Aussicht, noch sehr viel älter zu werden. Als er mich erkannte, hob er fahrig die Hände und begann, gegen mein Eindringen in sein Territorium weinerlich zu protestieren. Ich schnitt ihm das Wort ab.

»Hören Sie auf zu jammern. Wo sind sie?«

»Es ist nur einer, der Mann von dreisechsundzwanzig. Aber...«

»Name?«

»Dopff. Er sitzt da drüben in der Ecke bei dem großen Blumenarrangement, und er beobachtet uns beim Reden. Ich beschwöre Sie, Mr. Firman, bitte...«

Ich hörte mir nicht erst an, was er mich zu tun oder auch zu lassen beschwor, sondern drehte mich um und ging schnurstracks nach dort hinüber, wo der Mann saß.

Mein Gedächtnis für Namen und Gesichter ist gut, sehr gut, aber es hat Grenzen. Ich konnte mich erinnern, daß jemand namens Dopff als Seminarteilnehmer gebucht hatte und daß er aus Luxemburg war, aber ich entsann mich nicht, welchen Beruf er hatte. Das konnte nur eines bedeuten: was immer er war – Rechtsanwalt, Wirtschaftsprüfer, Banker, Amateur-Steuervermeider oder Beauftragter einer Regierung –, man hatte ihn als potentiellen Klienten vermerkt und dann festgestellt, daß er fehlte.

Im Näherkommen erkannte ich ihn; er war der ältere Mann, der vor etwa einer Stunde in der Mitte der dritten Reihe gesessen und meinen einführenden Worten für den Hauptreferenten mit verzückter Aufmerksamkeit gelauscht hatte. Er war mir aufgefallen, teils weil er sich für meine rituelle Aufzählung der Qualifikationen des Sprechers – sie waren allesamt in dem offiziellen Programm, das er in der Hand hielt, gedruckt aufgeführt – tatsächlich zu interessieren schien, aber vor allem deswegen, weil er ein ständiges Lächeln zur Schau trug. Sein Lächeln, das hatte ich später bemerkt, als wir alle den Konferenzraum verließen, war eine optische Täuschung, die sich verflüchtigte, wenn man in seine Nähe kam. Sie wurde hervorgerufen durch die Kombination einer wie ein *accent cir-*

conflexe geformte Oberlippe mit einem Mund voller großer, sehr weißer Zähne von jener Sorte, die an ein billiges künstliches Gebiß denken läßt, selbst wenn es sich nicht um ein solches handelt.

Er zeigte sie mir jetzt, als ich auf ihn zutrat; nur war dies kein illusorisches Lächeln; es war ein unverschämt triumphierendes Grinsen. Hätte ich nicht dringend erfahren müssen, wer er wirklich war, was er wollte und welche Art von Bedrohung er darstellte, ich wäre schnurstracks an ihm vorbei und weitergegangen, um des bloßen Vergnügens willen, das Resultat in dem Spiegel an der angrenzenden Wand beobachten zu können. Statt dessen nahm ich Zuflucht zur Höflichkeit. Die wahrhaft massiven einschlägigen Floskeln alter Schule ermöglichen es einem, Zorn in enormen Quantitäten zu entladen, ohne daß das Objekt des Zorns dessen gänzlich gewahr wird. Es mag Argwohn empfinden, aber es kann keine Gewißheit erlangen. Mit einigem Glück wird man ihm beträchtliches Unbehagen verursachen, aber keinen Anlaß zum Übelnehmen bieten.

Bedauerlicherweise kann diese Form des Angriffs bei einem Mann, der so selbstgerecht ist wie Krom, nie ganz und gar erfolgreich sein.

Die Umgangssprache in unseren Seminaren ist immer Englisch gewesen, daher redete ich ihn auf englisch an.

»Mr. Dopff, is it? Ich höre, Sie wünschen mich zu sehen.«

Dem Grinsen gesellte sich ein unverfrorenes Anstarren bei. »Nein, Mr. Firman, das ist es keineswegs, was ich wünsche. Ich *habe* Sie bereits gesehen, deutlich und unverkennbar. Das war in Zürich, vor fünf Jahren, als Sie sich Oberholzer nannten.«

»Mein Name ist Firman, Sir.«

Er fuhr fort, als hätte ich nichts gesagt. »Ich habe Sie also zweimal gesehen. Was ich von jetzt an zu tun beabsichtige, das ist, mit Ihnen zu reden.« Er beklopfte die Armlehne des Sessels neben ihm. »Warum setzen Sie sich nicht?«

Ich blieb stehen. »Sie werden sich gewiß denken können, daß ich viel um die Ohren habe, Mr. Dopff. Ich bin nur gekommen, um Ihnen zu sagen, daß mir der Empfangschef hier eine merkwürdige Nachricht übermittelte, von Ihnen, sagte er mir, in der von zwei Personen die Rede ist, deren Namen ich nie gehört habe. Es schien mir angemessen und vernünftig, Sie wissen zu lassen, daß die Nachricht entweder verstümmelt oder falsch adressiert war. Das ist alles.«

Er zeigte wieder seine Zähne. »Diese verstümmelte Nachricht hat Ihnen aber Beine gemacht, Mr. Oberholzer.«

»Ich wiederhole, mein Name ist Firman.«

»Im Augenblick ist er das, ja. Aber er pflegte Oberholzer zu sein, und ich bezweifle nicht, daß es in Ihrem Repertoire eine ganze Reihe weiterer Identitäten gegeben hat oder noch immer gibt. Wie unangenehm es für Sie sein muß einzusehen, daß Sie diesmal nicht einfach Reißaus nehmen können.«

Ich bedachte ihn mit einer leichten Verbeugung. »Warum und wovor in aller Welt sollte ich wohl Reißaus nehmen – es sei denn, um der akuten Langeweile dieser Unterhaltung zu entkommen?«

Er blieb ungerührt. »In Zürich *haben* Sie Reißaus genommen. Hier, und das ist Ihnen offenkundig klar geworden, müssen Sie versuchen, sich durch Bluffen aus der Affäre zu ziehen. Kein Hals-über-Kopf-Aufbruch möglich, keine passenden Requisiten zur Hand und keine unauffälligen Notausgänge in der Nähe. Stimmt's? Warum also setzen Sie sich dann nicht und trinken einen kleinen

Whisky mit mir? Trotz Ihrer beeindruckenden äußerlichen Ruhe bin ich mir sicher, daß Sie es als hilfreich empfinden werden.«

In jenem Moment hatte ich mich fast schon dafür entschieden, daß er irgendeine Art von Privatdetektiv sein müsse, ein pensionierter Kommissar vom Betrugsdezernat. Wie auch immer, es war Zeit, zum Gegenangriff überzugehen.

Ich seufzte und setzte mich in den Sessel neben seinem. »Nun gut, Mr. Dopff. Sie wollen reden. Darf ich ein Gesprächsthema vorschlagen?«

»Warum nicht?« Er schnippte mit den Fingern nach dem Kellner. »Wir könnten es jederzeit wechseln.«

»Warum befassen wir uns, da Sie sich für das Thema Identitäten so sehr zu interessieren scheinen, zur Abwechslung nicht mit derjenigen, die Sie zur Zeit benutzen?«

»Aber ich bitte darum.«

Der Kellner kam jetzt und nahm die Bestellung für weitere Whiskys entgegen. Sie wurde ihm in einer Sprache aufgegeben, die mir wie Flämisch klang.

»Zunächst einmal«, sagte ich, »glaube ich nicht, daß Sie Luxemburger sind.«

»Vollkommen richtig!« Strahlendes Lächeln. Er hätte ein Ratespiel mit einem Lieblingsenkel spielen können.

»Und Ihr Name ist nicht Dopff.«

»Wieder richtig. Mein guter Freund, Maurice Dopff, der im Großherzogtum lebt und arbeitet, hatte für diese Geschichte hier gebucht und konnte dann nicht teilnehmen. Er hat mir freundlicherweise erlaubt, statt seiner zu kommen.«

»Erwarten Sie im Ernst, daß ich Ihnen das glaube?«

»Natürlich erwarte ich das nicht. Er erlaubte mir, seinen

Namen zur Tarnung zu benutzen.« Er holte eine Visitenkarte hervor und reichte sie mir herüber. »Gestatten Sie mir, mich in aller Form vorzustellen. Mein Name ist Krom.«

Ich wußte sofort, wer er war. Wir im Steuervermeidungsgeschäft halten uns über juristische und finanzwissenschaftliche Fachpublikationen aller Richtungen und Nationalitäten so umfassend wie nur irgend möglich auf dem laufenden. Das Institut und Symposia beschäftigen gemeinsam einen mehrsprachigen und ungemein kostspieligen Stab von ganztägig angestellten wissenschaftlichen Mitarbeitern wie auch zahlreiche Halbtagskräfte. Bei uns ist die Aktualität des Informationsstandes ebenso entscheidend für das Überleben wie Disziplin und Voraussicht. Unsere Presseauswertung insbesondere technischer Journale, die Fragen der Strafverfolgung auf Entscheidungsebene behandeln, arbeitet außerordentlich gründlich. Kroms Anspielungen auf Steuervermeidung und -hinterziehung in der veröffentlichten Fassung seines Berner Vortrags hatten genügt, um sicherzustellen, daß sie mir, versehen mit einem roten Karteireiter, zur Kenntnis gebracht wurden. Selbst wenn er unsere Bekanntschaft nicht durch seine Schindluderei mit dem Namen Verstorbener herbeigeführt hätte, würde ich genug über Krom gewußt haben, um vor ihm auf der Hut zu sein.

Mein Eröffnungsmanöver war daher, so zu tun, als wisse ich nichts, während ich mehr über ihn in Erfahrung zu bringen versuchte.

Ich warf einen ratlosen Blick auf die Visitenkarte. »Also, Herr Professor, das ist alles ein bißchen überraschend. Wie Sie sich denken können, beehren uns Scharen von seltsamen Typen bei unseren Seminaren, Schnüffler aller Sorten, einschließlich, das muß ich leider sagen, einiger unserer Konkurrenten auf dem Steuerparadies-Sektor. Wir haben nichts dagegen. Wenn wir ihnen eine Lehre erteilen können, nun, dazu sind wir ja schließlich hier: um zu lehren. Es ist allerdings *schon* ein bißchen lästig, das gebe ich zu, wenn sie Narren aus sich machen und Verkleidungen tragen.« Ich brachte einen Ausdruck plötzlicher Besorgnis zuwege. »Ich hoffe doch, Sie sind *wirklich* Professor Krom? Dies« – ich hielt die Karte hoch – »ist nicht etwa eine Maske hinter der Maske?«

Er hatte mich gespannt und mit einem Anflug von Unglauben beobachtet. Jetzt schüttelte er langsam den Kopf. »Nein, ich bin Krom. Warum? Hatten Sie gehofft, ich sei es nicht?«

»Im Gegenteil, ich hoffte, daß Sie es seien. Sehen Sie, dies ist das erste Mal, daß wir das Vergnügen haben, einen Professor der Soziologie zu unseren Gästen zu zählen. Das ist ein Anlaß zum Feiern. Dennoch« – neuerliche Ratlosigkeit – »sehe ich leider keinen Zusammenhang zwischen Ihrem Fachgebiet und unserem. Es sei denn freilich, Sie suchten Rat, wie ein guter Holländer diese drückenden niederländischen Steuern vermeiden kann.«

Er grinste plötzlich wieder und klatschte leise in die Hände. »Eine ausgezeichnete Schau«, sagte er, »wirklich ganz ausgezeichnet. Einen Moment lang haben Sie es eben fast geschafft, mich vergessen zu machen. Ich meine Oberholzer und Kramer vergessen zu machen. Mein Fach ist die Kriminologie, müssen Sie wissen, Mr. Firman.«

Es war Zeit, *meinerseits* die Zähne zu zeigen. Ich sagte: »Sie werden hier keinen Kompetenten Kriminellen antreffen, Professor Krom.«

Er kicherte doch tatsächlich. »Von der Defensive in die

Offensive, wie? Der Anschein von Ahnungslosigkeit wird urplötzlich aufgegeben, um den Gegner aus dem Konzept zu bringen. Prachtvolle Unverfrorenheit!«

Ich fuhr fort, als hätte er nichts gesagt. »Ich befürchte daher, daß Ihr kleiner Fischzug als Zeitverschwendung abgeschrieben werden muß. Tut mir leid.«

Abwehrende Handbewegung. »Oh, aber er hat mit einem höchst erfolgreichen, einem außerordentlich vielversprechenden Start eingesetzt!«

Just in eben diesem Augenblick kamen die Drinks. Ich war froh über die Ablenkung. Es erwies sich als schwierig, mit dem Mann fertig zu werden, und ich brauchte Zeit zum Nachdenken. Ich hätte mehr davon brauchen können. Es war notwendig, aus ihm herauszubringen, was er unter Erfolg verstand, ohne ihn ausdrücklich danach zu fragen, und ich versiebte die Sache vollends.

Als der Kellner wieder gegangen war, sagte ich: »Dann müssen Sie leicht zufriedenzustellen sein.«

Er durchschaute mich sofort. »Ich kann gut verstehen, daß Sie neugierig sind, Mr. Firman.«

»Ich bin überrascht, allerdings.« Den Gegner die eigene Schlappe auch tatsächlich mit ansehen zu lassen ist überflüssig, selbst wenn sie ihm nicht gänzlich verborgen geblieben sein kann. Ich redete weiter. »Sie spicken Ihren Köder mit irgendeiner mysteriösen Substanz, die die Aufschrift Oberholzer und Kramer trägt, und Sie fangen eine leere Bierdose. Wenn Sie das einen ertragreichen Fischzug nennen, überrascht mich das natürlich.«

Die Zähne blitzten triumphierend. »Sie haben einen Trick übersehen, Mr. Firman!«

»Ich bin sicher, Sie werden mir sagen, welchen.«

»Selbstverständlich werde ich das. Sie sind in eine Falle

gelaufen, indem Sie es versäumten, sich selber eine ganz naheliegende Frage zu stellen.«

Ich lächelte. »Woher wollen *Sie* wissen, welche Fragen ich mir stelle, Herr Professor?«

»Ich weiß, daß Sie sich diese nicht gestellt haben, weil Sie mich nicht nach der Antwort fragten. Überlegen Sie doch mal. Es wird Ihnen gesagt, daß Oberholzer und Kramer Sie sprechen wollen. Korrekt?«

»Mir wird gesagt, daß zwei Personen, von deren Existenz ich nie gehört habe, mich sprechen wollen.«

Ein erhobener Zeigefinger tat die Spitzfindigkeit verächtlich ab. »Und doch übersehen Sie in Ihrem ängstlichen Bestreben, diese Person, die diese Ihnen unbekannten Namen benutzt, umgehend in Augenschein zu nehmen, ganz und gar das Ungewöhnliche des Kommunikationskanals, den zu benutzen sie sich entschlossen hat.« Er legte eine Pause ein, bevor er weiterredete. »Nehmen Sie in diesem Hotel Benachrichtigungen über Besucher normalerweise vom Empfangschef entgegen? Funktioniert denn der Concierge hier nicht?«

Ich brachte, nicht ohne Anstrengung, ein gleichmütiges Achselzucken zustande. »Er funktioniert, ja, und das durchaus effizient. Sie dachten, daß ein vielbeschäftigter Empfangschef sich ein Gesicht weniger leicht merken kann als der Concierge, der einem den Zimmerschlüssel aushändigt und überdies für Witzbolde, die seinen Gästen einen Streich spielen wollen, möglicherweise kein Verständnis aufbringt.«

Er bedachte mich mit einem wohlwollenden Blick. »Nicht schlecht für eine Improvisation aus dem Stegreif, aber das reicht wohl nicht, oder? Anteil an verspäteter Einsicht viel zu hoch. Wenn Sie nie von Oberholzer und Kramer gehört hätten, warum sollte Ihnen dann die Möglichkeit, daß Ihnen jemand einen Streich spielen wollte, überhaupt in den Sinn kommen? Nein, Sie versäumten es, sich selbst zu fragen, warum ich zum Empfangschef gegangen war, weil die vordringlichste Frage, die Sie in genau diesem Augenblick beschäftigte, so lautete: Wer ist dieser Witzbold, was will er und wie gefährlich kann er mir werden?«

Ich trank etwas Whisky. Ich begann ihn zu brauchen. Als täte ich es Krom zuliebe, stellte ich die Frage: »Und warum *haben* Sie sich für den Empfangschef entschieden, um mir die Nachricht zukommen zu lassen?«

Er belohnte mich mit einem Nicken für Wohlverhalten, aber nicht sogleich mit einer Antwort auf die Frage.

»Obschon er einer der aktiveren Angehörigen Ihres privaten Spionagerings ist«, sagte er, »glaube ich über diesen Empfangschef mehr zu wissen als Sie. Natürlich interessiere ich mich schon seit geraumer Zeit für jeden, der bekanntermaßen zu Ihren Mitarbeitern zählt. Wenn irgend möglich, habe ich Dossiers über sie angelegt. Nachdem ich jedoch einmal beschlossen hatte, daß die Wiege unserer Zusammenarbeit hier in Brüssel stehen sollte, wurde die Betreuung aller Ihrer örtlichen Kontakte intensiviert.« Ein merkwürdiges Zucken seiner Gesichtsmuskeln setzte ein, als er hinzufügte: »Die Möglichkeit, daß ein Abortus eintreten könnte, war für diesen liebevollen Elternteil ein gänzlich untragbares Risiko.«

Als das Zucken seines Gesichts nicht aufhörte und er mich gespannt ansah, wurde mir klar, daß er etwas Witziges gesagt zu haben glaubte und auf mein beifälliges Lachen wartete.

Als er statt dessen nur einen ungerührten Blick erntete, hörte das Zucken auf, und er sagte großmütig: »Vielleicht wäre eine Metapher aus dem militärischen Bereich eher nach Ihrem Geschmack.«

»Vielleicht.«

»Nun gut, dies war die Art Operation, bei der Erfolg nur durch tadellose Vorbereitung, die zur Erringung des Vorteils taktischer Überraschung führt, gewährleistet ist. Eine Benachrichtigung, Ihnen aufs Zimmer geschickt oder hier unten in Ihren Briefkasten geworfen, würde nichts bewirkt haben. Sie hätten Zeit zum Überlegen gehabt, Zeit, Erkundigungen einzuziehen und Defensivmaßnahmen zu treffen, möglicherweise auch Zeit, mir Ungelegenheiten zu bereiten. Oder sogar«, fügte er neckisch hinzu, »in Unkenntnis der Vorkehrungen, die ich zu meiner Sicherheit getroffen habe, Zeit, um meine Entfernung aus der Szene in die Wege zu leiten.«

Ich blickte angemessen empört ob der Unterstellung drein. »Für einen Kriminologen haben Sie eine einigermaßen finstere Phantasie, Herr Professor.«

Ich habe selbstverständlich nicht in vollem Ernst geredet, Mr. Firman.« Die entblößten Raffzähne täuschten Jovialität vor, aber die Wachsamkeit in den blaßblauen Augen redete eine andere Sprache. Er hielt mich nicht nur für einen Kompetenten Kriminellen, sondern traute mir auch zu, einen Mord zu begehen. Ich merkte mir das. Diese Art Glaube kann zuweilen, wie absurd sie auch sei, ganz nützlich sein.

»Aber in einer Hinsicht«, sagte er, »haben Sie recht.«

»Gut.«

»Der Concierge hätte, wie Sie sagen, die mündliche Benachrichtigung seltsam finden können. Daraus hätten sich mehrere mögliche Konsequenzen ergeben können. Sie hätten, wie wir gesehen haben, in irgendeiner Weise gewarnt werden und somit gewappnet sein können. Wichtiger noch, er hätte, ohne sich etwas dabei zu denken, reden, klatschen und damit die gesamte Operation kompromittieren können. Mir war, müssen Sie wissen, längst klar geworden, daß absolute Diskretion, sofern unsere Kollaboration eine fruchtbare werden sollte, besonders in den Anfangsstadien unerläßlich sein würde. *Das* ist der Grund, weswegen ich mich, was die Übermittlung meiner Nachricht betraf, für den Concierge entschied. Er wird, dessen kann ich Sie versichern, kein Wort davon oder über seine zweifellos anschließend durch Sie vorgenommene Befragung darüber irgendwelchen Dritten gegenüber verlauten lassen. Der arme Kerl ist viel zu eingeschüchtert, um mir ungehorsam zu sein.«

»Ich habe bemerkt, daß er eingeschüchtert worden ist. Womit haben Sie ihm gedroht?«

»Gedroht, Mr. Firman? Es war nicht nötig, ihm zu drohen.« Er fand die Beschuldigung ganz erstaunlich. »Wie ich Ihnen sagte, habe ich eine Menge intensiver Arbeit auf Ihre Leute gewendet und in meinem Auftrag auf sie wenden lassen. Dieser Mann spionierte für Sie, und so dachte ich mir, vielleicht spioniert er auch für jemand anderen oder hat früher einmal für jemand anderen spioniert. Ich habe lediglich auf routinemäßige Weise nach Parallelverbindungen Ausschau gehalten, verstehen Sie. Nun, ich habe Freunde in Bonn, die sich für meine Arbeit interessieren und zum BND mit seiner Sammlung alter Nazi-SD-Personalakten Zugang haben. Und was glauben Sie? In der Nazi-Besatzungszeit hier entging unser Empfangschef der Rekrutierung zur Zwangsarbeit dadurch, daß er ein SD-Spitzel wurde. Da er hier nie belangt wurde – die siegreichen Alliierten konnten mit den nichtdeutschen kleinen

Fischen nicht behelligt werden, und die belgischen Widerständler haben nie Zugang zu den Archiven gehabt –, hatte er sich schließlich in dem Glauben gewiegt, daß die Vergangenheit für immer begraben sei. Wußten Sie davon?«

Er versuchte nach wie vor, mir zu suggerieren, daß er, ganz gleich, auf welches Spiel wir uns am Ende einigten, doch immer die Oberhand behalten würde.

»Nein«, sagte ich, »davon habe ich nichts gewußt.«

»Es war also nicht nötig, Drohungen zu benutzen. Alles, was ich zu tun hatte, war, ihn mit seinem alten deutschen Decknamen anzureden.«

»Ich verstehe. Und Sie hielten das nicht für eine Drohung?«

Er schluckte den größeren Teil seines Drinks – das Reden hatte ihn durstig gemacht – und kostete ihn mit einem gewollt vornehmen, kennerhaften kleinen Schmatzen aus, bevor er antwortete.

»Nein«, sagte er schließlich, »ich hielt es nicht für eine Drohung. Ebensowenig würde ich meinen, daß einer von uns beiden die widerstreitenden Interessen, welche die Basis unserer Kollaboration bilden werden, als Drohung zu erachten braucht. Wir sind beide vernünftige Männer, habe ich recht?«

»Ich fange an, es zu bezweifeln, Herr Professor. Das ist das dritte Mal, daß Sie von unserer Kollaboration reden. Kollaboration an was, zum Teufel?«

Diesmal zeigte er mir alle seine Raffzähne und noch ein Stück zahntechnischen Brückenbaus im Molarbereich dazu.

»Ich habe die Absicht«, sagte er, »eine eingehende, umfassende Fallstudie über Sie sowohl als auch über Ihre bemerkenswerte Karriere zu erstellen, Mr. Firman. Dazu bedarf es Ihrer engsten Kollaboration. Absolute Anonymität wird selbstverständlich garantiert, so daß nichts ungesagt bleiben muß. Sie werden der große Mr. X sein.« Er kicherte leise. »Mit anderen Worten, ich habe die Absicht, Ihr Handwerk und die damit verbundenen speziellen Fähigkeiten für die Strafverfolgungsbehörden der Welt so einsichtig und erkennbar zu machen, wie es heutzutage der einfache Einbruchdiebstahl ist. Ja, Mr. Firman, ich habe die Absicht, Sie berühmt zu machen!«

Mat war in London, wo er im Namen Häuptling Tebukes und der eingeborenen Bevölkerung von Placid Island die endgültige Regelung ihrer Forderungen an die Anglo-Anzac Phosphate Company aushandelte; oder vielmehr, er gab vor, in ihrem Auftrag zu verhandeln. Jeder, der zählte, wußte, daß er in Wahrheit letzten Endes mehr zu seinem eigenen Nutzen als zu dem irgend jemandes anderen verhandelte. Man meinte auch zu wissen, was er aus der Regelung für sich persönlich herauszuschlagen hoffte. Seine Verbindung zur Symposiagruppe, die damals praktisch auf deren Majorisierung hinauslief, war zu jenem Zeitpunkt ein streng gehütetes Geheimnis.

Wir unterhielten ein Büro mit komplettem Mitarbeiterstab in Brüssel. Mit dessen Hilfe konnte ich ihn kurz nach neunzehn Uhr telefonisch erreichen.

Zur seinerzeit gebräuchlichen Krisen-Alarm-Routine gehörte die Übermittlung eines Vorwarnrufs an eine Londoner Deckadresse über Fernschreiber. Der holte ihn an einen abhörsicheren Telefonanschluß, wo er den Anruf entgegennahm. Daß dies gewisse Verzögerungen mit sich brachte, war jedoch unumgänglich. Ich nutzte die Zeit zu einer erneuten Durchsicht des Dossiers über Krom.

Es war sein Berner Vortrag gewesen, der meine Aufmerksamkeit auf ihn gelenkt hatte, und an die Lektüre dieses Vortrags machte ich mich jetzt nochmals.

Eines der Dinge, die mich seinerzeit darin am stärksten befremdet hatten, war sein beiläufiger Gebrauch des Wortes ›Krimineller‹ gewesen. Meiner Ansicht nach und, wie ich glaube, auch nach Ansicht der Mehrzahl moderner Lexikographen, ist ein Krimineller jemand, der eine gravierende Tat begeht, die generell als dem Gemeinwohl abträglich und gewöhnlich als nach dem Gesetz strafbar gilt. Krom schien zu glauben, daß jeder automatisch ein Krimineller sei, der über die Phantasie und den geschäftlichen Weitblick verfügt, die zur Entwicklung neuartiger Wege, Zeit und Geld zu investieren, um einen Profit zu machen, unerläßlich sind. Der Lump braucht keinerlei ungesetzliche Tat begangen zu haben, um sich die Auszeichnung zu verdienen. Wenn er kreativ gewesen und seine Kreativität von Erfolg gekrönt war, reichte das. Für Krom war er bereits so gut wie abgeurteilt.

Krom über den letzten großen Treffer meines alten Freundes Carlo Lech:

»Der klassische Coup Kompetenter Krimineller – wir wissen nicht genau, wie viele beteiligt waren, aber es wird angenommen, daß es bei dem Unternehmen vier Partner gab – ist natürlich die berühmte Butteraffäre. Mit Rücksicht auf diejenigen hier anwesenden Delegierten, deren Regierungen es vorzogen, der EWG-Mitgliedschaft fernzubleiben oder sie zu umgehen, sollte ich erwähnen, daß unter den Mitgliedstaaten ein ausgeklügeltes System von Ein- und Ausfuhrsubventionen existiert. Was diese gerissenen

Halunken gemacht haben, war dies: Sie kauften Butter in großen Mengen auf, einen Güterzug voll davon, und schickten sie auf eine Europa-Rundreise, und jedes Mal, wenn die Butter eine Grenze passierte, strichen sie für deren fiktive Umwandlung in irgendein Butterfettprodukt Subventionen ein. Am Ende der Reise verkauften sie die Butter zu dem Preis, den sie dafür bezahlt hatten, und steckten Subventionen in Höhe von zehn Millionen D-Mark in die eigene Tasche. Nach ihnen sind andere auf diesem Feld tätig geworden, die sich nicht einmal mehr die Mühe machen, die Waren zu kaufen, die sie auf diese Weise manipulieren. Ihre Transaktionen existieren *nur* auf dem Papier. Wertsteigernde Steuernachlässe auf nichtexistente, aber sorgfältig belegte Ausfuhrtransaktionen sind gegenwärtig en vogue. EWG-Regelungen werden natürlich ständig abgeändert, um die Lücken zu schließen, die sie aufweisen, aber regelmäßig erscheinen neue Lücken. Unnötig zu sagen, daß es, selbst wenn ein solcher Krimineller oder die körperschaftliche Tarnung, unter der er operiert, identifiziert worden ist, keine wirksame Handhabe zur Erhebung einer Anklage gibt.«

Nun, natürlich gibt es die nicht. Kein Strafgesetz ist verletzt worden, und nichts dem Gemeinwohl Abträgliches hat stattgefunden, das heißt nichts, sofern man den Anblick mit rohen Eiern beworfener EWG-Bürokraten nicht als dem Gemeinwohl abträglich erachtet. Tatsächlich gibt es breite Kreise in der europäischen Öffentlichkeit, die derartige Spektakel als ungemein wohltuend empfinden und überzeugt sind, daß sie jeden Pfennig oder Centime ihrer Kosten wert seien.

Und übrigens war sich selbst Krom der unbequemen Fragen, zu denen seine Theorien herausforderten, nicht gänzlich unbewußt. Er hatte sie geschickt abgefangen, indem er sie stellte, bevor seine Zuhörerschaft dies tun konnte.

»Warum, so mag man mich fragen, sollte das Eigenschaftswort ›kompetent‹ benutzt werden, um diese vorzüglich angepaßte, aber unerhebliche Subspezies der menschlichen Rasse zu kategorisieren? Wäre ein Terminus wie ›Erfolgreicher Gauner‹ nicht zugleich präziser und angemessener? Meine Antwort muß sein, daß er das nicht wäre. Die Bezeichnung ›Gauner‹ ist ungenau, und das Wort ›erfolgreich‹ wäre in diesem Kontext irreführend, denn es könnte als ›vom Glück begünstigt‹ verstanden werden. Der Kompetente Kriminelle wird ohne Zweifel vom Glück begünstigt, insofern und weil er erfolgreich ist; aber er ist erfolgreich nicht dank irgendeiner zufälligen Glückssträhne oder weil die Polizei, die sich mit ihm befaßt, inkompetent ist; er ist ausnahmslos und immer erfolgreich, weil er und nur weil er *kompetent* ist.

Warum aber ist er dann überhaupt ein Krimineller? Was könnte ihn, sofern er wirklich existiert, möglicherweise motivieren? Das Streben nach Reichtum und der angeblich damit verbundenen Macht? Schwerlich. Männer, die fähig sind, den Buttercoup zu planen und auszuführen, oder die fiskalische Schläue besitzen, fiktive Geschäfte auszuhecken, die reale Profite abwerfen, könnten gewiß – ich war im Begriff, ›auf legitime Weise‹ zu sagen, vielleicht sollte ich statt dessen besser ›auf legale Weise‹ sagen – Multimillionäre werden. Auf etwa so legale Weise jedenfalls, wie Verwalter vereinigter Treuhandschaften oder Währungsspekulanten ihrerseits angeblich ihre einschlägigen Transaktionen abwickeln.

Aber unser Mr. X fühlt sich von den Segnungen der

Legitimität und Legalität nicht angezogen oder doch nur insoweit, als er sich deren äußeren Anschein zunutze machen kann. Er ist ein White-collar-Krimineller insofern, als er ein gebildeter Krimineller ist, allerdings; aber seine Verbrechen sind nicht Produkte von Treubrüchen – wie der Griff in die Ladenkasse oder die Bücherfälschung –, sondern von Vertrauensbrüchen. Und das Vertrauen, das er bricht, ist das Vertrauen in die Grundmuster etablierter Ordnung. Er ist, kurz gesagt, ein Anarchist.

Ein Anarchist von welcher Sorte? Nun, eines steht fest. Er wird nicht töricht sein. Er wird weder die Philosophie des unaussprechlichen Herbert Marcuse verinnerlicht noch sich mit den Faseleien dieser armseligen Sozio-Philosophen, dieser Paladine des Lollipop-Set Raoul Vaneigem und Guy Debord abgequält haben. Er wird nicht an die Spektakuläre Gesellschaft glauben, und auch nicht an Situationistische Intervention. In Einkaufstüten Bomben zu schleppen wird seine Sache nicht sein. Aber sein taktisches Denken wird mit dem einiger der disziplinierteren Stadtguerillagruppen – derer, die darauf spezialisiert sind, bürokratische Herrschaftsmechanismen durcheinanderzubringen und aus dem resultierenden Chaos Profit zu ziehen – vieles gemeinsam haben. Ob dieser Profit ideologischer oder ausschließlich finanzieller Art ist, braucht uns hier nicht eingehender zu beschäftigen. Zunächst gilt es, die Art der Schwierigkeiten, denen wir uns gegenüber sehen, zu erkennen. Im Dschungel der internationalen Bürokratie, einschließlich dem der multinationalen Konzerne, gibt es stets reichlich viel dichtes Unterholz, in welchem kompetente Männer sich verbergen und aus dem heraus sie Attacken unternehmen können. Die Aufgabe derer, die versuchen, sie aufzuspüren, wird in keinem Falle leicht sein.«

Wir hatten ein Zimmer in der Bürosuite, das regelmäßig auf Wanzen überprüft wurde. Ich setzte mich dort hinein, um das Gespräch mit Mat zu führen.

Unsere Unterhaltung dauerte weniger als eine Minute. Sie bestand größtenteils aus Codewörtern, die suggerierten, daß wir in der Düngemittelbranche tätig seien. Sie übermittelten jedoch einen Alarmruf höchster Dringlichkeitsstufe (>Deckung aufgeflogen!<) von mir, verbunden mit einer Bitte um Weisungen. Von Mat kam die Order, umgehend mit der Firmenmaschine nach London zu fliegen und mich darauf einzurichten, noch in derselben Nacht nach Brüssel zurückzukehren. Die Reise hatte unauffällig vonstatten zu gehen. Wenn irgend möglich, sollte nicht bemerkt werden, daß ich das Hotel überhaupt verlassen hatte.

Den Piloten aufzutreiben dauerte eine gewisse Zeit, weil er mit irgendeinem Mädchen im Bett lag; aber er hatte sich an seine Anweisungen gehalten, die besagten, daß er sich stets für einen Notfall bereitzuhalten habe, und einmal aufgescheucht, reagierte er prompt. Für die Gehälter, die wir zahlten, erwarteten wir Effizienz. Als ich den Flughafen erreichte, hatte er bereits Landeerlaubnis für Southend eingeholt und einen Flugplan eingereicht. Die Zollkontrolle stellte kein Problem dar. Das einzige Gepäck, das ich bei mir hatte, war mein Brüsseler Hotelzimmerschlüssel mit seinem schweren Nummernschild aus Messing. Um dreiundzwanzig Uhr dreißig war ich in London.

Mat stieg für gewöhnlich im Claridge ab; aber diesmal hatte er es vorgezogen, sich in einem ziemlich schäbigen Hotel in Kensington zu verkriechen.

Ich hatte ihn deswegen aufgezogen, als wir uns einige Wochen zuvor sahen. Was, so hatte ich gefragt, hatte er damit unter Beweis stellen wollen? Daß er ein schlichter eingeborener Inselbewohner sei, ein Opfer der Monopolkapitalisten, die seine Vorfahren ihrer angestammten Rechte beraubt hatten? Und wen hoffte er mit diesem Nonsens zu beeindrucken? Die Leute vom britischen Außenministerium und vom Commonwealth Office, mit denen er zu tun hatte und die ausnahmslos alle wußten, daß er die London School of Economics absolviert und die Stanford Law School besucht hatte? Oder die Anglo-Anzac Phosphate, die in ihm vor allem den Sachverständigen für die Auslegung von Trustgesetzen im Hinblick auf pazifische Steuerparadiese sah, der von einer kanadischen Bank beauftragt worden war, dafür zu sorgen, daß dieser räudige alte Häuptling sich aus allem heraushielt und pünktlich seine Gelder bekam?

Sein Lächeln war ausgeblieben. Über gewisse Dinge wurde nicht mehr gescherzt.

»Paul, es gibt nur eine Person, die ich im Augenblick beeindrucken muß, Häuptling Tebuke. Sie sollten wissen, weswegen, ohne daß ich es Ihnen erst im einzelnen vorzubuchstabieren brauchte. Wenn wir die reale Macht auf einem unabhängigen Placid Island mit einer Dollarverbundwährung und vorteilhaften Körperschaftsgesetzen bekommen wollen, muß das Erscheinungsbild dieser Macht zunächst auf die historisch akzeptable eingeborene Gestalt projiziert werden, die ihr einen Firnis von Respektabilität verleihen kann. Die Gewährung der Unabhängigkeit muß, insbesondere in Nordamerika, als überfälliger Akt schlichter Gerechtigkeit erscheinen, gegen den kein anständiger Mensch, welcher Rasse, Religion oder Nationalität auch immer, irgendwelche Einwände erheben kann. Wie lange tolerierte die australische Regierung die fiskalische Unabhängigkeit von Norfolk Island, nachdem sie festgestellt hatte, daß sie das ein Stück ihres Steuerkuchens kostete? Genau so lange, wie sie brauchte, um das Gesetz zu verabschieden, welches Norfolks Recht, das Stück aus dem Kuchen für sich zu beanspruchen, widerrief. Ein wirksames Anrecht darauf, Berufung einzulegen, bestand nicht, weil kein unanfechtbarer Anspruch auf Souveränität existierte. Jeder reiche Narr kann eine Insel kaufen und zum souveränen Staat proklamieren. Auf der Hauptinsel braucht er noch nicht einmal so sehr reich zu sein. Alles, was er dort tun muß, ist, eine im Kommen begriffene Separatistenbewegung oder einen Klüngel dissidenter Armeeoffiziere zu unterstützen und den weiteren Gang der Dinge geduldig der Entwicklung zu überlassen. Aber wie und in was er sich einkauft, ist unwichtig. Was zählt, ist, die Anerkennung zu bekommen. Nicht bloß ein geduldetes Maß an Autonomie, sondern de facto, de jure, UNO-abgesegnete, niet- und nagelfeste Souveränität mit allem Drum und Dran.«

»Ich habe bloß gefragt, warum Sie nicht im Claridge abgestiegen sind.«

»Und ich erkläre es Ihnen. In diesem Fall liegt der Schlüssel zur Anerkennung bei Häuptling Tebuke, unserem Symbol für Rechtmäßigkeit und Selbstbestimmung. Um ihn zu kontrollieren, muß ich mir sein Vertrauen und seine Zuneigung erhalten. Auf den Inseln basieren Vertrauen und Zuneigung auf der strikten Beachtung gewisser gesellschaftlicher Regeln, die Sie von mir aus Etikette nennen mögen, wenn Sie wollen, die ich aber lieber als einen Code von Bräuchen und Manieren bezeichnen möchte. Ich bin nicht der Häuptling, sondern ein Berater. Folglich muß ich in einem weniger renommierten Haus wohnen. Er ist nun mal beeindruckt vom Hilton. Also darf ich nicht im Claridge wohnen, wo, wie man weiß, Staatsoberhäupter abzusteigen pflegen. Ich könnte natürlich auf einer der unteren Etagen des Hilton wohnen, aber je weniger ich von ihm zu sehen bekomme, desto besser. Dies hier ist von ihm hübsch abgelegen. Was ist denn überhaupt dagegen zu sagen? Ich habe schon in schlechteren Hotels gewohnt, und Sie ebenfalls. Sie werden zimperlich, Paul.«

Das war um einiges gewundener ausgefallen als üblich, vermutlich, weil er es für erforderlich gehalten hatte, ein paar Unrichtigkeiten in die Wahrheit einfließen zu lassen; davon abgesehen jedoch könnte man es als einen in seiner Scheinheiligkeit für Mat typischen Tadel bezeichnen.

Es ist behauptet worden, die Vision der apokalyptischen Reiter verrate lediglich, daß der heilige Johannes an Augenschwäche gelitten haben müsse. Nur vier Reiter? Um Himmels willen! Na, hören Sie mal, auch *vierundzwanzig* hätten nicht gereicht.

Die Implikation ist selbstredend, daß die Folgen von Kriegen unendlich vielfältig und keineswegs immer von Übel sind. Wie so viele andere Gemeinplätze enthält auch dieser ein Körnchen Wahrheit.

Unter den Auswirkungen des Zweiten Weltkriegs im Pazifik würde beispielsweise der zufällige Umstand, daß Mathew Williamson mit der weltumspannenden Pfadfinderbewegung und in der weiteren Folge mit den Werken und der Philosophie von Lord Baden-Powell of Gilwell in Berührung kam, von der überwiegenden Mehrzahl rechtdenkender Zeitgenossen für eine gute Sache gehalten werden; und wenn es denn andere geben sollte, die, mit dem ideologischen Inhalt dieser Werke möglicherweise eingehender vertraut, dazu neigen, jene Einschätzung in Frage zu stellen, so mögen sie ihre Meinung für sich behalten.

Eines ist so gut wie sicher; ohne die Wohltat der Predigten des Pfadfinderhäuptlings wäre Mat – auf diesen christlichen Namen war er in der methodistischen Mission auf Fidschi getauft worden – nie und nimmer der ungemein fähige Geschäftsmann geworden, der er ist.

Angesichts der *Art* von Geschäftsmann, zu der er zählt, mag das abwegig erscheinen; aber ich bezweifle, ob der Verfasser von *Life's Snags and How to Meet Them, Sport in War, Scouting for Boys* und *Lessons from the Varsity of Life* jemals, selbst in einem seiner humorlosesten Augenblicke, die Auswirkungen hätte voraussehen können, die sein handgewebter Pragmatismus auf den Geist eines Burschen von Mats spezifischer Herkunft, Konstitution und angeborenen Talenten haben würde. Seine Bücher waren in gewissem Sinn Evangelien, aber sie waren nicht dafür gedacht, der Interpretation durch einen halbblütigen melanesischen Zauberer standzuhalten.

Mats Vater war ein australischer Kapitän zur See namens Williamson, seine Mutter die Tochter eines Dorfältesten auf einer der Gilbert-Inseln gewesen. Ob die beiden jemals die Ehe geschlossen haben, ist nicht aktenkundig geworden. Sie hatte an Bord von Williamsons Schiff gelebt, einem Frachter, der einer der Phosphat-Handelsgesellschaften gehörte, und Mat, den sie Tuakana rief, weil das ›Ältester‹ bedeutet, kam auf Placid Island in der Krankenstation der Gesellschaft zur Welt. Außer ihm gebar sie jedoch keine weiteren Kinder.

Als er mir erstmals von Placid erzählte, saßen wir auf der Veranda eines Hotels in Port Vila, der Hauptstadt der Neuen Hebriden, und frühstückten. Er war damals Mitte Dreißig, ein beeindruckend gutaussehender, dunkelhäutiger Mann mit rotbraunem Haar. Ich hatte angenommen, die Haarfarbe sei ein Produkt seines Mischbluts, stellte aber später fest, daß sie auf einigen der Inseln durchaus nicht ungewöhnlich war. Was man jedoch von Augen, die so blau waren wie seine, nicht sagen konnte. Ich fand sie beunruhigend. Auf andere, die ich hier mit Namen nennen könnte, übten sie dieselbe Wirkung aus.

Dennoch war ich nicht zu beunruhigt, um Fragen zu stellen. Das war es ja schließlich, weswegen ich hier war: um Fragen zu stellen. Ich fragte ihn also, woher er stamme, und so bekam ich den ersten von vielen belehrenden Vorträgen zu hören.

»Wie wir auf der Missionsschule gelernt haben«, begann er, »gab der große Kapitän James Cook vielen Inseln im weiten Raum des Pazifischen Ozeans, die er entdeckt oder erkundet hatte, englische Namen. So gütig von ihm, so freundlich.«

Das wurde in einem hohen, nasalen Tonfall gesagt, der seinem eigenen verblüffend unähnlich und darüber hinaus durch einen regionalen britischen Akzent verfremdet war, den er später der Gegend um Birmingham zuschrieb. Er besitzt ein sehr feines Ohr. Ich bin mir ganz sicher, daß ich den Missionar, dessen Stimme er an jenem Tag imitierte, wäre ich dem Mann jemals begegnet, sofort erkannt hätte.

Ebenso rasch wie der Tonfall angenommen worden war, wurde er aufgegeben, als Mat fortfuhr: »Wissen Sie, was ich glaube, Mr. Smythson? Ich glaube, daß ihn zur Zeit seiner letzten Reise das Problem, sich all diese neuen Namen auszudenken, zu langweilen begann. Ich glaube überdies, daß er ein Exemplar von Dr. Johnsons Wörterbuch bei sich hatte und es ganz einfach Seite für Seite durchging. Sie lächeln? Ich spreche in vollem Ernst. Fidschi hatte natürlich damals schon seinen eigenen einheimischen Namen, aber nordwestlich davon – was finden wir da? Ocean Island, Placid Island, Pleasant Island. Merken Sie was? Sukzessive Entdeckungen, allesamt in alphabetischer Reihenfolge, und das, obschon sie tausend Meilen voneinander entfernt sind. Placid und Pleasant sind es jedenfalls.«

»Und sehr verschieden, nehme ich an.«

»Oh, keineswegs verschieden. Tatsächlich in vieler Hinsicht gleich.« Er schnitt sich ein Stück Papaya ab. »Keine von beiden war jemals mild* oder auch nur im mindesten angenehm**. Beide jedoch wiesen Phosphatablagerungen im Umfang von Millionen und aber Millionen Tonnen auf. Natürlich sind die Vorkommen größtenteils längst im Tagebau abgetragen und -transportiert worden, unter Hinterlassung trostloser Mondlandschaften aus häßlichem grauem Korallenfelsen. Wir – Placid und Pleasant – waren beide kurze Zeit vom kaiserlichen Deutschland okkupiert, bevor wir britische Kolonien wurden. Im Jahr zweiundvierzig wurden wir beide von den Japanern besetzt, die uns als Kommunikationszentren benutzten, und später von den Amerikanern ausgiebig zerbombt. Beide wurden wir anschließend UNO-Treuhandterritorien unter gemeinsamer Verwaltung von Großbritannien, Australien und Neuseeland, die sich das, was vom Phosphat noch übriggeblieben war, holen wollten. Ich bin auf Placid geboren.«

»Ich kann Ihnen nachfühlen, daß Sie darüber verbittert sind.«

»Verbittert?« Er grinste. »Warum in aller Welt sollte ich verbittert sein? Wir waren Barbaren. Sie werden bemerkt haben, daß ich ›wir‹ sagte. Ich nehme mich selber nicht

* engl. = placid
** engl. = pleasant

aus. Was hätten wir in unserer Unwissenheit mit so viel alter Vogelscheiße, mit so viel Phosphat angefangen? Nichts. Unsere Ausbeutung durch die Mächte war das Beste, was uns jemals passieren konnte. Selbst das amerikanische Bombardement war gut. Schlichte Menschen freuen sich über lautes Knallen. Bedauerlicherweise war ich nicht da, um es hören zu können. Als die Japaner Pearl Harbour angriffen, war mein Vater so gedankenlos gewesen, mich auf Fidschi zurückzulassen, während er mit seinem Schiff abdampfte, um für das Britische Empire zu kämpfen.«

Die methodistischen Missionare, die ihn in ihre Obhut nahmen, sollten ein paar verblüffende Erfahrungen mit ihm machen.

Mit zehn hatte Mat keine Erziehung genossen, außer derjenigen, die ihm seine Eltern und seine Schiffsreisen mit ihnen hatten zuteil werden lassen. Von seinem Vater hatte er englisch zu lesen und zu schreiben sowie die mathematischen Grundlagen der Navigation beigebracht bekommen; auf diesen Reisen hatte er Brocken diverser Inselsprachen aufgeschnappt; von der Mannschaft hatte er sich über die Freizeit- und Erholungsmöglichkeiten unterrichten lassen, die in australasiatischen Häfen geboten wurden; und, was zu der Zeit für ihn das Wichtigste war, von seiner Mutter hatte er die heidnischen Legenden ihrer Vorfahren kennengelernt. Durch sie war er auch mit der Macht und der Ausübung der Magie vertraut gemacht worden; vor allem hatte er die Geheimnisse todbringender Zaubersprüche und anderer Rituale defensiver wie auch offensiver Art erfahren, vermittels deren die persönliche Sicherheit gewährleistet oder Macht über andere errungen werden kann.

Im Sommer 1942 kam die Nachricht, daß Mats Vater mit seinem Schiff und einer Anzahl von Flüchtlingen aus

Singapur vor der Küste Javas untergegangen war. Noch im gleichen Jahr starb seine Mutter an einem Nierenleiden. Es war zu der Zeit, als er Waise geworden war, daß man Mat taufte.

Die Lehrer der Missionsschule, hocherfreut darüber, einen begabten Schüler unterrichten zu können – in Mathematik galt er als Wunderkind –, dürften den Tod der Mutter schwerlich allzusehr bedauert haben. Nachdem sie so lange Zeit hindurch den gerechten Kampf gegen den heidnischen Aberglauben mit den Waffen des christlichen Aberglaubens gekämpft hatten, muß sie die Feststellung, daß ihr begabter Schüler seine bedauernswerten Klassenkameraden mit einem todbringenden Fluch aus grauer Vorzeit vor Angst und Entsetzen um ihr bißchen Verstand zu bringen vermochte, entmutigt haben. Er hatte keinerlei Interesse an der Religion gezeigt, in der man ihn jetzt unterwies. Seine plötzliche Begeisterung für das Pfadfindertum wurde, seltsam, wie sie sich zu dem Zeitpunkt ausnehmen mochte, zweifellos mit beträchtlicher Erleichterung zur Kenntnis genommen.

Ich habe mich vor Jahren einmal mit einem pensionierten Kolonialoffizier unterhalten, der während der letzten drei von den sieben Jahren, die Mat auf Fidschi verbrachte, dort Dienst tat. Er wußte über Mat hauptsächlich deswegen Bescheid, weil er als höherer Beamter mit den Arrangements befaßt gewesen war, welche die weitere Erziehung und Ausbildung des Jungen betrafen; aber das war nicht der einzige Grund gewesen. Er hatte sich amüsiert daran erinnert, daß Mat, als er bereits im Begriff war, ein Stipendium zu gewinnen, und mit Hilfe des Government House die Zuwendungen beantragte, die es ihm ermöglichen sollten, als Student in London zu leben, für die Ehre, zum

King's Scout ernannt zu werden, vorgeschlagen worden war.

»Ich wette, *das* haben die Leute von der London School of Economics nicht gewußt«, sagte er und schmunzelte wieder. »War Ihnen bekannt, daß es einmal eine Zeit gegeben hat, in der der Junge doch tatsächlich von den Eltern eines größeren Mitschülers wegen Hexerei und Ersinnens von Zaubersprüchen öffentlich angeklagt wurde? Es war kein Fall für ein ordentliches Gericht, weil beide Jungen minderjährig waren und es kein Gesetz gab, das sich mit minderjährigen Medizinmännern befaßte, aber eine Untersuchung mußte aufgrund der Klage anberaumt werden, und ich wurde dazu abkommandiert, sie zu leiten. Wissen Sie, was der unverfrorene Lausebengel tat?«

»Sie meinen Mat Williamson?«

»Ja. Bei der Vernehmung überreichte er mir, sehr artig, eine Liste mit Fragen, die er den Eltern des anderen Jungen gestellt haben würde, wäre er Angeklagter vor einem Gericht für Erwachsene gewesen. Ob ich, da es ihm unter den obwaltenden Umständen verwehrt war, sie zu stellen, dies bitte meinerseits für ihn tun könne? Nun, das Ersuchen klang so einleuchtend und er sah so todernst und bestürzt aus, daß ich verdammter Narr mich einverstanden erklärte. Hätte mir die Fragen natürlich vorher erst einmal genauer ansehen sollen. Die Klage der Eltern besagte, daß ihr Junge infolge des Zaubers eine Woche lang an qualvollen Magenkrämpfen gelitten und daß der Zauber allen ärztlichen Versuchen, den Schmerz zu lindern, widerstanden habe. Diese Liste von Fragen kam einem medizinischen Kreuzverhör gleich, war aber noch weit unangenehmer, weil nach und nach so etwas wie eine Parodie auf ein reales Kreuzverhör daraus wurde. Fing ganz harmlos an, sonst hätte ich gar nicht erst damit begonnen. Wie hatte die Diagnose der Distrikt-Krankenschwester gelautet? Kolik. Hatte sie eine Arznei verschrieben? Ja, aber die hatte nicht gewirkt, und so weiter. Und dann legte er erst richtig los. Wie stand es mit den Darmbewegungen? Wie hatten die Fäzes ausgesehen? Flüssig oder fest? Klein oder groß? Rund oder würstchenförmig? Waren begleitende Winde aufgetreten? Wie hatten sie gerochen? Ich hätte aufgehört, wäre nicht eines der Fall gewesen: jede andere Frage war ganz offenkundig sinnvoll. Hatte der Junge derartige Attacken bereits früher erlitten? Wie häufig? Echte Fragen. Aber es waren die anderen, die zählten. Wissen Sie, diese Leute haben einen ziemlich groben Sinn für Humor. Sie fingen an zu lachen, und damit war die Sache geschmissen. Ich konnte nicht viel dagegen tun. Es war kein Gerichtshof, aber immer, wenn ich von einem Fall höre, dessen Verhandlung vor Gericht in allgemeinem Gelächter untergeht, muß ich an diese Liste von Fragen denken. Wenn ich das kleine Monster irgendeiner Sache für schuldig hätte befinden können, würde ich das nur zu gern getan haben.«

»Aber Sie haben es nicht.«

»Natürlich nicht. Ich war zu sehr damit beschäftigt, mir selber das Lachen zu verbeißen. Aber hinterher habe ich ihm eine Standpauke gehalten. Nicht daß er sich etwas daraus machte. Viel zu gerissen, der junge Williamson. Und ich sage das nicht nur, weil er mich zum Narren gehalten und obendrein ein Stipendium bekommen hat. Viele dieser Lieblinge ihrer Lehrer sind emotional unreif. Er war es nicht. Er hatte Einsichten von einer Art, wie sie sehr viele sogenannte Erwachsene nie auch nur ansatzweise gewinnen. Er war überdies auch ein bißchen sadistisch. Er wußte immer genau, was irgend jemand anderem gerade durch den Kopf ging, und benutzte dies Wissen, um ihn in Angst und Schrecken zu versetzen, indem er es mit diesem magischen Hokuspokus verbrämte, der ihm zu Gebot stand. Sadistisch, wie ich schon sagte, aber komisch. Und was den Pfadfinderspleen betraf, so war der auch komisch, wenn man die Sache aus seiner Sicht betrachtete. Eine Stammesorganisation, das ist es, was er darin sah, mit einer Menge strenger Rituale und der Chance, sein angeborenes Führungstalent auszuleben. Ein ganz schlauer Bursche, und ein ganz undurchsichtiger dazu.«

»Tatsächlich zitiert er noch immer Baden-Powell.«

Er rümpfte die Nase. »Man sagt, glaube ich, daß der Teufel noch immer die Heilige Schrift zitiert. Ich würde meinen, Mathew Williamsons Vorstellungen von einer täglichen guten Tat dürfte heute etwa darin bestehen, seinem besten Freund ein Pfund zu leihen und sich von ihm einen Schuldschein über zweie ausstellen zu lassen.«

In der Tat machte Mat Tuakana, wie er sich damals nannte, seine erste Million nicht, indem er sein eigenes Geld benutzte, sondern indem er für andere Leute Arrangements traf, ihres auszugeben.

Er war zweiundzwanzig, als er seine Studien an der London School of Economics mit seiner Graduierung abschloß. Einer seiner dortigen Kommilitonen war aus dem ehemals niederländisch-ostindischen Territorium gebürtig, das jetzt im Begriff stand, sich zur Republik Indonesien zu mausern. Der Vater des Freundes war seit langen Jahren ein Anhänger Sukarnos gewesen, gehörte jetzt zum engeren Kreis um den neuen Präsidenten und hatte fette Pfründen zu vergeben. Amerikanische Wirtschaftshilfe wurde dem neuen Staat großzügig gewährt. In Djakarta fehlte es an ausgebildeten fähigen Männern, die weder holländischer noch chinesischer Nationalität waren. Als Mat und sein Freund dort eintrafen, hatten sie nicht die geringsten Schwierigkeiten, sich nützlich zu machen. In einem Land, wo die durchschnittliche Lebenserwartung damals bei nicht mehr als dreißig Jahren lag und der auf die Bevölkerung umgerechnete Prozentsatz der Universitätsabsolventen nahezu null betrug, war ihre Jugend kein Handikap. Innerhalb weniger Wochen hatten sie Positionen von Einfluß und Ansehen erlangt, wie sie in den meisten anderen Ländern nur nach Jahren entschlossen ausgetragener interner Kämpfe und augenfälliger Hingabe zu erringen sind. Auch in Indonesien waren Positionen von Einfluß und Ansehen seinerzeit Positionen von beträchtlichem persönlichem Profit für diejenigen, die sie innehatten. Mats Aufgabe im Ministerium für Handel und Industrie bestand darin, als Einkäufer zu agieren. Die Gelder, die er ausgab, wurden aus den Dollarmillionen der US-Wirtschaftshilfe, die in Form von amerikanischen Bankkrediten eintrafen, bereitgestellt, und was er kaufte, war das, was nach Meinung der amerikanischen Berater des neuen Regimes vom indonesischen Volk am dringendsten benötigt wurde: lauter so nützliche Dinge wie Kühlschränke, Zimmerklimaanlagen, Radioapparate, moderne Installationen und Autos, die die Umwelt etwas anheimelnder für sie machen würden.

Von den Dollarmillionen, die Mat für den Kauf solcher Dinge ausgab, blieb natürlich einiges an seinen Fingern hängen. Bei jedem Abschluß strich er zwei Provisionen ein, eine von dem Agenten, der die Ware für seinen US-Fabrikanten verkaufte, und eine weitere von dem Händler, dem er das Zeug zuteilte, sobald es eintraf. Er machte seine Million innerhalb von nicht ganz zwei Jahren, und da er spürte, daß ein Regimewechsel in der Luft lag, und wußte, daß es zwar stets ein Fehler war, habgierig zu sein, in Djakarta zu jener Zeit jedoch häufig ein tödlicher Fehler, stieg er aus.

Er hatte jetzt viele amerikanische Kontakte, und so ging er denn nach Amerika. Er erhielt auch viele Ratschläge, wie er seine Million am besten vervielfachen könne. Diese ignorierte er. Der Ratschlag, den er befolgte, betraf seine Ausbildung. Von Amerikanern, deren Urteilsvermögen er zu schätzen gelernt hatte, erfuhr er, daß die berühmten juristischen Fakultäten der amerikanischen Hochschulen nicht bloß Institutionen sind, wo Männer und Frauen darin unterwiesen werden, die Rechte zu praktizieren, sondern Institutionen, wo Vortrefflichkeit in anderen Arten sozialen und politischen Managements gefördert und entwickelt wird. Überzeugt, daß seine Ausbildung in so mancher dieser Hinsichten unvollständig sei, hatte er sich um Aufnahme an der Stanford University beworben und war in Anbetracht seiner hervorragenden Leistungen an der London School of Economics angenommen worden. Ich bin ganz sicher, daß es ihm, mit der sinnvoll angelegten Million im Hintergrund, dort nicht schwerfiel, seine freie Zeit zu genießen.

Ob er auch die übrige Zeit genossen hat oder nicht, habe ich nie herausbekommen. Das einzige Mal, das ich ihn je danach befragte, drückte er sich um eine Antwort herum. Es könnte sein, daß ihn diejenigen, denen es dort oblag, ihn zu beurteilen, letztendlich ein bißchen zu genau durchschaut und ihn dies hatten merken lassen.

Das Hotel in Kensington bestand aus zwei großen viktorianischen Häusern, die miteinander verbunden und mit Terrassen sowie einem gemeinsamen Drehtüreingang versehen waren. Der Nachtportier war ganz offenkundig ein Trinker, aber noch immer mehr oder weniger nüchtern, als ich eintraf. Mats Name ernüchterte ihn vollends, und nachdem er hinauftelefoniert hatte, um mich anzumelden, brachte er es sogar fertig, einen wackeligen alten Lift zu bedienen. Das Hotel mag schmuddelig gewesen sein, aber Mat hatte das Beste daraus gemacht. Seit ich das letzte Mal hier gewesen war, hatte er den größten Teil des ersten Stockwerks hinzugemietet und bewohnte nun, wie mir der Portier sagte, vier zusammenhängende Räume.

Der größte war zu einem Wohnzimmer hergerichtet worden, und Mat wartete dort auf mich. Frank Yamatoku, sein Freund, tat dies ebenfalls.

Frank ist ein japanisch-amerikanischer Hansdampf in allen Gassen aus Kalifornien, der dort im Pornogeschäft reüssierte, bevor Mat ihn entdeckte. Franks Innovationen hatten sich auf Lichtspieltheater konzentriert. Er hatte in Los Angeles mit einem einzigen Haus begonnen, zu welchem nur Paare Zutritt hatten und wo es Wasserbetten an Stelle von Sitzplätzen gab und rund um die Uhr Pornofilme liefen. Als er sechs dieser Etablissements in Betrieb genommen hatte, verkaufte er sie an ein Syndikat, überreichte dann der Sittenpolizei vorsorglich eine Liste mit den Namen der Mitglieder des Syndikats, sobald er deren Scheck eingelöst hatte und sich in dem für Abflüge nach Übersee reservierten Komplex des Flughafens befand. Frank hat viel Phantasie und ist ein ganz hervorragender Buchhalter, aber bevor Mat ihn entdeckte, nahm er häufig Risiken in Kauf und lebte gefährlich.

Mat hatte ihn von diesen Neigungen geheilt, nahm ich an, aber es wäre mir dennoch schwergefallen, Frank je zu mögen. Das wußte auch er, und die Abneigung war eine wechselseitige. Obschon ich wußte, daß er mit Anglo-Anzacs Buchhalter an dem Kleingedruckten der Placid-Island-Regelung arbeitete, war ich nicht begeistert, ihn hier mit Mat anzutreffen.

»Da haben Sie aber eine gute Zeit herausgeholt, Paul«, sagte Mat. »Keine weiteren Probleme?«

»Keine weiteren Probleme, nein. Aber das eine, um dessentwillen ich hier bin, reicht völlig aus, das versichere ich Ihnen.« Ich sah Frank an und dann wieder Mat und wartete.

Nach einem Augenblick bedachte mich Mat mit seinem trägen Lächeln. »Na gut. Würdest du uns entschuldigen, Frank?«

Frank stand auf. »Natürlich. War nett, Sie zu sehen, Paul.«

Er nickte uns zu und ging. Ich war mir ziemlich sicher, daß er belauschen würde, was Mat und ich uns zu sagen hatten, aber selbst das war immer noch besser, als ihn um sich zu haben.

»Einen Drink, Paul?« Mat wies auf das Sideboard.

»Etwas später vielleicht, Mat. Dieser Krom, dieser Kriminologieprofessor, sitzt uns im Nacken.«

Er verharrte reglos. Er wußte, wer Krom war. All das Zeug über den Mann und seine Ansichten, das mir die Leute vom Archiv zugeleitet hatten, hatte ich an Mat weitergeleitet. Er war jetzt dabei, es im Geist Revue passieren zu lassen. Als das geschehen war, entspannte er sich wieder.

»Erzählen Sie, Paul.«

Ich erzählte ihm von der ersten Phase meiner Begegnung mit Krom und wartete.

»Ein törichter Mann«, bemerkte er, »aber Sie halten ihn nicht für dumm, schätze ich. Wenn Sie es täten, wären Sie nicht hier.«

»Nein, dumm ist er nicht. Er hat es jedoch ein bißchen mit der Angst bekommen bei dem Schritt, den er unternommen hat.«

»Mit der Angst vor Ihnen?«

»Vor mir, vor uns. Er hat Freunde im niederländischen Justizministerium, die mit seinen Ansichten über unsere geschäftlichen Aktivitäten sympathisieren. Er hat Freunde gleicher Gesinnung im westdeutschen Geheimdienst. Der Mann, unter dessen Namen er an dem Seminar teilnimmt, ist ein reicher Luxemburger mit politischen Verbindungen. Alle wurden in Kroms Gründe für seine Teilnahme und in seine beruflichen Intentionen vertraulich eingeweiht, bevor er anreiste. Er hat überdies Affidavits, die die Kramer-Affäre betreffen, bei Universitätskollegen hinterlegt.«

Ich machte eine Pause und wartete auf einen Kommentar. Nach einem Augenblick begann er leise zu pfeifen. Baden-Powell zufolge lächelt und pfeift der gute Pfadfinder bei allen Schwierigkeiten. Mat hatte es aufgegeben, bei Schwierigkeiten zu lächeln, aber die Angewohnheit, bei ihnen zu pfeifen, die er sich als Knabe zulegte, war er nicht wieder losgeworden. Die Melodie war immer dieselbe, die einer *Just a Song at Twilight* betitelten schmalzigen viktorianischen Ballade. Er muß sie von irgendwelchen heimwehkranken Briten aufgeschnappt haben. Sie von Mats Lippen kommen zu hören mutete sehr seltsam an. Baden-Powell hat selber eingeräumt, durch sein Pfeifen zuweilen Ärger gekriegt zu haben. Der häufige öffentliche

Gebrauch dieses Gegenmittels gegen auftretende Schwierigkeiten im Burenkrieg hatte ihm in gewissen Offizierskrei-
sen den Ruf eines Exzentrikers eingetragen und bei einer
Gelegenheit dazu geführt, daß er von einem Soldaten kalt-
herziger Gleichgültigkeit gegenüber den Gefühlen anderer
bezichtigt wurde.

Das Pfeifen hörte auf. »Was hat er in Händen?«

»Er hat lange Zeit über Symposia und mich gearbeitet.
Er hat mich in der Oberholzer-Rolle identifiziert. Er weiß
noch andere Dinge. Wenn er alles zu wissen bekommt, will
er es, *ohne* Namen zu nennen, veröffentlichen; bekommt er
nicht alles zu wissen, dann, so droht er, wird er das, was er
weiß, einem amerikanischen oder westdeutschen Nachrichtenmagazin andienen *und* Namen nennen.«

»Alles, was er hat, ist Hörensagen. Er blufft. Sie hätten
Polo mit ihm spielen sollen, Paul.«

Ein weiteres Baden-Powell-Rezept. Mit jemandem Polo
spielen heißt in diesem Zusammenhang ihn ausmanövrie-
ren, indem man ihn von der Richtung abdrängt, in die man
selber gehen will. Die Metapher wurde von B.-P. zuerst,
glaube ich, in seinem Aufsatz über die Freuden der Einübung von Bajonettangriffen verwendet.

»Es hat nicht funktioniert, Mat.«

»Sie hätten ihn mit irgendwelchem hochgestochenen
Unsinn einseifen sollen.«

»Habe ich. Ich forderte ihn auf, den Begriff ›Verbrechen‹ zu definieren. Ich fragte ihn, ob er nicht glaube, daß
der Begriff weitgehend eine Fiktion sei, erfunden von Politikern, die als Gesetzgeber posieren, und Gesetzgebern, die
so tun, als seien ihre Motive frei von politischem Kalkül.
Ob er nicht mit mir darin übereinstimme, daß fündund-
neunzig Prozent der sogenannten Verbrechen von Regie-

rungen an und auf Kosten von Staatsbürgern begangen würden, in deren Namen sie vorgeblich regieren?«

»Ja, das ist in der Tat hochtrabendes Gewäsch. Was sagte er?«

»Daß es hochtrabendes Gewäsch sei. Begreifen Sie doch, Mat, was er jetzt wirklich will, das ist die Befriedigung seiner professionellen Eitelkeit. Sie haben sein Berner Papier gelesen. Es hat uns amüsiert. Andere, seine Berufskollegen, sind nicht im mindesten amüsiert, wenn ihr Lebenswerk als irrelevant abgetan wird. Von vielen Kreisen ist er als Sonderling angegriffen worden. Er will jetzt, daß wir ihm dabei helfen zu demonstrieren, daß er, weit davon entfernt, ein Sonderling zu sein, der große Innovator ist, ein Darwin der Kriminologie.«

»Durch Veröffentlichung einer Fallstudie, *ohne* Namen zu nennen? Oh, ich weiß, daß das bei medizinischen Publikationen gang und gäbe ist. Patient X und Patient Y. Die Identitäten spielen keine Rolle, sofern der Arzt, der über den Fall berichtet, nicht im Verdacht steht, ein Quacksalber zu sein, der eine unhaltbare Lieblingstheorie mit frei erfundenen oder gefälschten Fallbeispielen zu beweisen sucht.«

»Genau. Bei einem derartigen Fall muß er entweder den Patienten oder glaubwürdige Zeugen vorweisen, um seine Behauptungen zu untermauern. Das ist es, was Krom vorhat. Er hat seine Zeugen bereits benannt, einen amerikanischen, einen englischen, beide qualifizierte Leute. Wir treffen privat zu einer viertägigen Klausur zusammen, während der ich ihnen meine Lebensgeschichte erzähle. Ort des Treffens nach meiner Wahl. Strikte Sicherheitsvorkehrungen von allen zu beachten, insbesondere den Zeugen, die nur die denkbar knappste Vorausinformation erhalten werden, gerade genug, um ihr Interesse zu wecken und ihre Kooperation zu gewährleisten, ohne daß dabei irgend etwas Substantielles preisgegeben wird. Über den Text dieser Vorausinformation werden Krom und ich uns zu verständigen haben. Alle Namen, Orte und so weiter sind abzuändern, um die Schuldigen zu schützen. Das ist es, was er will, und meiner Meinung nach ist es das, was er zu bekommen gedenkt, egal, was es kostet.«

Er begann wieder zu pfeifen und hörte dann abrupt auf. »Ich glaube, Sie haben sich verschaukeln lassen, Paul. Ich denke, Sie sollten ihm sagen, er möge tun, was er nicht lassen könne, und daß, wenn er verleumderische oder ehrenrührige Behauptungen über Sie oder das Institut oder die Symposiagruppe in Gegenwart eines Dritten aufstellt, der sich untersteht, sie zu veröffentlichen, wir gegen diesen Dritten *und* gegen ihn prozessieren werden, bis ihnen die Luft ausgeht. Machen Sie ihm klar, daß er unter den gegebenen Umständen einen Informanten darstellen wird, den kein Verleger in der üblichen Weise decken kann. Er wird seine Drohungen dem Kläger gegenüber im voraus geäußert haben. Er hätte keine Chance.«

Ich schüttelte den Kopf. »Das bringt nichts, Mat. Ich habe alles das versucht. Ich sagte Ihnen ja, er weiß von einigen Dingen. Eine seiner pikantesten Vermutungen geht dahin, daß Symposia in das Placid-Island-Projekt verwickelt ist. Er braucht bloß ein Gerücht dieser Art in Umlauf zu setzen, um uns in Schwierigkeiten zu bringen. Meinen Sie noch immer, ich hätte mich verschaukeln lassen?«

Das wirkte genauso, wie ich gedacht hatte.

Mats Zynismus in bezug auf das Placid-Island-Abkommen ist vorgetäuscht; das ist er immer gewesen, wenn es Mat auch nicht im Traum einfallen würde, dies jemals zuzugeben. Als Junge hatte er von der Existenz einer anderen Phosphatinsel, ehedem Pleasant genannt, gehört, die ihren ursprünglichen Namen Nauru wiederentdeckt hatte. Als Mann hatte er gesehen, wie dasselbe Nauru, dessen ganze Geschichte derjenigen Placids so sehr ähnelte, seine alten Treuhand-Territorium-Eierschalen abwarf, Unabhängigkeit vom Britischen Commonwealth erlangte und die Republik Nauru wurde, mit vielversprechenden Aussichten als Steuerparadies.

Jetzt war Placid an der Reihe. Placid hat ein besseres Klima als Nauru und bessere Hafenanlagen als Nauru, dem es an einem natürlichen Hafen mangelt. Placid war Mats Geburtsort. Mit ihm als dem Herrn über Glück und Zukunft des Eilands – der arme alte Häuptling Tebuke könnte dann im Placid Hilton eine ganze Etage für sich allein kriegen, sofern er nur lange genug lebte –, mit Mat, der seinem Volk die inspirierte Führung schenken würde, nach der es so sehr lechzte, wäre es Placid beschieden, zum bemerkenswertesten, blühendsten unabhängigen Staat im ganzen südpazifischen Raum zu werden.

Ist Mat ein Kompetenter Krimineller, wie Professor Krom ihn definiert hat? Möglicherweise, aber ein Anarchist ist er sicher nicht. Was er will, ist ein Königreich, und ist die Nationalflagge auch noch nicht entworfen – ein Pandurusblatt auf goldenem Feld vielleicht? –, die Banknoten sind es höchstwahrscheinlich. Wenn Soziologen wie Krom es nicht lassen können, Männer und Frauen mit Etiketten zu bekleben, um sie zu klassifizieren, so würde ich sagen, daß Mat ein Abenteurer ist, wie auch ich einer bin; in dem alten abträglichen Sinn der Bezeichnung ist das ein gesunder, intelligenter Mann, der nützliche Arbeit im Weinberg verrichten könnte, es statt dessen jedoch vorzieht, ein ungebundenes, abwechslungsreiches, kurz: ein abenteuerliches Leben zu führen.

Mat hatte das Pfeifen eingestellt. Er starrte mich jetzt mit kalter Abneigung an.

»Was weiß er über Placid?«

»Daß ich im letzten November dorthin gereist bin. Er weiß, daß Symposia das Angebot einer Beteiligung an Nauru abgelehnt hat. Er weiß, daß Symposia ihre Klienten nicht mehr in Richtung Neue Hebriden schleust und daß sie ein anderes Eisen im Feuer hat. Er weiß, daß eine Regelung für Placid unmittelbar bevorsteht, weil es sich herumgesprochen hat, daß unsere Konkurrenten versuchen, dort über Anglo-Anzac einen Fuß in die Tür zu bekommen.«

»Sie sagten, er hätte es vor *uns* mit der Angst bekommen. Haben Sie über mich gesprochen?«

Ich hatte in der Tat versucht, andeutungsweise auf seine Existenz hinzuweisen. Wieso er eigentlich immer davon ausgehe, hatte ich Krom gefragt, daß in dem, was er ›die Symposia-Verschwörung‹ nannte, *ich* die Nummer eins sei? Woher er wissen wolle, daß ich nicht bloß ein Strohmann sei, Teil einer elaborierten Tarnkonstruktion, errichtet zu dem Zweck, einen anderen zu decken? Meine Absicht war gewesen, seine Selbstgefälligkeit ein wenig zu verunsichern. Alles, was ich damit erreicht hatte, war, ihn lachen zu machen. Er *wisse,* daß ich Nummer eins sei, also möge ich doch gefälligst damit aufhören, mich aus der Sache herausreden zu wollen.

Ich hatte jedoch nicht die Absicht, Mat alles das zu erzählen.

»Nein, Mat, wir haben nicht über Sie gesprochen. Ihr Name ist nicht einmal erwähnt worden. Natürlich muß er von Ihnen gehört haben, der grauen Eminenz der Placid-

Island-Lobby. Wenn er die Finanzblätter liest, meine ich. Diese PR-Mannschaft, die Anglo-Anzac für sich angeheuert hat, wird dafür gesorgt haben. Aber was Ihre persönliche Verbindung mit Symposia betrifft, so kann er davon nichts haben läuten hören. Wenn er es hätte, würde er das ganz bestimmt gesagt haben.«

Lange Zeit herrschte Schweigen, und dann wurde er sichtlich gelöster. »Demnach sind Sie, Paul, der einzige, der bislang aufgeplatzt ist. Nicht *uns* hat er aufs Korn genommen, sondern Sie. Und alles, wonach er sucht, ist Dreck, den Spekulanten wie Sie und der alte Carlo Lech am Stekken haben. Stimmt's?«

»Sie hätten es zwar ein bißchen feiner ausdrücken können, aber ja, ich würde meinen, annähernd stimmt das so.«

»Dann sollten Sie wohl lieber auf sein Spiel eingehen, wie? Ihm ab und zu einen alten Knochen oder zweie hinwerfen und darauf vertrauen, daß er nicht argwöhnisch wird, was?«

»Ja.«

»Und daß seine Zeugen nicht argwöhnisch werden. Sie werden eine ganze Menge Vertrauen aufbringen müssen, meinen Sie nicht, Paul?«

»*Das* ist mir auch schon aufgegangen. Und ich werde mich in gehörigem Maß absichern müssen.«

»Nun, das können wir uns leisten. Sie werden auch Team-Hilfe brauchen. Was das Technische anbetrifft, so fahren Sie mit Yves wohl am besten, denke ich. Und daß Sie Melanie mögen, weiß ich.«

Ich hätte in jenem Augenblick erraten sollen, was in ihm vorging. Yves, darin hatten wir in der Vergangenheit übereingestimmt, war ein erstklassiger Mann; aber über Melanie waren unsere Meinungen auseinandergegangen.

Obwohl Mat bisexuell veranlagt ist, sind seine Urteile über Frauen selten verläßlich. Ich hielt und halte Melanie noch immer für eine eminent fähige Tarnungsexpertin und Analytikerin, eine der besten, die es gibt. Sie hat ihr Handwerk bei der Organisation Gehlen erlernt und ist schlechthin brillant. Aus irgendeinem Grund – vielleicht, weil Melanie im Penetrieren von Tarnstrukturen höchster Komplexität bei anderen ebenso brillant ist wie im Einrichten hieb- und stichfester Lügengebäude für die eigene Seite – hat Mat ihr nie getraut. Er hatte sie eigenem Bekunden zufolge im Verdacht, ein Sicherheitsrisiko zu sein.

Ich hätte ihn fragen sollen, ob er seine Meinung über sie geändert habe, ob ihm entfallen sei, was er mir gegenüber geargwöhnt hatte, oder ob er mir, auf seine gewundene Weise, eine faire Warnung vor dem erteilen wollte, was ich zu gewärtigen hatte.

Ich erging mich nicht in Vermutungen und stellte daher auch keine Fragen. Er hätte ohnehin nicht darauf geantwortet, sondern seinerseits gefragt, wen ich statt Melanie wolle. Ein mahnender Hinweis, daß er sich, sobald er Verantwortung einmal delegiert habe, nicht mehr einzumischen pflege, wäre ebenfalls noch gekommen. Möglicherweise hätte er auch angefangen, Baden-Powell-Kernsätze über die Ehre eines Pfadfinders zu zitieren.

Statt dessen diskutierten wir darüber, welche alten Knochen am besten geeignet seien, Professor Kroms Appetit zu stillen.

Drei

Als Yves das Gepäck der Besucher kontrolliert hatte, war hinter den Tamarisken auf dem Kap die Sonne untergegangen; und zum erstenmal seit Brüssel hatte ich das Gefühl, annähernd wieder ich selber zu sein.

Yves' erster Bericht hatte mich zu ärgerlich gemacht, als daß ich einen vernünftigen Gedanken hätte fassen können. Erst als mein Zorn verraucht war, wurde mir das Offenkundige bewußt: daß sich mir eine Gelegenheit bot, meine Situation zu verbessern; nicht der mißlichen Lage, in der ich mich befand, vollends zu entkommen, aber meine Chancen zu verbessern, sie zu überstehen, ohne dauernden Schaden zu nehmen. Ich stand zweifellos besser da als noch eine Stunde zuvor. Um wieviel besser, würde davon abhängen, wie geschickt ich die veränderte Situation zu manipulieren vermochte.

Mat hatte davon gesprochen, Krom ein paar alte Knochen zuzuwerfen, als brauchten wir bloß in den Keller hinabzusteigen und eines der diversen Skelette auseinanderzunehmen, die wir dort verwahrten. Ich war zum Schein auf diese Fiktion eingegangen, und er hatte zugelassen, daß ich es tat; aber wir hatten beide gewußt, daß das, was Krom erwartete und worauf er bestand, keine Tüte mit alten Knochen darin war, sondern sein Pfund rohes, rotes Fleisch. Auch hatte zwischen uns stillschweigendes Einverständnis darüber geherrscht, daß der einzige Ort, aus dem das Zeug gefahrlos herausgeholt werden konnte – das heißt von Mats Standpunkt aus gefahrlos –, mein eigenes persönliches Tiefkühlfach war. Wie er auf so charmante Weise klargestellt hatte, war ich derjenige, der aufgeplatzt war, nicht er.

Daß Krom seinerseits mir die Sache erleichtern könnte, und sei es auch nur unabsichtlich, war eine Möglichkeit, die ich bislang nicht einmal erwogen hatte.

Zu den Grundregeln, auf die wir uns in Brüssel geeinigt hatten, zählte eine, die in allen Dingen, welche die Sicherheitsvorkehrungen bei unserer anstehenden Konferenz betrafen, die letzte Entscheidung mir überließ, und eine weitere, die als Vorbedingung dafür, daß ich ihm in Gegenwart von Zeugen irgendwelche Informationen preisgab, bestimmte, daß besagte Zeugen in jeder Hinsicht an dieselben einschränkenden Sicherheitsmaßnahmen gebunden sein würden, die er selbst akzeptiert hatte.

Mats Bemerkung mir gegenüber, daß ich wahrlich verdammt viel Vertrauen aufzubringen haben würde, hätte es nicht bedurft.

Nun, ich hatte vertraut, und ich war prompt enttäuscht worden. Kroms Zeugen hatten sich als etwa so vertrauenswürdig erwiesen wie jener legendäre libanesische Skorpion. Wie also stand es um Krom selber? War es wahrscheinlich, *wirklich* wahrscheinlich, daß er, wenn es dazu käme, meine vertraulichen Mitteilungen zu publizieren, sich als auch nur im geringsten vertrauenswürdiger erweisen würde? Vielleicht würde ich am Ende weniger arg geschoren davonkommen, wenn ich ihn aufforderte, die Karten auf den Tisch zu legen und ohne meine bereitwillige Kooperation sein Schlimmstes zu tun.

Natürlich konnte ich das nicht wirklich machen, aus

Loyalität Mat gegenüber; aber Krom konnte sich nicht sicher sein, daß ich es nicht machen würde; er mochte zu der Einsicht gelangen, daß es klüger sei, mich nicht allzu sehr zu bedrängen.

Jedenfalls hatte er sich jetzt ins Unrecht gesetzt, und in Kürze würde ich ihn mit seiner Nase auf diesen Umstand stoßen. Wenn er seine Batzen von rohem Fleisch haben wollte, würde er Männchen machen und hübsch artig darum bitten müssen. Das bedeutete, daß er früher ermüden und möglicherweise leichter und unkritischer zufriedengestellt sein würde. Mit einigem Glück würde ich ihm keinen einzigen der saftigeren Bissen zuzuwerfen brauchen.

Zumindest hatte ich jetzt eine Verhandlungsposition oder glaubte doch, eine zu haben.

Sie saßen in der Kühle des an die Veranda grenzenden Wohnzimmers in einem artigen, ja steifen kleinen Halbkreis beisammen. Melanie, nachgerade versteinert vom Streß, eine Stunde lang so tun zu müssen, als sei sie die Gastgeberin, zog ihre Darstellung einer *grande dame* ab. Ich hatte sie, als wir bei früherer Gelegenheit einmal zusammenarbeiteten, darauf hingewiesen, daß sie dabei, insbesondere in ihrem recht eigenartigen Englisch, wie eine *poule-de-luxe* im Ruhestand wirke, die der guten alten Zeit nachtrauert, aber sie hatte sich eingeredet, ich hätte nur gescherzt. Es ist merkwürdig, daß jemand wie sie, die mit derart unglaublicher Inspiration Rollen für andere zu entwerfen vermag, so armselig schauspielert, wenn sie einmal selber dazu aufgerufen ist.

Sie war mitten in der Wiedergabe einer Anekdote über Coco Chanel begriffen, die sie in einem Frauenmagazin gelesen hatte. Kroms Augen waren glasig vor Langeweile. Dr. Connell starrte sie finster an. Dr. Henson umfing mit

72

beiden Händen ihr geleertes Glas und stierte hinein, als sei es eine Kristallkugel.

Ich verharrte kurz im Türrahmen und schlug die Hacken leicht zusammen.

Melanie verstummte sofort und stand auf.

Krom erhob sich umständlicher und zeigte auf mich. »Dies«, sagte er, an seine Zeugen gewandt, »ist Mr. Paul Firman.«

Ich wartete noch einen weiteren Moment lang, bis sie alle aufgestanden waren, und ging dann mit meinem charmantesten Lächeln auf sie zu, um sie zu begrüßen.

Connell hatte eine instinktive Bewegung gemacht, als wolle er mir die Hand schütteln, aber ich übersah es und beschränkte mich auf eine knappe formelle Verbeugung, die allen galt. Je eher sie daran gemahnt wurden, daß sie nicht nur ungeladene, sondern auch unwillkommene Gäste waren, desto besser.

»Willkommen«, sagte ich. »Wie schön, daß Sie eine glatte Fahrt hatten. Dies ist, wie Sie zweifellos bereits vermutet haben werden, meine Sekretärin, Miss Melanie Wicky-Frey, aber –« ich unterbrach mich und warf Melanie einen vorwurfsvollen Blick zu – »ich sehe, daß Ihre Gläser leer sind.«

Krom legte als erster los. »Danke, Mr. Firman, aber wir sind müde von der Reise. Uns allen, glaube ich, wäre es im Augenblick am liebsten, wenn Sie uns freundlicherweise erlaubten, unsere Zimmer aufzusuchen.«

»Das heißt«, sagte Connell bissig und in recht gutem Französisch, »sofern dieser algerische Trüffelhund damit fertig ist, unsere Koffer zu durchwühlen.« Als ich den Mund aufmachte, um ihm zu entgegnen, fuhr er rasch fort: »Und wenn Sie uns die Proteste verletzter Unschuld

73

ersparten, Monsieur Firman, würden wir das zu schätzen wissen. Wir sind, wie der Professor schon sagte, müde.«

Ich bedachte ihn mit meinem allerdünnsten Lächeln. »Oh, ich hatte nicht vor zu protestieren, Verehrtester, obschon Mr. Yves Boularis möglicherweise genau das tun würde, wenn er wüßte, daß er hier als Algerier bezeichnet wurde. Er ist Tunesier. Natürlich wurde Ihr Gepäck durchsucht, und das ungemein gründlich. Ich muß Sie jedoch, wenn Sie auch recht gut französisch zu sprechen scheinen, daran erinnern, daß die Sprache, auf die wir uns für diese Konferenz geeinigt hatten, Englisch ist. Habe ich nicht recht, Herr Professor?«

Krom räusperte sich. »Ja, ganz recht, Mr. Firman, wenn ich auch glaube, daß Dr. Connell da einen relevanten Punkt angesprochen hat. Wir alle haben uns mit Anstand einer Leibesvisitation unterzogen, aber ist es wirklich erforderlich, daß wir mit derartigem Mißtrauen behandelt werden, fast so, als seien wir kostümierte Polizisten?«

»Ja, Herr Professor, ich fürchte, es *ist* erforderlich.«

Er ließ einen Seufzer des Unmuts hören, während ich zum Sideboard ging, um mir einen Drink einzuschenken. Dann fing Connell wieder an. Daß ich ihm nicht die Hand gegeben hatte, mußte ihn nachhaltig verstimmt haben.

»Ich vermute, Sie spielen auf dieses kleine Tonbandgerät von mir an«, begann er und holte Luft, um weiterzureden.

Ich schnitt ihm das Wort ab, indem ich mich an Dr. Henson wandte.

»Was meinen *Sie* dazu?« fragte ich sie. »Bin ich ungerecht, oder ist Ihnen entfallen, daß Sie ein Papier unterzeichnet und somit eingewilligt haben, sich für die Dauer Ihrer Teilnahme an dieser Konferenz bestimmten Vorschriften zu fügen?«

Bei näherem Hinsehen war sie eine attraktive Frau mit delikat strukturiertem Gesichtsschädel, ausdrucksvollen Augen und einem Mund, der Möglichkeiten vielfältigster Art suggerierte. Nicht alle freilich würden angenehm sein; ihre kurze Ehe muß eine höllische Angelegenheit gewesen sein. In diesem Moment überlegte sie, wie sie ihre Verlegenheit in Wut umwandeln könnte, und fand keine Antwort darauf. Schließlich zuckte sie bloß die Achseln.

»Sie sind nicht ungerecht, Mr. Firman. Es ist mir durchaus nicht entfallen, daß ich das Papier unterschrieben habe.«

»Danke, Dr. Henson. Macht es Ihnen etwas aus, mir und Ihren Freunden hier zu sagen, ob es Ihre eigene Idee war oder die von jemand anderem, die Personen, die Sie in diesem Haus antreffen würden, zu fotografieren und ihre Fingerabdrücke aufzunehmen?«

Krom stieß eine Art Kläfflaut aus.

Connell setzte zu einem Protest an. »Na hören Sie mal! Beschuldigen Sie Dr. Henson der . . .«

Aber Dr. Henson zog es vor, für sich selber einzustehen. »Nein«, unterbrach sie ihn entschlossen, »er beschuldigt mich nicht. Er stellt mir eine peinliche Frage nach der Spezialkamera und der weiteren Ausrüstung, die in meiner Handtasche verborgen gewesen waren.« Sie blickte uns der Reihe nach herausfordernd an. »Die Antwort lautet, daß es *nicht* meine Idee war. Die Kamera und die anderen Dinge sind mir mit entsprechenden Instruktionen vom Dekan meiner Fakultät, Professor Langridge, gegeben worden.«

Krom kläffte abermals. »Langridge! Wollen Sie damit sagen, daß Sie *ihm* von dieser Konferenz erzählt haben?«

»Selbstverständlich. Ich habe mir Urlaub geben lassen. Einen kurzen Urlaub zwar nur, aber zu einem Zeitpunkt, an dem mit meiner Präsenz gerechnet worden war. Hätte ich auf mysteriöse Weise verschwinden und die Aufmerksamkeit der Öffentlichkeit auf mich lenken sollen?«

»Sie haben Professor Langridge erzählt, *wohin* Sie gereist sind und zu welchem Zweck? Hätten Sie Ihre Abwesenheit nicht auf irgendeine andere Weise rechtfertigen können? War es nötig, so offen zu sein?« Krom wurde in der Tat sehr ärgerlich.

»Es entspricht nicht meinen Gepflogenheiten, meine Kollegen zu belügen, Herr Professor. Übrigens *wußte* ich bis heute mittag nicht, wohin die Reise ging.«

Es war Zeit, eine deutliche Sprache zu sprechen. »Sie haben Professor Langridge gesagt, daß Sie zunächst diese beiden Gentlemen in Amsterdam treffen würden?« fragte ich.

»Ja.«

»War Ihnen, als Sie ihm das sagten, bekannt, daß er häufig kleine Aufträge für den britischen Geheimdienst ausführt?«

Sie wurde rot. Connell murmelte: »Herrgott!« Sie hatte noch immer das geleerte Glas in der Hand, und einen Augenblick lang dachte ich, sie würde es ihm an den Kopf werfen. Statt dessen stellte sie es sorgsam ab.

»Ich wußte«, entgegnete sie, »daß er in irgendeiner Weise für die Regierung arbeitet. Aber daran ist ganz und gar nichts Bemerkenswertes. Wissenschaftler der meisten Disziplinen übernehmen gelegentlich Forschungsaufträge von Ministerien oder sitzen in ministeriellen Ausschüssen. Ich war immer davon ausgegangen, daß seine Arbeit für das Home Office oder für wen auch immer irgend etwas mit seiner Langzeitstudie über kontinentaleuropäische Bewährungs- und Rehabilitationseinrichtungen zu tun habe. Eine durchaus vernünftige Annahme, finde ich.«

»Wann haben Sie herausgefunden, daß es eine falsche war?«

»Etwa eine Woche nachdem ich ihm sagte, daß ich diesen Urlaub zu nehmen beabsichtigte. Eines Tages ließ er mich zu sich kommen und zeigte mir die Kamera und das andere Zeug.«

»Sie erhoben keine Einwände dagegen?« Das war wiederum Krom.

»Selbstverständlich erhob ich Einwände dagegen!« Dr. Henson war mittlerweile fast so wütend wie er. »Wir hatten eine hitzigen Streit darüber. Eine höchst unerfreuliche Auseinandersetzung jedenfalls.«

»In der offenkundig er Sieger blieb«, sagte Krom bitter. »Wie?«

»Er fing an, indem er fragte, noch einmal fragte, was genau unsere Absichten seien. Mit ›unseren‹ zielte er auf diejenigen unter uns ab, die sich mit Untersuchungen des Kompetenten Kriminellen befaßt haben. Was unser Ziel sei? Beabsichtigten wir lediglich, seine Existenz zu dokumentieren, etwa in der Weise wie, sagen wir, ein Mikrobiologe, der das Vorhandensein einer gefährlichen Virusmutation entdeckt hat, diese Tatsache protokollieren würde? Oder hatten wir die Absicht, von jedwedem Beweismaterial, das wir über solche Personen erlangen mochten, Gebrauch zu machen, um anderen dabei zu helfen, sie auszurotten?«

Connell schnaufte verständnisvoll. »Ja, so ist man mir auch schon gekommen. Was haben Sie geantwortet?«

»Daß ich es nicht wisse, daß die Frage in jedem Fall sowohl verfrüht als auch hypothetisch und überdies grotesk unfair Mikrobiologen gegenüber sei. Daraufhin sagte er, daß seine ›Herren und Meister‹ – er benutzte doch tatsächlich den Ausdruck ›Herren und Meister‹ wie irgendein aufgeblasener höherer Beamter – von der Existenz dieses neuen Typs von Gesetzesbrechern bereits überzeugt und entschlossen seien, ihn auszurotten.«

»Hat er gesagt, welche Art von Beweismaterial sie haben?« Krom war jetzt fast knabenhaft eifrig. Die Botschaft von der Bekehrung einer weiteren Gruppe vormals Ungläubiger zu seiner Privatreligion hatte seinen Ärger gänzlich vertrieben.

»Natürlich habe ich ihn danach gefragt, aber es ist mir sehr rasch klargeworden, daß er nicht wirklich Bescheid wußte. Er hat jedoch zwei Erklärungen abgegeben, die von Interesse sind. Dies sei nicht länger Sache des Home Office, weil konventionelle, an Vorschriften und Einschränkungen gebundene Polizeikräfte auf Gebieten wie diesem so gut wie hilflos seien. Nicht viel drin, bei denen. Aber er sagte auch, daß es für die weniger inhibierten Dienste, die im Auftrag des Schatzamts *und* im Verein mit den entsprechenden ausländischen Diensten handelten, zu denen kooperative Beziehungen beständen, eine andere Sache sei.« Sie machte eine Pause. »Und dann hat er mir gedroht.«

»Scheint ein ganz besonders reizender Zeitgenosse zu sein«, bemerkte Connell.

»Er sagte, wenn ich mich weigerte zu kooperieren, das heißt bestrebt zu sein, bei meiner Rückkehr Fotos und Fingerabdrücke zu liefern sowie ausführlich und vertraulich zu berichten, würden mich seine sogenannten Herren-und-Meister in einer Weise überwachen lassen, die das ganze Unternehmen vereiteln müsse. Es ist nicht so dumm, wie es klingt. Er weiß nämlich, was ich von unserer Arbeit auf diesem Gebiet halte.«

»Ich nehme an, er meinte ständige Belästigung durch Männer in Trenchcoats, die Sie beschatten.«

»Und Sie auch, würde ich meinen, Dr. Connell.« Sie wandte sich mir zu. »Was sagen Sie, Mr. Firman? Wie weit wären wir gekommen? Bis Turin?«

»Weiter bestimmt nicht«, entgegnete ich. »Selbstverständlich mußte die Möglichkeit, daß einer von Ihnen beschattet wird oder auch Sie alle unter Beobachtung stehen, erwogen werden, und nicht notwendigerweise unter Beobachtung von der offenkundigen Art, die Dr. Henson angedroht wurde, um ihre Kooperation zu gewährleisten. Professor Langridges Herren und Meister hatten noch andere Optionen in petto. Ich habe Sie auf dem ganzen Weg hierher sorgfältig observieren lassen.«

Connell schnaubte ungläubig. »Auf dem *ganzen* Weg hierher, Mr. Firman? So viel Aufwand, um sich abzusichern, kostet Geld.«

»Ja, die laufenden Unkosten für eine Operation dieser Art können ganz beträchtlich sein.«

»*Dieser* Art? Ich dachte, diese Operation sollte außergewöhnlich, einzigartig sein?«

»Das ist sie.« Ich erteilte ihm den fälligen Verweis. »Aber ich sprach ganz allgemein von Operationen, an denen unerfahrene Personen beteiligt sind, für die oder vor denen man Schutz benötigt. Natürlich ist es kostspielig, aber es bleibt einem so gut wie keine andere Wahl. Entweder Sie akzeptieren die Kosten, wenn sich die Notwendigkeit, sie in Kauf zu nehmen, erweist, oder Sie finden sich mit der Aussicht ab, sehr bald – wie lautete Professor Langridges Ausdruck dafür? – oh ja, ausgerottet zu werden.« Ich drehte mich um und sah Krom in die Augen. »Eine schwerwiegende Frage muß nunmehr gestellt werden«, fuhr ich fort. »Wir *haben* Verstöße gegen die Sicherheitsvereinbarungen auf Ihrer Seite und ebenfalls grobe Verstöße gegen Treu und Glauben. Können wir unter diesen Umständen unsere Konferenz überhaupt noch fortsetzen wie geplant?«

Ich erwartete nicht wirklich von ihm, daß er das Handtuch warf; dazu stand für ihn allzu viel auf dem Spiel; aber es war den Versuch wert. Je mehr er in die Defensive gedrängt werden konnte, desto besser.

Er reagierte zunächst verunsichert. »Ich stimme Ihnen zu, daß Sie Anlaß zur Klage haben, Mr. Firman, aber Schaden ist bis jetzt keiner entstanden. Oder?«

»Kein Schaden? Ich habe wohl nicht richtig gehört? Was mich betrifft, so scheint mir die ganze Situation jetzt vollständig kompromittiert zu sein.«

Krom erholte sich wieder. »Warum? Dank unserer eigenen Vorsicht ist die Sicherheit vollständig erhalten geblieben. Was Treu und Glauben betrifft, so hat Dr. Henson zugegeben, daß sie gefehlt hat, und das Dilemma, das dazu führte, daß sie es tat, zufriedenstellend erklärt. Sie haben die Ausrüstung, die Professor Langridge ihr gab, sichergestellt. Was also soll Schaden genommen haben?«

»Das Vertrauen, Herr Professor.« In Brüssel hatte ich Mats Formulierung von der aufzubringenden Menge an Vertrauen in bezug auf Krom benutzt. Ich hatte sie auch wiederholt in bezug auf mich benutzt. Jetzt benutzte ich sie wiederum. »Bislang habe ich beträchtliche Mengen an Vertrauen aufgebracht. Dafür bin ich mit Täuschungen und Ausflüchten belohnt worden. Wie die Dinge im Augenblick liegen, scheint mir, daß ich weniger zu verlieren habe, wenn ich Ihnen sage, daß die Sache abgeblasen sei und Sie von mir aus mit Ihren bisherigen Forschungsergebnissen machen könnten, was Sie wollen, als wenn ich mir weiterhin freundliche Versicherungen anhöre, daß Ihr Teil der Vereinbarungen eingehalten werde, weil Sie ehrliche Leute seien, und daß nur ich und meine Mitarbeiter hier die Schurken sind.«

Er zeigte seine Zähne. »O nein, das werden sie nicht tun, Mr. Firman. Wer täuscht hier wen oder versucht jetzt Ausflüchte zu machen? Wir unsererseits sind ganz offen und ehrlich gewesen. Hören Sie auf, Ihr Blatt zu überreizen.«

Ich lachte kurz auf. »Sie bluffen, Herr Professor. Soll *ich* Dr. Henson fragen, oder wollen Sie das tun? Was beabsichtigte sie, als sie diese Ausrüstung entgegennahm und einwilligte, sie zu benutzen? Wem gegenüber glaubte sie ihr Versprechen zu halten, als sie die Sachen mit sich hierher brachte? Professor Langridge und seinen Herren und Meistern oder Ihnen und mir?«

Connell sagte: »Uups!«

Krom durchdachte das Gesagte und starrte Henson dann finster an.

Sie zuckte die Achseln und spreizte aufgebracht die Arme. »Mehrere Antworten«, sagte sie, »allesamt verworren. Mein erster Gedanke war, die Kamera und das andere Zeug einfach in England zurückzulassen, aber dann wurde mir klar, daß es Komplikationen verursachen würde, die Sachen dazulassen.« Abermaliges Spreizen der Arme. »Wo hätte ich sie lassen sollen? In meiner Wohnung, die ich mit einer Freundin teile, hätten sie von ihr gefunden werden können. Sie arbeitet für Langridge und betet ihn an. Hätte ich versuchen sollen, ihr die ganze Situation zu erklären? Und wie konnte ich, obwohl ich versprochen hatte, mit diesen Leuten zu kooperieren, sicher sein, daß sie nicht jemanden schicken würden, um mich dennoch zu beschatten? Alles in allem schien es das Vernünftigste zu sein, den äußeren Anschein von Kooperation zu wahren, indem ich die Trickkiste mit mir nahm. Hat jemand etwas dagegen, wenn ich rauche?«

Sie fing an, in ihrer Handtasche zu kramen, aber Melanie war so rasch mit Zigarettenkästchen und Feuerzeug zur Stelle, daß die Atempause, auf die Dr. Henson gehofft haben mochte, sehr kurz geriet. Als sie merkte, daß wir alle auf die wesentlicheren Punkte ihrer Erklärung warteten und niemand sich zu diesem Zeitpunkt veranlaßt sah, ihr durch Abgabe irgendwelcher Kommentare beizuspringen, fuhr sie fort.

»Der einzige Ort, wo ich sie in Amsterdam ohne Gefahr hätte zurücklassen können, wäre ein Schließfach im Flughafen gewesen. Aber wenn ich beobachtet wurde, und ich weiß noch immer nicht, ob das der Fall war oder nicht, dann würde ich mich damit vollständig preisgegeben haben. Wie hätte ich denen bei meiner Rückkehr noch mit der Lüge kommen können, aus dem Fotografieren sei mangels Gelegenheit nichts geworden, wenn sie wußten, daß ich die Kamera und das andere Zeug auf dem Flugplatz Schiphol deponiert hatte? Also habe ich es aufgeschoben, irgend etwas deswegen zu unternehmen, und abgewartet, um zu sehen, wohin wir fuhren. Es war hinter Turin, daß ich mich zu fragen begann, ob ich vielleicht einen Fehler begangen hatte, ob ich meiner persönlichen Abneigung Langridge und seinem Secret-Service-Unsinn gegenüber vielleicht erlaubt hatte, mein Urteilsvermögen zu trüben oder es so weit zu beeinträchtigen, daß ich alles und jedes, was er an Argumenten vorbrachte, ablehnte, ohne auch nur einen Augenblick darüber nachgedacht zu haben. Es hat sich aber herausgestellt, daß eines seiner Argumente, zusammen mit diversen Wendungen, die er benutzte, um es ankommen zu lassen, sich *tatsächlich*, ob es mir nun paßte oder nicht, in meinem Kopf festgesetzt hat.«

Connell sagte: »Aha!«, aber sie ignorierte das.

»Professor Langridge sagte –«, und sie fuhr sich mit den Fingern wieder in der Weise durchs Haar, wie ich es von der Terrasse aus gesehen hatte, »er sagte, daß ihm diese Konferenz, so wie ich sie ihm beschrieben hatte, eher mit Journalismus zu tun zu haben scheine als mit Forschung. Und nicht einmal Aufklärungs- und Enthüllungsjournalismus der für die Gesellschaft nützlichen Sorte. Es klänge ihm vielmehr nach einer dieser Übungen in Sensationsmache, wie sie gegenwärtig von den Massenblättern und den zweifelhaften Fernsehstationen bevorzugt würden. Ein Zeitungs- oder TV-Feature wird aus dem Interview fabriziert, das man zuvor mit irgendeinem notorischen Terroristen oder sonstigen gesuchten Verbrecher an einem geheimgehaltenen Ort arrangiert hat.«

Sie begann jetzt mit großen Schritten den Raum zu durchmessen, wobei sie mit den Handkanten die Luft zu zerschneiden schien. Es war offenkundig, daß sie angefangen hatte, Professor Langridges gestische Eigenheiten synchron mit seinen rhetorischen wiederzugeben.

»Und was ist der Zweck dieser journalistischen Possen?« verlangte sie von der Zimmerdecke zu wissen. »Ich werde es Ihnen sagen. Für die Nachrichtenmedien, die darin schwelgen, liegt der Zweck im leichteren Zugang zu den Augen und Ohren von Kretins. Für die Gauner und Rohlinge, die die Stardarsteller sind, ist der Lohn ein großer Topf voll der wunderbarsten aller kosmetischen Salben – kostenlose Publicity. Mit dem Zeug eingerieben, kann selbst der anrüchigste Mensch und die verabscheuungswürdigste Sache ein gewisses Maß an öffentlicher Sympathie und Unterstützung mobilisieren. Viele profilierte Politiker ebenso wie hervorragende Geistliche haben sich auf solche Talmi-Unternehmungen eingelassen. Warum also sollte ein alternder niederländischer Soziologieprofessor dies nicht ebenfalls tun?«

Sie vermied es, Krom anzusehen, der über das, was sie jetzt sagte, eher amüsiert als verärgert zu sein schien, und fuhr fort, mich anzureden oder mit mir zu reden. »Der Leiter des Teams versammelt die einer Gehirnwäsche unterzogenen, willfährigen Untergebenen, bevor die Reise ins Blaue losgeht. Inwiefern ist dieses Abenteuer anders? In zweierlei Hinsicht. Journalisten, die für die etablierten Medien arbeiten, sind bis zu einem gewissen Grad privilegiert. Sofern uns nicht die Sozialarbeit am einzelnen Fall, mit dem wir es zu tun haben, einen quasi-ärztlichen Status verleiht, sind *wir* es ganz bestimmt *nicht*. Und auch Ihre Mitarbeiter nicht. Die einzige Möglichkeit für Sie, Informationen über diese kriminellen Kontakte, die Sie aufnehmen wollen, zu verweigern, falls eine hierfür zuständige Behörde mit einer diesbezüglichen Aufforderung an Sie herantreten sollte, bestände darin, Unwissenheit vorzuschützen.«

Sie machte eine Pause und wurde dann, mit einer Grimasse des Abscheus über das Geschilderte, wieder sie selbst. »Der zweite Punkt, den er vorbrachte, war stichhaltiger. Reporter in geheimer Interview-Mission werden ausnahmslos, und das nicht nur zum rechtlichen Nutzen und Schutz ihres Arbeitgebers, sondern auch ihrer selbst, von einem Kameramann, einem Assistenten als Mädchen für alles sowie von einer weiteren Person begleitet, die das

84

Tonbandgerät bedient. Selbst wenn der zu Interviewende es vorzieht, eine Kapuze oder Maske zu tragen, ist doch die Kamera zugegen, um die Tatsache, daß er dies getan hat, zu dokumentieren, und wenn er es sich in den Kopf setzt, eine Stimmenspur-Analyse dadurch zu erschweren, daß er in ein Wasserglas spricht, wird das Tonbandgerät dies ebenfalls festhalten. Warum ist dieser Mr. X so scheu? Ist er es, weil und *nur* weil er seine totale Anonymität und sämtliche anderen Tarnidentitäten, mit denen sie beringt ist, zu erhalten wünscht, oder ist die Wahrheit um einiges trauriger? Sollte es möglich sein, daß Mr. X am Ende doch nur ein weiterer inkompetenter Krimineller ist und daß er, weit entfernt davon, für die Polizei allerorten ein unbeschriebenes Blatt zu sein, solchen Behörden mit Zugang zu Interpolakten in der Tat ein alter Bekannter ist? Einzig Fotos und/oder Fingerabdrücke des Subjekts könnten die Wahrheit an den Tag bringen.«

»Wir haben ein solches Exemplar in unserem Universitätsdirektorium sitzen«, sagte Connell. »Er wird Der Syllogist genannt.«

»Der Schluß, zu dem ich gekommen bin«, fuhr Dr. Henson mit Entschiedenheit fort, »war der, daß ich noch nicht annähernd genug wußte, um auch nur zu einer vorläufigen Beurteilung zu gelangen. Sobald ich gehört haben würde, was Mr. X zu sagen hatte, und mir eine Meinung über ihn gebildet hätte, würde ich die Situation überdenken. Bis dahin wollte ich die Kamera und den Ninhydrin-Spray zu verbergen suchen.«

Ich fand, daß dies für eine Person, die ihren Abscheu bekannt hatte, ihre Kollegen zu belügen, ein ziemlich kaltblütiges Eingeständnis sei. Ich war im Begriff, das zu sagen, als Krom sich vernehmlich räusperte. In der Meinung, er schicke sich an, ihr einen Verweis zu erteilen, überließ ich ihm die Gelegenheit dazu.

Er gab ihr noch nicht einmal einen Klaps aufs Handgelenk.

»Ich denke, das beantwortet die Frage in jeder Hinsicht«, verkündete er. »Unsere Vereinbarung bleibt bestehen.«

»Selbstverständlich bleibt sie bestehen«, sagte Connell. »Natürlich werden sich bei einer Abmachung wie dieser immer wieder kleine Mißverständnisse einschleichen, die ausgeräumt werden müssen.«

Offenkundig hatte keiner von ihnen auch nur den geringsten Sinn für Recht und Unrecht. Ich machte noch einen weiteren Versuch.

»Sie mögen zu Ihrer Zufriedenheit ausgeräumt sein, Dr. Connell«, sagte ich, »aber sie sind weit davon entfernt, zu *meiner* ausgeräumt zu sein.«

Krom grinste mich an. »Es ist aber nicht *Ihre* Zufriedenheit, die hier berücksichtigt werden muß, oder? Wenn dem so wäre, wäre der Vorsitzende der Symposiagruppe und Direktor des Instituts für Internationale Anlage- und Treuhandberatung namens Paul Firman längst in einer Nebelwolke entschwunden, um drei oder vier Tage später mit einer gänzlich anderen Identität in São Paulo oder Mexico City wiederaufzutauchen. Wir würden hier gar nicht herumstehen. Aber wir *stehen* hier herum, und wir tun dies, weil Paul Firman es sich nicht leisten kann, einfach zu verschwinden. Die Zeit und das Wohlleben haben das Ihre getan. Seine Deckexistenz ist inzwischen allzu fest etabliert und sein Gesicht allzu bekannt. Womöglich ist er mittlerweile sogar pensionsberechtigt. Er sieht sich zwei Übeln gegenüber, und er hat sich vernünftigerweise für das kleinere von beiden entschieden. Habe ich nicht recht, Mr. Firman?«

Ich war nahe daran, aufzugeben, aber doch nur nahe daran. Ich schaffte es, scheinbar ungerührt seinem Blick standzuhalten. »Wer recht hat und wer unrecht, werden wir noch sehen, Herr Professor«, sagte ich. »Inzwischen wird in einer Stunde das Dinner aufgetragen. Melanie, würden Sie so gut sein, unseren Gästen ihre Zimmer zu zeigen.«

Der Horchposten, den Yves ausgewählt hatte, war ein Speicher über der Garage. Er hatte den Vorzug, vom Inneren des Hauses aus durch eine Innentür zur Garage zugänglich und zugleich von den Zimmern des Hauspersonals ziemlich weit abgelegen zu sein.

Als ich dort eintrat, waren die Empfänger der in den Gästezimmern installierten Abhörvorrichtungen bereits eingeschaltet, und ich kam gerade zurecht, um zu hören, wie Melanie zu Connell sagte, sie hoffe, er würde sich wohlfühlen, und wenn es ihm an irgend etwas fehle, was er brauche, möge er klingeln.

Yves nickte mir mißmutig zu.

»Sie sind gut mit denen fertig geworden da unten, Patron«, sagte er, »aber ich glaube, es ist hoffnungslos. *Nous sommes foutus.*«

»Sicherlich noch nicht.«

»Es ist nur eine Frage der Zeit. Diese Sippschaft wird nie imstande sein, über irgend etwas den Mund zu halten. Das wollen nun Intellektuelle sein, redliche Leute also. Man ist versucht, sie als ganz gewöhnliche Schwindler zu behandeln.«

»Es kann nichts schaden, wenn wir so von ihnen *denken*. Möglicherweise ist es eine gute Idee.«

Er bedachte mich mit einem Seitenblick. »Als wir hier anfingen, hatte ich so ein Gefühl, daß es vieles gab, wovon ich nichts wußte. Sich von einem Kränzchen von Amateuren, egal wie schlau sie seien oder für wie schlau sie sich halten mögen, die Arme verdrehen zu lassen, sah Ihnen nicht ähnlich, Patron.« Er machte eine Pause. Die Tatsache, daß er mich Patron und nicht Paul nannte, hatte zu bedeuten, daß er ernstlich beunruhigt war. Um das Maß voll zu machen, fügte er einen Seufzer hinzu. »Sie sind gut mit ihnen fertig geworden, wie ich schon sagte, aber Sie haben sie vorsichtig und sanft behandelt. Ich hätte denen die Visagen eingeschlagen und gesagt, sie sollten sich nach Hause scheren.«

»Wenn es so einfach wäre, hätten die Herrschaften gar nicht erst herzukommen brauchen.« Ich hatte ein pochendes Geräusch wahrgenommen, das aus einem der Gästezimmer kam. Jetzt war ein lautes kratzendes Geräusch zu hören. Ich wollte das Thema ohnehin wechseln, und fragte daher, was es zu bedeuten habe.

Yves stöpselte die Kopfhörer ein, die er trug. Das ermöglichte ihm, sich auf die aus einem der Zimmer kommenden Geräusche zu konzentrieren, ohne das Abhören der restlichen zu vernachlässigen. »Das ist Krom«, meldete er nach wenigen Augenblicken. »Ich glaube, er versucht, unsere Wanze ausfindig zu machen. Er hat einen Stuhl von einer Ecke in die andere geschleift und ist dann daraufgestiegen, wahrscheinlich, um durch dieses Taschenfernglas, das er in seinem Koffer versteckt hatte, die Stuckdecke anzustieren.«

»Besteht Aussicht, daß er die Wanze sieht?«

»Nun, wenn er wüßte, wie sie aussieht, könnte er möglicherweise das eine Ende davon erkennen. Aber ich glaube nicht, daß er's wird. Außerdem würde er gar nicht drankommen. Das Ding sitzt im Kronleuchter, und Sie wissen ja, wie hoch diese Zimmerdecken sind.«

»Er könnte vom Stuhl fallen und sich ein Bein brechen, wenn er es zu erreichen versuchte.«

»Er hat nichts, womit er es versuchen könnte. Ich habe die Vorhangstangen überprüft und zusätzliche Befestigungen daran angebracht. Falls er versuchen sollte, eine davon herunterzureißen, würde er nicht nur ein Mordsdurcheinander, sondern auch einen Mordslärm verursachen.«

In diesen wenigen Worten steckte eine Zusammenfassung einiger seiner Tugenden. Yves' Laster waren zu jenem Zeitpunkt noch nicht deutlich in Erscheinung getreten.

Seine Vielseitigkeit war durchweg praktischer und selektiver Natur. Er verschwendete keine Zeit darauf zu lernen, wie man amateurhafte elektronische Lauschanlagen zusammenbastelt. Er ging, was die Auswahl der verläßlichsten Anlage betrifft, auf Nummer sicher, indem er sich für den kleinen Mann unweit von Lausanne entschied, der die CIA beliefert.

Wo dagegen Findigkeit und Einfallsreichtum mobilisiert werden konnten, um neuartige Probleme ökonomisch zu lösen, gab er ihnen Gelegenheit dazu; die Vorhangstangen, die mit verräterischen Alarmklingelleitungen hätten versehen werden können, wurden lediglich um einiges gesicherter an ihren Trägerschienen befestigt.

Aus Connells Zimmer drang plötzlich eine Stimme. Connell besprach ein Tonband.

»Forschungsprojekt Alpha-Gamma, Kassette eins, Seite zwei. Aus der Villa Esmaralda, nahe Cap d'Ail, Frankreich«, sagte er, »dreizehnter Juli, neunzehn Uhr dreißig. Eingetroffen, begleitet von Krom und Henson, etwa siebzehn Uhr dreißig, unter Einhaltung bereits erwähnter Route und Vorschriften. Frage: Wird dieses Zimmer abgehört? Flüchtige Inspektion, die das zu verneinen scheint, kann ebensogut unzutreffend wie zutreffend sein. In Ermangelung erforderlicher Ausrüstung zu hinreichender Prüfung Spekulation darüber müßig.«

Während Yves seine Billigung dieses vernünftigen Entschlusses noch kopfnickend bestätigte, sprach Connell weiter.

»Unsere kleine Reisegesellschaft wurde von einer Frau begrüßt, die sich als Firmans Sekretärin bezeichnete. Alter: Eben über fünfzig. Erster Eindruck der von einer Madame de Staël, die mit Hilfe welken Jungmädchencharmes vortäuscht, ein Spatzengehirn zu haben. Haartönung: brünett mit sichtbar nachwachsendem Grau-Kastanienbraun von annähernd ein Zentimeter Länge. Von Firman als Melanie Wicky-Frey benannt. Reimt sich auf ›Hey‹, bin mir aber der Schreibweise nicht sicher. Spricht fließend englisch, hat jedoch starken Akzent und mixt amerikanische mit britischen Redewendungen. Muß Krom, der europäisches Gehör hat, nach Diagnose der Nationalität fragen.«

Ein längeres Schweigen. Dann: »Bei näherer Überlegung, nein. Frag Krom nichts. Bekämst ohnehin keine ehrliche Antwort. Er ist ein eifersüchtiger kleiner Gott, was sein Projekt betrifft. Weiter. Sekretärin Melanie reicht uns sodann an mageren und hungrigen Typ namens Yves Boularis weiter. Miene trauervoll, doch bedrohlich. Erinnert mich an diesen Termiten-Inspektor, der mir wegen ›Frei-von-Ungeziefer‹-Bescheinigung soviel Schwierigkeiten machte, als wir Haus in den Cheviot Hills verkauften.

Diagnostizierte diesen Yves als algerischen Butler. Falsch in beiden Punkten. Kein Butler, sondern irgend so eine Art rechter Hand. Doubelt zudem als Sicherheitsmann. Laut Firman nicht Algerier, sondern Tunesier. Meine derzeitige Abneigung, auch nur ein Wort von dem zu glauben, was dieser Mensch Firman sagt – habe den Verdacht, daß wir hier jemanden vor uns haben, dem das Lügen um seiner selbst willen Genuß bereitet –, läßt daran jedoch Zweifel aufkommen. Wer trainierte Yves in Gepäckdurchsuchung und Leibesvisitation? Die Franzosen? Hatte heftige Auseinandersetzung mit ihm, um dieses Bandgerät zu behalten, bei der aber die Vernunft, oder meine unverhohlene Wut, obsiegte. Henson jedoch geriet in ernstliche Schwierigkeiten, und damit ist eine Geschichte verknüpft.«

Er machte sich daran, sie dem Bandgerät zu erzählen, während wir abwechselnd zuhörten, wie Dr. Henson ein Bad nahm und Krom, der seine Suche nach elektronischen Lauschanlagen mittlerweile eingestellt hatte, Winde ließ.

Als wir zu Connell zurückschalteten, war er dabei, die britische Art, Männer wie Langridge in Amateurspionagerollen zu verwenden, mit der Unterwanderung der amerikanischen akademischen Szene durch US-Regierungsagenturen wie der CIA zu vergleichen.

Er fuhr fort: »Habe Beschreibung der Firman-Charaktermaske bis zuletzt aufgespart. Grund? Nenn es unzureichende Indizien. Kann mich ganz einfach nicht entscheiden. Erste Eindrücke ausnahmslos dürftig. Weißer, ja. Herkunftsland? Such dir eins aus. Irgendwo zwischen Kaspischem Meer und Gibraltar, Zypern und Malta inbegriffen. Kann ich's nicht ein bißchen genauer festlegen? Sicher. Er hat einen hundertzehnprozentig britischen Akzent. Einziger anderer Bursche mit einem Akzent wie diesem, dem ich je begegnet bin, ist ein Armenier mit libanesischem Paß, der bei UNESCO arbeitet und die English High School in Istanbul besuchte, bevor er an der Sorbonne studierte. Hat ebenfalls braune Augen. Sehr hilfreich. Sei genauer. Alter: Mitte fünfzig, möglicherweise jünger. Schwer zu sagen. Größe: fünf Zentimeter kleiner als ich, sagen wir einsacht-undsiebzig. Sieht aus wie Eigengewichtbeobachter, Höhen-sonnenbenutzer, Träger von stahlgrauem Toupet. Könnte mit bißchen Nachhilfe seitens der Phantasie auch nach alterndem Filmschauspieler aussehen, der es nie wirklich geschafft hat, ganz nach oben zu kommen, der aber recht-zeitig ausgestiegen ist, mit noch intakter Selbstachtung und intakten Kapitalanlagen, um im kalifornischen Grund-stückshandel zu reüssieren. Verdammt, ich weiß es nicht. Kann auch sein, daß der, den ich vor mir sehe, ein Meister-gauner im Ruhestand ist, der jetzt seinen Spaß daran hat, in die Aufgeblasenheit akademischer Clowns wie wir hin-einzustechen. Könnte sein. Er hat Krom bereits gepikst, und Henson hat sich ganz tüchtig beuteln lassen müssen; wenngleich sie sich das schließlich *selber* zuzuschreiben hat. Vielleicht ist er, wie Old Krom in Amsterdam zu sagen im Begriff war, ehe diese Vorstellung durch den schieren Schreck, der ihn darob packte, ausgelöscht wurde, vielleicht ist er gar nicht Firman, sondern ein doubelnder Ersatz-mann. Oh, nein, vergiß es. Dieser Bursche ist kein Double; er spricht seinen Text gut. Weißt du was, Connell? Solange er ein abgeleitetes theoretisches Phantom in der Oper war, ein begriffliches Wonnepaket, das im Kropf des Establish-ments steckte, hast du hundertprozentig an die Existenz von Mr. X geglaubt. Jetzt, konfrontiert mit einer Person, die sagt, sie *sei* Mr. X, kneifst du auf einmal. Du sagst: ›Der? Unmöglich. Er sieht ja aus wie ein Mensch!‹ Was hast du erwartet? Bela Lugosi? Den Mann in der eisernen Maske? Oder hast du über diese Seite der Angelegenheit noch nie nachgedacht? Ah, schon gut, du bist jetzt müde. Wie wär's also mit einer Dusche und einem frischen Hemd? Dann heißt es nur noch wach sein und warten. Okay? Okay. Mehr in Bälde.«

Danach drang aus keinem der Empfänger mehr ein Laut. Nach ein paar Sekunden schaltete Yves sie und unsere eigenen Bandaufnahmegeräte auf ›Akustomatik‹ um.

»Ein Mann, der die Augen offenhält«, kommentierte er.

»In bezug auf Sie oder in bezug auf mich?«

»In bezug auf uns beide, fand ich. Und die Frau ist sogar noch gefährlicher. Patron, ich glaube, wir tun jetzt genau das, wovon Sie immer gesagt haben, daß wir es unter keinen Umständen jemals tun sollten.«

»Ich habe gesagt, daß wir vieles nicht tun sollten.« Sein Trübsinn begann mich zu deprimieren.

»Aber insbesondere haben Sie gesagt, daß wir niemals auf die Straße hinaustreten sollten, ohne zuvor nach oben gelinst zu haben, ob die Frau im Stockwerk darüber sich anschickt, einen Nachttopf auszuleeren.«

»Ich habe nie etwas derart Ordinäres gesagt. Ich *habe* einmal gesagt, daß man in gewissen Straßen stets sorgsam darauf achten soll, wohin man tritt.«

»Läuft doch aufs gleiche hinaus, Patron. Wenn man nicht aufpaßt, landet man in der Scheiße, so oder so. Ich denke, das ist es womöglich, worin wir jetzt stecken, und ich wüßte gern warum.«

»Später, Yves«, sagte ich. »Später vielleicht.«

Es hatte keinen Sinn, seine Befürchtungen zu bestätigen, bevor es unumgänglich wurde, das zu tun.

Wir speisten auf der Terrasse zu Abend.

Ich persönlich esse zu keiner Zeit gern im Freien, selbst wenn keine Insekten da sind, die einen plagen; aber es war ein sehr warmer Abend, und, wie Melanie gesagt hatte, mit sechs Personen am Tisch wie auch in Anbetracht der Tatsache, daß die aus dem Dorf stammende Schwägerin der Köchin ihrem Bruder beim Servieren half, würde das von ein paar Nachtfaltern verursachte Unbehagen dem in einem geschlossenen Raum vom Körpergeruch der Bediensteten ausgelösten vorzuziehen sein.

Unsere drei Gäste, von Melanie instruiert, daß lässigste Bekleidung *de rigueur* sei, hatten beschlossen, sie beim Wort zu nehmen. Der weißhaarige Krom sah in einer verwaschenen blauen Hose und einem Sporthemd aus rosa Leinen geradezu elegant aus.

Ich gab ihnen einen provenzalischen Weißwein vor dem Essen. Keiner von ihnen lehnte ab, und der große runde Tisch, an dem wir alle bequem Platz hatten, förderte die allgemeine Unterhaltung. Zumindest sahen wir alle gelöst aus, wenngleich von einem wirklichen Nachlassen der Spannung natürlich keine Rede sein konnte. Ihr Mißtrauen gegen mich lastete, durch wachsende Neugier nur wenig gemindert, noch immer auf uns; aber ihre Bereitwilligkeit, es sich physisch wohlsein zu lassen, signalisierte eine Art Waffenstillstand.

Er dauerte nicht lange. Erfrischt von Dusche und Kleiderwechsel, hatte Connell seinen Vorsatz, wach zu sein und zu warten, bald vergessen. Er war zu erneuter Aktion bereit.

Sie nahm die Form an, daß er seinen Stuhl an meinen heranschob und mir in vertraulichem Ton erzählte, er habe meinen Akzent zu lokalisieren versucht. »Ich weiß, er ist natürlich britisch«, beeilte er sich hinzuzufügen, »aber britisch welcher Provenienz? Ich weiß, australisch oder südafrikanisch ist er nicht. Ich vermute, er könnte . . .«

Weiter kam er nicht. Krom hatte sich halb vom Sitz erhoben und mit gebleckten Zähnen über den Tisch gebeugt.

»Nein, Dr. Connell, nein!« Er schluckte mehrmals, um einiges von seiner Wut loszuwerden, damit er nicht an ihr erstickte. »Nein, ich lege keinerlei Wert auf Hilfe dieser Art von Ihrer Seite bei der Befragung Mr. Firmans nach seiner Herkunft und seinem Hintergrund.«

In seiner Vehemenz hatte er Speichel zu versprühen begonnen, und Dr. Henson beeilte sich, ihr Weinglas aus der Schußlinie zu rücken.

Connell blickte äußerst überrascht drein. Es war ein Gesichtsausdruck, von dem er, wie ich noch feststellen sollte, reichlichen Gebrauch zu machen pflegte. »Natürlich, Herr Professor, natürlich, *natürlich*. Ich habe lediglich eine müßige Frage gestellt.«

Krom ließ sich weder täuschen noch besänftigen. »Wir waren übereingekommen, daran darf ich Sie erinnern«, fuhr er mit Ohren und Nerven gleichermaßen strapazierender Unnachsichtigkeit fort, »daß alle Befragungen, welcher Art auch immer, von mir vorgenommen werden. Hier wird ausnahmslos alles so ausgeführt, wie ich es für richtig halte, und nur so, wie ich es für richtig halte. Das war eindeutig abgemacht.«

»Gewiß, Herr Professor, gewiß war das abgemacht.«

»Aber nicht«, bemerkte ich deutlich, »mit mir.«

Alle starrten sie mich an, mit Ausnahme von Yves, der sich selbst etwas Wein nachschenkte. Ich fuhr fort: »Ich werde derjenige sein, der bestimmt, welche Fragen beantwortet werden und welche nicht. Ich werde auch die Bereiche geschäftlicher Aktivitäten bestimmen, über die Informationen erteilt werden können. Nein, Herr Professor, es hat keinen Sinn, sich derart in Szene zu setzen. Seit unserer Begegnung in Brüssel habe ich viel Zeit gehabt, Überlegungen anzustellen und Entscheidungen zu treffen. Nach Dr. Hensons demonstrativer Nichtachtung ihrer eingegangenen Verpflichtung zur Wahrung der Vertraulichkeit, ganz zu schweigen von Dr. Connells' weniger ostentativem Bruch der auch seinerseits akzeptierten Vereinbarungen bin ich in meiner Überzeugung, daß keinem von Ihnen zu trauen ist, nur noch bestärkt worden.«

Krom stieß einen gurgelnden Laut des Unwillens aus und setzte sich wieder. »Nein, Mr. Firman, nein. Keine weiteren Ausflüchte mehr, wenn ich bitten darf. Wollen Sie die Tatsache, daß Sie an der Angel zappeln, denn noch immer nicht zugeben?«

»Wenn Sie zugeben, daß der Fisch am anderen Ende der Angel leider doch nicht derjenige ist, den Sie gefangen zu haben glaubten, ja.« Ich wartete seine Antwort nicht ab, sondern wandte mich an Henson. »Warum haben die Ihnen Ninhydrin zum Mitnehmen gegeben, Dr. Henson? Wissen Sie es?«

»Oh, nein, nicht das wieder!« Einwurf von Connell.

Krom gurgelte neuerlich.

Sie nahm von keinem der beiden Notiz. »Offenbar«, sagte sie, »ist vielen Leuten noch immer nicht bekannt, daß man Fingerabdrücke von Papieren mit matter Oberfläche nehmen kann, wenn man weiß, wie. Sie hielten es für unangebracht, wenn ich irgend etwas anderes, was Sie in der Hand gehabt hatten, zu stehlen versuchte und in der altmodischen Art und Weise mit Kohlenstaub zu bestreuen anfinge. Nebenbei bemerkt, wären die Ergebnisse weniger gut gewesen.«

»Angenommen, ich hätte während der Dauer Ihres hiesigen Aufenthalts keine Papiere zur Hand genommen?«

»Sie sagten, Sie würden. Solange Ihre Hände warm seien, genüge auch ein Buch, eine Zeitung oder selbst eine Papierserviette. Als letzten Ausweg sollte ich Sie bitten, das Typoskript einer Buchbesprechung zu lesen, die ich kürzlich geschrieben habe, und auf diese Weise nicht nur Ihre Meinung einholen, sondern mir auch Ihre Fingerabdrücke beschaffen.«

»Ich werde es mit Vergnügen lesen, Dr. Henson.«

»Unglaublich!« trompetete Krom.

»Papperlapapp!« sagte ich gereizt. »Was ist mit Ihnen und Ihren Freunden beim westdeutschen Geheimdienst, Herr Professor? Wenn die Sie vertraulich nach den genauen Einzelheiten Ihrer Abenteuer auf der Suche nach Mr. X fragen, werden Sie dann, nach all dem Entgegenkommen, das sie Ihnen mit den Archivakten erwiesen haben, eisern schweigen? Natürlich werden Sie es nicht. Keiner von Ihnen wird den Mund halten. Niemand wird das können. Also wird das, was Sie von mir erfahren werden, nicht die ganze Wahrheit sein, wenn es denn ein solches Gebilde gibt, sondern es werden einzelne Teilchen von ihr sein. Und Sie, Herr Professor, können wählen. Plaudern Sie aus, was Sie wissen, und Sie bekommen gar nichts mehr. Akzeptieren Sie meine Spielregeln, und Sie bekommen etwas.«

Er dachte darüber nach, glotzte mich dann mißtrauisch an. »Wieviel?«

»Einige Tage aus dem Leben von Herrn Oberholzer.«

»Einen habe ich schon.«

»Nein, haben Sie nicht. Sie können nicht die leiseste Ahnung davon haben, was an jenem Tag geschah. Sie wissen ja noch nicht einmal, welcher Verbrechen Sie ihn möglicherweise bezichtigen wollen.«

»Erpressen von Geldern durch Drohungen. Nötigung. Es gibt noch einige mehr, aber für den Anfang dürften diese ausreichen.«

Ich lachte ausgiebig genug, um mich ein klein wenig an meinem Wein zu verschlucken. »Nötigung, Herr Professor«, sagte ich, als ich mich erholt hatte, »so lautet, wie Sie sicherlich wissen werden, der Standardschrei, der gegen diejenigen erhoben zu werden pflegt, die Zahlungen von säumigen oder gar straffälligen Schuldnern beitreiben oder beizutreiben suchen. Der Begriff Erpressung wird häufig angezogen, um Briefe von Gläubigern zu charakterisieren, die mit der Wendung: ›Wenn Sie nicht bis zum . . .‹ beginnen. Oberholzer war jedenfalls kein Schuldenbeitreiber. Wenn das alles ist, was Sie haben . . .«

»Ich rede nicht von Schulden, die für rechtmäßig gelieferte Waren oder geleistete Dienste gemacht worden sind. Ich spreche von gesetzeswidrigen Forderungen Krimineller.«

»Aber die Dienste, die wir geleistet haben, waren stets absolut legal. Ist es ein Verbrechen, gute Ratschläge zu erteilen?«

»Gewisse Ratschläge, ja. Einen Mann, der eine kriminelle Handlung begangen hat, zu beraten, wie er, indem er Ihnen Geld gibt, sich den Folgen seiner Tat entziehen kann, ist zweifellos kriminell.«

»Und Sie, Herr Professor, verlangen Informationen statt Geld?«

Henson kicherte und Connell grinste, aber Krom

brauchte etwas länger, um die Anspielung mitzubekommen. Sie gefiel ihm nicht. Er setzte sich kerzengerade auf.

»Nun gut, wenn Haarspaltereien dieser Art Sie amüsieren – ich bin im Interesse der Sozialwissenschaften zum Erpresser geworden. Vielleicht finden Sie es weniger amüsant, Mr. Firman, wenn ich Sie jetzt auffordere, mit den Zahlungen zu beginnen?«

»Selbstverständlich.« Ich sah Melanie an. »Wären Sie so nett, mir die Unterlagen aus Aktenordner Nummer eins zu bringen, meine Liebe?«

Krom starrte mich mißtrauisch an, als sie ging. Ich schlürfte meinen Wein und beachtete ihn nicht.

Der Augenblick war gekommen, von dem ich gewußt hatte, daß er irgendwann kommen würde, und ich war bereit, Krom etwas zu servieren, was, wie ich glaubte, so aussah, roch und schmeckte wie das Fleisch, nach dem er verlangt hatte.

Was heutzutage in den Nahrungsmittellaboratorien geleistet wird, um Protein künstlich herzustellen, ist in der Tat erstaunlich. Ich glaube, die haben es sogar geschafft, es aus einer in diesem Zusammenhang so unwahrscheinlich anmutenden Substanz wie Erdöl zu gewinnen. Die einzige Schwierigkeit mit dem künstlichen Zeug besteht darin, daß es nicht wirklich nach irgendwas Richtigem schmeckt. Man muß dem Präparat ein Fleischaroma beimengen, um ihm Würze zu geben.

Wer Soziologen und insbesondere Kriminologen füttert, muß dem künstlich produzierten Material ebenfalls ein klein wenig Wahrheit beimengen.

Als ich Melanie die Terrasse entlang zurückkommen sah, wandte ich mich an Krom. »In Erwartung unseres Meetings«, sagte ich, »habe ich Papiere vorbereitet, die Oberholzer, seinen Arbeitgeber und späteren Seniorpartner, ihre Geschäftsfreunde und geschäftlichen Aktivitäten über einen Zeitraum von fünf Jahren betreffen. Es sind Papiere, die ich zur Diskussion stelle, und ich bin selbstverständlich bereit, mich über sie von Ihnen befragen zu lassen. Meine Antworten mögen Sie zufriedenstellen oder auch nicht. Das bleibt abzuwarten.«

In diesem Augenblick verkündete der Butler, daß auf dem anderen Tisch auf der Terrasse das Dinner serviert werde.

Melanies Timing war perfekt kalkuliert.

Die Augen der Gäste waren auf die Aktenunterlagen fixiert, ihre Mägen auf das angekündigte Dinner.

Man kann seine Gegner teilen, natürlich ohne sie dadurch zwangsläufig auch schon zu besiegen, aber jedwede Teilung ist besser als gar keine. Etwas zumindest hatte ich gewonnen; keine Feldschlacht, geschweige denn einen Feldzug; aber vielleicht ein kleineres Vorpostengeplänkel an einer exponierten Flanke.

Der erste Gang war eine Entenleberpastete. Aus gegebenem Anlaß hatte ich sie ›Pâté Oberholzer‹ genannt.

Ich persönlich mache mir nichts aus solchen Dingen.

Die anderen aßen alles auf.

Vier

K rom sagte, er beabsichtige, meine Lebensgeschichte zu schreiben, und jetzt hat er die Stirn, zu behaupten, daß er dies getan habe.

Was für einen Quatsch der Mann redet! Er weiß noch nicht einmal, wo ich geboren bin. Und warum weiß er es nicht? Weil *er* nicht gefragt hat. Weil *er*, in seiner schwachsinnigen Besessenheit, dieser vorsätzlichen Unfähigkeit, zwischen einem Kriminellen und einem Geschäftsmann zu unterscheiden, davon auszugehen beliebt, daß es mein Wunsch sein müsse, solcherart mich selbst betreffende Fakten geheimzuhalten.

Kompletter Unsinn!

Hätte er nicht so energisch interveniert, als Connell mich nach meiner Herkunft fragte, ich würde höchst wahrscheinlich Auskunft gegeben haben. Ich sehe keinen Grund, warum ich das nicht hätte tun sollen.

Ich bin in Argentinien geboren, und meine Familie war und ist noch heute eine von vielen dort ansässigen britischer Abstammung, die landläufige britische Namen tragen. In unserem Fall, wie auch in einigen anderen gleichgelagerten Fällen, war die aus Mischehen mit Angehörigen der Majorität spanischer Abstammung resultierende Absorption ein langwieriger Prozeß gewesen. Bei meiner Geburt war unser Name, obschon wir seit mehr als einem Jahrhundert im Land lebten und uns eher als Argentinier denn als Briten fühlten, noch immer frei von dem Beinamen spanischer Seitenlinien, und meine Geburt wurde ordnungsgemäß nicht nur bei der örtlichen Stadtverwaltung, sondern auch auf einem britischen Konsulat registriert. Alles sehr schizoid. Bei uns überwachten nach wie vor britische Nannies das Großziehen der Kinder, und nach wie vor wurden wir im Alter von acht Jahren nach England geschickt, um die Qualen seiner Boarding-Schools zu erdulden. Mein Vater hielt es 1914 für angezeigt, in die Royal Navy einzutreten. 1939 empfand ich es meinerseits als nicht weniger angebracht, in die britische Armee einzutreten. Wenn ich unseren Familiennamen nicht preisgebe, so hat das gute Gründe. Ich habe zwei Nationalitäten, und die Möglichkeit, daß die schützende Deckung, die mir dieser Umstand gegebenenfalls bieten würde, sich nach all diesen Jahren als nicht zu unterschätzender Vorteil erweisen könnte, darf ich in meiner Lage nicht außer acht lassen.

Unbewiesene Behauptungen von der Sorte, wie Krom sie aufgestellt hat – ein Teil Fakten mit neun Teilen Phantasie verrührt –, lassen sich erfahrungsgemäß nur sehr schwer entkräften; und in diesem Fall ist das Unterfangen noch besonders erschwert, weil die in seine schwammige Fallstudie eingebetteten Wahrheitssplitter in dem, was er beharrlich meine ›Vertraulichen Papiere‹ zu nennen beliebt, von mir selber beigesteuert worden sind. Er macht zudem viel Aufhebens von der Tatsache, daß sie vor Zeugen beigesteuert wurden. Welche Auswirkungen das auf den Wert der Papiere als Beweismaterial haben sollte, ist mir unerfindlich. Wenn ich ihm eine gefälschte Zehndollarnote überreicht hätte, würde die Anwesenheit von Connell und Henson als Zeugen das Falschgeld etwa in echtes verwandelt haben?

Das erste Papier – wieviel großspuriger doch das Wort ›Papier‹ klingt als das angemessenere ›Informationsblatt‹ – befaßte sich mit einigen der Umstände, die dazu führten, daß Krom Oberholzer in Zürich sah, sowie mit einigen der aus dem ganzen Vorkommnis resultierenden Folgen.

Und das war auch *alles*, was es war, ein Vorkommnis. Kroms Darstellung davon, als sei er Zola, der vor einer staunenden Öffentlichkeit die Schändlichkeiten des Falles Dreyfus aufrollt, ist für jeden, der die Wahrheit kennt, zweifelsohne ziemlich komisch. Weit davon entfernt, komisch zu sein, ist dagegen sein deutliches und sofort erkennbares Porträt von mir, ausstaffiert als der Superbösewicht seiner Phantastereien.

Melanie, die mir dabei half, die Texte der ›Papiere‹ zu fabrizieren, und die verantwortlich war für einige der würzigsten Irreführungen darin, ist der Meinung, daß wir ihn überschätzt haben. Sie sagt, daß wir uns allzu fest auf die bei Gelehrten gemeinhin ausgeprägte Neigung zur Skepsis, verbunden mit einer Fähigkeit, Falschinformationen richtig auszuwerten, die hätte vorhanden sein sollen, es aber nicht war, verlassen haben. Mit anderen Worten, wir waren zu clever.

Ich sage, daß wir seine Fähigkeit zur Selbsttäuschung unterschätzt haben. Wir gaben ihm ein Kaleidoskop zum Spielen, und er benutzte es, als sei es eine Leselupe.

Wenn es denn ein Bild geben muß, so soll es ein Foto sein, mit Warzen und allem, keine Karikatur; und wenn die Welt, oder der von Kriminologen und Polizisten bewohnte winzige Sektor davon, wirklich über den armen alten Oberholzer Bescheid wissen will, so soll es eine von den vielen ihm eigenen Stimmen sein, die zu hören ist. Mein Bericht wird vollständig, einigermaßen akkurat und frei von Kroms Verzerrungen sein. Er wird natürlich nicht frei von *meinen* Verzerrungen sein. Ich gehöre nun einmal zu denen, die glauben, daß die Fähigkeit, die ganze Wahrheit über irgend etwas zu berichten, so selten ist, daß jeder, der sie für sich beansprucht, und insbesondere, wenn er dies mit der Hand auf dem Herzen tut, mit äußerstem Mißtrauen betrachtet werden sollte.

Ich kann nur anstreben, aufrichtig zu sein.

Ich begegnete Carlo Lech erstmals, als ich ihn unweit von Bari um ein Haar hätte verhaften müssen. Das war 1943 gewesen, nach unserer Landung auf dem Absatz des italienischen Stiefels, als die Achte Armee nordwärts auf Foggia zumarschierte. Ich war damals der britischen Feldsicherheitspolizei zugeteilt, und um ein Haar hätte ich ihn verhaften müssen, weil ein Korporal des Trupps, den ich führte, ein übereifriger Tölpel war.

Was aber, so mag man sich fragen, hatte ein zwei Muttersprachen sprechender englischer Argentinier oder argentinischer Engländer bei der Feldgendarmerie in Italien zu suchen? Steckte dahinter die Tatsache, daß die britische Armee einmal mehr ihrem altehrwürdigen Lieblingsspiel frönen mußte, eckige Keile in runde Löcher zu treiben? Nein, das war nicht der Grund. Im Lauf des auf meinen Abgang von der Schule folgenden Jahres hatte ich ziemlich gut Italienisch sprechen gelernt.

Wenn es um seine Kinder ging, war mein Vater großzügig und, wenngleich weit entfernt davon, einfallsreich zu sein, stets außerordentlich fair. Ich war der jüngste seiner drei Söhne, und als er im Sommer 1938 von meinem Schuldirektor davon in Kenntnis gesetzt wurde, daß mein Jahr in der sechsten Klasse weniger verheerend als befürchtet geendet hatte, wurden mir die gleichen Belohnungen zur Auswahl geboten wie vor mir meinen Brüdern. Ich konnte ein Jahr und zweitausend Dollar auf Reisen in Europa verleben, bevor ich in die väterliche Firma eintrat; oder ich konnte den Sportwagen meiner Wahl bekommen und auf der Stelle in die väterliche Firma eintreten.

Meine beiden Brüder hatten Sportwagen genommen. Ich entschied mich für das Jahr in Europa.

Nach drei Monaten hatte ich die zweitausend Dollar ausgegeben – mir allerdings, indem ich dies tat, auch eine herrliche Zeit verschafft – und saß völlig abgebrannt in Cannes fest. Ein Telegramm hätte mir ein Schiffsticket nach Hause, eine Predigt über den Wert des Geldes und, selbstverständlich, den sofortigen Eintritt in die väterliche Firma beschert. Ich schickte kein Telegramm ab, weil ich nicht nach Hause reisen und weil ich nicht in ein langweiliges Familienunternehmen eintreten wollte, das ohnehin schon mehr Nachwuchsführungskräfte beschäftigte, als es benötigte. Wie Ihnen jeder erfahrene Schwindler bestätigen wird, brauchen die meisten Leute ziemlich lang, bis sie bemerkt haben, daß aus einem Verschwender ein Schmarotzer geworden ist, und an Orten wie Cannes kann es sogar noch länger dauern, ehe die Kreditwürdigkeit sinkt. Ich gab mir einen Monat, um aus meiner Klemme herauszukommen, bevor ich schreiend zu Daddy lief oder dumme Sachen zu machen begann, die mich in Schwierigkeiten mit der Polizei bringen konnten. Ich schaffte es in drei Wochen. Ich bekam einen Job als Steward auf einer Jacht.

Der Eigner war ein italienischer Bankier, und einige der Gründe, weshalb ich angeheuert wurde, waren simpler Art.

Die Krise von München hatte Frankreich zu einer Teilmobilmachung veranlaßt, und zu denen, die einberufen worden waren, hatte der französische Steward gezählt. Es war weder bekannt, wann er entlassen werden würde, noch – da er darauf bestanden hatte, daß örtliche gewerkschaftliche Bestimmungen ihn bei seinem Weggang zum Empfang eines vollen Monatsgehalts berechtigten – ob ihm nach seiner Entlassung überhaupt an einer Rückkehr gelegen sein würde. Bei Saisonende wäre es aussichtslos gewesen, nach einem erfahrenen Ersatzmann zu suchen. Die restliche Crew, einschließlich des Kochs, bestand aus Italienern, denen es gleichgültig war, wer die Drinks ausschenkte, die Mahlzeiten servierte und die Betten machte. Ich hatte argentinische Papiere, und da die Jacht in Genua registriert war, würde es wegen Arbeitserlaubnis-Bescheinigungen und gewerkschaftlichen Bestimmungen keinerlei Schwierigkeiten geben, mit denen der Eigner, sollte er mich behalten wollen, später nicht fertig werden könnte. Inzwischen galt der Job strikt als Aushilfsbeschäftigung.

Zu den weniger simplen Gründen dafür, daß ich den Job bekam, zählte die Tatsache, daß die Frau des Eigners mich eines Vormittags am Carlton-Strand aufgetan hatte. Veranlaßt hierzu hatte sie der Eindruck, daß ich ein unberührter Jüngling sei, der Bestätigung und Unterweisung von seiten der älteren-aber-noch-immer-ungemein-anziehenden Frau ersehnte, für die sie sich hielt. Sowohl meine Kleidung als auch das Hotel, in dem ich wohnte, waren von der teuren Sorte, und als ich ihr gestand, daß ich es mir nicht einmal mehr leisten könne, dem Jungen, der die Sonnenschirme am Strand aufstellte, ein Trinkgeld zu geben, geschweige denn meine Heimreise zu bezahlen, hatte sie für die mißliche Lage, in der ich mich befand, sogleich die Spieltische verantwortlich gemacht und mir, ohne daß ich darüber ein Wort ihr gegenüber hätte verlauten lassen müssen, meine Angst vor elterlicher Strafe verständnisvoll nachfühlen können. Ich habe nie versucht, sie von irgendeiner dieser Vorstellungen zu befreien. Sie war freundlich im Bett, nur gelegentlich anspruchsvoll, und sie roch immer angenehm.

Für ihren Gatten waren die Gesichtspunkte, die über meine Qualifikation entschieden, anderer Art. Die Schule, die von mir besucht worden war, hatte stets als recht gut, doch keineswegs hervorragend gegolten; aber zufällig hatte er von ihr gehört, und die Idee, einen englischen Public-School-Absolventen – selbst wenn er Argentinier war – als Bediensteten zu haben, schien das, wovon ich annahm, daß es sein faschistischer Sinn für Humor sei, besonders anzusprechen. Ich glaube, ursprünglich mag es seine Absicht gewesen sein, seine Frau zu strafen und zugleich für Il Duce und sein Imperium einen Schlag auszuteilen, indem er mich nach ein paar Tagen, oder doch sobald ich meine Unfähigkeit hinlänglich demonstriert hatte, feuern würde. Falls dem so gewesen sein sollte, muß ich ihn enttäuscht haben. Steward auf einer Privatjacht zu sein ist nicht gar so anders, als Schüler einer der unteren Klassen der Sorte von Schule zu sein, die ich gerade hinter mich gebracht hatte. Auch mag ich die Natur ihrer persönlichen Beziehung zueinander falsch eingeschätzt haben. Möglicherweise enthielt sie nichts von der Freundlichkeit, mit der sie mich behandelte. In dieser Ehe war sie es vielleicht, welche die Zuchtrute schwang.

Ich hoffe das sehr, weil er mir, der ich im Lauf meines Lebens einer großen Zahl unangenehmer Menschen begegnet bin, nach all diesen Jahren als einer der übleren in Erinnerung geblieben ist.

Als das Wetter an der Riviera umschlug, segelten wir nach Süden, zunächst nach Ischia und Capri, und dann weiter hinunter nach Tripolis. Dort besaß der Jachteigner Ländereien östlich der Stadt, wo er sich in der Rolle des Zitruspflanzers gefiel, sowie ein aufgetakeltes Farmhaus. Seine Frau erklärte mir, daß er das Anwesen nicht deswegen besaß, weil es ihm gefiel oder weil es ertragreich war, sondern aus irgendwelchen mysteriösen politischen Gründen.

Wir verbrachten ein paar Tage mit Nichtstun, während er mit dem Gouverneur und anderen örtlichen Regierungsbeamten Besprechungen abhielt. Dann liefen wir zu einer Kreuzfahrt aus, die uns nach Bengasi hätte bringen sollen. Ein Nordweststurm beendete sie, und innerhalb von sechsunddreißig Stunden waren wir wieder in Tripolis. Dort wurde verkündet, daß die Jacht jetzt zur jährlichen Überholung aufgelegt und nur der Kapitän zwecks Beaufsichtigung der Arbeiten weiterbeschäftigt werden würde. Der Rest der Crew werde über die Wintermonate nach Italien heimgeschickt werden. Der Eigner und seine Frau zogen in das Haus.

Da niemand mir gesagt hatte, was aus mir werden solle, zählte ich meine Ersparnisse, erwog, ob ich ein Trinkgeld von der Dame erwarten durfte, und fragte schließlich den Kapitän, ob ich mit der Bezahlung meines Rückreisetickets nach Cannes rechnen könne. Er brummelte irgend etwas davon, daß ich keine Arbeitserlaubnis habe, und sagte dann, er wolle sich erkundigen. Bis das Boot auf die Werft kam, um seinen Bauch geschrubbt zu bekommen, könne ich an Bord schlafen. Ich fühlte mich an eines dieser Semesterenden in der Schule erinnert, wenn die Ferien zu kurz gewesen waren, als daß man hätte nach Hause reisen können, und einem nicht viel anderes zu tun blieb, als zuviel Taschengeld auszugeben.

Zu meiner Überraschung vergaß der Kapitän nicht, sich meinetwegen zu erkundigen, ohne daß ich ihn daran hätte erinnern müssen. Am nächsten Tag ließ der Eigner nach mir schicken.

Es war das erste Mal, daß ich das Haus betrat. Man mußte einen Bus zu einem nahegelegenen Dorf nehmen und dann auf einem Feldweg durch Zitronenhaine marschieren.

Sein Arbeitszimmer war ein mit einem Mosaikfußboden und roten lederüberzogenen Wänden versehener scheußlicher Raum. Der Schreibtisch war ein Napoléon-III-Monstrum mit einem dazu passenden Sessel von den Ausmaßen eines Throns. Er hatte einen Schopf von strubbeligem weißem Haar und sehr schwarze Augen. Wie er so auf dem enormen Thronsessel dasaß, sah er aus wie eine den goldgierigen König darstellende Illustration in einer Jugendstilausgabe von Grimms Märchen.

»Ich höre«, sagte er, »Sie wollen nach Frankreich zurückkehren. Warum, junger Mann? Um allen Lohn zu verspielen, den ich Ihnen in diesen vergangenen Wochen auszahlen ließ?«

Seine Frau hatte mir von seiner Animosität gegen Glücksspiele erzählt, aber mir war das, mitsamt der Fiktion, daß ich selber ein Spieler sei, gänzlich entfallen. Anstatt zu entgegnen, daß es meine eigene Angelegenheit war, nicht seine, was ich mit dem von mir verdienten Geld tat, beantwortete ich seine alberne Frage, als sei er berechtigt gewesen, sie zu stellen.

»Nein, Sir. Ich möchte lediglich meine Stellung ordnungsgemäß regeln. Wie der Kapitän erwähnte, habe ich noch immer keine Arbeitserlaubnis für Italien oder die italienischen Besitzungen.«

Ich hätte es geschickter ausdrücken können. Er starrte mich lange dräuend an.

Dann sagte er kalkuliert: »Für die Art von bezahlter Arbeit, die Sie auf italienischen Besitzungen verrichten, ist die einzige Erlaubnis, die Sie dazu brauchen, meine.«

Ich war sehr unschuldig zu jener Zeit. Ich brauchte einen Moment oder auch zwei, um zu kapieren, was er gesagt hatte. Als der Groschen fiel, schienen jedoch mehrere Dinge auf einmal zu geschehen. Zum ersten und bislang letzten Mal in meinem Leben fühlte ich, daß ich rot wurde. Ich empfand einen fast übermächtigen Drang, ihn zu schlagen, und, zugleich, eine ebenso heftige Entschlossenheit, das Zimmer zu verlassen, bevor ich irgend etwas derart Dummes tat. Die Vernunft obsiegte. Ich drehte mich auf dem Absatz um und ging zur Tür.

»Kommen Sie sofort hierher zurück«, fuhr er mich an, »ich bin noch nicht fertig mit Ihnen.«

Ich ging nicht zurück, blieb aber stehen und wandte mich zu ihm um. Schließlich mußte ich herausbekommen, wie die Aktien standen.

»Über eines sollten Sie sich im klaren sein«, fuhr er fort. »Ich habe sowohl hier als auch in Rom beträchtlichen Einfluß bei den Behörden. Ich könnte Sie innerhalb einer Stunde ins Gefängnis werfen lassen, wenn ich wollte. Ich könnte Sie auch deportieren lassen. In dem Fall würden Sie selbstverständlich für Ihre Heimreisekosten selber aufkommen müssen. Die einzige Art und Weise, in der Sie Ihre Stellung, wie Sie es ausdrücken, ordnungsgemäß regeln können, ist die, zu tun, was Ihnen gesagt wird, und zwar nicht von dieser Närrin von einer Frau, sondern von *mir*.«

Er ließ das auf mich einwirken, und dann lächelte er lauernd. »Sie werden es womöglich sogar als weniger hemmend empfinden, hier zu tun, was Ihnen gesagt wird, statt auf der anderen Seite eines Jachtschotts.«

Als er aus meiner Miene mit Sicherheit schließen konnte, daß ich ihn sehr wohl verstanden hatte, lehnte er sich in seinem Sessel zurück und schien völlig entspannt zu sein. »Ich reise morgen nachmittag nach Rom und werde für ein paar Wochen abwesend sein. Sie werden sich meiner Frau zur Verfügung halten, solange sie damit fortfährt, Sie als brauchbar zu empfinden. Sobald sie mit Ihnen fertig ist, dürfen Sie dann gehen.« Er machte eine Pause und kostete die Vorfreude auf die abschließende Beleidigung aus, bevor er sie mir zufügte. »Ein weiteres Wort noch zur Warnung. Es *gibt* einige Besitztümer in diesem Haus, die mir wertvoll sind. Versuchen Sie nicht, irgendeines davon zu stehlen. Meine Bediensteten bemerken es sofort, wenn etwas fehlt. Machen Sie jetzt, daß Sie rauskommen.«

Ich verließ das Haus, ohne sie gesprochen zu haben, und ging zur Bushaltestelle im Dorf. Als ich an Bord der Jacht zurückkehrte, erwartete mich dort eine Nachricht von ihr. Sie besagte, daß ich die schlechten Manieren ihres Mannes ignorieren müsse. Sie seien das Resultat allzu häufigen Umgangs mit Politikern. Sie erwarte mich am Freitag zum Lunch. Von da ab würde ich *ihr* Gast sein, nicht seiner. Für den Fall, daß ich noch keine Gelegenheit gehabt hätte, mit einer örtlichen Bankfiliale Vereinbarungen zum Einlösen von Schecks zu treffen, lege sie ihren Zeilen zur Deckung von Taxikosten und anderen Ausgaben, zu denen ich mich möglicherweise veranlaßt sähe, fünftausend Lire bei.

Zu jener Zeit hätten fünftausend Lire für eine substantielle Anzahlung auf den *Kauf* eines Taxis gereicht, zumindest eines Taxis von der Art, wie sie in Tripolis herumfuhren. Zwei Tage später zog ich in das Farmhaus; aber eine Frage mußte ich ihr stellen, bevor ich mich endgültig zum Bleiben entschloß. Hatte sie von Anfang an gewußt, daß er uns belauschte?

Die Frage schien sie zu verwundern. »Aber er hat uns nicht von Anfang an belauscht«, sagte sie. »Wie hätte er uns denn in deinem Hotel belauschen sollen?«

»Ich meine, auf dem Boot.«

»Oh, auf Booten sind die Schotten immer so dünn.« Sie hatte nur ein Achselzucken dafür übrig. »Aber was spielt das für eine Rolle? Wen kümmert es, was zu hören ist? Was zählt, ist nur das, was man *fühlt*.«

Es schien sich zu erübrigen, diese Erklärung anzufechten. Ich blieb länger als drei Monate dort, und in dieser Zeit wurde mein Italienisch, obschon nie gänzlich frei von spanischen Anklängen, fließend. Ebenfalls in dieser Zeit gelangte ich zu dem Schluß, daß ich es nicht mehr sehr viel länger brauchen würde. Hitler war einmarschiert in das, was die französische und die englische Regierung von der Tschechoslowakei übriggelassen hatten. Um zu demonstrieren, daß er, wenn er nur wollte, genauso kühn und blutrünstig sein konnte, verfügte Mussolini wenige Wochen darauf die Invasion Albaniens. Gleichfalls aus Rom kam der Bescheid, daß die Jacht in diesem Sommer lediglich vor der Westküste des italienischen Mutterlandes kreuzen würde. Ihr Mann fügte wie beiläufig hinzu, daß ein italienischer Steward angeheuert worden sei und seinen Dienst antreten werde, sobald er selber in Neapel an Bord gehen würde. Der Kapitän werde sie über das Datum des Auslaufens unterrichten.

Es war Zeit für mich zu gehen. Ich reiste auf einem Schiff, das nach Marseille auslief, an meinem neunzehnten Geburtstag ab, allerdings ohne ihr von dieser Koinzidenz etwas zu sagen. Ich glaube nicht, daß sie über die Maßen traurig war, mich gehen zu sehen – sie zählte zu denen, die Abwechslung zu schätzen wissen –, aber ein Geburtstag würde das emotionale Gewicht der Trennung unnötigerweise vermehrt haben. Vielleicht, so will es mir scheinen, wenn ich jetzt darüber nachdenke, habe ich doch eine ganze Menge von ihr gelernt.

Von Marseille reiste ich nach Paris weiter und stieg dort, diesmal entsprechend meinen bescheidenen Mitteln, in einem kleinen Hotel in der Rue de l'Isly ab. Ungeachtet der Tatsache, daß mein Jahr ›auf Reisen in Europa‹ nahezu um war, beunruhigte mich der Gedanke, möglicherweise bald nach Hause zurückkkehren zu müssen, nicht sonderlich. Dies vermutlich deswegen nicht, weil es nahezu unmöglich war, in jenem Sommer in Paris zu leben, ohne zu spüren, daß der Ausbruch eines größeren Krieges unmittelbar bevorstand; und weil ich infolgedessen nicht mehr so recht daran glauben konnte, daß noch sehr viel länger irgend etwas so ablaufen würde, wie es geplant gewesen war. Dennoch schien es mir taktisch vorsorglich und hinhaltend zugleich zu sein, meinem Vater zu schreiben und ihm darzulegen, daß es vielleicht keine schlechte Idee sei, wenn ich per Frachter über New York heimkehrte, um auf diese Weise die Weltausstellung besuchen und mir ein Bild davon machen zu können, was unsere ausländischen Geschäftskonkurrenten auf dem Weltmarkt zu bieten hatten. Ich könne mir das, versicherte ich ihm selbstgefällig, ohne weiteres leisten.

Ich hätte mir die Mühe sparen können. In jenen Tagen

war die Postbeförderung noch recht langwierig, und als mein Brief ihn erreichte, war der deutsch-russische Nichtangriffspakt bereits unterzeichnet. In der letzten Augustwoche des Jahres 1939 telegrafierte ich ihm, daß ich, sein Einverständnis vorausgesetzt, vorhabe, nach England zu gehen, um entweder in die Royal Navy oder, falls dies nicht möglich sei, in die Royal Air Force einzutreten.

Ich erhielt seinen Segen wie erwartet, mußte jedoch sehr bald telegrafisch zusätzlichen Beistand erbitten: weiteres Geld und ein paar Einführungsbriefe an einflußreiche Adressaten. Natürlich war zu Beginn des Krieges keine der britischen Teilstreitkräfte darauf vorbereitet, mit dem Ansturm unausgebildeter Freiwilliger fertig zu werden, am wenigsten die Marine und die Luftwaffe. Das Äußerste, was mein Vater durch Empfehlungsschreiben für mich erreichen konnte, war, mich in der Armee unterzubringen, und das in einer ihrer langweiligsten Formationen – einer in East Anglia stationierten Flakscheinwerfer-Batterie.

Alles, was ich vom anschließenden Winter in Erinnerung behalten habe, ist die Kälte und die Tatsache, daß wir im März in ein weiter nördlich gelegenes Nest verlegt wurden, wo es noch kälter war. Im Mai wurden wir ganz plötzlich abermals verlegt, diesmal nach Wales; nicht weil man uns dort brauchte, sondern um das von uns okkupierte Barakkenlager zwecks Aufnahme aus Dünkirchen evakuierter Truppen zu räumen. In Wales wurde uns gesagt, daß das Regiment, zu dem unsere Batterie gehörte, von seiner Scheinwerferfunktion auf die der mobilen 2,5-cm-Flakartillerie umgerüstet werden solle. Ältere Offiziere und Mannschaften würden ausgesiebt und zu stationären Einheiten versetzt werden. Die Qualifikationen des gesamten Personals wurden überprüft und erneut bewertet. Zufällig fiel der Vorgang zeitlich zusammen mit Italiens Eintritt in den Krieg und dem Erlaß eines Befehls der Heeresleitung an alle Einheiten, ihr Listen mit den Namen sämtlicher Reserveoffiziere und Mannschaften einzureichen, die italienisch sprechen konnten. Mein Name war einer von dreien, die gemeldet wurden; die anderen beiden waren die in England geborener italienischer Kellner. Nach einiger Zeit wurden wir in eine Kaserne bei Durham zitiert, wo uns ein Offizier, der ein Lehrbuch-Italienisch mit schottischem Akzent sprach, interviewte und testete. Er sagte uns in der geheimnis- und wichtigtuerischen Art und Weise, die damals als schick galt, daß wir wahrscheinlich zum Bewachungsdienst im neuen Gefangenenlager für Italiener auf der Insel Man ausersehen seien.

Was aus den Kellnern geworden ist, habe ich nie erfahren; ich jedenfalls wurde zwei Monate später zu einem Infanteriebataillon abkommandiert, das sich auf einem Truppentransporter einschiffte, um nach Ägypten und in die Westliche Wüste verfrachtet zu werden.

Nach unserer Ankunft schickte mich das Bataillon zum Intelligence Corps. Theoretisch fungierte ich dort als Dolmetscher. Praktisch wurde ich von Anfang an als Vernehmender bei den Verhören italienischer Kriegsgefangener eingesetzt, die damals zu Tausenden in die Lager strömten. Je ein Offizier sollte sich, assistiert von einem Reserveoffizier, jedes Kriegsgefangenen einzeln annehmen, aber es gab ganz einfach zu viele davon, als daß eine derart unsinnige Anweisung hätte befolgt werden können. Die Arbeit mußte daher aufgeteilt werden. Um mir einen Anschein von Autorität zu verleihen, ernannte man mich zum kommissarischen Korporal und empfahl mir, mich wie ein Bühnen-Sergeant-Major aufzuführen. Es war alles eine einzige ungeheure Zeitverschwendung. In den Monaten vor Rommels erstem großem Gegenangriff vernahm ich viele Hunderte von Kriegsgefangenen und schrieb eine entsprechende Anzahl Berichte über sie. Kein einziges Mal in der gesamten Zeit erfuhr ich irgend etwas von militärischem Belang, was ich nicht schon in den geheimdienstlichen Unterweisungen, die uns regelmäßig zuteil wurden, erfahren hätte. Die einzigen, die höheren Orts ein echtes Interesse an unseren Erhebungen nahmen, waren die Leute von der politischen Kriegführung. Ein paarmal konnte ich in meinen Berichten Aussagen zitieren, die von einem über das übliche Maß hinaus demoralisierten Gefangenen – meist von einem, der Kummer wegen seiner Frau hatte – gemacht worden waren, oder Klagen melden, die sich in den Briefen von zu Hause fanden, welche mancher von ihnen bei sich trug und die zu Propagandazwecken geeignet waren.

Ich wurde als Korporal bestätigt, und es war die Rede davon, daß ich für die Reserveoffizierslaufbahn vorgesehen war, aber nichts rührte sich. Statt dessen wurde ich zur Feldsicherheitspolizei versetzt und als kommissarischer Sergeant in Italienisch-Somaliland stationiert. Als ich davon bereits mehr als genug hatte – warum irgend jemand diese Gegend jemals hatte haben wollen, entzieht sich jedwedem Verständnis –, wurde ich rechtzeitig zur Invasion Siziliens zur Achten Armee expediert.

Um zu verstehen, wie es dazu kam, daß ich Carlo um ein Haar festgenommen hätte, muß man wissen, welche Aufgaben die Feldsicherheitspolizei in Italien nachkommen sollte. Einige, die zu jener Zeit dort waren, werden keiner Auffrischung ihrer Erinnerung bedürfen, aber anderen mag es dazu verhelfen, sich zu entsinnen, daß unser Pendant in den amerikanischen Abschnitten der Front unter einer weit klangvolleren Bezeichnung firmierte – Counter-Intelligence Corps.

Das CIC und wir hatten den gleichen Job, und wir kamen ihm auf mehr oder weniger gleiche Weise nach. Während die reguläre Militärpolizei hauptsächlich mit militärischen Angelegenheiten wie Konvoi-Verkehrskontrollen, Betrunkenen, Deserteuren, Kriegsgefangenen-Kralen, Straflagern und so weiter befaßt war, hatten wir es mit den Problemen zu tun, die sich aus der Tatsache ergaben, daß es rings um unsere Streitkräfte – und, in den Städten und Dörfern, mitten unter ihnen – Zivilisten in großer Zahl gab, die bis vor kurzem aktiv oder passiv auf der Seite unserer Feinde gestanden hatten. Einige von ihnen, nicht viele, aber doch einige, taten dies noch immer. Unsere Hauptaufgabe war es, dafür zu sorgen, daß in den frontnahen Gebieten, wo derartige Dinge eine Rolle spielten, diejenigen, die gegen uns waren und sich in der Lage sahen, sich dementsprechend zu verhalten, entweder fortgeschafft oder unschädlich gemacht wurden.

Natürlich lagen die Dinge nur selten so einfach.

Wenn ein Bauer ein Paar Armeestiefel stahl, weil seine eigenen hinüber waren und er wieder daran gehen mußte, seinen Acker zu pflügen – war das nun einfacher Diebstahl oder war das Sabotage? Verteidigte eine alte Hure, die einen Soldaten verwundete, indem sie ihn mit dem Absatz eines Schuhs ins Auge hieb, lediglich ihr demokratisches Recht auf Bezahlung ihrer Dienstleistung, oder unterstützte und stärkte sie damit die Waffen-SS-Division, die sich nördlich von uns auf dem anderen Ufer des Flusses eingegraben hatte? Und dann gab es die Schwarzhändler, die eine auf Flaschen gezogene terpentinartige Flüssigkeit, welche sie Pfirsichschnaps nannten, gegen Kartons voller Armeerationen an die Truppe verscherbelten. Wie sollte man dieser Art von Warenverkehr Herr werden? Indem man den Soldaten klarmachte, daß sie sich ihre Leber ruinierten?

Nun, natürlich nicht. Was man tun konnte, war, zu versuchen, die Schwarzhändler zu schnappen, und das tat man, indem man so häufig wie nur möglich die Fahrer und die Fahrgäste jedes Zivilfahrzeugs überprüfte, das in der Gegend, die man kontrollierte, aufkreuzte. Das CIC setzte hierzu mit Fahrer und Beifahrer bemannte Jeeps ein. Wir setzten Einmann-Motorradstreifen ein.

Es war einer meiner Streifenposten, der Carlo hereinbrachte.

Ich operierte vom Keller eines zerbombten Hauses aus, das unweit des Divisionsstabs gelegen war. Das ermöglichte mir, in der Messe des Divisionsstabs zu essen, und verschaffte mir überdies direkten Anschluß an das Telefonnetz eines Fernmeldebataillons, so daß ich mich nicht mehr jedesmal umständlich über die Vermittlung beim Korps verbinden lassen mußte.

Das erste, was ich von Carlo hörte, war das Motorengeräusch seines Wagens, eines klapprigen alten Opels, der mehr Lärm machte als das Motorrad des Streifenpostens. Als beide Motoren abgestellt waren, hörte ich, wie der Korporal dem Insassen des Wagens sagte, er solle sich nicht vom Fleck rühren. Der Korporal kam dann in den Keller hinunter gestiefelt, um Meldung zu machen.

»Sehr verdächtig, dieser Mann, Sir«, sagte er. Er nannte mich ›Sir‹, weil ich mittlerweile als Feldwebelleutnant 2. Klasse Inhaber eines Offizierspatents geworden und somit zum Sergeant-Major avanciert war. Damit reichte er mir einen von AMGOT in Neapel ausgestellten Passier- und Benzingutschein.

Ich holte tief Atem und zählte stumm bis zehn.

AMGOT – Allied Military Government of Occupied Territories (Alliierte Militärregierung besetzter Gebiete) – war eines der Kreuze, welche die Armee in jener Phase des Feldzugs zu tragen hatte. AMGOT, so schien es uns, war von einem Komitee hochgestellter Saboteure aus dem stinkenden Bodensatz jener sowohl von der amerikanischen wie von der britischen Armee gezwungenermaßen unterhaltenen trüben Reservoirs an Offizieren rekrutiert worden, die voreilig eingestellt und später von einer Einheit nach der anderen als unfähig zu jedweder verantwortlichen dienstlichen Tätigkeit abgewiesen worden waren. Einige waren lediglich Dummköpfe, einige waren Alkoholiker, ein paar waren gescheiterte Gauner, und viele bedurften dringend psychiatrischer Behandlung. Es gab Typen aller Art, einschließlich einer Anzahl ehemaliger Reserveoffiziere. Zu den profilierteren uns aus unserer Sicht gefährlicheren von ihnen zählten jene umgänglichen, persönlich liebenswerten und häufig kultivierten Exzentriker, die, nach in Friedenszeiten ehrenvoll absolviertem Dienst in regulären Armeen, mit den Jahren nach und nach verkalkt waren, ohne daß jemand diese Veränderung bemerkt hatte. Sie waren gefährlicher nicht nur, weil sie häufig einen bedeutend höheren militärischen Rang bekleideten, sondern weil viele von ihnen zu politischen Ansichten neigten, die selbst einem Gabriele d'Annunzio reaktionär erschienen wären. Ihr Hang, mit ehemaligen faschistischen Machthabern, die zu ersetzen sie entsandt worden waren, herzliche Freundschaft zu halten und sie überdies womöglich gar in ihren

Ämtern zu bestätigen, rief in den alliierten Armeen heftige Verbitterung hervor.

Natürlich sind einige der AMGOT-Skandale erfolgreich vertuscht worden. Der Stadtkommandant auf Sizilien, der seine Autorität mißbrauchte, um die wertvollsten Gebäude der Stadt, einschließlich des Rathauses, zu herabgesetzten Preisen für seinen eigenen Nachkriegsbedarf aufzukaufen, wurde ohne Aufhebens vor ein Kriegsgericht gestellt und nach Hause geschickt, um eine kurze Freiheitsstrafe abzusitzen. Nur wenige haben jemals davon gehört. Die Großschiebungen mit Benzinscheinen und die trickreichen Farcen, die damit einhergingen, ließen sich weniger leicht vertuschen.

Sie erreichten den Gipfel ihrer Absurdität, als eine CIC-Streife am Stadtrand von Neapel einen italienischen Fahrer, dessen Wagen ungewöhnlich gut gepflegt aussah, stoppte und nach seinem Permit fragte. Der Fahrer reagierte mißmutig. Er zog im Zeitlupentempo eine Brieftasche hervor und schickte sich an, das Permit herauszuholen, als der CIC-Mann zugriff und das ganze Ding an sich nahm. Er fand darin nicht nur das AMGOT-Permit sowie eine beträchtliche Summe Bargeld, sondern auch eine weniger als drei Monate zuvor von der Gestapo ausgestellte Genehmigung, den Wagen zu unterhalten. Der Fahrer wurde später als hoher faschistischer Funktionär identifiziert, der Badoglio wegen der Festnahme Mussolinis als Verräter gebrandmarkt und seine Landsleute beschworen hatte, der Allianz mit den Nazis treu zu bleiben und den Invasoren, wann immer möglich oder genehm, den Dolch in den Rücken zu stoßen. Er stand auf der alliierten Fahndungsliste. Das CIC steckte ihn ins Gefängnis. Zwölf Stunden später war er frei, entlassen auf Anordnung eines höheren AMGOT-Offiziers.

Dies war zuviel für das CIC, das die Geschichte prompt Kriegskorrespondenten gegenüber durchsickern ließ. Von ihnen befragt, begann der AMGOT-Sprecher, nicht ungeschickt, indem er die Fakten rundheraus zugab und bekräftigte, daß die ganze Affäre höchst bedauerlich sei. Aber sie alle, fuhr er fort, seien doch Männer von Welt, die wüßten, daß in besetzten Ländern, in denen Notstände herrschten, gelegentlich schon einmal Kompromisse, so widerwärtig sie einigen auch erscheinen mochten, geschlossen werden mußten. AMGOT war die Verantwortung für die Regierung dieses Landes pro tempora übertragen worden, aber niemand hatte erklärt, wie es ohne die Hilfe erfahrener örtlicher Verwaltungsbeamter, die es gewohnt waren, Anweisungen zu geben und dafür zu sorgen, daß sie befolgt wurden, regiert werden sollte. Wo, erlaube er sich zu fragen, seien denn die demokratischen Verwaltungsspezialisten, die fähig und bereit wären, die Pflichten derjenigen zu übernehmen, die fallenzulassen man ihn bedränge? Wir hatten alarmierende Ausbrüche von Typhus zu verzeichnen. Ob man jetzt von ihm verlange, daß er Ausbrüche von Typhus und Cholera dulden solle, weil der leitende Hygieniker des städtischen Gesundheitsamtes einst Mitglied der faschistischen Partei gewesen sei?

Der Sprecher hatte diesen Augenblick gewählt, um eine Atempause einzulegen. Zu seinem Pech war unter den Anwesenden ein Journalist gewesen, dem rhetorische Fragen ganz besonders mißfielen. Er war sofort aufgesprungen. Was denn aber, so fragte er, mit diesem Mann sei, den man festgenommen und sogleich wieder freigelassen hatte? War *er* leitender Hygieniker eines städtischen Gesundheitsamtes? »Colonel, ist er *irgendeine* Art von Hygieniker?«

Das war der Augenblick gewesen, in dem der Sprecher

seinen Fehler begangen hatte. Statt seine Verachtung für die Journalisten weiterhin zu verhehlen, hatte er sie plötzlich offenkundig werden lassen.

Er hatte den Fragesteller angelächelt. »O, my dear sir«, hatte er milde geantwortet, »der Gentleman ist kein Hygieniker, aber« – kleine Pause – »ich weiß zufällig, daß er ausgezeichnet Bridge spielt.«

Natürlich wurde die ganze Story sofort zensiert, aber die Zensoren konnten nicht verhindern, daß sie mündlich weiterverbreitet wurde. Es war um diese Zeit, daß irgendein Witzbold die bittere kleine Spottdevise ›Amgot mit Uns‹ in Umlauf brachte.

Alles, was mich an Carlos Benzin- und Passierschein interessierte, war daher der Name des Offiziers, der ihn unterzeichnet hatte. Da mir der Name ungeläufig war, konnte ich nicht beurteilen, wessen Protektion der Inhaber des Permits genießen mochte. Also rief ich die Telefonvermittlung des Divisionsstabs an und fragte, ob man mich mit dem CIC in Venafro verbinden könne. Die Vermittlung sagte, sie wolle es versuchen. Venafro befand sich damals an der rechten Flanke der Fünften Armee auf der anderen Seite des Gebirges, aber die Vermittlung konnte mich manchmal über das Hauptquartier Caserta einschleusen.

Ich rief dem Sergeanten zu, er solle wieder herunterkommen. Es bestand noch immer eine schwache Möglichkeit, daß er keinen kompletten Narren aus sich gemacht hatte.

»Hat er irgend etwas in dem Wagen transportiert?« fragte ich.

»Nein, Sir, nur sich selbst. Aber er ist weit von der vorgeschriebenen Route abgewichen und hat auch sein Gebiet verlassen.«

»Haben Sie ihn befragt, warum?«

»Nicht nötig, Sir. Bestehende Weisungen. Er dürfte nicht hier sein.«

Hoffnungslos. Einem Tölpel dieser Sorte wird niemals klarzumachen sein, daß er unter gewissen Umständen bessere Ergebnisse erzielen könnte, wenn er bestehende Weisungen als Drohungen benutzte, statt sie blindlings zu befolgen.

»Ich nehme an, Sie haben ihm gesagt, daß er festgenommen wird?«

»Selbstverständlich, Sir. Tatsächlich *ist* er bereits festgenommen. Klarer Fall. Soll ich ihn jetzt runterbringen?«

»Noch nicht. Ich gebe Ihnen Bescheid. Hat er irgendwas gesagt?«

»Kein Wort, Sir. Soll ich ihn verhören?«

»Nein. *Sie* halten ebenfalls den Mund.«

Nach einer Weile meldete sich die Vermittlung, um mir zu sagen, daß das CIC Venafro jetzt in der Leitung sei. Der Mann an der Spitze dort war ein Offizier – bei den Amerikanern konnte man sicher sein, daß sie sich in diesen Dingen an die Vorschriften hielten –, aber mir gegenüber kehrte er diesen Umstand nie heraus, und wir arbeiteten stets freundschaftlich zusammen. Wir waren uns bereits auf Sizilien begegnet.

»Tag, Paul«, sagte er. »Was kann ich für Sie tun? Oder wollen Sie etwas für mich tun?«

»Ich bin mir nicht ganz sicher, Sir, welches von beidem. Einer von meinen Leuten hat mir einen Mann namens Carlo Lech hereingebracht.«

Er schwieg einen Augenblick, bevor er sagte: »Paul, ich denke, Sie könnten Hilfe brauchen, aber ich glaube nicht, daß ich dafür der rechte Mann bin. Lech ist ein bekannter

Bridgespieler. Waren hatte er doch nicht etwa zufällig bei sich, als Sie ihn schnappten?«

»Nein.«

»Dann lassen Sie ihn lieber laufen, bevor irgend jemand anfängt, mit nem Schraubenschlüssel nach Ihren Eiern zu zielen.«

»Er ist außerhalb des genehmigten Bereichs angetroffen worden.«

»Sie könnten ihn befragen, warum, und ihn dann laufen lassen.«

»Wenn ich ihn laufen lassen muß, Sir, würde ich ihm gern mehr als nur eine Frage stellen. Er ist festgenommen worden, und mein Korporal hat das ins Dienstbuch eingetragen. Ich muß jetzt einen guten Grund haben, um ihn laufen zu lassen. Zu billig darf er mir nicht davonkommen. Er ist von Ihrer Seite des Gebirges. Wenn Sie hier wären, welche Fragen würden Sie ihm gern stellen?«

»Vor zwei Tagen sind von einem Lastwagen zwischen hier und Caserta zwanzigtausend Zigaretten verschwunden. Ein bewaffneter Militärpolizist ist mitgefahren. Er behauptet, daß die Zigaretten nie aufgeladen worden sind. Ich wüßte gern, was sich wirklich abgespielt hat, weil das nicht zum ersten Mal passiert und ein Teil der Beute unter unserer Nase hier wiederaufgetaucht ist. Sieht dann immer aus, als sei man ein Trottel, der nicht weiß, was in seinem eigenen Hinterhof los ist. Und wenn Mr. Lech irgendwelche guten Antifaschisten kennt, verdienstvolle Männer, die wir überreden könnten, aus dem Untergrund herauszukommen, damit wir ihnen Posten als Bürgermeister, Stadträte und Polizeipräsidenten antragen können, wo sie ihr ungeschmälertes Ansehen und ihre demokratische Überzeugung in aller Öffentlichkeit demonstrieren können . . .«

»Jawohl, Sir, ich habe diese Weisung ebenfalls erhalten. Ich werde zusehen, was ich über den Verbleib der Zigaretten in Erfahrung bringen kann, und Sie wieder anrufen, falls ich etwas herausbekomme. Komischer Name für einen Italiener, Lech. Klingt eher deutsch.«

»Ist österreichisch. Lech ist einer von diesen Italienern aus Tirol. Als Junge wurde er bei einem Verkehrsunfall verletzt und ist deshalb später nicht zum Militär eingezogen worden. War aber Parteimitglied und ist ein gerissener Anwalt. Nehmen Sie sich in acht, Junge.«

Ich beendete das Gespräch und sagte dann zu dem Korporal, er solle den Gefangenen zu mir herunterschicken, aber selber oben bleiben.

Zu jenem Zeitpunkt war Carlo mehr als doppelt so alt wie ich, ein kleiner untersetzter Mann mit ergrauendem Haar, graugrünen Augen und dem gütigen Gesichtsausdruck, den ich jemals gesehen habe. Man hatte augenblicklich das Gefühl, er lechze danach, daß man etwas sagte oder tat, irgend etwas, das ihm als Entschuldigung dafür dienen konnte, dem Lächeln, welches ständig um seine Lippen zu spielen schien, zu erlauben, sich über sein ganzes Gesicht auszubreiten. Von dem Ledermantel abgesehen, den er trug und der zu lang war und offenkundig einmal jemand anderem gehört hatte, war er gut angezogen. Sein leichtes Hinken, eine Folge des Verkehrsunfalls, schien ihn nicht allzusehr zu behindern. Er stieg die zerbrochenen Steinstufen hinunter, als sei er sie gewohnt, und nahm seinen fleckigen grauen Filzhut ab, während er dies tat.

Unten angekommen, blieb er stehen, bemerkte mit wachem Blick die aufgenähte Krone auf dem Ärmel meiner Felduniform und sagte dann: »Guten Tag, Sergeant-Major.«

Ich antwortete auf italienisch. »Guten Tag, Mr. Lech. Bitte setzen Sie sich.«

Er musterte mich nochmals, und nachdem er den Korbstuhl, den ich ihm anbot, sorgsam inspiziert hatte, nahm er gegenüber meinem mit einer wollenen Militärdecke versehenen Schragentisch Platz.

Ich war neugierig. »Wonach haben Sie in dem Stuhl gesucht?« fragte ich.

»Nach Läusen, Sergeant-Major. Ich ertrage sie nicht, und als Zivilist stehen mir die neuen Mittel und Wege, die das Militär hat, um sie loszuwerden, nicht zur Verfügung.«

Einige Jahre später sagte er mir, daß dies der Augenblick gewesen sei, in welchem er Klarheit über mich gewonnen hatte. »Ich sah in dir einen Sohn, einen Sohn von der Art, wie ich ihn gern gehabt hätte, einen, mit dem ich etwas anfangen und mit dessen Hilfe ich etwas auf die Beine stellen konnte. Ich sah in dir vor allem einen Freund und Geschäftspartner, bei dem ich unter allen Umständen, selbst wenn sein privater Hochmut tangiert war, sicher sein konnte, daß er sich niemals töricht aufführen würde.«

Damit mag er etwas Wahres getroffen haben. Carlo hatte eine sentimentale Ader, von der nur wenige, die je mit ihm Geschäfte gemacht haben, etwas geahnt haben können. Übrigens hatte er einen Sohn, einen gutaussehenden, cleveren, aber eitlen Jungen, der ihn später zutiefst enttäuschte, weil er Geistlicher wurde.

Nichtsdestoweniger hatte unser erstes Zusammentreffen für mich eher etwas von einem Familienstreit denn von der Begegnung verwandter Geister, als die er es in Erinnerung zu behalten vorzog. Sobald er Platz genommen hatte, setzte ich mich halb auf die Kante meines Tisches, von wo aus ich auf ihn hinunterblicken konnte, und griff an.

»Sie fahren ohne gültiges Permit einen Wagen in diesem Gebiet und haben, wie ich höre, zugegeben, das getan zu haben, obwohl Sie wußten, das es eine strafbare Handlung ist. Trifft das zu?«

»Obwohl ich wußte, daß es sich um eine kleinere technische Ordnungswidrigkeit handelte, jawohl, Sergeant-Major.«

»Kleinere technische Ordnungswidrigkeiten gibt es in diesem Gebiet nicht, Mr. Lech. Wohin hofften Sie fahren zu können und warum?«

»Nach Bari in Geschäften. Ich habe alles das Ihrem Korporal erklärt.«

»In welcherart Geschäften?«

»Belieferung des Clubs für höhere Offiziere in Neapel mit Branntwein, Sergeant-Major.«

»*Pfirsich*-Branntwein?«

Er sah schockiert aus. »Oh, mein Gott, nein. Die Colonels und Brigadegenerale würden mich nie bevollmächtigen, sie mit derartigem Fusel zu versorgen.«

Ich nahm zur Kenntnis, daß er, ungeachtet des Schocks, den ihm die Idee versetzte, der Pfirsich-Schnaps könne Eingang in einen Club für höhere Offiziere finden, mich mit seinen Colonels und Generalen zu beeindrucken versucht und es zugleich geschafft hatte, das Wort ›bevollmächtigen‹ wirkungsvoll anzubringen. Ich mußte diese Verteidigungslinie niederreißen, bevor er sie ausbauen konnte.

»Wollen Sie behaupten, daß Sie sich in illegaler, aber berechtigter Weise in diesem Gebiet aufhalten, weil Sie von einem höheren amerikanischen oder britischen Offizier ausdrücklich hierher beordert worden sind? Haben Sie, wenn das der Fall sein sollte, irgendeine schriftliche Ermächtigung, Ihre Behauptung glaubhaft zu machen?«

»Oh, nein, Sergeant-Major, ich habe nichts dergleichen. Es ist wirklich ganz einfach. Wenn Personen von Belang eine Person ohne Belang um Hilfe bitten, bemüht sich diese, sofern sie gescheit ist, ihnen gefällig zu sein. Ich bin ganz sicher, daß General Anstruthers« – es bereitete ihm Schwierigkeiten, den Namen richtig auszusprechen, aber er machte einen beherzten Versuch dazu –, »sofern Sie sich der Mühe unterziehen wollen, ihn anzurufen, bestätigen würde, daß guter Branntwein verlangt worden war. Selbstverständlich«, fügte er nachdenklich hinzu, »bezweifle ich, ob der General sehr davon angetan sein würde, von einem Offiziersanwärter in einer so trivialen Angelegenheit dienstlich angehört zu werden.«

Ich warf ihm ein Päckchen Zigaretten in den Schoß. »Ebensowenig, wie der General davon angetan sein würde, daß sein Name als *laissez-passer* eines Schwarzhändlers mißbraucht wird.«

Er reichte mir die Zigaretten zurück, ohne eine genommen zu haben, und so fuhr ich fort. »Wo genau in Bari ist der Branntwein?«

Er hob protestierend die Hände. »Sergeant-Major, wenn ich mit Bestimmtheit wüßte, daß er tatsächlich existiert, würde ich diesen unerheblichen Verstoß gegen die bestehenden Bestimmungen, den Sie jetzt ausschlachten, nicht begangen haben. Man hat mich wissen lassen, daß der Branntwein da ist, sechs Kisten davon, aber man hat mir nicht gesagt, wo. Wenn ich richtig unterrichtet bin, kann es durchaus sein, daß er inzwischen von der britischen Armee – wie heißt es doch gleich? – ›befreit‹ worden ist. Es mag aber auch sein, daß die Originalflaschen mit Methylalkohol nachgefüllt wurden. Ich habe einen Kontaktmann, ja, aber ich kenne ihn nicht persönlich und kann daher unmöglich kaufen, ohne die Ware gesehen zu haben. Aber das alles habe ich Ihrem Korporal bereits erklärt.«

»Wer ist Ihr Kontaktmann?«

»Der Mann, der früher der Verwalter des Zollspeichers war.«

»Wenn der Branntwein da ist und den Ansprüchen genügt, was gedenken Sie zu tun?«

»Wenn der Preis nicht absurd hoch ist, werde ich ihn kaufen und dann zum General und dem Wein-Komitee seines Clubs schaffen.«

»In Ihrem Wagen?«

»Aber sicher in meinem Wagen, und mit einer quittierten Rechnung zum Beweis dafür, daß die Ware mir gehört.«

»Was veranlaßt Sie zu glauben, daß ich Sie passieren lasse, Mr. Lech?«

»Wenn Sie nicht auf eine Bestechung aus sind, was ich bezweifle, wüßte ich nicht, warum Sie auch nur erwägen sollten, den Transport der Ware zu stoppen. Sagen Sie, Sergeant-Major, wie definieren Sie diesen neuen Begriff oder Ausdruck, den Sie verwenden, diesen ›Schwarzhändler‹?«

»Einer, der unerlaubten Handel mit Waren treibt, die rationiert oder sonstwie knapp sind.«

»Ist Handel mit französischem Vorkriegs-Cognac unerlaubt? Ich hoffe, Sie sind nicht einer von diesen Sozialisten, Sergeant-Major, die gegen das Gesetz von Angebot und Nachfrage opponieren und nur deswegen Preiskontrollen verlangen, weil Leute wie ich ihr Kapital riskieren, um einen angemessenen Profit zu machen.«

»Was ist ein angemessener Profit?«

»Wenn es mir gelingt, diesen Branntwein zu kaufen,

werde ich auf den Preis, den ich zu zahlen habe, vierzig Prozent aufschlagen. Ist das zuviel, wenn man bedenkt, daß ich, zusätzlich zu meinen üblichen Unkosten bei Transaktionen dieser Art, geistige Anstrengungen auf mich nehmen muß, um einen mißtrauischen britischen Feldsicherheitspolizisten davon zu überzeugen, daß ich kein Gauner bin? Es wird mir ein Vergnügen sein, Ihnen eine Flasche zum gleichen Preis zukommen zu lassen, den ich dem General dafür berechnen werde. Ist es das, was Sie Schwarzhandel nennen?«

Ich war immerhin gewarnt worden, daß er Anwalt sei. »Nun gut, Mr. Lech«, sagte ich, »versuchen wir's mit einem anderen Artikel. Vorletzte Nacht wurden zwanzigtausend Zigaretten aus einem amerikanischen Lastwagen irgendwo zwischen Caserta und Venafro gestohlen. Als was würden Sie die Tätigkeit, sie zu verkaufen, bezeichnen?«

»In zivilisierten Ländern, Sergeant-Major, und auch in einigen unzivilisierten, ist der Handel mit gestohlenem Eigentum immer eine strafbare Handlung gewesen.«

»Aber eine, die Sie niemals begehen würden.«

»Bestimmt nicht. Ich habe es nicht nötig, sie zu begehen.«

»Sie wissen nicht zufällig, wer diese Zigaretten gestohlen hat?«

»Nein, aber ich weiß, *wie* sie gestohlen wurden.« Er wartete darauf, daß ich ihn fragte, wie.

»Nun?«

»Wäre die Kenntnis davon hier in Ihrem Gebiet von Nutzen, Sergeant-Major, oder denken Sie in selbstloser Weise mehr an Ihren Kollegen in Venafro?«

Deutlicher hätte er nicht ausdrücken können, worauf er hinauswollte. Wenn ich mehr zu hören wünschte, erwartete er als Gegenleistung dafür eine glatte Hin- und Rückfahrt nach und von Bari ohne ›technische‹ Behinderungen. Es war kein allzu schlechtes Tauschgeschäft, und so nickte ich.

»Ich denke jetzt an uns beide, Mr. Lech, also fände es schon besser, wenn Ihre Information stichhaltig wäre.«

Auf einer Privatinsel, zehn Jahre später, analysierten wir diesen Teil des Gesprächs, als sei es ein Spiel gewesen, eine Art Einübung.

»Ich habe dich sehr genau beobachtet«, sagte er. »Du hast einen offenkundigen Vorteil preisgegeben, weil du wußtest, daß er letztlich wertlos war. Ich hätte dich innerhalb weniger Stunden in Schwierigkeiten mit deinen eigenen Leuten bringen können, und du mußt das auch gewußt haben. Und doch bist du am Ball geblieben, indem du die Währung gewechselt hast. Sterling war aus dem Spiel, aber es gab noch immer den Dollar. Deine Entgegnung, die auf die empfindlicheren Strafen anspielte, die bei Erregung amerikanischen Mißfallens fällig waren, hätte nicht besser sein können.«

Das Urteil eines Bridgespielers, der die Annehmlichkeiten der Rückschau genießt. Seinerzeit hatte er heftig protestiert.

»Selbstverständlich ist sie stichhaltig, Sergeant-Major. Sie ist sogar absolut einwandfrei. Die meisten professionellen kleinen Gauner haben die gleichen Schwächen. Eine davon ist die, daß sie sich nie verkneifen können, mit ihren Erfolgen zu prahlen. Was die Zigarettenaffäre betrifft, so war mit dem mitfahrenden Militärpolizisten zuvor vereinbart worden, daß der Fahrer, sein Komplize, unterwegs anhalten und die Ladung fünf Minuten lang unbeaufsichtigt lassen würde, um einem menschlichen Bedürfnis stattzugeben. Der zum Anhalten vorgesehene Ort befand sich unweit des Dorfes Galleno. Die Bankette dort sind nicht weich, und so ist es ein geeigneter Platz, um einen Lastwagen von der Straße hinunter und wieder auf die Fahrbahn zurückzumanövrieren, ohne daß er im Schlamm steckenbleibt. Ich wage zu behaupten, daß eine sehr rasch unternommene Suche noch einige von den Zigaretten in dem Dorf zutage fördern könnte.«

»Danke, Mr. Lech.«

Ich gab ihm seine AMGOT-Papiere zurück und stellte dann eines der mit einer Durchschrift versehenen Formulare aus, die wir bei der Zivilfahrzeugkontrolle im Raum Bari verwendeten. Während ich das Formblatt ausfüllte, dachte ich, daß es nicht schaden könne, wenn ich sähe, wie er auf die Frage nach Antifaschisten reagierte.

Zu meiner Überraschung lachte er nicht.

»Hier im Süden«, sagte er, »werden Sie nur drei Arten von Leuten antreffen, die ernstlich für sich beanspruchen, seit langem Antifaschisten gewesen zu sein. Erstens die Dorfpriester, oder doch die meisten von ihnen, wie Sie wissen dürften. Dann sind da die sehr wenigen überzeugten Kommunisten, die mittlerweile alt geworden sind. Sie leben zumeist noch immer im Untergrund und warten auf ihre Stunde. Und schließlich gibt es die Verrückten.«

»Die Verrückten?«

Er stand auf. »Wer sonst als ein Priester, ein Kommunist oder ein sonstwie Verrückter würde dem von der Partei ausgeübten Druck zur Anpassung zwanzig Jahre lang widerstanden haben? Und wer sonst als nur ein Verrückter könnte jetzt um sich und auf die Zerstörung des wenigen blicken, welches in diesem erbarmungswürdigen Land aufgebaut worden war, und erklären, daß es so besser oder daß die Strafe notwendig gewesen sei?« Er wischte den Gedanken weg, als sei er ein Spinnengewebe auf seinem

Gesicht. »Im Norden werden wir zweifellos ganz andere Verhältnisse vorfinden. Sie werden sehen. Wir beide werden sehen. Die Kommunisten dort werden nicht so alt sein, und überdies besser organisiert. Ich bin im Augenblick von meiner Familie in Mailand abgeschnitten, aber schon als ich das letzte Mal von meiner Frau ein Lebenszeichen erhielt, vor der Gefangennahme Mussolinis, hatte sich die Lage dort radikal zu ändern begonnen. Die Partisanen hatten angefangen, sich zu organisieren, statt zu reden.«

Er nahm das Formular von mir entgegen, musterte meine Unterschrift und sprach dann meinen Namen aus. »Ist das korrekt, Sergeant-Major? Gut. Ich habe keinen Zweifel, daß wir uns wiederbegegnen werden, und ich wollte mich vergewissern, Ihren Namen richtig auszusprechen. Ist die Frage erlaubt, wo Sie so gut italienisch zu sprechen gelernt haben?«

»Falls wir uns jemals wiederbegegnen, Mr. Lech, wird es mir ein Vergnügen sein, es Ihnen zu erzählen.«

»Oh, wir werden uns ganz bestimmt wiederbegegnen, Sergeant-Major.« Das Lächeln hatte schließlich die Oberhand gewonnen. »Danke. Vielen Dank.«

Mit einer förmlichen leichten Verbeugung wandte er sich um und ging die Stufen hinauf. Bis der Lärm seines Wagens verebbt und dem Korporal erklärt worden war, weshalb sein Gefangener freigelassen worden sei, hatte die Vermittlung mich wieder mit Venafro verbunden.

Mein Kollege war hocherfreut über das, was ich ihm zu berichten hatte, und sehr begierig, es dem kommandierenden Offizier der Militärpolizei, den er nicht mochte, weiterzuleiten. Ich hielt es jedoch für überflüssig, ihm von Carlos Ansichten über Antifaschisten zu berichten. Er würde sie nicht goutiert und derartige Äußerungen womöglich gar für subversiv gehalten haben.

Zwei Tage darauf kehrte ich von einer Besprechung beim Korps zurück und fand auf meinem Tisch ein Paket vor. Die diensttuende Ordonnanz sagte, es sei von einem Italiener abgegeben worden, der einen Wagen gefahren und einen von mir unterzeichneten Passierschein vorgewiesen habe. In dem Paket befand sich eine Flasche Martell V.S.O.P. sowie eine Rechnung über zweitausend Lire, die auf einem Papier ausgefertigt war, das einen gedruckten Briefkopf auf englisch aufwies, der auf *CARLO LECH Doctor of Jurisprudence* lautete und eine Adresse in Neapel nannte.

Ich war nicht gesonnen, zweitausend Lire für eine Flasche Cognac zu zahlen, obschon sie zu jener Zeit weit mehr wert war als das, und es wäre keineswegs ratsam gewesen, die Flasche zu behalten, ohne irgend etwas zu zahlen. Der übereifrige Korporal, der Carlo festgenommen hatte, würde gewiß davon erfahren und überall herumerzählen, ich hätte mich bestechen lassen. Andererseits schien mir der Gedanke, die Flasche zurückzuschicken, von verletzendem Hochmut zu zeugen. Ich ging daher zum dienstältesten Feldwebelleutnant des Divisionsstabes und fragte ihn um Rat. Er pflichtete mir bei, daß der Preis es wie eine Bestechung aussehen lassen würde, aber er fand auch, daß der Cognac eine zu gute Sache sei, als daß wir ihn uns entgehen lassen sollten. Sein Vorschlag ging dahin, die Flasche in der Kantine des Divisionsstabes zu verlosen, das Los zu je fünfzig Lire, und alles Geld, das den Betrag von zweitausend Lire überstieg, der Kantinenkasse zuzuführen. Die Flasche gewann ein Stabssergeant des Ordonnanzkorps. Wir unterhielten einen Luftkurierdienst nach Neapel, über den ich Carlo die zweitausend Lire in AMGOT-Papiergeld zusammen mit einer maschinegeschriebenen Quittung zur Unterschrift zustellen ließ.

Die Quittung wurde bei Gelegenheit retourniert. Unter seinen Namenszug hatte Carlo geschrieben: »Vielen Dank. Auf bald.«

Fünf

Ich hatte gesagt, daß ich Krom und den Zeugen vor dem Essen einen weißen provenzalischen Wein zu trinken gab. Das trifft auch zu. Was ich nicht erwähnt habe, ist die Tatsache, daß dies nicht der übliche provenzalische Wein war, ich meine, keiner von der Sorte, die, sagen wir, zu einer deftig mit Knoblauch gewürzten Bouillabaisse getrunken werden und die Feuerprobe überstehen kann.

Was ich ihnen zu trinken gab, war der trockene Weiße mit ganz wenig Körper, der aus der engeren Nachbarschaft der kleinen Hafenstadt Cassis unweit von Marseille stammt. Es kommt nicht allzu viel davon in den Handel, und auf seine unaufdringliche Weise ist er sehr gut. Er ist jedoch recht empfindlich – eine Bouillabaisse würde ihn mausetot schlagen – und muß achtsam behandelt werden.

Unglückseligerweise war der Mann der Köchin, der die Stirn hatte, sich einen Butler zu nennen, davon überzeugt, daß die einzig propere Art und Weise, jedweden Weißwein zu kühlen, darin besteht, ihn in den Kühlschrank oder gar, wie ich argwöhne, für eine Stunde in die Tiefkühltruhe zu legen.

Ich hatte den Tölpel bereits vor einer derartigen Brutalität gewarnt, aber an jenem Abend hielt er sich, möglicherweise weil es draußen so heiß war, nicht an meine Weisung und servierte ihn viel zu kalt. Das Resultat war, daß er wie Wasser schmeckte.

Und dem entsprach es denn auch, wie Krom ihn zu trinken beliebte. Ja, ich weiß, er hatte einen langen, heißen Tag hinter sich, hatte viel geschwitzt und war vermutlich ein wenig dehydriert; aber die Flasche Evianwasser, die in seinem Zimmer für ihn bereitgestellt war, hätte dem abhelfen können. Worüber er sich nicht klar zu sein schien, das war der Umstand, daß die Flüssigkeit, die er so durstig in sich hineinschüttete – er trank gut und gern eine ganze Flasche vor dem Essen –, den für die Weine der Region üblichen Alkoholgehalt von etwa zwölf Prozent hatte. Oder vielleicht *war* er sich darüber im klaren. Vielleicht wäre er glücklicher gewesen, wenn wir alle vor dem Essen ein paar Runden doppelter Dry-Martini-Cocktails oder Schnäpse zu uns genommen hätten.

Ich weiß es nicht. Ich kann nur sagen, daß er vor dem Essen bestimmt zuviel trank, daß er während des Essens damit fortfuhr, zuviel zu trinken, und, sobald die Pâté seinen ersten Hunger besänftigt hatte, so gut wie nichts mehr aß.

In gewisser Weise kann ich es ihm nachfühlen, daß er keinen Hunger verspürte. Jener Abend war, was ihn betraf, der Kulminationspunkt vieler Jahre hingebungsvoller Arbeit. Nun glaube ich freilich, daß die Hingabe irregeleitet gewesen ist und daß die Arbeit sich letztendlich als fruchtlos erweisen wird; aber so stellen sich ihm die Dinge gegenwärtig nicht dar, geschweige denn, daß sie sich ihm seinerzeit so dargestellt hätten. Er glaubte, auf Reichweite an ein Ziel herangerückt zu sein, auf physische Reichweite. Die Akten, die Melanie just in dem Augenblick herbeigebracht hatte, als das Essen angekündigt wurde, lagen jetzt auf einem angrenzenden Beistelltisch. Wenn er aufstände und den Arm ausstreckte, hätte er sie berühren können, und es kostete ihn Mühe, sich zu versagen, genau das zu tun. Sein Blick irrte ständig zu ihnen ab, als müsse er sich vergewissern, daß sie noch dalagen. Den Burgunder, der zum Kalbsbraten gereicht wurde, schüttete er fast so rasch hinunter wie den Cassis.

»Nicht schlecht, der Wein, Mr. Firman«, bemerkte Dr. Henson.

»Danke.« Er *war* nicht schlecht für einen Wein, der erst vierzehn Tage zuvor von einem örtlichen Händler gekauft worden war, aber ich hatte nicht erwartet, daß sie es registrieren würde. Ich hatte sie eher für eine Claret-Trinkerin gehalten.

»Aber nicht gut genug, um Ihr Urteilsvermögen zu trüben, eh?« Krom strahlte seine Zeugen glasig an.

»Es steht zu hoffen«, sagte Connell nicht ohne Schärfe, »daß wir unser Urteilsvermögen, solange wir uns auf einer wichtigen Felderkundung befinden, durch nichts und niemanden trüben lassen.«

»Da sind Sie aber im Irrtum!« Kroms Zeigefinger wies auf Connell und fing dann an, sich wie der Zeiger eines Metronoms im Takt hin- und herzubewegen. »Ich sage Ihnen etwas voraus, was Sie später selbst entdeckt hätten.« Das Metronom stand still, und der Zeigefinger wies jetzt auf mich. »Wo und wann immer es sich um diesen Mann dreht, ist kein ungetrübtes Urteil möglich. Warum nicht? Weil er so ist wie eines dieser Geschöpfe aus der Familie der Zephalopoden, etwa so wie der Oktopus oder Tintenfisch, der, sobald er angegriffen oder mit Angriff bedroht wird, eine tintige Flüssigkeit ausstößt, die eine Wolke im Wasser bildet, hinter die er sich zurückziehen kann.«

Yves nickte anerkennend. »Calmar«, erläuterte er, zu Dr. Henson gewandt. »Gut zu essen, aber nur, wenn er auf italienische Art zubereitet ist.«

Krom ignorierte die Unterbrechung. »Und woraus besteht diese Tinte? Was sind ihre Bestandteile, wenn Mr. Firman sie zusammenbraut? Ich werde es Ihnen sagen.«

»Wir wissen es«, sagte Connell. »Die Antwort lautet: Hochtrabendes Gewäsch.«

»Pardon?«

»Es ist Ihnen wohl entfallen, Herr Professor. Diese Vorlesung haben Sie uns bereits auf der Herfahrt gehalten. Jedesmal, wenn Mr. Firman sich in irgendeiner Weise auch nur im geringsten bedroht fühlt, tritt sogleich der Abwehrmechanismus in Tätigkeit, der darauf hinausläuft, daß, wann immer irgend etwas nicht ganz Koscheres von irgend jemandem ausgebrütet worden ist und Firman zu diesem Zeitpunkt dabei war, es nie und nimmer er sei, der recht eigentlich für das Geschehene verantwortlich gemacht werden könne. Er sei, so scheint's, im Leben immer ein zweiter Mann gewesen, immer Wachs in den Händen irgendeiner skrupellosen, gerissenen, verschlagenen Nummer Eins. Stimmt's?«

»Nun . . .«

»Ich weiß, ich drücke es nicht mit genau den gleichen Worten aus wie Sie, Herr Professor, aber ich glaube, im großen und ganzen ist es ungefähr das, worauf Ihre Deutungen von ihm hinauslaufen, wenn man sie auf ihre Substanz reduziert. Sie nennen diese Art taktischen Flüssigkeitsausstoßes Oktopustinte. Ich nenne es hochtrabendes Gewäsch. Wie nennen Sie es, Mr. Firman?«

»Ich glaube, in diesem Fall muß ich die Metapher wohl ein wenig durcheinanderrühren und es Wunschdenken nennen. Professor Krom will offenkundig nicht glauben, daß der Zephalopode, den er gefangen hat, nicht der größte im Ozean war. Ein seinerseits durchaus natürliches Widerstreben. Aber wenn er wirklich glaubt, daß meine Darstellung der Ereignisse, die ihn interessieren, so wenig verläßlich ist, begreife ich nicht, wozu auch nur einer von Ihnen hier ist.«

Connell sagte: »Olé! Gut gegeben.«

Unverdrossen ging Krom erneut zum Angriff über. »Ist Ihnen noch nie aufgegangen, Dr. Connell, daß man, wenn ein Lügengebäude über eine Abfolge von Ereignissen auf einem Schema errichtet ist, das aus Fixpunkten bekannter, eben diese Ereignisse betreffender Wahrheit besteht, durch vergleichende Analyse mehr über den Lügner erfahren kann, als man durch das Anhören sogenannter freimütiger Konfessionen und das Bestreben, derartigen Bekenntnissen einen Sinn zu unterlegen, jemals in Erfahrung bringen wird?«

»Ich wüßte gern, Herr Professor«, erkundigte sich Dr. Henson artig, »ob wir wohl ein konkretes Beispiel dieser Arbeitsweise in dem Fall, über den wir derzeit diskutieren, hören könnten.«

»Gewiß. Mr. Firman beharrt darauf, zu dem Zeitpunkt, als ich ihn identifizierte, *nicht* die Leitung einer beachtlichen Organisation innegehabt zu haben, die mit diskreten, aber unerhört lukrativen Nötigungs- und Erpressungsmethoden arbeitete. Er bestreitet überdies, daß seine Operationen auf Informationen basierten, die durch Bestechung von Bankangestellten und anderen Inhabern von Vertrauensposten erlangt wurden. Statt dessen behauptet er, absurderweise, wie Sie mir wohl zustimmen werden, der hilflose Handlanger eines italienischen Kriminellen namens Carlo Lech gewesen zu sein.«

Das war zuviel, selbst von seiten Kroms. Ich unterbrach ihn. »Moment mal, Herr Professor. Ich habe nie gesagt, daß ich irgend jemandes hilfloser Handlanger gewesen sei, und ich habe nie gesagt, mein Freund Carlo Lech sei ein Krimineller gewesen. Ich habe gesagt, daß wir zeitweilig eine Partnerschaft unterhielten und daß er der Seniorpartner war. Ich habe auch gesagt, daß er ein ungemein tüchtiger Geschäftsmann war und daß er außer mir noch andere Partner hatte. Seinerzeit, vielleicht können Sie sich dessen noch entsinnen, sagten Sie mir, daß Carlo Lech nicht existiere, daß er ein Produkt meiner regen Phantasie sei. Haben Sie nicht exakt diese Worte gebraucht, Herr Professor?«

»Das habe ich, und ich tat recht daran, das zu tun. Der Carlo Lech, von dem Sie sprachen und jetzt sprechen, Ihr ›Freund‹, *war* und *ist* ein Produkt Ihrer Phantasie. Oh, ja, es gab einen Carlo Lech in Mailand. Das steht außer Zweifel. Er war ein hochangesehener Syndikus. Das heißt nicht, daß er unbedingt ein ehrenwerter Mann gewesen sein muß, natürlich nicht, aber nach unserer Unterhaltung in Brüssel ließ ich eingehende Erkundigungen über ihn einziehen. Leider ist er vor fünf Jahren verstorben, so daß wir ihn nicht persönlich darüber befragen können, was er von Ihnen gehalten hat. Er hatte aber einen Sohn, der Priester ist. Dieser Sohn hat von Ihnen oder irgend jemandem wie Sie nie etwas gehört. Sein zweites Kind, die Tochter Maria, wurde erst neunzehnhundertsechsundvierzig geboren. Mrs. Lech war, wie Sie vielleicht wissen oder auch nicht wissen, zwanzig Jahre jünger als ihr Mann. Die Tochter heiratete einen jungen amerikanischen Orchestermusiker, einen begabten Cellisten, den sie in Mailand kennenlernte, und lebt heute zumeist in den Vereinigten Staaten. Kurz bevor Carlo Lech starb, gebar sie seinen ersten Enkelsohn, Mario. Ich habe ihr geschrieben und sie nach Ihnen befragt, aber sie wußte von nichts.«

»Selbst der vernarrteste italienische Vater würde schwerlich mit einem kleinen Kind über seine Geschäftsfreunde sprechen, insbesondere nicht über Geschäftsfreunde, die unter angenommenem Namen leben.«

»Sie war kein kleines Kind, als ich Sie in Zürich sah. Waren Sie ihr Treuhänder in Vaduz? Ha! Blieb also noch die Witwe, die schon immer eine Halbinvalidin gewesen zu sein scheint und die letzten zwei Jahre in einem Sanatorium verbracht hat. Sie leidet jetzt an der Simmondschen Krankheit, die, glaube ich, etwas mit der Hypophyse zu tun hat. Sie war nicht für ein Interview verfügbar. Wäre sie es jedoch gewesen, so hätte ich kaum einen Zweifel daran gehabt, daß ihre Reaktion die gleiche gewesen wäre wie die ihres Sohnes. Sie würde nie von Ihnen gehört haben.«

Er machte eine Pause, um alles das auf mich einwirken zu lassen und sein Glas erneut zu leeren, bevor er mir den *coup de grâce* versetzte.

»Der Carlo Lech, den Sie mir beschrieben haben«, sagte er, »hat nie existiert.« Und dann wiederholte er, möglicherweise, um nicht nur seine Zeugen, sondern auch sich selbst zu beeindrucken, das Wort, an dem ihm am meisten gelegen war, und pochte dabei mit der Faust auf den Tisch.

»Niemals!«

Ungeachtet des Zusatzes »Auf bald!«, den er seiner Unterschrift unter die ihm nach unserer ersten Begegnung zugestellte Quittung angefügt hatte, dauerte es tatsächlich nahezu zwei Jahre, bevor ich Carlo wiedersah.

In der Zwischenzeit war eine Menge geschehen und, was

mich betraf, kein Augenblick davon angenehm gewesen. Den italienischen Stiefel mit einer Armee hinaufzukriechen, der nach und nach die besten Divisionen entzogen wurden, damit sie in den Kämpfen um Frankreich eingesetzt werden konnten, war für mich ohnehin eine bedrückende Erfahrung gewesen. Spezialeinheiten wie die, der ich angehörte, wurden nicht mit ihren Divisionen in Marsch gesetzt. Wir waren und blieben, für alle Ewigkeit, wie es schien, Teil der italienischen Front. Die gestaffelte Aufeinanderfolge in ost-westlicher Richtung verlaufender Verteidigungslinien, welche die Berge und Flüsse dieses Landes für jedermann – von den deutschen Generälen ganz zu schweigen – sichtbar vorzeichnen, sorgte dafür, daß die Angreifer, gleichgültig wie tapfer sie waren, gleichgültig auch, wie gut und taktisch versiert sie geführt wurden, wiederholt die Verzweiflung und Frustration erleiden mußten, für jeden kleineren Erfolg einen exorbitanten Preis zu entrichten. Und der Lohn für jeden kleineren Erfolg war stets der gleiche: der erste Blick auf das nächste Hindernis, das sich vor einem größeren auftürmte. Ich habe noch von keinem Feldzug in einem modernen Krieg gehört, der von irgendeinem seiner Teilnehmer als angenehm bezeichnet worden wäre, aber der italienische muß, was Sinnentleertheit und ganz gewöhnliche Bestialität anlangt, fraglos den schmutzigsten zugezählt werden. In den frontnahen Gebieten ist der Anblick unbestatteter Toter und unversorgter Verwundeter keineswegs immer das Schlimmste; und die Schlachtfeld-Depression, die auf einen schwererrungenen Sieg folgt, ist, gleichgültig, was die gestellten Pressefotos vorzutäuschen belieben, von derjenigen, die einer Niederlage folgt, häufig nicht zu unterscheiden.

Es war kurz nachdem wir die Gotenlinie erreicht hatten

und ich wiederum – diesmal nördlich von Ravenna – in einem halbzerstörten Haus einquartiert worden war, daß Carlo mich erneut aufsuchte.

Ich hätte ihn fast nicht wiedererkannt. Verschwunden waren der lange Ledermantel und der fleckige Filzhut. Er steckte in einer Montur, die man heute wohl paramilitärisch nennen würde. Er trug knöchelhohe GI-Schnürschuhe von der Sorte, wie britische Offiziere sie stets für sich zu ergattern suchten und die aus nach außen gewendetem Innenleder, das ein bißchen nach Wildleder aussah, gearbeitet und mit Gummisohlen versehen waren; und auf dem Kopf trug er ein schwarzes Barett. Was mich am stärksten beeindruckte, war jedoch sein Übermantel. Es handelte sich um eines dieser kurzen Dinger aus gewendetem Schafspelz, die an gewisse oberhalb der Schneegrenze operierende Gebirgstruppeneinheiten ausgegeben worden waren. Sie wurden auch von einigen der modebewußteren höheren Offiziere unter den Angehörigen der vierzehn Nationalitäten getragen, die damals an den Fronten der Fünften und Achten Armee Dienst taten. Dem ansonsten aller Orden und militärischer Rangabzeichen baren Carlo verlieh der Mantel zumindest das Air eines Frontkämpfers.

»Wie Sie sehen, habe ich es geschafft, Sie ausfindig zu machen«, sagte er statt eines Grußwortes und reichte mir eine Flasche, die in eine Nummer der *Stars and Stripes* eingewickelt war. »Whisky«, fügte er hinzu, »aber diesmal ohne Rechnung.«

Es war später Nachmittag, und es begann dunkel zu werden. Ich zündete eine Karbidlampe an, holte zwei Biergläser aus der für Marketenderwaren benutzten leeren Munitionskiste und öffnete die Flasche.

Wir tranken einander schweigend zu. Dann sagte er: »Sie sehen älter aus, Sergeant-Major.«

»Ich bin es. Anderthalb Jahre.«

»Ich habe lediglich eine Feststellung getroffen und keine Schulter zum Ausweinen offeriert, die Sie weder wollen noch benötigen.«

»Was kann ich diesmal für Sie tun, Mr. Lech?«

Sein halbes Lächeln zuckte ein wenig. »Im Augenblick nichts, vielen Dank. Ich hatte Sie schon eher besuchen wollen, aber die Ereignisse und meine Geschäfte haben das verhindert.«

Er fuhr fort, indem er mir eine ungefähre Vorstellung davon vermittelte, wie es ihm ergangen war. Er hatte seine Zelte jetzt in Rom aufgeschlagen und arbeitete dort für die inzwischen umgebildete Militärregierung, überwiegend in seiner beruflichen Eigenschaft als Anwalt.

Wenn Kriege sich langsam und zerstörerisch von einem Ende eines Landes auf das andere zubewegen, liegt es auf der Hand, daß in ihrem Gefolge eine Vielfalt rechtlicher Probleme, von denen nur wenige einfacher und die meisten höchst verwickelter Natur sind, gelöst werden müssen. Natürlich werden sie in ihrer Mehrzahl beschädigtes Eigentum betreffen, und häufig, bis auf den Grund und Boden, auf dem es stand, total zerstörtes. Wer war der Besitzer gewesen? Was war aus ihm oder ihr oder auch aus der als juristische Person fungierenden Gesellschaft, der es gehört hatte, geworden? Und gibt es, wenn der Eigner verstorben sein sollte, einen als solchen legitimierten Erben?

Er hatte auf seinen Reisen im ganzen Land viel gehört und gesehen.

Von seiner Frau und seiner Familie erwähnte er lediglich, daß er mit seiner Frau in indirekter Verbindung stehe und daß sie wohlauf sei. Aus seinen Äußerungen mir gegenüber schloß ich, daß er britischen und amerikanischen Verbindungsoffizieren bei der Koordination der Partisanentätigkeit hinter der Gotenlinie behilflich war. Darüber befragt, wechselte er gleich das Thema.

»Als ich Sie das letzte Mal sah«, sagte er, »fragte ich, wo Sie italienisch sprechen gelernt haben. Später habe ich mich über Sie bei der britischen Generaladjutantur im Armeehauptquartier erkundigen wollen, aber dort hat man die Sicherheit auf geradezu genial zu nennende Weise zu wahren gewußt, indem man vortäuschte, das eigene Aktenablagesystem nicht zu verstehen.«

»Es war vermutlich keine Vortäuschung. Aber ja, ich habe in der Tat gesagt, ich würde Ihnen alles erzählen, wenn ich Sie wiedersähe. Wollen Sie damit sagen, daß Sie noch immer neugierig sind?«

»Mehr als bloß neugierig. Interessiert.«

So gab ich ihm denn einen einigermaßen vollständigen, wenngleich in Teilen zensierten Überblick über meinen Lebenslauf.

Ich merkte sehr bald, daß die Zensur unnötig gewesen war. Er interessierte sich nicht im mindesten für meinen moralischen Charakter, hinsichtlich dessen er, wie er mir später erzählte, bereits zu eindeutigen Schlüssen gekommen war. Sie besagten, er könne sich darauf verlassen, daß ich nie etwas tun würde, was nicht in meinem wohlverstandenen eigenen Interesse läge, und daß meine Entscheidung darüber, wo dieses Interesse im jeweils gegebenen Augenblick zu suchen sei, nicht nur stets rasch, sondern auch schlau getroffen werden würde. Tripolis wurde, mit Ausnahme des Namens jenes Bankiers, auf dessen Jacht ich den Steward gespielt hatte, als unerheblich abgetan. Von Abenteuern wollte er nichts hören. Viel wichtiger war es für ihn zu erfahren, daß ich Spanisch sprach. Wie stand es mit dem Französischen?

»Es geht so. Schulgrammatik, plus Anreicherungen meines Vokabulars, die ich in Cannes und St.-Germain-des-Prés aufgeschnappt habe.«

»Aber Sie lernen Sprachen leicht, scheint mir.«

»Italienisch zu lernen, wenn man schon Spanisch spricht, ist nicht schwer. Ich glaube, es gibt ein Buch, das es von beiden Seiten aus erleichtert. Wollen Sie Spanisch lernen?«

»Nein, nein, nein. Sie sprechen Englisch. Sie würden kaum Schwierigkeiten haben, Deutsch zu lernen.«

»Warum sollte ich Deutsch lernen?«

»Weil ich glaube, daß es sich sehr bald als nützlich erweisen wird, es sprechen zu können.«

»Meinen Sie nicht eher Russisch?«

»Nein, Deutsch.«

Ich muß verständnislos dreingeblickt haben. Man erinnere sich, daß wir Februar 1945 hatten und die westlichen Alliierten und Rußland Deutschland unter sich aufteilten. Jedenfalls sah Carlo, daß eine Erklärung angebracht war.

»Sergeant-Major, ich habe die Absicht, sobald dies vorüber ist, ins Geschäft einzusteigen. Oh, meine Anwaltspraxis werde ich ebenfalls wiederaufmachen. Das ist nötig fürs Geschäft und auch in anderer Hinsicht wichtig.« Er blickte in sein halbgeleertes Glas. »Das Geschäft, in das ich einzusteigen gedenke, ist das, Gelder anderer Leute zu managen.«

Dies schien mir, für sich genommen, nicht viel damit zu tun zu haben, daß Deutsch eine Sprache war, die zu erlernen für mich nützlich sei, und deshalb sagte ich nichts.

Dann lehnte er sich plötzlich in seinem Stuhl zurück und starrte mich, während er mit einer Hand die Augen gegen den grellen Schein der Karbidlampe abschirmte, mehrere Sekunden lang unverwandt an.

Schließlich sagte er: »Paul, was haben *Sie* vor, wenn dies vorbei ist?«

Es war das erste Mal, daß er mich anders als mit ›Sergeant-Major‹ anredete. Ich erinnere mich, diese Tatsache zur Kenntnis genommen zu haben, und auch, über sie außerordentlich verwundert gewesen zu sein. Mir schien, als werde mir jeden Augenblick irgendeine Art von Job angeboten werden; aber was, in aller Welt, konnte ein italienischer Anwalt, der sich mit dem Gedanken trug, in das mysteriöse Geschäft treuhänderischer Verwaltung von Geldern anderer Leute einzusteigen, mit einem jungen Mann von noch nicht ganz fünfundzwanzig anfangen? Der junge Mann sprach zwar drei Sprachen, aber war er nicht gänzlich unerfahren in jedwedem anderen Geschäft als dem, in Kriegszeiten den Sicherheitspolizisten zu spielen? Offenbar hatte ich mich getäuscht. Er war nicht im Begriff, mir einen Job anzubieten. Also mußte er etwas anderes von mir wollen. Dann sei ruhig offen; das heißt aber natürlich nicht unvorsichtig.

»Nun«, sagte ich, »vermutlich werde ich nach Hause fahren und meine Familie wiedersehen. Es gibt da einen Job für mich, wenn ich ihn haben will.«

»Aber in der Zwischenzeit, was?«

»Ich glaube nicht, daß es viel Zwischenzeit geben wird.«

»Ich schätze, da täuschen Sie sich«, sagte er, »für Sie mag es mehr davon geben, als Sie denken. Ich nehme an, Sie haben von Demobilisierungsplänen reden hören.«

»Natürlich. Es wird dann noch immer Japan zu erledigen sein, aber nicht für die alten Hasen. Ich höre, sie haben schon damit angefangen, die altgedienten Leute aus Burma heimzuschicken. Es soll nach dem Prinzip ›als erste dran, als erste davon‹ ablaufen, mit einem Punktebonus für jeden im überseeischen Dienst verbrachten Monat. Auf der Basis müßte ich drei Monate nach Kriegsschluß zu Hause sein, selbst auf einem langsamen Schiff.«

Er schüttelte den Kopf. »Ich will nicht respektlos sein, aber wenn Sie zur kämpfenden Truppe gehörten, als Infanterist, als Ingenieur, als Artillerist, als Was-weiß-ich-was, könnten Sie vernünftigerweise damit rechnen; aber Sie gehören nicht in diese Kategorie. Ich glaube, selbst wenn die Nazis erledigt sind, werden alliierte Truppen noch immer gebraucht werden. Es wird Probleme mit den Jugoslawen wegen Triest und anderer Ecken geben, und zweifellos Probleme mit den Franzosen. Vor allem wird es aktuelle innere Probleme geben. Soziale, wirtschaftliche und politische, die nicht in Wochen oder Monaten gelöst werden können, an deren Lösung ohne die zeitweilige Präsenz von Besatzungstruppen gar nicht zu denken sein wird. Solange Partisanen lebenswichtige Gebiete im Norden uneingeschränkt kontrollieren, können wir ohne bewaffnete Hilfe noch nicht einmal ein wirtschaftliches Soforthilfeprogramm verwirklichen. Ihre Regierungen mögen beschließen, diejenigen, die Sie die alten Hasen nennen – ich nehme an, damit meinen Sie die kriegserfahrenen Männer –, durch jüngere Wehrpflichtige oder solche zu ersetzen, die noch nicht so lange gedient haben, aber Spezialisten wie Sie werden dabeibleiben müssen. Man wird Sie auffordern, freiwillig weiterzumachen.«

»Andernfalls?«

»Richtig. Andernfalls Sie genauso lange dabeizubleiben

hätten, aber der Vergünstigungen verlustig gehen würden, die Ihnen als Freiwilligem zugestanden hätten.«

»Schönen Dank für die Warnung. Vor ein, zwei Monaten hat es einer unserer Leute geschafft, sich nach Hause schicken zu lassen und eine psychiatrische Entlassung zu bekommen. Ich war überrascht, wie leicht es ging, nachdem er sich einmal dazu entschlossen hatte.«

»Baby-Talk ist nichts für Sie, Paul. Ich glaube, Sie würden es vorziehen, ein Jahr oder achtzehn Monate lang in Italien zu bleiben und ein Vermögen zu machen.«

»In der Armee? Das klingt, als seien wir wieder beim Schwarzhandel angelangt.«

Er seufzte gereizt. »Es ist absolut unerläßlich, daß Sie sich diese absurde Idee, ich sei ein Krimineller oder ich hätte kriminelle Instinkte, endlich aus dem Kopf schlagen. Ich bin ein Anwalt, der die Gesetze respektiert. Ungesetzlichkeit ist etwas für Unreife und Törichte. Der Gescheite hat dafür keinen Bedarf!«

»Tut mir leid.« Er schien wirklich verstimmt zu sein, also schenkte ich ihm von seinem eigenen Whisky nach. »Aber Sie müssen zugeben«, fuhr ich fort, »daß man, wenn irgend jemand davon spricht, ein Vermögen aus der Armee zu schlagen, sofort an Schwarzhandel und dergleichen denkt . . .«

»Nein, nein!« protestierte er. »*Während* der Zugehörigkeit *zur* Armee, nicht *aus* oder *dank* der Armee.« Mit der mir inzwischen schon vertrauten Handbewegung wischte er ein imaginiertes Spinnengewebe fort. »Die Art von Betrug, an die Sie denken, wird bereits in einem Ausmaß praktiziert, mit dem Sie unmöglich konkurrieren könnten, selbst wenn Sie wollten. Und das Ausmaß nimmt zu. Ich sagte Ihnen schon, auf meinen Reisen habe ich vieles gesehen

und gehört. Es gibt da beispielsweise einen amerikanischen Quartiermeister, der durch Transaktionen mit
Lebensmittelkonserven zur Zeit meiner Schätzung nach
bereits mehr als dreißigtausend Dollar auf die Seite geschafft hat.«

»Dann reden wir also *doch* vom Schwarzen Markt.«

»Nein, wir erörtern ein Problem, das sich aus ihm ergibt.
Kurz gesagt, handelt es sich um folgendes. Was macht der
Quartiermeister mit seinem Geld, wenn für ihn der Zeitpunkt gekommen ist, nach Hause zu gehen? Trägt er es in
seinem Kulturbeutel bei sich? *Tut* er das?«

»Ich nehme an, Sie sind der Meinung, er wäre unklug,
das zu tun.«

»Von seinem Standpunkt aus, katastrophal. Ich weiß,
daß die Dienststelle des Auditeurs bereits Anklage vor dem
Kriegsgericht gegen zwei verdiente alte Soldaten vorbereitet, reguläre Armeeveteranen, die einfältig genug gewesen
waren, genau das zu tun. Jeder Idiot kann Geld stehlen,
wenn sich ihm die Gelegenheit dazu bietet. Das ist leicht.
Über den Besitz des Geldes später Rechenschaft ablegen,
das ist es, was Schwierigkeiten macht. Können Sie sich vorstellen, daß einer dieser Burschen töricht genug war, zu
behaupten, er habe es alles beim Crap-Spiel gewonnen?
Das Dumme war nur, daß er sich an keinen einzigen der
anderen Spieler erinnern konnte. Ich kann Ihnen eines
sagen. Wenn für diese restlichen Banditen von den rückwärtigen Verbindungen und Armeebasen die Zeit abgelaufen ist und man sie nach Hause entläßt oder auch in andere
okkupierte Gebiete versetzt, werden sie feststellen, daß sie
Hindernisbahnen durchlaufen müssen, von deren Existenz
sie nie etwas gewußt haben und die sie weder bewältigen
noch umgehen können.«

»Was würden Sie also dem Quartiermeister empfehlen mit seinen dreißigtausend Dollar anzufangen?«

»Ich würde ihm empfehlen, sie allesamt mir zu geben, damit ich mich für ihn darum kümmern kann.«

Er selber fand offenkundig an dem, was er sagte, nichts Merkwürdiges. Eine sorgfältig abgewogene Antwort war folglich vonnöten.

»Carlo, Sie sind, wie ich aus Erfahrung weiß, ein vertrauenswürdiger Mann. Aber bei allem Respekt sehe ich nicht, wie Sie jemanden, der durch Betrügereien dreißigtausend Dollar gemacht hat, dazu bringen wollen, Ihnen zu glauben, daß Sie, von seinen restlichen Zeitgenossen ganz zu schweigen, nicht durch und durch schlecht sind wie er. Das ist doch die Art und Weise, wie das Gehirn des Gauners funktioniert, oder?«

»Natürlich ist sie das. Aus genau diesem Grund müssen ihm neue Ideen verkauft werden. Erstens muß er, wenn er Amerikaner ist, aufmerksam gemacht werden auf die diversen feindseligen Maßnahmen, die gegen seine dreißigtausend Dollar von seiten der Regierung der Vereinigten Staaten und ihrer Steuerbehörden eingeleitet werden können. Daß zum Beispiel derjenige Teil seines Notgroschens, der aus Besatzungsgeld besteht, nach einer bestimmten Frist entwertet werden wird, sofern er nicht zuvor deklariert worden ist. Um größere Summen deklarieren zu können, muß er imstande sein, ihr Vorhandensein zufriedenstellend zu erklären. Derjenige Teil des Ganzen, der aus italienischer Währung besteht, kann nicht außerhalb dieses Landes umgewechselt werden, es sei denn auf dem Wege der Einzahlung in seine heimatliche Bank. Wiederum muß er Rechenschaft ablegen. In gleicher Weise wird er sich, wenn er Dollarbeträge überweist, die seinen angelaufenen

Grundsold übersteigen, zur Abgabe ausreichender Erklärungen genötigt sehen. Mit anderen Worten, er muß entweder alles verlieren, oder er muß jemand anderen damit betrauen *und* dafür zahlen, daß etwas für ihn getan wird, was er selber nicht für sich tun kann; das heißt, den Teil seines Eigenkapitals, der nicht aus Dollars besteht, in Währungen umzutauschen, die negotiabel bleiben werden. Ferner muß das Ganze bis zu einem Zeitpunkt sicher verwahrt werden, zu dem er es für sich abrufen kann, ohne jemals genötigt gewesen zu sein, irgend jemandem Rechenschaft über den Besitz auch nur eines einzigen Cents davon abzulegen. Wie werden wir diese einzigartigen und ganz unschätzbaren Dienstleistungen für ihn erbringen können? Mein lieber Paul, ich will es Ihnen sagen!«

Dreißig Jahre sollten vergehen, ehe die Watergate-Affäre das Wort ›waschen‹ mit dem Wort ›Geld‹ in metaphorische Verbindung brachte. 1945 benutzten wir diese spezielle bildliche Wendung noch nicht; tatsächlich aber war ›Geld waschen‹, der Prozeß, großen Summen, die auf kriminelle Weise beschafft worden waren, den Anschein zu geben, sie seien auf legalem Wege erworben worden, genau das, was Carlo seinerzeit zu beschreiben begann.

Mr. Q., der Quartiermeister, würde wie durch Zufall, nicht nur von den in Vorbereitung befindlichen Hindernisbahnen, sondern auch von der Existenz eines hochangesehenen italienischen Anwalts hören, der sich auf ausländisches Steuerrecht spezialisiert hatte und Experte in Fragen internationaler Währungstransaktionen war. Wie, glaubte Mr. Q. wohl, hatten alle diese reichen italienischen Industriellen es geschafft, rauszukommen und reich zu bleiben, während der Rest der italienischen Bevölkerung nach Brot anstand? Offenkundig hatten sie ihr gesamtes loses Bargeld in Währungen umgetauscht und an Orten deponiert, wo es sicher war, und dieser wundervolle kleine Anwalt war es gewesen, der es ihnen ermöglicht hatte, ungestraft damit durchzukommen.

Nachdem Mr. Q.s wacher Geist die Tatsache einmal begriffen hatte, daß es hier einen Weg geben könne, die eigenen ungesetzlich ergatterten Gewinne zu verheimlichen, bis Gras über die Sache gewachsen war, würde alsbald eine Begegnung arrangiert werden und Carlo sich ans Werk machen.

Aber selbstverständlich lassen sich Ihre Probleme ganz glatt lösen, Mr. Q. Überhaupt keine Schwierigkeit. Ich werde veranlassen, daß Ihr Geld in goldgedeckten Wertpapieren angelegt und bei meiner Bank in Lugano deponiert wird. Sobald Sie sie wieder umzuwandeln und das Geld zu erhalten wünschen, schreiben Sie mir das aus Amerika. Als Antwort werden Sie aus Europa die traurige Nachricht vom Ableben eines entfernten Verwandten von Ihnen erhalten. Von wo ist Ihre Familie ursprünglich ausgewandert, Mr. Q.? Aus Dänemark? Dann wird der Verwandte in Kopenhagen sterben und das Geld, das Ihnen dieser so generöse Vetter vermacht hat, wird in dänischen Kronen ausgezahlt werden. Irgendwelche Fragen?

»Ja, Dottore Lech. Woher weiß ich, daß ich Ihnen trauen kann?«

»Eine vernünftige Frage, Mr. Q. Ich schätze nüchtern denkende Klienten, die nichts als bereits erwiesen betrachten. Sie vertrauen mir zunächst einmal, weil ich vertrauenswürdig bin und einen guten Ruf habe. Sie sitzen hier in meiner Kanzlei im Vertrauen darauf, daß nichts von dem, was hier gesagt wird, nach draußen weitergetragen wird.

Sie vertrauen mir Ihr Geld an, weil ich Ihnen erstens eine notariell beglaubigte Empfangsbestätigung darüber aushändigen und zweitens den Namen der Bank in Lugano nennen werde, wo es zu Ihren Gunsten auf einem anonymen Nummernkonto verwahrt werden wird. Haben Sie von anonymen Nummernkonten schon gehört, Mr. Q.?«

Natürlich hatte er nicht. 1945 war das anonyme schweizerische Nummernkonto noch nicht jenes bei Kriminalreportern so beliebte Hokuspokus-Klischee, zu welchem es in späteren Jahren wurde. Flüchtlinge aus Nazi-Deutschland hatten es, wie von den Schweizern vorgesehen, als Schutz vor Gestapo-Ermittlungen und Gestapo-Repressalien benutzt. In der Folge hatten hohe Nazis und Fascisti es als Schutz gegen dunkle Verdächtigungen von seiten fanatischer Kameraden und die schauderhaften Strafen benutzt, die Defätisten zu gewärtigen hatten.

Für Mr. Q. war das Konzept neu und ungemein beruhigend. Er hing an den Lippen des Dottore; und wenn er nie so recht dazu kam, zu fragen, wie es möglich sei, daß ein Nummernkonto bei einer Bank in Lugano für ihn eröffnet werden könne, ohne daß überhaupt irgend jemand von der Bank seine Identität kenne, so war das nur zu verständlich. Wenn man in Italien war und auf dreißigtausend heißen Dollars saß, klang das alles ganz einfach phantastisch.

Heute klingt das alles natürlich so naiv und kunstlos, daß mich die bloße Erinnerung daran lächeln macht. Immerhin, es funktionierte. Einzelne Teile der Konstruktion funktionieren noch immer. Als wir anfingen, funktionierte sie in allen ihren Teilen, weil Carlo alles sorgfältig und realistisch bis in die kleinste Einzelheit durchdacht hatte. Nicht einmal Mat Williamson bestreitet, daß Carlo ein unerhört einfallsreicher Planer gewesen ist.

Daß er mich als Kontaktmann wählte, als den Mittelsmann, der weiß, wie man mit dem legendären Dottore Lech in Verbindung treten und welche Wunder der große Mann vollbringen kann, ist ein Beispiel dafür.

»Warum mich?« hatte ich gefragt.

»Weil jemand wie Q. einem amerikanischen Landsmann, der ihm diese Sorte Information offeriert, automatisch für einen Agent provocateur halten würde; und damit könnte er sehr wohl recht haben. Sie dagegen, ein britischer Reservist, einer von diesen oberfeinen Limeys, deren Stimmen sich anhören, als seien sie Päderasten, selbst wenn sie's nicht sind, werden nie suspekt erscheinen. Und was könnte naheliegender sein, als daß jemand aus Ihrem Tätigkeitsbereich von jemandem wie mir gehört haben sollte? Und was uns selber betrifft, so haben Sie genügend Bewegungsfreiheit und damit Möglichkeiten, Kontakte herzustellen. Mit der Einstellung der Feindseligkeiten wird diese Freiheit zunehmen, und damit auch Ihre Möglichkeit, Vorwände für die Erweiterung Ihrer Liaison mit den Amerikanern zu erfinden.«

»Was ist mit den britischen Mr. Q.s?«

Er hob die rechte Hand, als schicke er sich an, einen Eid zu schwören oder einen Segen zu erteilen, und sagte dann sehr scharf: »Nein!« Nach einer Pause sprach er langsam weiter: »Solange wir zusammenarbeiten, Paul, werden Sie unter gar keinen Umständen jemals an irgendeinen Ihrer Landsleute herantreten, gleichgültig, was Sie über ihn argwöhnen oder wissen mögen. Merken Sie sich eines. Wir werden nie etwas tun, was nach Maßgabe der Behörden Ihres oder meines Landes jemals als illegal gelten wird.

Was Ihren Fall betrifft, so werden Sie, wenn Sie mit einem amerikanischen Soldaten, oder auch einem polnischen oder französischen, über Währungstransaktionen reden, unerhebliche Risiken laufen. Wenn Sie über die gleichen Dinge mit einem britischen Soldaten reden, riskieren Sie, einer unendlichen Vielfalt militärischer Vergehen beschuldigt zu werden. Wenn wir es mit dem Gesetz einmal nicht so genau nehmen, muß es immer das Gesetz anderer sein, nie unser eigenes. Im übrigen werden die meisten verkäuflichen Waren jetzt von den Amerikanern geliefert, die auch die wichtigsten Lager- und Umschlagplätze kontrollieren. Ich gehe davon aus, daß es auf absehbare Zeit bei diesem Stand der Dinge bleibt. Oh, ja, Engländer, Franzosen und Polen werden ihre Finger im Schwarzmarktgeschäft haben, wie das ja auch jetzt schon der Fall ist. Das bezweifle ich nicht. Aber von meinen eigenen Landsleuten abgesehen, werden es hauptsächlich die Amerikaner sein, die den Schwarzmarkt beherrschen. Sie werden es sein, bei denen das große Geld hängenbleibt.«

»Aber was geschieht mit dem Geld, Carlo? Ich meine, wenn es uns zu sicherer Verwahrung überlassen wird.«

Er war überrascht, daß ich es als nötig erachtet hatte, die Frage zu stellen. »Selbstverständlich bleibt es Eigentum des Klienten. Daß wir den Nießbrauch davon haben, um unsere eigenen Marktoperationen zu finanzieren, ist ebensowenig seine Sache, wie es Sache desjenigen ist, der sein Geld in traditioneller Weise zur Bank trägt, deren Investitionspolitik zu beaufsichtigen. In vieler Hinsicht werden wir tatsächlich in genau derselben Weise operieren, wie eine Bank dies tut, aber wie eine nicht an läppische Vorschriften und Restriktionen gefesselte Bank.«

»Zu den meisten Banken kann der Klient jederzeit kommen und sein Geld abheben, wenn er will. Wird er das bei uns können?«

»Aber selbstverständlich wird er das! Er kann sein Geld haben, wann immer er will, und dazu noch einen großzügig bemessenen Anteil dessen, was es während der Zeit, in der wir es für ihn verwaltet haben, erarbeitet hat. Unsere eigenen Gebühren werden sich bescheiden ausnehmen, wenn er erfährt, daß wir sein Geld für ihn verdoppelt haben. Die Tatsache, daß wir es auf unsere eigene Rechnung möglicherweise vervierfacht haben, braucht ihn nichts anzugehen. Selbstverständlich«, fügte er gedankenvoll hinzu, »werden sich Komplikationen ergeben. Das tun sie immer, wenn Gesetze übertreten werden.«

Ich wartete. Carlo überlegte, wie er den Unschuldigen am besten aufklären könne, ohne herablassend zu wirken oder allzusehr zu vereinfachen. Er war ein höflicher Mann.

»Versetzen Sie sich«, sagte er schließlich, »in die Lage eines Klienten von uns, wenn er erst wieder in seinem Heimatort ist, als Zivilist, und möglicherweise einen Job hat und vielleicht sogar Frau und Kinder. Wie anders wird sich alles ausnehmen! Und wie unwirklich ihm der eigene ferne Schatz bald vorkommen wird!«

Er sann einen Augenblick lang dieser angenehmen Vision nach, bevor er seufzend den Weg zurück in die reale Welt antrat. »Aber stellen wir uns einmal einen lebhafteren Geist vor, oder einen, der den Gedanken an Geld, das, wie er glaubt, untätig auf einem Bankkonto in Lugano herumliegt, nicht ertragen kann. Solche Männer gibt es, Paul.«

»Ja, Carlo, die gibt es, besonders unter denen, die als Schwarzhändler abgesahnt haben.«

»Besonders, meinen Sie? Bei denen, die schon immer Diebe gewesen waren, noch bevor sie in die Armee eintraten, muß mit Dummheit gerechnet werden, da gebe ich Ihnen recht. Aber von diesen kriminellen Spätentwicklern, die unsere Dienste beanspruchen werden, können wir, glaube ich, mehr Grips erwarten. Nehmen wir unseren Musterfall, Mr. Q., als Beispiel. In seiner Geldgier oder vielleicht auch in seiner Geldnot beschließt er, seinen Notgroschen in der vereinbarten Weise abzurufen.«

»Sie meinen, er beschließt zu erben? Ja? Nun, wir müssen den Gegenwert von dreißigtausend Dollar in Dänenkronen ermitteln und von Kopenhagen aus überweisen. Oder reagieren wir überhaupt nicht?«

Das Lächeln verbreitete sich über das ganze Gesicht. »Überhaupt nicht reagieren? Das wäre das letzte, was wir täten. Im Gegenteil, wir veranlassen umgehend, daß die frohe Botschaft von seiner beachtlichen Erbschaft und die romantische Story, die daran hängt, aus Kopenhagen direkt seinem heimatlichen Lokalblatt übermittelt wird.« Er sah mich erwartungsvoll an.

»Was für eine romantische Story?«

»Das ist doch ganz egal. Sie sind phantasielos, Paul. Malen Sie sich doch einmal die merkwürdige Situation aus, in der Mr. Q. sich befinden würde. Malen Sie sich die Fragen aus, die ihm gestellt werden würden. Wer war dieser mysteriöse Verwandte? Warum hat niemand je zuvor von ihm oder ihr gehört? Und es wäre nicht nur der örtliche Lokalreporter, der Antworten darauf erwarten würde. Seine Freunde und vor allem seine Familie würden ebenfalls Antworten hören wollen, und sie würden sie naturgemäß um einiges kritischer beurteilen. Fast so kritisch wie die Leute von der Steuerbehörde. Wie schnell die die Quelle von Mr.Q.s überraschendem Glücksfall lokalisiert und eine beglaubigte Kopie der gerichtlichen Bestätigung des Testaments, sobald eine solche verfügbar wäre, angefordert hätten! Wissen Sie, Paul, ich glaube, daß Mr. Q. sehr bald seine Anweisungen an uns widerrufen und seinem Lokalblatt erzählen würde, das Ganze sei ein Fall von verwechselter Identität gewesen. Gleicher Name, falscher Mann.«

»Was ist mit seiner notariell beglaubigten Empfangsbestätigung? Er könnte herkommen und einkassieren.«

»Er könnte, aber würde er? Haben Sie an all die Ängste und Befürchtungen gedacht, die diese Quittung ihm schon bereitet haben muß? Ihm wird praktisch bereits, als er mich die Quittung unterschreiben sah, klargeworden sein, daß es für ihn ebenso fatal sein könnte, im Besitz dieses Fetzens Papier angetroffen zu werden, wie es fatal gewesen wäre, beim Zählen des Geldes angetroffen zu werden, möglicherweise sogar fataler. In diesem Fall gäbe es kein Ansuchen um Nachsicht wegen Unwissenheit. Al Capone wanderte wegen Steuerhinterziehung ins Zuchthaus, nicht wegen der Art und Weise, wie er sich sein Einkommen verschafft hatte. Unnötig, Mr. Q. daran zu gemahnen. Wie er diese schöne Quittung zu guter Letzt gehaßt haben muß! Wo hat er sie versteckt, als er nach Hause entlassen wurde? Im Futter seiner Uniformjacke? In einem seiner Stiefel?«

»Angenommen, er ist nach Lugano gegangen?«

»Die haben dort nie etwas von seinem Namen oder von seinem Nummernkonto gehört. Er würde zu uns kommen müssen, wo er sogleich gesagt bekäme, daß wir sein Geld einige Monate zuvor aus Sicherheitsgründen auf eine andere Bank transferiert haben. Alles perfekt abgesichert. In welcher Währung er es denn gern hätte? Oder ob er es vorzöge, es auf sein heimatliches Bankkonto überwiesen zu bekommen? Sehen Sie? Er steht wieder vor seinem ursprünglichen Dilemma, nur daß sein Vergehen in steuerrechtlicher Hinsicht jetzt sogar noch schwerer ist. Er hat einen rechtswidrigen Hort von Dollars besessen. Jetzt hat er einen Profit gemacht, für den er Kapitalertragssteuer hätte zahlen müssen, wäre er ein ehrenwerter, gottesfürchtiger Staatsbürger gewesen. Aber das ist er nicht mehr, und er weiß es. Vielleicht, wenn er sich seiner Frau anvertraut hat und sie couragiert ist, werden die beiden alles riskieren und das Geld in die Vereinigten Staaten schmuggeln. Oder versuchen, das zu tun. Ich glaube, wir würden unsere Pflicht vernachlässigen, wenn wir sie nicht eindringlich vor der Art der Risiken warnten, die sie laufen würden. Zugleich könnten wir sie darauf hinweisen, daß es, wenn sie das Geld bei uns beließen, auf daß es sich vermehre und vervielfältige, nichts gäbe, was sie daran hindern könne, später in seinen vollen Genuß zu gelangen. Sie könnten irgendwann beschließen, einen zweiten Wohnsitz in Italien oder irgendwo an der Côte d'Azur zu kaufen, der sich vermieten ließe, sofern sie es sich dort nicht selber wohlergehen lassen wollten. In dem Fall brauche nie jemand davon etwas zu wissen bekommen.« Er machte eine Pause, schloß die Augen und atmete tief ein, als genieße er an Mr. und Mrs. Q.s Statt bereits die kühle, vom Duft der Pinien gewürzte abendliche Brise. Dann öffnete er die Augen wieder, um sie leicht zu verengen. »Sehen Sie, Paul? Es würde nie, es *könnte* nie einen plötzlichen Ansturm auf *unsere* Bank geben.«

Herr Professor Krom, klingt das, als spräche hier ein Anarchist – ein Feind aller überkommenen Ordnungen und Gesetzeswerke?

Ich glaube nicht, daß es das tut. Für mich klingt es nach einem Mann, der es genoß, Geld nicht durch Gesetzesbruch, sondern durch Umgehung des Gesetzes zu machen, nicht durch Zerstören der Ordnung, sondern durch ihre Nutzung auf unorthodoxe Weise.

Ja, Carlo war eitel; in der Tat sonnte er sich in seiner eigenen Schlauheit; aber die Achtung vor dem Gesetz, zu dem er sich bekannte, war absolut echt. Er war überdies so etwas wie ein Moralist und mißbilligte Schwarzhändler aufs schärfste.

Er mißbilligte sie, weil er sie für Parasiten erachtete. Jedwede Anspielung darauf, daß dasselbe Wort mit gleicher Berechtigung auf uns hätte angewendet werden können, würde ihn zutiefst empört haben. Ich weiß nur von einer einzigen Person, welche die Tollkühnheit besaß, etwas Derartiges auch nur anzudeuten, und die Folgen für die betreffende Person waren unangenehm. Carlo konnte, wenn er erzürnt war, ziemlich rachsüchtig werden.

In dieser Hinsicht unterschied er sich von Mat Williamson. Mat braucht nicht im mindesten zornig auf einen Mann zu sein, um zu beschließen, daß er vernichtet werden muß.

Für Parasiten waren die unmittelbar auf den Tag des alliierten Sieges in Europa folgenden Jahre fette Jahre. Der Warenstrom – zumeist amerikanischer, in gewissem Umfang aber auch britischer Hilfeleistungen –, der sich über Italien und Westdeutschland ergoß, erreichte ungeheure Ausmaße.

Da dies jedoch keine Geschichte der Schwarzmärkte des Zweiten Weltkrieges darstellt – deren Abfassung ich übrigens nur zu gern einem Gelehrten aus der Kromschen Traumtänzerschule überlasse –, werde ich mich damit begnügen, lediglich eine gewisse Vorstellung von ihnen zu vermitteln, indem ich berichte, daß Carlo im Lauf der ersten achtzehn Monate unserer Geschäftstätigkeit nahezu eine halbe Million Dollar ›anvertraut‹ wurde, die *allein* aus dem italienischen Schwarzmarkt herrührte.

Ich sage ›allein‹, weil wir über kurz oder lang von weit größeren Summen Wind bekamen, die in Westdeutschland unserer Dienste bedurften.

Die frühen Berichte von Carlos Mann in Lugano schilderten eine chaotische Situation. Das große Geld wurde gemacht, aber diejenigen, die es machten, zumeist höhere amerikanische Reserveoffiziere und rangniedere Offiziere des Transport- und Versorgungswesens, schienen sich der Schwierigkeiten, in die sie in Kürze geraten würden, nicht bewußt zu sein. Dies lag nicht nur daran, daß sie in dem Spiel Anfänger waren, sondern vor allem an der Tatsache, daß die Spielregeln in Westdeutschland komplex und die Bedingungen, unter denen gespielt wurde, geeignet waren, ungerechtfertigte Zuversicht zu fördern. So gab es beispielsweise drei verschiedene Besatzungszonen, und in zweien davon – in der britischen und der französischen – wurde jeweils für deren nationale Währung eine restriktive Umtauschkontrolle aufrechterhalten. In der britischen Besatzungszone sorgte eine ob ihrer drakonischen Rigorosität gefürchtete Ermittlungs-Spezialeinheit für die Befolgung besagter Restriktionen. Daher genoß der amerikanische ambulante Händler, der schon immer von seinem Zugang zu den begehrtesten Schwarzmarktartikeln profitiert hatte, überdies auch noch den Vorteil, in der einzigen frei konvertierbaren Währung, die es gab – dem Dollar – Geschäfte machen zu können.

Bald begannen sich Berichte über amerikanische Soldaten

zu häufen, die zu ›Erholung und Auffrischung‹ in die Schweiz fuhren. Bei ihrer Ankunft suchten die meisten von ihnen unverzüglich das nächste Bankinstitut auf. Man hätte das für einen ganz natürlichen Vorgang halten können, wäre alles, was diese braven Jungen taten, der Umtausch von ein paar ihrer Dollars in Franken gewesen, die sie an Ort und Stelle während ihres Urlaubs auszugeben beabsichtigten; das aber, so schien es, war beileibe nicht alles, was einige von ihnen taten; sehr viele eröffneten eigene Bankkonten. Dies war natürlich lange bevor der bloße Besitz eines schweizerischen Bankkontos einen amerikanischen oder britischen Staatsbürger zumindest in den Augen ihrer heimatlichen Steuerbeamten günstigstenfalls als strafwürdige Steuerhinterzieher, wenn nicht gar als Mafioso und Rauschgifthändler erscheinen ließ; aber Gerüchte über Bankguthaben geflüchteter Nazis, die durch die schweizerischen Bankgeheimnis-Gesetze geschützt wurden, gingen bereits um, und ein Zeitungsbericht über einen Schwarzmarkt in Antibiotika, in den alliiertes Sanitätspersonal verwickelt war, hatte beträchtliches Aufsehen erregt. Wie stets, wenn den höheren Machtträgern nicht die Düfte der eigenen, sondern der Korruption anderer in die Nasen steigen, folgten den Ausrufen der Empörung und des Abscheus sogleich die Geräusche des Lückenverstopfens und des Ausstampfens, des scharfen Durchgreifens und Ausbrennens.

In der amerikanischen Zone war ein effizienter Wäschereidienst, wie Carlo ihn zu bieten vermochte, gegen Ende 1946 unerläßlich geworden. Ich behaupte nicht, daß seiner der einzige dieser Art gewesen sei – wir hatten mittlerweile Nachahmer gefunden –, aber er war ohne Frage der sicherste und zuverlässigste.

Nachdem mir schließlich im November eröffnet worden war, daß die Armee meine Dienste nicht mehr benötigte, erbat ich einen Marschbefehl nach London, um dort demobilisiert zu werden. Auf Carlos Weisung kam ich um einen britischen Paß ein und ließ zudem meine argentinischen Papiere erneuern, bevor ich nach Mailand zurückkehrte. Von Mailand reiste ich nach Lugano, wo ich etwa eine Woche damit verbrachte, ein paar weitere Kniffe zu erlernen. Von München aus schrieb ich meiner Familie und erklärte ihr, daß ich mich auf den Altmetallhandel geworfen habe.

Der Code-Name, den mir Carlo gab, damit ich ihn zur Beglaubigung vertraulicher Botschaften benutzte, war ›Oberholzer‹.

1956 mußte sich Carlo einer Gallenblasenoperation unterziehen. Der Chirurg, der sie vornahm, verpfuschte die Sache irgendwie, und im weiteren Verlauf des Jahres wurde eine zweite Operation erforderlich. Zwar erholte sich Carlo auch davon, aber es war eine lange, schwächende Krankheit, und sie veränderte ihn. Ich meine nicht, daß er vorzeitig alterte, wenngleich ich beobachtet habe, daß schwere Erkrankungen sich auf Personen, die in den Sechzigern sind, so auswirken können. Was mit Carlo passierte, war, daß sich das Grundmuster seiner charakteristischen psychologischen Reaktionen in dem Maße, wie er sich physisch erholte und wieder zu Kräften kam, graduell zu intensivieren schien. Er wurde zu einer übertriebenen, überlebensgroßen Version seiner selbst. Dinge, die ehedem bei ihm lediglich jenes bereitwillige Lächeln zum Vorschein gebracht hätten, brachten ihn jetzt zu lautem Lachen. Dinge, die ehedem als bloße Belästigungen beiseite gewischt worden wären, verursachten jetzt Wutausbrüche. Es war, als sei er im Kampf um die Wiedererlangung seiner Gesundheit dazu gezwungen gewesen, das emotionale Gewicht einiger alter, aber ganz wesentlicher Hemmungen abzuwerfen. Das Ergebnis war ein in vieler Hinsicht gewinnenderer Mann, aber auch ein eindrucksvollerer und zuweilen beängstigenderer. Ich habe gesagt, daß Carlo rachsüchtig sein konnte. Nach seiner Krankheit konnte er in grausamer Weise rachsüchtig sein. Der Mann, der den Butterzug-Coup ersinnen konnte, war auch imstande, sich mit Genuß unangenehmeren Belustigungen zu widmen.

Seine Behauptung, unsere Bank sei eine, auf die es einen Run nie geben könne, hatte sich als berechtigt erwiesen. Was das betraf, hatten wir nichts zu befürchten; und nach 1951, dem Jahr, in welchem die Doppelbesteuerungs-Abmachungen zwischen der Schweiz, den USA und dem Vereinigten Königreich in Kraft traten, hörte die Möglichkeit eines Runs gänzlich auf zu existieren. Unsere ›Klienten‹, eine abgefeimte Bande von Gaunern mit hochempfindlichem Instinkt fürs Überleben, konnten niemals alle zur gleichen Zeit durchdrehen.

Das heißt jedoch keineswegs, daß etwa nicht einige von ihnen im Lauf der Jahre ihr Depot abzogen, nachdem sie sich eigene Wege und Möglichkeiten, es zu verbuchen, ausgetüftelt hatten. Einige davon funktionierten. Nur wenige Klienten jedoch versuchten es mit der Erbschaftsmethode, um an ihr Geld heranzukommen, und von denen, die das taten, kriegten die meisten, wie Carlo vorausgesehen hatte, kalte Füße, bevor es zur Auszahlung kam.

Die typischen amerikanischen Klienten, die ihr Konto bei uns aufzugeben wünschten, waren gewöhnlich auf Geschäfts- oder Vergnügungsreisen in Europa. Zumeist schrieben sie, nachdem sie die Vereinigten Staaten verlassen hatten, und zwar im allgemeinen aus London oder Paris, um anzukündigen, daß sie auf dem Wege zu uns seien. Diejenigen, die unangemeldet direkt nach Lugano reisten, wurden nach Mailand verwiesen, und Carlo erhielt umgehend, entweder telegrafisch oder telefonisch, durch einen unserer Kuriere eine Vorwarnung. Wenn solche Klienten eintrafen, waren sie im allgemeinen, und durchaus verständlicherweise, ein bißchen aufgeregt. Zweifel und Gier plus etwas Wut und eine Menge Angst ergeben eine beunruhigende emotionale Mischung; aber mit den meisten war ganz leicht fertig zu werden.

Der eine, der Carlo so sehr aufbrachte, machte eine Ausnahme in mehrfacher Hinsicht. Zum einen war er nicht aufgeregt, bloß gereizt. Zum andern war er, seit ich ihn in Deutschland angeworben hatte, in die Vereinigten Staaten zurückgekehrt und hatte sich dort in der Zwischenzeit unter dem GI-Bill of Rights zum Buchprüfer ausbilden lassen. Überdies hatte er eine Bücherrevisorin geehelicht, die er kennengelernt hatte, als sie beide einen Weiterbildungskurs in Betriebswirtschaftslehre besuchten. Sie hatte dann in einer Firma von Wall-Street-Anlagefinanziers gearbeitet. Nach ihrer Heirat hatten sie sich gemeinsam selbständig gemacht und eine auf Datenverarbeitungspersonal spezialisierte Arbeitsvermittlungs-Agentur gegründet.

Dieser Kunde unterschied sich so sehr von unserem prototypischen Mr. Q., daß ich ihn Vic – wie *Victor* (Sieger) und *victim* (Opfer) – nennen werde.

Als ich ihm erstmals begegnete, hatte sich Vic auf dem bereits übersättigten Markt für gestohlene PX-Artikel betätigt, aber später, dank einer günstigen Stationierung und einer Beförderung, auf den Handel mit Armee-Lastwagenreifen verlegen und das große Geld machen können. Als seine Dienstzeit in Deutschland um war, hatten wir mehr als siebzigtausend Dollar für ihn in Verwahrung, und er verwahrte, obwohl er Carlo nur einmal begegnet war, neun der notariell beglaubigten Empfangsbestätigungen. Der Kurierdienst, den wir unterhielten, machte derartige Transaktionen, nachdem bei einem anfänglichen Zusammentreffen das Vertrauen einmal hergestellt worden war, mehr oder weniger zu einer Routineangelegenheit und auch wesentlich sicherer. Das Treffen fand üblicherweise unweit von Zug statt, wo Carlos Holdinggesellschaft eingetragen war.

Vic avisierte seine Ankunft in Mailand nicht, und aus Lugano hörten wir nichts, weil er gar nicht erst dorthin gereist war. Ich hatte damals andere Projekte zu überwachen und teilte meine Zeit zwischen Mailand und drei weiteren Städten. Der Zufall wollte, daß ich da war, als Vic uns ins Haus stand. Ein glücklicher Zufall, wie ich glaube; nicht weil der Anlaß auch nur im geringsten erfreulicher Natur gewesen wäre, sondern weil er mich dazu brachte, eingehender über Carlo nachzudenken, als ich es bis dahin getan hatte. Natürlich zog er mich hinzu, um seinen alten Klienten und meinen alten Freund zu begrüßen.

Zunächst ließ Vic keinerlei Anzeichen von Gereiztheit erkennen. Er war nicht gerade leutselig, aber höflich, kühl und gesammelt. Er hatte eine brandneue Gucci-Aktentasche bei sich, die er sorgsam zwischen seinen Beinen auf den Boden stellte. Dann erzählte er uns, was für eine wundervolle kleine Frau er geheiratet hatte und warum er gar nicht erst nach Lugano gereist war.

Einen Monat zuvor hatten sie davon gesprochen, ihr Geschäft auszuweiten und ein zweites Büro in Chicago zu eröffnen. Sie hatten von dem zusätzlichen Kapital geredet, das dazu nötig sei, und von den Problemen, denen sie sich gegenübersehen würden, um es zu borgen. In diesen Nachtwachen hatte Vic ihr eröffnet, daß er während seiner Dienstzeit in der Armee nicht immer bloß ein schlichter Soldat gewesen war.

Mrs. Vic hatte sein Geständnis mit Überraschung, aber nur vorgetäuschtem Entsetzen vernommen. Sie waren doch beide nur Menschen, nicht wahr? Nachdem ihre Überraschung abgeebbt war, hatte ihre Neugier obsiegt. Ihre Wall-Street-Erfahrungen hatten ihr eine gewisse Kenntnis schweizerischer Bankgepflogenheiten vermittelt. Was für eine Art von Bankkonto, hatte er gesagt, habe er? Ein *anonymes*? Hatte er nicht ein numeriertes gemeint? Nein, er hatte ein hundertprozentig anonymes Nummernkonto gemeint. Na, Schätzchen, da habe ich aber eine Neuigkeit für dich. Es gibt Nummernkonten, aber keine hundertprozentig anonymen. Nun gut, dein Name tritt extern nicht in Erscheinung, aber intern tut er das. Die einzige Anonymität liegt darin, daß nicht mehr als fünf Bankangestellte den Namen des Kontoinhabers mit der Nummer in Übereinstimmung bringen können. Sag mir doch einmal genau, wie du dies Konto eröffnet hast. Was für eine Art von Antrag hast du unterschrieben?

Vic wandte den Blick aus zusammengekniffenen Augen jetzt in meine Richtung. »Wie viele andere Einfaltspinsel haben Sie angeworben, Paul-Baby?«

»Sie hatten ein anonymes Konto.«

»Sowas gibt es gar nicht.«

»Sowas gibt es *heute* nicht. Die Bestimmungen sind geändert worden, als das Doppelbesteuerungsabkommen unterzeichnet wurde.«

»Quatsch!«

Ich bedachte ihn mit einem müden Blick. »Wenn Sie nicht selber darauf bestanden hätten, daß Kontakte zwischen uns aus Sicherheitsgründen nur auf *Ihre* Initiative hin erfolgen sollten, wären Sie schon längst über die Situation informiert worden. Warum projizieren Sie Ihre Paranoia auf uns? Hätten Sie sich schlicht und einfach an die Bank in Lugano gewandt, wären Sie automatisch an uns hier verwiesen worden.«

»Na, und da ich jetzt unautomatisch hier bin, wo ist das Geld?«

Ich sah Carlo an. Er hatte seine Hand schon auf dem Intercomgerät, das ihn mit dem Vorzimmer verband. Er drückte die Taste und sagte auf englisch: »Bringen Sie mir den laufenden vertraulichen Konto-Auszug von Mr. Vic.« Zu Vic sagte er: »Ich nehme an, Sie können die ursprünglichen Empfangsbestätigungen vorlegen, die ich notariell beglaubigt hatte. Sie haben sie bei sich?«

»Klar.« Er langte nach der Aktentasche und entnahm ihr eine altertümliche Ledermappe von der Art, die von einem Leinenband zusammengehalten wird. Er löste das Band, holte die Empfangsbestätigungen hervor und breitete sie sorgsam fächerförmig vor Carlo aus. »Wie viele Erdnüsse sind sie jetzt wert?« fragte er aufsässig.

Was mich sofort interessierte, war ihr Zustand. Ich hatte eine Anzahl solcher zur Inspektion in Carlos Büro vorgewiesener Empfangsbestätigungen gesehen, und stets hatten sie selbst noch für seinen eleganten Papierkorb ungeeignet ausgesehen. Entweder waren sie eselsohrig und fettig von langen Jahren verstohlenen Hervorholens und Betrachtens, oder sie waren so zerknittert, gefaltet und erneut gefaltet, um an den ausgefallensten Orten versteckt werden zu können, daß sie nahezu auseinanderfielen. Vics Empfangsbestätigungen waren allesamt säuberlich und glatt. Er war nicht nur gerissen und impertinent, sondern, so schien es, auch überwältigend selbstsicher.

Carlos dienstälteste Sekretärin, die Urmutter, kam mit der Kontoabrechnung herein und legte sie ehrerbietig vor ihn auf den Tisch.

Normalerweise, das heißt angesichts eines Klienten, der sich wohlverhielt und lediglich gekommen war, um sich über den Stand seines Guthabens zu unterrichten, hätte Carlo die Abrechnung noch ein paar Minuten lang liegengelassen, während er über irgendeinen jungen Bildhauer, dessen Arbeiten ihm aufgefallen waren, die Unwägbarkeiten bei Währungsspekulationen oder über sonst irgend etwas, das ihm zufällig so in den Sinn gekommen war, kenntnisreich plauderte. Tatsächlich waren die Abrechnungen, die halbjährlich aktualisiert wurden, sein ganzer Stolz und seine besondere Freude. Er erstellte sie selber, und sie waren Meisterwerke der Irreführung. Zu seinen größten Vergnügungen gehörte es, zu sehen, wie ein Klient beim Studium seiner Kontoabrechnungen die Lippen spitzte und dann wissend nickte, als sei ihm alles vollkommen verständlich. Carlo glaubte, daß das einleitende Geplauder – er nannte es sein Abrakadabra – den Prozeß erleichterte, indem es den Klienten benebelte.

Bei Vic jedoch funktionierte das Abrakadabra offenkundig nicht. Zudem ging ihm der Bursche auf die Nerven. Die Sekretärin hatte den Raum noch nicht verlassen, als er sich auch schon vorbeugte und den Hefter mit der Abrechnung in Vics Richtung schnellte.

Vic fing ihn geschickt auf, öffnete ihn und verbrachte etwa zehn Sekunden damit, einen Blick auf alle drei darin befindlichen Seiten zu werfen. Dann klappte er den Hefter wieder zu und warf ihn so zurück, daß er genau unter Carlos Nase auf den Tisch klatschte.

»Mr. Lech«, sagte er, »ich habe dreiundsiebzigtausend Dollar von mir bei Ihnen gelassen. In acht Jahren sind aus diesen Dollars einhundertsechsundachtzigtausend Irgendwas geworden. Erste Frage. Was für eine Art Irgendwas? Lire?«

Carlo schob den Hefter mit der Abrechnung zur Seite, als beleidige ihn jetzt dessen Anblick. »Amerikanische Dollar natürlich«, sagte er. »Sie haben Ihr Geld mehr als verdoppelt.«

Vic blickte nicht im mindesten erfreut drein. Er sagte nur: »Wie? Wie habe ich es verdoppelt? Erzählen Sie mir das, Mr. Lech.«

Carlo tippte flüchtig auf den Hefter, ohne hinzusehen. »Das steht alles hier drin, Sir. Ich dachte, Sie könnten Zahlen lesen.«

Vic gab einen Laut von sich, der so klang, als spucke er aus. »Na klar kann ich Zahlen lesen, wenn ich weiß, wie sie frisiert worden sind. Jetzt erzählen Sie mir – oder vielmehr, Ihr Bürschchen Paul hier will mir jetzt erzählen, daß mein Geld gar nicht auf dieser Bank gelegen hat. Wo ist es also gewesen?«

»Auf Ihre Weisung hin haben wir es auf ein Depositenkonto gelegt.«

»Ah, jetzt kommen wir der Sache schon näher. Auf meine Weisung, sagten Sie. Stimmt's? Wo hatten Sie es angelegt? In mündelsicheren deutschen Wertpapieren? Schering? Siemens? Daimler-Benz? Hoechst? Woraus setzte sich das Paket zusammen?«

Carlo besaß ein ebenholzgerändertes, kleines silbernes Lineal, das er als Briefbeschwerer benutzte. Damit hieb er plötzlich auf den Tisch. »Das reicht, Sir«, sagte er streng; »ich bin Rechtsanwalt, kein Anlageberater. Sie haben es für angezeigt gehalten, meine Dienste in Anspruch zu nehmen, um Ihr Geld treuhänderisch verwalten zu lassen. Ich habe es treuhänderisch verwaltet. Es ist mehr als wohlverwahrt. Sie können es, wann immer Sie wünschen, zurückbekommen, abzüglich meiner korrekten Verwaltungsgebühren, aber plus Zinseszins zu den jeweils banküblichen Sätzen, wie sie im Verlauf des relevanten Zeitraums fluktuierten. Sie haben Ihr Geld mehr als verdoppelt. Worüber beschweren Sie sich?«

Vic lehnte sich zurück, als entspanne er sich, und schoß dann einen Seitenblick auf mich ab. »Auf *was* für eine Art Konto, sagt ihr feinen Herrschaften, daß ihr es hinterlegt hättet?«

»Auf ein Depositenkonto.«

Er ließ wieder seinen spuckenden Laut hören. »Jetzt *weiß* ich, daß Sie lügen. Wenn Sie überhaupt irgend etwas in meinem Interesse eröffnet hätten, dann wäre es ein Anlagekonto mit unbeschränkter Vollmacht gewesen. Nein, jetzt wollen wir doch mal Tacheles miteinander reden, was, Paulchen? Ich habe meine Hausaufgaben gemacht. Ich schätze, daß Sie und Mr. Lech in den acht Jahren, in denen Sie das Geld in den Fingern hatten, gut und gern eine glatte Million aus meinen Dreiundsiebzigtausend gemacht haben. Das entspräche etwa den Kursgewinnen. Jetzt erzählen Sie mir, Sie hätten mein Geld verdoppelt plus ein paar Dollar, davon ab Ihre Gebühren natürlich, und fragen mich, worüber ich mich beschwere. Ist das Ihr Ernst?«

Für wen hielt er uns? Für liebe Jungen, die sich anschickten, ihm als dem Trottel des Jahres eine Pension zuzuschustern? Er hatte in der Tat einige Hausaufgaben gelöst, aber so viele, wie er glaubte, denn nun doch nicht. Dank der Nachkriegs-Anlagepolitik der Bank in Lugano, in deutsche Industriewerte zu investieren, hatten wir aus diesem speziellen Notgroschen tatsächlich mehr als zwei Millionen gemacht. Jetzt galt es nur noch, den Mann loszuwerden.

»Wie hätten Sie Ihr Geld gern, Mr. Vic?« fragte ich. »Einen Barscheck auf die Chase-Manhattan in Genf? Eine Telex-Überweisung auf Ihr Konto in den Vereinigten Staaten? Oder in bar?«

Er musterte uns beide eine Weile eingehend, ohne zu antworten. Carlo begann mit dem Lineal auf die Tischplatte zu klopfen.

Dann brach Vic sein Schweigen mit einem kurzen Auflachen. »Der Winkeladvokat und sein Schlepper!« sagte er.

Carlo hörte auf zu klopfen, und ich sah, daß er sehr blaß geworden war. Seine Kenntnisse des umgangssprachlichen Englisch waren nicht gut, aber sie reichten aus, um ihn das Wort ›Winkeladvokat‹ verstehen zu lassen. Um zu verhindern, daß er etwas sagte, was er später vielleicht bedauern würde, schaltete ich mich ein.

»Überreizen Sie Ihr Blatt nicht, Vic«, sagte ich. »Wir könnten Ihnen Ihr Geld jederzeit in Form von Autoreifen zustellen lassen. Sie wollen es in bar, nehme ich an. Dollar in Hunderterscheinen?«

»Fünfziger oder Hunderter, aber ich will sie jetzt gleich.«

Carlo langte nach dem Intercomgerät und wies die

Urmutter an, ihn mit der Bank zu verbinden. Das war unnötig, weil wir stets eine halbe Million Dollar in bar in einem Tresorfach verwahrten. Er wollte Zeit gewinnen; um zu überlegen vermutlich, obschon ich nicht sogleich verstand, was es in eben diesem Augenblick zu überlegen geben sollte. Als die Verbindung mit der Bank hergestellt war, sagte er zunächst, daß er in Kürze um Zugang zum Tresorraum bitten werde. Dann bat er den Bankangestellten, einen Augenblick zu warten, und fragte, indem er den Blick auf Vic richtete, diesen auf italienisch, ob er in Anbetracht der großen Summe Geldes, die er mit sich nehmen würde, von Bankbediensteten zu seinem Hotel eskortiert zu werden wünsche.

Ich vermutete richtig, daß dies eine Testfrage war, mit der Carlo feststellen wollte, ob Vic italienisch verstand. Als offenkundig wurde, daß er es nicht tat, wiederholte Carlo die Frage auf englisch.

Nein, Vic benötigte keine Eskorte, vielen Dank; er konnte selber auf sich achtgeben.

Carlo verabschiedete sich von dem Bankangestellten und fuhr dann fort, mit mir italienisch zu sprechen.

»Paul, ich will, daß die Quittung von ihm für das Geld von jemandem aus der Bank bezeugt wird. Machen Sie eine Zeremonie daraus. Und ich will insbesondere diese von mir notariell beglaubigten alten Empfangsbestätigungen zurückhaben. Ferner will ich so rasch wie möglich wissen, in welchem Hotel er abgestiegen ist. Bieten Sie ihm an, mit ihm gemeinsam ein Taxi zu nehmen, und lassen Sie ihn aussteigen. Geben Sie mir dann sofort telefonisch den Namen des Hotels durch. Wenn es nicht bloß ein paar Minuten von hier entfernt ist, warten Sie nicht damit, bis Sie wieder zurück sind.«

Es war nicht der Augenblick, ihn danach zu fragen, was er vorhatte, und so brach ich auf und tat genau das, was mir gesagt worden war.

Vic machte Schwierigkeiten wegen der Unterschrift für das Geld, aber dessen tatsächlicher Anblick und der würdevolle Ernst der Bankangestellten stimmten ihn nach und nach friedfertiger. Die alten Quittungen händigte er mir ohne einen auch nur gemurmelten Protest aus. Lediglich etwa die Hälfte des Geldes wurde in Hundertern ausgezahlt, und er hatte Mühe, es alles in seine hübsche neue Aktentasche zu stopfen. Meinen Vorschlag, gemeinsam ein Taxi zu nehmen, lehnte er rundweg ab – jetzt, da er das Geld hatte, schien er plötzlich Angst vor mir bekommen zu haben –, aber er ließ mich eines für ihn herbeiwinken und dem Chauffeur sagen, wohin er fahren solle.

Ich rief Carlo aus dem nächsten Café an und berichtete.

»Gut«, sagte er. »Sie haben alle Empfangsbestätigungen? Großartig. Bringen Sie sie jetzt bitte hierher zurück, Paul.«

Als er die Originale vor sich auf der Tischplatte ausgebreitet hatte, besah er sie sich, als seien sie alte und heißgeliebte Freunde.

»Wie konnte ein ansonsten so vorsichtiger Mann nur derart töricht sein?« fragte er. »Wenn sie mir gehört hätten, würde ich jeden einzelnen davon verbrannt und Ihnen die Asche ausgehändigt haben.«

»Er war zu sehr wegen der Quittung beunruhigt, die *er* unterschreiben mußte.«

»Darum habe ich sie ja verlangt. O ja, sie wird ganz nützlich sein, aber was zählen wird, das sind die ersten. Sehen Sie sich die Daten an! Wie interessant, und wie verheerend schlüssig!«

»Schlüssig wofür?«

Er antwortete nicht sogleich. »Wie heißt das Wort, mit dem er Sie benannt hat, Paul?«

»Schlepper?«

»Ja. Was bedeutet das?«

»Hauptsächlich ist es ein Slangwort für den Komplizen eines professionellen Spielers, der dazu da ist, das Gewinnen leicht erscheinen zu lassen, aber Schwindler und andere Gauner benutzen ebenfalls Schlepper. Ein Schlepper ist jemand, männlich oder weiblich, der die Opfer dazu überredet, ihr Glück zu versuchen und sich betrügen zu lassen.«

Er seufzte. »Man könnte meinen, wir hätten das Geld dieses närrischen Mannes *verloren*, statt es zu verdoppeln. Nun, er wird für seine Unverschämtheit zahlen müssen. Nachdem Sie mich angerufen hatten, habe ich sofort veranlaßt, daß er beschattet wird, wenn er das Hotel verläßt.« Er reagierte auf meine hochgezogenen Brauen. »Ich will wissen, was er mit seinem Geld anfängt.«

»Wenn er halbwegs bei Verstand ist, bringt er es auf eine Bank.«

»Ja, aber auf welche Bank und wo? Heute ist es zu spät dafür, aber vielleicht nimmt er ja einen Nachtzug. Wohin? Lausanne? Basel?«

Ein wüster Gedanke kam mir. »Sie denken doch nicht etwa daran, ihm das Geld wieder abzujagen, Carlo?«

»Verdient hätte er es, aber wir sind keine Diebe. Nein, ich will einfach wissen, welche Filiale welcher Bank er sich aussucht.«

»Und wozu das?«

»Die amerikanischen Steuerbehörden zahlen Informanten, die ihnen Beweise dafür liefern, daß ein US-Staatsbürger es versäumt hat, Einkommen zu deklarieren, eine Belohnung von zehn Prozent.«

»Sie würden Vic denunzieren?«

»Ich? Lieber Himmel, nein! Ich habe einen Geschäftspartner in New York, der das tun wird. Ich werde ihm lediglich die Beweise liefern. Stellen Sie sich nur einmal das Händeringen vor, wenn die Steuerbehörden unserem Freund Mr. Vic mit ihren Forderungen nach Vorlage alter Bücher kommen! Was war die Einnahmequelle dieser großen Summe, die Sie während Ihrer Dienstzeit in der Armee an sich gebracht und über die wir Empfangsbestätigungen in Händen haben? Warum haben Sie sie nicht angegeben? Sie verweigern die Aussage, weil Sie sich andernfalls selber belasten könnten? Dann beantworten Sie Folgendes. Wir haben hier den Nachweis über einen Kapitalzuwachs zu Ihren Gunsten von über achtzigtausend Dollar. Warum sind darüber keine Angaben gemacht worden? Wo ist das Geld? Wir werden es Ihnen sagen. Es liegt in der und der Bank. Und bevor Sie den restlichen Verbrechen, deren Sie beschuldigt werden, noch einen Meineid hinzufügen, lassen Sie sich eines gesagt sein. Das schweizerische Bankgeheimnis bietet Personen, denen nachgewiesen werden kann, kriminelle Vergehen wie Diebstahl von US-Armeegütern begangen zu haben, keinen Schutz. Was für eine herrliche Zeit die haben werden!«

Ich fing an, Mitleid für Vic zu empfinden. »Das werden Sie ihm für eine Belohnung von zehn Prozent antun?«

»Von der armseligen Belohnung werde ich keinen Cent annehmen«, sagte er voller Verachtung. »Mein Lohn wird die Befriedigung *meines* Empfindens für die Angemessenheit der Dinge sein. Er hat mich beleidigt. Er hat Sie beleidigt. Er wird bestraft werden, wie ein Krimineller seinesgleichen bestraft zu werden verdient – für seine Verbrechen gegen die Gesetze seines Landes.« Er saß sehr gerade in seinem Sessel und sah starr auf die Moretto-Landschaft hinter mir an der Wand. Schließlich machte er die Handbewegung des Spinnenweb-Wegwischens, mit der er Denkprozesse noch immer zu skandieren pflegte. »All dies soll mir eine Lehre gewesen sein, Paul«, fügte er hinzu.

»Sie meinen, wenn wir ihn bei den amerikanischen Steuerbehörden verpfeifen, wird er vermutlich seinerseits uns verpfeifen?«

»Keineswegs! Welche Verbrechen haben wir begangen? Ich habe lediglich erwogen, ob es für uns nicht an der Zeit wäre, wieder einmal die Flügel zu spreizen und in eine neue Richtung zu fliegen.« Er hob die Ellenbogen seitwärts, ließ die Hände sinken und spannte die Finger dann wie Fänge, als sei er ein Raubvogel und im Begriff, seine Beute zu töten.

»Oh?«

»Ja. In Zukunft werden wir mit ungesetzlichem Geld keine Geschäfte mehr machen, Paul. Es ist ansteckend, es überträgt Infektionen.« Einer der Fänge zerteilte ein weiteres Spinnenweb. »Wenn wir uns fleißig der neuen Kunst der Steuervermeidung widmen, könnten wir, meine ich, für unsere Klienten und gewisse andere Interessenten undurchlässige und unzerstörbare Schutzschilde gegen die Raffgier von Regierungen entwerfen.«

Er fuhr fort, indem er mir bis ins einzelne schilderte, was er vorhatte.

Ich habe eingeräumt, daß ich Carlo, nachdem er physisch von seiner Erkrankung genesen war, ein wenig beängstigend fand. Die Rache, die er an Vic genommen hatte, bloß weil der Mann töricht genug gewesen war, auszusprechen, was er dachte, beunruhigte mich nicht wenig; aber der Plan, den er mir dann zu entwickeln begann, war ganz und gar rational.

Die Idee leitete sich von seiner Überzeugung her – eine weit verbreitete Überzeugung, das weiß ich, aber eine, die in seinem Fall auf besonderer Kenntnis basierte –, daß die sehr Reichen immer auch sehr geizig sind.

So würde ein reicher Mann, dem man zu zeigen vermochte, wie er es vermeiden könnte, große Summen Geldes an die Regierung zu zahlen, die sich anmaßt, ihn und seine Unternehmen zu besteuern, seinerseits bereit sein, einem einen viel, viel kleineren Geldbetrag in Form eines Honorars zu zahlen.

Zumindest würde er bereit sein, dies eine Weile lang zu tun. Daß er früher oder später zögern würde, einen zu bezahlen, wie er zuvor gezögert hatte, den Steuereinnehmer zu bezahlen, war unausweichlich. Am Ende würde er einen wahrscheinlich zu betrügen versuchen, genauso wie er vormals den Steuerbeamten zu betrügen versucht hatte. Deswegen trug man dieser Möglichkeit von Anfang an Rechnung, bereitete geeignete Sanktionen vor und sorgte dafür, daß, wenn oder wann auch immer die Versuche, einen zu betrügen, unternommen wurden, simple Mechanismen selbsttätig in Gang gesetzt wurden, die deren Fehlschlagen gewährleisteten. Im Idealfall, meinte Carlo, sollte die Beziehung zu unseren Klienten eine des gegenseitigen und dauerhaften Vertrauens sein.

Wer außer Krom hätte die atemberaubende Dreistigkeit haben können, in diesem Zusammenhang von ›internationalem Schmarotzertum‹ zu sprechen und wilde Behauptungen über ein angebliches ›Multimillionen-Dollar-Nötigungs-Unternehmen‹ aufzustellen?

Sechs

Ich bin nicht der einzige, dem Krom auf die Nerven gegangen ist.

Wäre unser Aufenthalt in der Villa Esmaralda nicht so plötzlich abgebrochen worden, Connell und Henson hätten sich am Ende bestimmt mit Krom zerstritten. Offenkundig schätzten sie seine bisherigen Arbeiten und waren deswegen bereit, ihm seine Narrheiten, einschließlich sein leicht benebeltes Sich-päpstlicher-als-der-Papst-Gebärden, bis zu einem gewissen Grad nachzusehen; sonst wären sie nicht dort gewesen; aber bereits an jenem ersten Abend, als wir noch nicht wußten, daß die Dinge ernstlich schief gelaufen und wir in Gefahr waren, gab es Anzeichen von Gereiztheit.

Krom hatte sich ganz entschieden dagegen verwahrt, daß Connell mir Fragen stellte; und ich hatte mit mir selber gewettet, daß ich zu gegebener Zeit erleben würde, wie er mit der gleichen Entschiedenheit darauf bestehen würde, als einziger dazu berechtigt zu sein, meine ›Papiere‹ entgegenzunehmen, und daß nur er das Recht habe, darüber zu entscheiden, wer wieviel von dem, was drin stände, zu lesen bekäme. Ich gewann die Wette auch.

Als der Kaffee serviert war, bat ich Melanie, unseren Gästen Akte Nummer Eins zu reichen. Krom hinderte sie sofort daran, indem er blitzschnell ihren Arm umklammerte. Er war außer sich wie ein Kind, dem gerade gesagt worden ist, daß es das prächtige neue Spielzeug, das ihm allein hatte gehören sollen, nun doch mit anderen teilen müsse.

»Ich bin der Auffassung, Mr. Firman«, sagte er und zeigte seine Zähne, »die Austeilung aller Dokumente sollte, sowohl in Ihrem als auch in unserem Interesse, streng begrenzt bleiben.«

»Ich stimme ganz mit Ihnen überein, Herr Professor.« Ich starrte unverwandt auf Melanies Arm, bis er ihn losließ. »Es gibt nur drei Kopien von diesem Dokument, eine für Sie und je eine für Ihre Zeugen. Ich muß darauf bestehen, daß mir die letztgenannten beiden Durchschriften zurückgegeben werden, damit ich sie vernichten kann, sobald sie gelesen und mit Ihrem Text verglichen worden sind.«

Er suchte nach einer Möglichkeit, auf nicht beleidigende Weise zu sagen, daß er seinen Zeugen keinen freien Zugang zu einem Material zubilligen wolle, das ihm gehöre, und zwar ihm ganz allein, für den Fall, daß sie beabsichtigen sollten, ihm Teile davon zu stehlen. Natürlich gelang es ihm nicht; es gibt keine harmlos-freundliche Weise, etwas Derartiges zu sagen. Er versuchte, die Schwierigkeiten zu umgehen.

»Notizen könnten gemacht werden.«

»Selbstverständlich. Und ich bin sicher, *daß* sie gemacht werden«, sagte ich munter. »Dr. Connell hat ein Tonbandgerät, und Dr. Henson hat einen Stenographenblock in ihrem Handkoffer. Ich wage zu behaupten, daß sie außerdem auch ein gutes Gedächtnis hat.«

Henson lachte plötzlich auf und erntete einen wütenden Blick von Krom.

Sogleich hob sie, um Vergebung bittend, beide Hände. »Tut mir leid, aber mir kam ein unpassender Gedanke«, erklärte sie. »Ich hatte, nur ganz flüchtig, aber doch eindeutig, die Idee, daß es Mr. Firman möglicherweise vollkommen gleichgültig ist, ob und wie viele Notizen gemacht werden, weil er nicht beabsichtigt, uns irgend etwas sehen oder hören zu lassen, was ihn in irgendeiner Weise kompromittieren könnte.«

Erzürnt schaltete Yves sich ein. »Da täuschen Sie sich aber gewaltig, Dr. Henson. Allein schon dieses Treffen kompromittiert ihn und uns.« Seine ausgestreckte Hand bezog Melanie mit ein.

»Keine Sorge, Mr. Boularis.« Krom versuchte plump, ihm das Knie zu tätscheln, und schien Yves' instinktives Zurückweichen übelzunehmen. »Aber geben Sie acht, daß Sie sich weder selbst täuschen noch von dem da täuschen lassen«, fuhr er speichelsprühend fort. »Ihr Freund Firman hat sich bereits vor Jahren kompromittiert, als ich ihn in Zürich sah.«

Connell unterdrückte, was der Anfang eines leisen Aufstöhnens gewesen sein mochte. »Ah ja«, sagte er, »da wären wir wieder einmal bei der berühmten Oberholzer-Firman Identifikation. Wird es uns diesmal gestattet sein, zu hören, was genau daran so Kompromittierendes gewesen sein soll, oder ist das nach wie vor ein Fall von ›pas devant les enfants‹, Herr Professor?«

Das klang, als sei er Kroms so überdrüssig, wie ich es war. Ehe der Große Alte Mann noch Zeit gehabt hätte, mehr zu tun, als durchdringende Blicke zu verschießen und erneut die Zähne zu fletschen, hatte ich Melanie ein Zeichen gegeben.

Diesmal machte sie die Runde in der entgegengesetzten Richtung um den Tisch, so daß die Zeugen ihre Kopien der Dokumente als erste bekamen.

»Da können Sie alles nachlesen«, sagte ich zu Connell.

Das Verhalten der Zeugen mir gegenüber hat seither viel zu wünschen übriggelassen, vielleicht unvermeidlicherweise; aber ich bedaure noch immer, daß – inzwischen erwiesenermaßen überflüssige – Sicherheitserwägungen mich daran hinderten, ihnen mehr Einblick in die Wahrheit zu geben, als ich es tat. Vielleicht hätten sie etwas gelernt, nicht nur zu ihrem eigenen Vorteil, sondern auch, was in dieser Zeit der Prüfungen von unmittelbarer Auswirkung gewesen wäre, zu meinem.

Hier nun folgt, wie es in Wahrheit dazu kam, daß Krom mich in Zürich sah.

Das Alarmtelegramm erreichte mich erst am späten Dienstagabend, mehr als vierundzwanzig Stunden nachdem Kramer erkrankt war.

Der Telegrammtext besagte lediglich, daß er sich auf der Intensivstation für Herzerkrankte im Kantonsspital in Zürich befand. Die Unterschrift war jedoch in Codeform angegeben, was nicht nur zu bedeuten hatte, daß dort Material dringend der Abholung bedurfte, sondern auch, daß strikteste Sicherheitsvorkehrungen zu treffen waren. Die Benutzung des Codenamens bewies, daß Kramer, krank oder nicht krank, das Telegramm selber aufgegeben oder diktiert hatte und im Vollbesitz seiner geistigen Kräfte war.

Ich hielt mich zu jenem Zeitpunkt in Lissabon auf, und die Botschaft war von Mailand aus durch Carlo weiterbefördert worden; und ich meine, durch Carlo persönlich, nicht durch irgendeinen vertrauenswürdigen Subalternen, an den der Job delegiert worden wäre. Falls das nach einer ungewöhnlichen Art und Weise klingt, ein Geschäft zu betreiben, das Nettogewinne in der Größenordnung von fünf Millionen Dollar und mehr abwirft, muß ich zustimmen. Sie war ungewöhnlich; aber sie war es, weil das Geschäft ungewöhnlich war.

Carlo unterhielt sein Büro mitsamt komplettem Mitarbeiterstab in Mailand hauptsächlich als Fassade. Ansonsten waren die einzigen Personen, die wir beschäftigten, unsere sechs Kuriere, vier Männer und zwei Frauen, die genau das taten, was ihnen gesagt wurde, und nie eine Frage stellten, es sei denn, die Antwort wäre zur Präzisierung einer Instruktion unerläßlich gewesen. Alle anderen Operationen in den zehn Städten, die wir als Basen benutzten, wurden über die neutralen Kanäle von ›Geschäfts-Dienstleistungs‹-Firmen abgewickelt, die sowohl für die Weiterleitung der Korrespondenz und die Entgegennahme von telefonischen Anrufen als auch für Adressen sorgten, die wir auf unsere diversen Briefköpfe setzen konnten. Unsere Beratertätigkeit spielte sich stets in Hotelzimmern ab. Im Verhältnis zu den Profiten, die wir machten, waren unsere Aufwendungen geringfügig.

Die Verhandlungen, die ich in Lissabon führte, hatten eine delikate Phase erreicht, und es war unmöglich, auf die Alarmbotschaft so rasch zu reagieren, wie ich es sonst hätte tun können. Ich glaube indessen nicht, daß es viel ausgemacht haben würde. Als mich die Nachricht erreichte, war die Kramer-Beziehung schon nicht mehr zu retten. Alles, was sich möglicherweise geändert hätte, wäre die Art der mir gestellten Falle gewesen.

Wie dem auch sei, es wurde Donnerstag, ehe ich von Lissabon wegkam. Ich traf im Verlauf des gleichen Tages in

Frankfurt ein und mietete einen Wagen. Am Freitagmorgen um neun Uhr dreißig war ich in Zürich.

Warum fuhr ich mit dem Wagen, wenn ich doch viel schneller mit dem Flugzeug angelangt wäre? Hauptsächlich deswegen, weil es, wenn man sich in Westeuropa befindet und jenseits einer Grenze eine vertrauliche Geschäftsbesprechung abhalten will, sicherer ist, mit dem Wagen zu reisen. Die Zeiten, in denen ein detailliertes Carnet jeden Grenzübergang verzeichnete, den der Wagen und seine Insassen benutzten, sind vorüber. Alles, was man braucht, ist eine internationale Versicherungskarte, und im allgemeinen interessiert auch die niemanden näher, und der Paß ebensowenig; an den meisten Straßen-Grenzübergängen wird man mit lässigem Wink zur Weiterfahrt aufgefordert. Fluggesellschaften verwahren Kopien von Fluggastmanifesten, die jedermann überprüfen kann, der über die richtigen Beziehungen verfügt, und auf unzähligen Flughäfen kann es geschehen, daß man einen Stempel in seinen Paß bekommt. Zugkontrollen können ebenfalls unangenehmer sein als Straßenkontrollen, weil die Beamten mehr Zeit haben. Die einzigen, die niemals Straßengrenzübergänge benutzen, sind Schmuggler, weil die Grenzzöllner auf einigen Straßen gern ihr Spielchen spielen. Statt sich neben die Kollegen von der Einwanderungsbehörde zu postieren, verlegen sie ihren Kontrollpunkt auf ihrer Seite der Grenze drei oder mehr Kilometer zurück, wo eine Verkehrsstauung keine Rolle spielt. Dort haben sie viel Zeit, um diejenigen, die Konterbande bei sich führen, just dann zu erwischen, wenn die armen Tölpel schon glauben, sie hätten es hinter sich und geschafft.

Ich bin kein Schmuggler, und ich benutze die Straßen. Allerdings jedoch fuhr ich zum Zürcher Flughafen und parkte den Wagen dort, bevor ich den Flughafenbus in die Stadt nahm. Wer immer jetzt ein Interesse für meine Reisetätigkeit entwickeln sollte, würde annehmen, daß ich mit dem Flugzeug gekommen sei. Ich stieg am Hauptbahnhof aus.

Von dort rief ich das Hospital an und erfuhr, daß Kramer vor zwei Tagen verstorben war.

Es war zu früh am Morgen, fand ich, um eine frischgebackene Witwe anzurufen. Um die Zeit herumzubringen, nahm ich ein zweites Frühstück zu mir und überlegte unterdessen, wie ich den Löschen-und-Vergessen-Mechanismus in diesem speziellen Fall am besten handhaben könnte. So seltsam das jetzt auch erscheinen mag, in jenem Augenblick bestand die einzig ernstliche Schwierigkeit, der ich mir bewußt war, darin, daß ich mich des Vornamens der Witwe nicht entsinnen konnte und Kramers persönliches Dossier, dem ich ihn hätte entnehmen können, nicht bei mir hatte.

Irgendwann fiel er mir ein – Frieda. Nach dem Frühstück machte ich einen Spaziergang und fand ein Warenhaus, wo ich eine schwarze Krawatte erstehen konnte.

Inzwischen war es zehn Uhr dreißig geworden, und ich ging zum Bahnhof zurück, um in der Kramerschen Wohnung anzurufen.

Die Stimme, die sich meldete, war die einer jüngeren Frau als Frieda; wie sich herausstellte, gehörte sie ihrer verheirateten Tochter. Sie nahm mein Beileid durchaus höflich im Namen ihrer Mutter entgegen, aber als ich fragte, ob ich mit der Mutter sprechen könne, änderte sich ihr Tonfall merklich.

»Ist das vielleicht zufällig Herr Oberholzer aus Frankfurt?« fragte sie.

»Ja. Ich bin ein alter Freund Ihres Vaters.«

»Das hat man mir zu verstehen gegeben.« Ihr Ton war jetzt ausgesprochen kühl. Das hätte mich wachsam machen sollen, tat es aber nicht. Diejenigen, die einen privaten Kummer nähren, nehmen – tatsächliche oder eingebildete – Versuche Außenstehender, ihn zu teilen, häufig übel.

»Ich spreche für meine Mutter«, fuhr sie energisch fort. »Sie hat mich gebeten, Ihnen zu sagen, daß die Trauerfeier morgen vormittag um elf Uhr stattfindet. Das Krematorium ist in der Käferholzstraße. Blumen – sofern Sie welche schicken wollen – müßten bis neun Uhr dreißig in der Kapelle der Leichenhalle des Hospitals abgegeben werden.«

»Danke. Ich bin Ihnen für den Hinweis sehr verbunden. Ich hoffe aber, Ihrer Frau Mutter zuvor meine Aufwartung machen und meine persönliche Anteilnahme ausdrücken zu dürfen. Ich hätte ihr gern noch heute morgen kurz vor Mittag, wenn das passen sollte, einen Besuch abgestattet.«

»Nein, Herr Oberholzer, ich fürchte, das wird nicht passen. Heute sind nur Mitglieder der Familie hier. Aber meine Mutter hat Ihre Befürchtungen und Sorgen vorausgesehen. Sie bittet mich, Ihnen zu sagen, daß Ihre Papiere absolut sicher verwahrt sind und daß Sie sie jederzeit morgen nach der Trauerfeier abholen können. Es werden hier Sandwiches und Kaffee gereicht werden für diejenigen, denen der Sinn danach steht. Leben Sie wohl, Herr Oberholzer.«

Sie legte auf.

Selbst jetzt war ich nicht ernstlich beunruhigt. Unter dem emotionalen Stress, hervorgerufen durch den plötzlichen Tod ihres Mannes, hatte Frieda offenbar zu freimütig von Dingen gesprochen, die zu vergessen klüger gewesen wäre; da aber ihre Kenntnis davon notwendigerweise auf das beschränkt war, was Kramer ihr in einem höchst unwahrscheinlichen Anfall enthemmter Schwatzhaftigkeit erzählt haben mochte, bedeutete sie keine ernsthafte Gefahr für mich, sondern bloß eine Unannehmlichkeit. Weil sie mich und meine Beziehung zu ihrem Mann mißbilligt hatte – wenngleich sie das Geld, das ihr durch sie eingebracht worden war, schwerlich mißbilligt haben konnte –, fühlte ich mich veranlaßt, in Zürich zu bleiben, wiewohl es für mich weder erforderlich noch ratsam war, das zu tun, und einer Trauerfeier beizuwohnen.

Reiche Steuerhinterzieher und Besitzer von verheimlichten Devisen dazu zu überreden, einen dafür, daß man sie berät, zu bezahlen, ist nicht schwer; jedenfalls nicht, solange einem Möglichkeiten zu Gebote stehen, geeignete Sanktionen zu verhängen; aber sofern man nicht mit außerordentlicher Vorsicht zu Werke geht, kann es gefährlich werden.

Es läßt sich nicht bestreiten, daß jeder reiche Mann, der beschließt, sich den Steuergesetzen seines Landes zu *entziehen*, wo er sie doch, wenn er nur die geringe Mühe in Kauf und guten Rat in Anspruch nehmen würde, *vermeiden* könnte, im Grunde genommen, für wie gerissen man ihn, oberflächlich gesehen, auch halten mag, schlichtweg dumm ist.

Er wird sich daher, wenn er, um seine Narrheit zu kaschieren, zahlen muß, schwerlich mit der Einbuße philosophisch abfinden. Ganz im Gegenteil wird er häufig auf die extravagantesten Ideen verfallen, um sich für die ›Ungeheuerlichkeit‹ zu rächen. Ich weiß von einem Fall, wo der betreffende Idiot sich doch tatsächlich aufmachte, das teuerste Gewehr kaufte, das auf dem Markt war, ein Zielfernrohr darauf anbringen ließ und sich mit dem Vorsatz, ein Scharfschütze zu werden, fleißig im Schießen übte.

Tatsache ist, daß viele dieser sehr reichen Männer sich in bestürzendem Ausmaß wie altmodische psychopathische Gangster aufführen können. Die eigene Organisation vor wahnhafter Rachsucht dieser Art zu schützen erfordert mehr als die übliche Sorgfalt und Aufmerksamkeit. Wenn es um die Sicherheit geht, muß man ein klein wenig paranoid sein.

In dem Augenblick, da Kramers Tochter den Hörer auflegte, hätte ich auf der Stelle zu meinem Wagen zurückkehren und losfahren sollen, um so rasch als möglich nach Hause und zu einem guten Dinner zu kommen. Ich war damals in zweiter Ehe verheiratet. Meine Frau kochte wirklich ganz ausgezeichnet.

Die falsche Art von Gier, das war meine Schwierigkeit; Gier plus langsames und sehr schludriges Denken. In seinem Telegramm hatte Kramer gesagt, daß wichtiges Material abzuholen sei. Also hing ich herum in der Erwartung, es abholen zu können; gerade so, als sei nichts geschehen; gerade so, als sei Kramer noch am Leben und wohlauf.

Das Wetter war scheußlich, ein scharfer Wind trieb Schauer von nassem Schnee vor sich her. Wenn ich mit einem meiner echten Pässe gereist wäre, hätte ich in einem erstklassigen Hotel absteigen können, wo man mich kannte und verwöhnt haben würde. Zum Glück reiste ich als Reinhardt Oberholzer. Ich sage ›zum Glück‹, weil, wenn ich eine echte Identität benutzt hätte, nichts, was ich hätte tun können, die Situation gerettet haben würde. Es gibt gewisse Papierschnipselfährten, die weder verwischt noch aufgelesen werden können, weil die Meute, noch ehe man sich, den mit einer Spitze zum Aufspießen der Schnipsel versehenen Spazierstock in der Hand, auf den Weg gemacht hat, einen bereits draußen im Revier erwartet.

Dem Himmel sei also Dank für die Oberholzer-Pässe.

Ja, Sie haben richtig gelesen, Krom. Pässe, Mehrzahl. Wir benutzten fünf. Ich hatte einen. Die vier männlichen Kuriere hatten jeder einen, den sie benutzten, wenn sie als Pappkameraden agierten.

Carlos unorthodoxes Denken würde jeden ausgebildeten Abwehrmann zur Verzweiflung getrieben haben. So hatte er beispielsweise den Namen Oberholzer ursprünglich ausgesucht, weil er weder besonders üblich noch besonders unüblich, sondern in den meisten deutschsprachigen Gegenden von mittlerer Häufigkeit war. In einer angelsächsischen Stadt- beziehungsweise Landgemeinde wären Underwood oder Overton von etwa vergleichbarer Gebräuchlichkeit gewesen. Soweit alles ganz orthodox. Aber was geschah, wenn die Tarnung durchlässig geworden war und keinen sicheren Schutz mehr gewährte?

Nach orthodoxer Auffassung mußten sowohl der Name als auch dessen Träger umgehend aufgegeben werden. Carlo war anderer Meinung. Durch hastige Aufgabe eines Decknamens, von derjenigen der Person, die ihn benutzt hatte, ganz zu schweigen, lieferte man möglicherweise die Bestätigung dessen, was bis dahin lediglich geargwohnt worden war. Man konnte Argwohn sogar hervorrufen, wo zuvor, außer in der eigenen Einbildung, keiner existiert hatte. War es da nicht besser, den Gegner mit neuerlichen Anlässen zum Zweifel zu beglücken, mit denen er sich auseinandersetzen mußte, indem man einen zweiten Mann ins Spiel brachte, einen, der seinem Namensvetter in mancher Hinsicht stark ähnelte, sich in anderer jedoch auf verwirrende Weise von ihm unterschied? Wenn Argwohn bestanden hatte, würde er jetzt nicht besänftigt sein? Falls er aber nicht gänzlich besänftigt worden war, würden dann nicht die Gründe für ihn erneut ausgewertet werden müssen?

Angesichts der Natur der Gegner, denen wir uns gegenüber sahen, Gegner, die sich stets auf widerstrebende oder schwafelhafte Zeugen angewiesen sahen, welche von der Wahrheit so wenig verrieten, wie sie sich gerade noch trauten, konnte eine derartige Neubewertung nur ein Resultat zeitigen. ›Zweifel demoralisiert‹, lautete eine von Carlos bevorzugten Maximen. Seine taktische Bezeichnung für das Multiplikations-Manöver im Oberholzerstil hieß ›Streuung‹ oder, wenn er zum Scherzen aufgelegt war, ›Verteidigung in der Breite‹.

Ich habe einmal mehr als eine Stunde lang gegen einen guten Drei-Karten-Trick-Mann gespielt. Ich wußte genau, was er machte und wie er es machte, und dennoch schlug er mich in drei von fünf Spielen. Auf die gleiche Weise hatte das Oberholzerspiel funktioniert. Nur daß wir in fünf von fünf Spielen zu gewinnen pflegten, bis ich in einem verlor, welches es erforderlich machte, nicht nur den Namen des Spiels, sondern auch einige seiner Regeln zu ändern.

Zürich ist eine geschäftige Stadt, und wenn man kein Zimmer im voraus bestellt hat und auch kein bekannter und geschätzter Gast eines bestimmten Hauses ist, findet man in zentralgelegenen Hotels nicht immer ohne weiteres Unterkunft. Da ich nicht in einem der Hotels absteigen konnte, wo man mich kannte, ging ich in das im Bahnhof befindliche Büro des Fremdenverkehrsvereins, wo dieser einen Hotelnachweisdienst betrieb.

Nun mag ich an jenem Tag zwar sorglos gewesen sein, aber ich war doch nicht wirklich leichtsinnig. Wenn man einen Decknamen benutzt, macht man es sich ausnahmslos zur Regel, ihn so wenig als möglich im Mund zu führen, um ihn nicht unnötig zu strapazieren. Als ich der jungen Dame im Fremdenverkehrsbüro meinen Namen nannte, wandte ich instinktiv einen alten Trick an.

In den meisten Ländern gefällt sich die Amtssprache darin, bei behördlicher Aufnahme der Personalien eines Staatsbürgers dessen Zunamen voran und den Vornamen nachzustellen. In vielen Gegenden Asiens ist diese Reihenfolge auch die gesellschaftlich übliche. Auf dem europäischen Festland und in Südamerika überschneiden sich beide Gepflogenheiten. Versicherungspolicen mögen auf Oberholzer, Reinhardt oder Reinhardt Oberholzer ausgestellt sein. Bei formellen Anlässen unter Fremden kann man die Hacken zusammenschlagen und sich als Oberholzer, Reinhardt vorstellen, während man bei weniger steifen Gelegenheiten der liebe, gute alte Reinhardt Oberholzer ist. Der jungen Dame im Büro des Fremdenverkehrsvereins gab ich meinen Namen mit Oswald Reinhardt an, wobei ich ›Oswald‹ etwas undeutlich aussprach, so daß ich, falls nötig, jederzeit behaupten konnte, sie habe nicht aufmerksam zugehört.

Als ich nach einem nochmaligen Abstecher in das Warenhaus, wo ich eine Reisetasche und Wäsche zum Wechseln besorgte, in das Fremdenverkehrsbüro zurückkehrte, hatte man ein Zimmer für mich. Es befand sich in einem Hotel der zweiten Kategorie oben beim Botanischen Garten. Dem Portier dort war mein Name vom Büro als O. Reinhardt angegeben worden, und er erachtete es als müßig, sich den Oberholzer-Paß genauer anzusehn, mit dem ich angelegentlich herumwedelte, bevor ich den polizeilichen Meldezettel ausfüllte.

Das Hotel befand sich in einer angenehmen Straße mit

vielen Bäumen, die ihr im Sommer vermutlich ein recht ländliches Aussehen verliehen. Unglücklicherweise befand es sich auch unmittelbar neben einer Kirche. Ihr Turm beherbergte ein komplettes Glockenspiel, das, wie ich sehr bald Gelegenheit hatte festzustellen, in technisch einwandfreiem Zustand war und ebenso robust wie pünktlich funktionierte. Als der Portier mir das Zimmer zeigte, sagte er mit falschem, aber geübtem Lächeln, daß viele Gäste den Klang der Glocken besonders schätzten. Die Vorstellung, zum Fremdenverkehrsverein zurückzukehren und das Ganze von vorn zu beginnen, reizte mich wenig, und so fragte ich nach dem Weg zur nächsten Apotheke.

Sie befand sich ein paar Straßen weiter in einem kleinen Einkaufsbezirk, der ein Stadtviertel versorgte, das aus Geschäfts- und Wohnhäusern bestand. In einem Miniatur-Supermarkt kaufte ich eine halbe Flasche Whisky. In der Apotheke kaufte ich außer Rasierapparat, Seife, Waschlappen und Zahnbürste eine Packung Ohrenstöpsel. Und auf dem Rückweg zum Hotel – ich hatte beschlossen, einen anderen Weg zu nehmen, einen, von dem ich annahm, er sei dem Wind weniger ausgesetzt – sah ich dann das Blumengeschäft.

Wenn ich auch Blumen mag und Blumengeschäfte normalerweise angenehm finde, so gehöre ich doch nicht zu denen, die ihnen nicht widerstehen können. Der Zufall wollte jedoch, daß durch die Schaufensterscheibe dieses speziellen Blumengeschäfts eine bemerkenswert hübsche junge Frau zu sehen war. Sie besprühte die Blätter einiger Philodendren, und die Art, wie sie die Arme hob, nahm sich ungemein vorteilhaft für sie aus. Als ich meine Schritte verlangsamte, um die Aussicht zu bewundern, koinzidierte ihr Anblick mit dem unwiderstehlichen Drang, in dem Laden

Zuflucht vor dem kalten Wind zu suchen, und dem Gedanken, daß ein Kranz von Oberholzer bei Kramers Trauerfeier dazu dienlich sein könne, die Feindseligkeit seiner Damen zu mildern und sie zugleich in ihrer Verschwiegenheit zu bestärken.

So trat ich denn ein.

Sobald die junge Frau keine auf hohen schmiedeeisernen Schaugestellen plazierten Pflanzen besprühte, machte sie eine weniger gute Figur, aber sie war fröhlich und freundlich. Einen Kranz würde sie nicht empfehlen, sagte sie, weil ihr Teilhaber, der im raschen Binden von Kränzen Experte sei, mit Grippe das Bett hüte. Wenn ich darauf bestände, würde sie ihr Bestes tun, um termingerecht einen hübschen Kranz anzufertigen, aber da er morgen bereits vor neun Uhr dreißig in der Leichenhalle des Hospitals abgeliefert werden müsse, fände sie Blumen in diesem Fall wirklich besser. Wie es denn mit ein paar von jenen Treibhausrosen dort drüben wäre? Natürlich würden sie sich nicht bis übermorgen halten, aber bei diesem Wetter würden auch Blumen in einem Kranz das nicht tun. Man konnte nicht bloß Grünzeug schicken, nicht wahr? Wenn ich mich für die Rosen entschiede, wolle sie dafür sorgen, daß sie gut eingewickelt und, da sie diejenige sei, welche die Ablieferung übernähme, schnurstracks in die Leichenhauskapelle gebracht werden würden, sobald sie dort anlangten. Für einen Deutschen wie mich würden sie nicht so arg teuer werden, und wenn ich den ganzen Posten übernähme – die roten, gelben und rosa würden sich zusammen sehr hübsch ausnehmen –, würde sie mir einen Rabatt einräumen. Sie war eine gute Verkäuferin mit einem Restposten kümmerlicher Rosen, die das Wochenende sowieso nicht überdauern konnten.

Nachdem der Handel jedoch einmal abgeschlossen war und ich an einem kleinen Tisch saß, konventionelle Wendungen des Mitgefühls auf ein Kärtchen schrieb, das den Blumen beigegeben werden sollte, und es in das ebenfalls zur Verfügung gestellte Kuvert steckte, wurde sie neugierig. Daß ich kein Schweizer oder Österreicher war, hatte sie meinem Akzent angemerkt, aber sie konnte sich weder darüber schlüssig werden, ob ich Nord- oder Süddeutscher sei, noch vermochte sie sich die Art meiner Beziehung zum Verstorbenen zusammenzureimen. Als ich ihr Angebot, mir eine Quittung auszustellen, ausschlug und sie die Registrierkasse betätigte, bemerkte sie, daß sie dort oben nicht viele ausländische Kunden hätten, die Blumen kauften, und fragte mich, wo ich abgestiegen sei. Als ich es ihr sagte, blickte sie aufrichtig besorgt drein, behauptete jedoch sogleich tapfer, aber mit sogar noch geringerer Überzeugungskraft als der Portier des Hotels, was auch dieser behauptet hatte, daß manche Leute den Klang der Glocken ganz besonders schätzten. Sie war nicht länger neugierig, aus welcher Gegend Deutschlands ich stamme. Sie wußte jetzt, daß ich nicht wiederkommen würde, jedenfalls nicht in jenes Viertel Zürichs. Als ich den Laden verließ, steckte sie meine Beileidszeilen an die Familie Kramer in einen kleinen Plastikbeutel, der sie vor den Unbilden der Witterung schützen sollte.

Ich lunchte gut, weit weg vom Hotel, verbrachte den Nachmittag in einem Kino und aß frühzeitig – und ausgezeichnet – zu Abend. Die Nacht jedoch war scheußlich.

Die Ohrenstöpsel halfen nur wenig, und der Whisky half gar nicht. Jedesmal, wenn die Turmuhr schlug, klirrten die Fensterscheiben unter dem Gedröhn der Glocken, und man konnte die Vibration fühlen, die die Sprungfedern weiterleiteten, oder jedenfalls bildete ich mir ein, daß *ich* das könnte; und natürlich hörte man am Ende auf, an Schlaf überhaupt nur zu denken, und lag nur da, um auf den nächsten Überfall zu warten.

Um drei Uhr morgens nahm ich ein Sesselkissen, den Bettüberwurf und sämtliche Kissen, Bettücher und Decken, deren ich habhaft werden konnte, und bereitete mir eine Art Lager im Badezimmer, wo das Dröhnen des Glockenturms, wie ich bemerkt hatte, etwas gedämpft war. Dort gelang es mir, zwei Verabfolgungen des viertelstündlichen Geläuts zu verdösen, ehe der Badezimmerfußboden sich fühlbar machte und die Vier-Uhr-Glockenschläge meine letzte Hoffnung auf Schlaf erschütterten. Den Rest der Nacht verbrachte ich, den Bettüberwurf über dem Kopf, aufrecht in einem der Sessel sitzend.

Ausflüchte, so mag man einwenden. Der Mann macht einen Narren aus sich. Offenbar muß er auf irgend jemanden oder irgend etwas die Schuld schieben, warum also nicht auf die Kirchenglocken oder die schlaflose Nacht.

Keineswegs. Meine Fehler bei dieser Sache waren allesamt bereits am Tag zuvor begangen worden. Bemerkenswert ist vielmehr, daß ich es, nachdem ich eine schlaflose Nacht von der Art hinter mir hatte, nach welcher ein Mann, sofern er überhaupt funktionsfähig sein will, normalerweise Beruhigungstabletten braucht, fertigbrachte, mit solcher Entschiedenheit und Effizienz zu handeln.

Bis halb sechs saß ich in dem Sessel. Dann rasierte ich mich, nahm ein Bad, zog mein neues weißes Hemd an, band mir die schwarze Krawatte um und wartete auf das Tageslicht. Um halb sieben, als es noch dunkel war, ging ich hinunter und konsultierte den Nachtportier wegen der Möglichkeit, ein Taxi zu bekommen. Er sagte, es könne eine Weile dauern, aber er würde mir telefonisch eines bestellen. Als er das getan hatte, fragte ich ihn, ob ich Kaffee bekommen könne. Die Küche öffnete nicht vor sieben. Ich überlegte, ob ich die Zeit auf andere Weise totschlagen solle, dachte an die Rechnung und fragte, ob ich sie begleichen könne. Ja, das konnte ich. Zu meiner Überraschung – bis ich den Ausdruck der Resignation im Gesicht des Nachtportiers sah. Ich war offenkundig nicht der erste Gast in jenem Haus, der es eilig hatte wegzukommen. Und ich würde auch nicht der letzte sein. Sehr frühe Abreisen waren normal.

Ich bezahlte also die Rechnung und sagte, daß ich später wiederkommen und meine Reisetasche abholen würde. Das war mein erster Glücksfall.

Irgendwann kam das Taxi, und ich ließ mich zum Carlton Elite Hotel fahren. Im dortigen Restaurant nahm ich ein umfangreiches amerikanisches Frühstück ein und las die deutschsprachigen Zeitungen. Anschließend las ich in der Halle die italienischen Zeitungen und löste das Kreuzworträtsel der Pariser *Herald-Tribune*-Ausgabe. Inzwischen war es nahezu an der Zeit, zur Trauerfeier zu gehen.

Dem Portier erklärte ich, was ich wollte; ein Taxi oder einen Leihwagen mit Fahrer, der mich zum Krematorium bringen, dort auf mich warten und dann in das Hottingen-Viertel fahren würde. Dort befand sich die Kramersche Wohnung. Der Portier sagte, daß ein Leihwagen für solche Fahrt nicht kostspieliger sein würde, dafür jedoch angenehmer. Innerhalb von fünf Minuten könne er einen herbeitelefoniert haben.

Es war ein schwarzer viertüriger Taunus, und der Fahrer war ein älterer Mann mit wunderschönem eisengrauem

Haar und einem schmalen, traurigen Gesicht. Er wußte genau, wo das Krematorium war, und schätzte Friedhofsfahrten, zu denen er, wie er mir mit sanfter Stimme erzählte, sehr häufig bestellt wurde, offenbar ganz besonders.

»War der Verstorbene ein naher Verwandter von dem Herrn?« fragte er, als er sich seinen Weg aus dem Verkehr der Innenstadt erkämpfte.

»Nein. Er war kein Verwandter irgendwelcher Art.«

»Ein enger Freund von dem Herrn vielleicht?«

»Ein Freund, ein Geschäftsfreund.«

»Ah.« Sofort hellte sich seine Miene auf, und er begann, mir ein paar Ratschläge von Mann zu Mann zu geben. »Dann wird der Herr vermutlich gut daran tun, während der Trauerfeier auf einer der hinteren Bänke der Kapelle zu sitzen. Auf diese Weise läßt es sich vermeiden, am Schluß allzusehr in den Kreis der nahen Verwandten einbezogen zu werden, wenn man das nicht möchte. Ein kurzes Wort des Mitgefühls, an den Hauptleidtragenden gerichtet, um zu zeigen, daß man anwesend war, das ist alles, was dann noch zu tun bleibt, bevor man geht.«

»Ich nehme an, da haben Sie recht.«

Ich sprach distanziert, und er verstand den Wink. Ich hörte keine weiteren Ausführungen über Theorie und Praxis des Verhaltens bei Trauerfeiern mehr. Leider hatte er mich nachdenklich gestimmt.

Ich hatte Kramer und seiner Frau in der Tat einige Jahre lang ›nahegestanden‹. Aber war ich ein Freund? Auch nur ein Geschäftsfreund? Eine treffendere Bezeichnung, und meinethalben noch dazu eine, die Krom zu einem frohlokkenden Schmatzen veranlassen würde, wäre wohl ›Mitverschwörer‹.

Ich hatte Kramer auf einem Kongreß der Interfiscal-Society in Monaco angeworben.

Ein Direktor einer der drei großen schweizerischen Banken war dort, um einen Vortrag über die Bankgeheimnis-Gesetze seines Landes zu halten. Es war ein ausgezeichneter Vortrag, weder so defensiv noch so anklagend, wie derartige Pflichtübungen in Public Relations im allgemeinen sind, und das sagte ich einem Mann derselben Bank, der den Direktor zu dem Kongreß begleitet hatte. Das war Kramer, und er zählte eindeutig zum mittleren Management. Er war dort, teils, wie ich annahm, um sichtbar zu machen, daß der Direktor über so etwas wie eine dienst-tuende *aide-de-camp* verfügte, und teils, damit er in jedes lohnende Geschäft, von dem im Kreis der Delegierten geraunt werden mochte, gegebenenfalls sogleich einsteigen konnte.

Der Direktor war der Mann von großem Zuschnitt, der finanzielle Chefdenker. Auch Kramer hatte seine Würde, aber es war die eines guten Soldaten. Er konnte in der Hierarchie der Bank nicht höher aufsteigen. Er wußte das offenkundig und war für einen in jeder anderen Hinsicht so vernünftigen Mann über das, was er als Ungerechtigkeit empfand, überraschend verbittert. Er sprach übertrieben respektvoll von seinen Vorgesetzten in der Bank. Das sardonische Lächeln, das er so häufig zur Schau trug, half mir schließlich auf die Sprünge. Er war, entschied ich, offen für ein Erkundungsgespräch.

Ich leitete es bei einem Drink im Hôtel de Paris ein.

»Was ich nicht begreife«, sagte ich, »ist die Art der Strafzumessung, die Ihre Geheimnisschutz-Gesetze vorsehen. Sie scheint mir so mild zu sein.«

»Meinen Sie, Mr. Firman?«

»Nun, gehen wir einmal davon aus, daß ein Angestellter Ihrer Bank, ein Mann aus der Hauptniederlassung, in der Sie arbeiten, von einem Fremden kontaktiert wird, der – na, sagen wir ein Agent der amerikanischen Steuerbehörden ist. Undenkbar?«

Er zügelte seine innere Belustigung. »Es ist schon vorgekommen«, sagte er todernst.

»Allerdings. Angenommen, der Agent bietet diesem Angestellten Ihrer Bank dreitausend Dollar für die Nennung des Namens jedes amerikanischen Staatsangehörigen in Ihren Büchern und die Angabe der Höhe seines Bankkontos bei Ihnen. Was sollte Ihren Mann daran hindern, auf das Angebot einzugehen?«

»Vorausgesetzt, unser Mann, wie Sie ihn nennen, hat den entsprechenden Managerstatus in der Bank, der ihm den Zugang zu den erwünschten Informationen ermöglicht, so wäre, was ihn höchstwahrscheinlich davon abhalten würde – von der Frage, wie gesetzestreu er als Bürger sein mag, einmal abgesehen –, das Risiko, das er auf sich nimmt, wenn er das Angebot akzeptiert.«

»Eine Geldstrafe von zwanzigtausend Franken und maximal sechs Monate Gefängnis? Mit hunderttausend Dollar, und sehr wahrscheinlich noch viel mehr, auf einer anderen Bank – was hätte er zu verlieren?«

»Mir scheint, Mr. Firman, unser Direktor hat nicht hinlänglich klargestellt, daß die Geld- und die Haftstrafe, die Sie erwähnen, für jedes einzelne dem Angestellten nachgewiesene Vergehen verhängt werden können und daß die Strafen konsekutiv verbüßt werden würden. Zehn Verstöße gegen das Geheimnisschutz-Gesetz würden fünf Jahre bedeuten, zwanzig Verstöße zehn Jahre.«

»Aber mit einem Risiko gleich Null stellt sich die Frage

doch so gut wie gar nicht. Wollen Sie bestreiten, daß dergleichen ständig geschieht? Ich weiß von einem Dutzend solcher Fälle. In einem bekam das britische Schatzamt alles, was es wollte, für läppische zweitausend Dollar.«

Er trank einen Silver-fizz, einen Longdrink, der zur Hauptsache aus Gin und Eiweiß besteht. Manche Frauen mögen dieses Getränk, und Barmixer geben ihm meistens einen Strohhalm bei, damit beim Trinken das Lippenrot nicht in Mitleidenschaft gezogen wird. Er entfernte jetzt den Strohhalm aus dem Glas, bevor er antwortete.

»So etwas wie ein Null-Risiko gibt es nicht, Mr. Firman.« Er knickte den Strohhalm und legte ihn in einen Aschenbecher. »Und wenn Sie mich fragen, sind dreitausend Dollar pro Objekt für die Art Information, von der Sie sprechen, um die Hälfte zu wenig.«

Es war so leicht, daß Carlo glaubte, Kramer sei ein *Agent provocateur,* und überzeugt werden mußte, daß wir unsererseits kein Risiko liefen. Vor allem, sagte er, dürfe ich mich nicht in die gefährliche Lage begeben, als Agent der amerikanischen Steuerbehörden zu gelten. Ich fragte Kramer einmal, ob er glaube, ich arbeite für die amerikanischen Steuerbehörden, und das war das einzige Mal, daß ich ihn jemals lachen sah. Er sagte, ich sei nicht der Typ dazu. Ich habe mir nie darüber schlüssig werden können, ob das ein Kompliment war oder nicht. Mit der Zeit muß er zu sehr klaren Vorstellungen über die Art und Weise gelangt sein, in der die Informationen, die er mir lieferte, verwendet wurden.

Eines kann ich mit beträchtlicher Sicherheit erklären. Im Lauf der Jahre unserer geschäftlichen Zusammenarbeit hat Kramer von uns, und das, wie ich meine, verdientermaßen, weit mehr als jene zunächst bloß spekulativen einhunderttausend Dollar bekommen, die wir im Hôtel de Paris ausgehandelt hatten.

Als wir bei der Kapelle des Krematoriums anlangten, in der die Trauerfeier für Kramer stattfinden sollte, erklomm das hintere Ende der Prozession Leidtragender gerade die Stufen vom Eingang.

»Genau den richtigen Moment abgepaßt«, sagte der Fahrer. Dem Eingang zur Kapelle vorgelagert war ein ziemlich weiter halbkreisförmiger Platz, an dessen Rand Wagen parkten. Eine einzelne schwarze Cadillac-Limousine mit Fahrer wartete vor den Treppenstufen zur Kapelle. Dies war offensichtlich der Wagen, mit dem die Hauptleidtragenden gekommen waren und unmittelbar nach der Zeremonie wieder davonfahren würden. Neben dem Eingang, stellte ich fest, stand eine Gruppe von drei mit Kameras und Kamerazubehör behängten Männern eng beisammen. Da zumindest einer der leitenden Herren von der Bank anwesend sein mußte, um ihrem Angestellten die letzte Ehre zu erweisen, nahm ich an, daß ein Fotograf von der Public-Relations-Abteilung der Bank geschickt worden sei, und die beiden anderen im Auftrag oder in der Hoffnung auf einen Auftrag lokaler Blätter gekommen waren.

Als ich ausstieg, zeigte mir der Fahrer, wo er zu parken beabsichtigte. Ich folgte dem letzten Trauergast und wurde von einem Beauftragten des Bestattungsinstituts zu einem der hinteren Plätze geleitet. Auf Band aufgenommene Orgelmusik – Bach natürlich – drang aus Lautsprechern, und auf einem steinernen Katafalk am anderen Ende der Kapelle stand Kramers Sarg. Auf dem Sarg lag ein einzelner Kranz, aber der Fußboden um den Katafalk herum war von Kränzen und Blumen bedeckt. Ich konnte meine

Rosen nicht sehen, nahm jedoch an, daß sie irgendwo dort liegen mußten. Es ist schwierig, genaue Zahlen zu nennen, aber ich würde sagen, daß die Kapelle etwa hundert Sitzplätze bot, und daß mehr als die Hälfte der Plätze besetzt war, überwiegend von Männern in Geschäftsanzügen. Gut besucht.

Die Predigt wurde von einem protestantischen Pfarrer gehalten und war kurz. Dann schlossen Schiebetüren sich langsam und verbargen den Katafalk, so daß die Entfernung des austauschbaren inneren Gehäuses, des Teils, in dem sich die Leiche befand, aus dem Sarg und in den funktionalen Bereich des Krematoriums von den Trauergästen unbemerkt vonstatten gehen konnte. Die Berieselungsmusik setzte wieder ein. Sie lief noch etwa zehn Minuten lang weiter. Als sie aufhörte, ging der Pfarrer zu Frieda Kramer, die in der ersten Reihe saß, und sagte etwas zu ihr. Kurz darauf erhob sie sich und begann, gestützt auf den Arm eines Mannes, der vermutlich ihr Schwiegersohn war, langsam den Mittelgang der Kapelle hinunter zum Ausgang zu gehen. Die Trauerfeier war vorüber.

Die anderen schickten sich an zu folgen. Nach einer kleinen Weile reihte ich mich in die Prozession ein. Ein Mann in meiner Nähe erklärte seinem Begleiter, daß man eine Urne mit der darin befindlichen Asche ein paar Tage nach der Trauerfeier abzuholen pflege.

Draußen stand Frieda an einer offenen hinteren Tür der Cadillac-Limousine, während der Reihe nach alle, die Männer in den Geschäftsanzügen und die Frauen in besonders scheußlichen Hüten, an sie herantraten und ihr Beileid aussprachen.

Ich stellte mich in die Reihe der Kondolierenden, nicht weil das etwa meinem Wunsch entsprochen hätte, sondern weil sie mich gesehen hatte. Da es etwas gab, was ich von ihr wollte, schien es keinen Sinn zu haben, sie zu verletzen, indem ich sie in ihrer Wohnung aufsuchte, ohne zuvor wie alle anderen in der Öffentlichkeit ein Wort der Anteilnahme geäußert zu haben. So bewegte ich mich denn, den Hut in der Hand, schrittweise voran.

Während ich dies tat, sagte Frieda aus dem Mundwinkel heraus etwas zu ihrer Tochter, die sogleich in das Innere des Wagens langte und irgend etwas vom Rücksitz nahm. Was es war, konnte ich nicht sehen, weil zwischen mir und dem Cadillac noch immer Leute standen. Abermals rückten die Beileidsbekundenden ein Stück voran.

Ich hörte, wie eine Frau Frieda irgend etwas von einem ›tiefempfundenen Gefühl des Verlustes‹ zuraunte, das jeder teile, der ihren lieben Johann gekannt habe, und legte mir hastig ein ähnliches Sprüchlein zurecht.

Schließlich trat der unmittelbar vor mir befindliche Mann zur Seite, und jetzt war ich an der Reihe.

Bis dahin hatte Frieda steif dagestanden, mit angewinkelten Ellenbogen und knapp unterhalb des Busens von beiden Händen umklammerter Handtasche, als fürchte sie, jemand könne versuchen, sie ihr zu entreißen. Sie hatte den schwarzen Schleier zurückgeschlagen und das Doppelkinn in Erwartung des Ansturms hochgehalten. Ich ertappte mich bei dem Gedanken, ob sie wohl schon wisse, wie erstaunlich reich sie war. An der Art, wie sie den Kondolierenden gedankt hatte, war abzulesen gewesen, wer zu den Freunden oder zur Familie gehörte und wer zu den Bekannten, deren Gesichter sie nur mit Mühe unterzubringen vermochte. Von den ersteren ließ sie sich umarmen, den letzteren nickte sie förmlich zu, übersah die ihr dargebotenen Hände und sagte nur: »Danke, vielen Dank!« Aber bis dahin hatte sie die ganze Zeit über die Handtasche gegen ihren Solarplexus gepreßt.

Ich war es, der den Bann brach. Daß ich sie umarmte, kam nicht in Betracht, und so tat ich, was die anderen Bekannten getan hatten, und gab ihr Gelegenheit, meine ausgestreckte Hand zu ignorieren.

Das heißt, ich schickte mich an, die Hand auszustrecken. Sie war schon auf halbem Weg zu ihr, und das einleitende ›Meine liebe Freundin‹ schon auf meinen Lippen, als ihre Handtasche vorwärts und aufwärts schoß und meine Knöchel streifte.

Sie hatte nicht etwa versucht, mich tatsächlich zu treffen. Sie hatte ihre Handtasche lediglich benutzt, um damit auf mich zu weisen, so daß keiner der Zuschauer im Zweifel darüber blieb, auf wen sie wies. Sie wies noch immer auf mich, als sie sprach.

»Dies«, sagte sie laut und deutlich zu den Anwesenden, »ist Reinhardt Oberholzer.«

Im gleichen Augenblick geschahen diverse weitere Dinge.

Ein stumpfer Gegenstand traf mich ziemlich hart an der rechten Schulter. Es war die Kante einer von der Tochter geschwungenen Aktenmappe. Die Aktenmappe mußte das Objekt gewesen sein, das sie vom Rücksitz des Wagens genommen hatte.

»Da sind Ihre Papiere, Herr Oberholzer«, fuhr sie mich an und ließ die Aktenmappe los.

Als ich sie auffing, hörte ich in der plötzlichen Stille, die eingetreten war, das Klicken eines Spiegelreflex-Kameraverschlusses. Fast im gleichen Augenblick verschoß ein zweiter Fotograf ein elektronisches Blitzlicht. Beide rückten mir sogleich näher auf den Leib, um weitere Aufnahmen zu machen.

Krom sagt, er habe unmittelbar hinter dem Fotografen mit dem Blitzlichtgerät gestanden, obschon ich ihn nicht gesehen habe. Ich sage nicht, er sei nicht dagewesen, nur, daß ich ihn nicht gesehen habe; und die Tatsache, daß ich ihn nicht gesehen habe, wundert mich nicht im geringsten.

Er sagt, ich hätte entgeistert dreingeblickt. Ich *war* entgeistert. Ich habe ein Gehirn, das durchaus fähig ist, ziemlich rasch zu funktionieren, um nicht allzu schwierige Gleichungen zu lösen, und als ich die Aktenmappe auffing, hatte es mich mit atemberaubender Klarheit darüber informiert, daß ich in einiger Gefahr und – wenn ich es auch bedaure, vulgär zu werden, so gibt es doch Augenblicke, in denen es unerläßlich ist, sich sehr direkt auszudrücken – ganz nah dran war, mich selbst bis zum Hals in die Scheiße zu manövrieren.

Nach dem kurzen entsetzten Schweigen von allen Seiten, mit Ausnahme der Fotografen, die fortfuhren, Aufnahmen zu schießen, entschied ich, daß es an der Zeit sei zu gehen. So schob ich mir also die Aktenmappe unter den Arm, machte, mit einer knappen Verbeugung vor Frieda, auf dem Absatz kehrt und ging zu meinem Mietwagen hinüber.

Der Fahrer hatte weder gehört noch begriffen, was geschehen war, aber er hatte die Fotografen in Aktion treten sehen. Für ihn bedeutete das nur eines. Er grinste, als er mir die Wagentür öffnete.

»Ich sehe, daß der Herr eine bedeutende Persönlichkeit ist«, sagte er.

»Ja.«

Alles, was *ich* sah, war ein etwa dreißig Meter weiter weg geparkter Polizeiwagen mit einem Beamten in Zivil, der sich durch das geöffnete Fenster beugte, um den Sprechfunk zu benutzen. Sein Blick war auf den Wagen gerichtet, in dem ich mich befand, und offenkundig gab er dessen polizeiliche Kennzeichen an seine Zentrale weiter. Ich habe nie in einer Reihe Verdächtiger Aufstellung nehmen müssen, um bei polizeilichen Gegenüberstellungen von Zeugen als Übeltäter herausgepickt zu werden, aber in jenem Augenblick erfuhr ich genau, wie jemandem zumute sein muß, der sich in dieser Zwangslage befindet.

»Fahren Sie schon los«, sagte ich.

»Nach Hottingen, mein Herr?«

»Nein. Das erübrigt sich jetzt. Fahren Sie nur los, aber langsam zunächst.«

Er fuhr die lange Auffahrt zum Krematorium ohnehin langsam hinunter, aber ich brauchte dennoch etwas mehr Zeit zum Nachdenken.

Ich war von der Kramer-Frau exponiert und öffentlich als Oberholzer identifiziert worden. Ich war fotografiert worden, aber außer mir keiner der anderen Trauergäste. Die Polizei hatte ihre Hand mit im Spiel. Mir war eine Aktenmappe gegeben worden. Sie war neu und häßlich, ein Ding von der Art, wie sie für ein paar Franken in jedem billigen Schreibwarengeschäft erhältlich ist, und ich glaubte nicht, daß sie irgendwelche Papiere oder sonst irgend etwas enthielt. Es mußten Gründe dafür vorhanden gewesen sein, daß sie mir gegeben worden war, aber jeder Versuch zu einer Analyse der *Art* der Gründe würde Fragen aufwerfen, die ich in jenem Augenblick unmöglich beantworten konnte. Ich hatte schon genügend Fragen, mit denen ich fertig werden mußte. Die Aktenmappe konnte warten. Der vordringlichste Faktor war die Rolle, welche die Polizei bei alldem spielte. Welchen Verstoß hatte ich gegen die schweizerische Strafrechtsordnung begangen?

Nun, es konnte von mir behauptet werden, daß ich einen schweizerischen Bankangestellten dazu verführt hätte, die Bankgeheimnisgesetze zu brechen. Das war ein Vergehen. Aber wo war der Zeuge, auf dessen Aussage die Anklage sich berufen konnte? Kramer war tot. Frieda? Sie kooperierte mit der Polizei, so schien es, aber warum? Und was wären ihre Beweise gegen mich vor Gericht wert? Ich würde ganz einfach behaupten, daß Kramer an mich herangetreten sei. Welche Lügen er später seiner Frau aufgetischt haben mochte, brauchte mich nicht zu kümmern. Andererseits hatte die schweizerische Polizei eine gewisse Vorliebe dafür, einen ausländischen Verdächtigen ins Gefängnis zu stecken und ihn, während die Gerichtsbehörden sich über die möglichen Anklagepunkte, die gegen ihn vorgebracht werden könnten, schlüssig wurden, ein paar Monate lang darin zu belassen.

Das Vordringlichste war daher, den Wagen loszuwerden, mit dem mein Name in Verbindung gebracht wurde, den Wagen, in dem ich saß, den Wagen mit einem Fahrer, der sowohl reden als auch aufschneiden würde. Als nächstes mußte ich, so rasch und so unauffällig wie möglich, aus dem Kanton Zürich verschwinden und dann aus der Schweiz.

»Wir fahren direkt zum Flughafen«, sagte ich.

»Sofort, mein Herr.«

Dann erst öffnete ich die Aktenmappe.

Ich hatte recht gehabt mit meiner Vermutung, daß keine Papiere darin seien, aber sie war nicht leer. Es befanden sich zwei dieser sogenannten Klarsichthüllen darin, die viele europäische Geschäftsleute benutzen, um lose Papiere und Korrespondenzen geringeren Umfangs ohne allzu viele Büroklammern säuberlich zusammenzuhalten. Ich wußte, daß Kramer sie verwendet hatte, weil er mir bei einem der seltenen Anlässe, aus denen wir – nach unserer ersten Begegnung – außerhalb der Schweiz zusammentrafen, gezeigt hatte, wie er die diversen Konvolute von Kopien der Dokumente, von denen er meinte, ich solle sie sehen, zu verwahren pflegte, nachdem er die Originale wieder an ihren ordnungsgemäßen Platz zurückgelegt hatte.

Der Umfang relevanter Papiere – Kontoaufstellungen, Kauf- und Verkauforders in bezug auf Anlagen, jährliche Kontoabrechnungen – war stets gering gewesen, und diejenigen, die sich auf Personen oder Firmen bezogen, für die wir uns zu irgendeiner Zeit interessiert hatten, hatte er in einem einzigen Attachéköfferchen unterbringen können. Es war mit einer dieser ziehharmonikaartigen technischen Neuerungen versehen gewesen, die es zu einer Miniaturregistratur machte. In jeder der Unterteilungen steckte eine dieser Klarsichtmappen. Am äußeren Rand der Mappen war jeweils ein Dimo-Erkennungsschildchen aufgeklebt, auf dem der ihm von Kramer zugewiesene Deckname des betreffenden Kontoinhabers aufgedruckt war.

Er hatte für ›heikle Konten‹ stets blaue statt der üblichen schwarzen Aufkleber benutzt. Heikle Konten waren diejenigen, welche solchen Bankkunden gehörten, die als ›unberechenbar‹ – lies: leicht geistesgestört nach normalen Maßstäben – eingestuft worden waren und die nur kraft des Umfangs ihrer Vermögen und des Gewichts ihrer stimmberechtigten Aktien Klienten blieben.

Beide leeren Klarsichthüllen in der Aktenmappe, die seine Tochter mir gegeben hatte, trugen noch ihre Aufkleber mit den Kodenamen darauf, und beide Aufkleber waren blau. Der eine lautete Kleister und der andere Torten. Kramer hatte eine Haßliebe für Konditoreiwaren – er litt zeitlebens an Übergewicht –, und seine Wahl blauer

Namen war ausnahmslos unter dem Gesichtspunkt getroffen worden, ihm als Mahnung zu dienen, daß diese Dinge schlecht für ihn waren. Ich kannte Kleister und Torten nur zu genau. Der erstere war ein spanischer Großgrundbesitzer, der letztere der Gründer und Aufsichtsratsvorsitzende einer amerikanischen Haustierfutter-Herstellerfirma mit europäischen Zweigniederlassungen. Sie hatten zweierlei gemeinsam: beide waren sie immens reich, und beide litten sie an jener Art wahnhafter Besessenheit, die, wenn sie ganze Familien ergreift, Vendetta oder Blutrache genannt wird, die aber in ihrem Fall am besten als akuter personalisierter Revanchismus bezeichnet werden dürfte. Oder, um es einfacher auszudrücken, reiner blutgieriger Haß auf eine spezielle Gruppe ihrer Gläubiger.

Unter den von Kramer kontrollierten Klienten waren es diese beiden, die uns mit der größten Hartnäckigkeit Schwierigkeiten machten, und schließlich fühlte sich Carlo verpflichtet, Torten zu strafen. Bei dem Spanier, Kleister, hatte die Androhung von Strafe genügt, weil er angreifbarer war. Der bloße Besitz eines ausländischen Bankkontos von der Art, wie er eines hatte, stellte unter dem Franco-Regime ein schweres Vergehen dar. Torten hatte sich entschlossen, sich auf den Kampf mit den Steuerbehörden einzulassen, aber Kleister hatte unsere Honorare gezahlt. Andererseits hatte Kleister *auch* einen teuren internationalen Ermittlungsagenten engagiert, um seine ›Verfolger‹ zu identifizieren. Durch einen jener unglücklichen Zufälle, gegen die sich nicht einmal ein Carlo Lech absichern kann, hatte der Detektiv entdeckt – nicht, weil er etwa superschlau gewesen wäre, sondern weil Torten, wenn er betrunken war, unglaublich schwatzhaft sein konnte –, daß der Zahlungsmodus bei der Begleichung unserer Honorare, den einzuhalten er instruiert war, demjenigen glich, den ihm sein Klient Kleister beschrieben hatte. So also brachte er die beiden Männer zusammen.

Kleister ging nach Amerika – zu den Auflagen, an die Tortens Haftverschonung bis zu seiner letzten Berufung gebunden war, hatte auch die Einziehung seines Reisepasses gezählt –, und ein Bündnis wurde geschlossen. Anschließend hielt man Kriegsrat und entschied, daß sie uns, sobald sie herausgefunden hätten, wer wir wirklich waren und wo wir gefunden werden konnten, umbringen lassen würden.

Der teure Detektiv hatte sich schleunigst von diesen beiden Klienten getrennt. Als Carlo die Drohung zu Ohren kam, bestand seine Reaktion darin, eine Bonuszahlung von Kleister zu fordern und den amerikanischen Steuerbehörden ein ergänzendes Dossier über Torten zukommen zu lassen.

Das war vor mehr als einem Jahr gewesen. Kleister hatte den Bonus gezahlt, und Torten saß eine dreijährige Haftstrafe wegen Steuerhinterziehung ab, nachdem er für das gleiche Vergehen bereits eine hohe Geldstrafe gezahlt hatte. Es stand zu erwarten, daß er nach Verbüßung von etwas mehr als einem Drittel der Strafe auf Bewährung freigelassen werden würde. Von dem Gerede, daß wir ausfindig gemacht und gekillt werden sollten, hatten wir nichts mehr gehört. Es hatte den Anschein gehabt, als begännen K und T am Ende doch noch, sich vernünftig zu benehmen.

Der Anblick dieser beiden Namen in jener Aktenmappe rief ein eigenartiges Gefühl in mir hervor, hauptsächlich ein solches des Ärgers. Ich bezweifelte nicht, daß sie sich mit Wissen der Polizei dort befanden. Was sollte ich tun? In Panik geraten und mich vor den Bus werfen? Ihr sagen, was die Wörter in Wirklichkeit bedeuteten? Ihr die fehlenden Rezepte für Kleister und Torten à la Kramer geben? Um Gnade bitten? Mich irgendeines nicht näher bezeichneten Verbrechens bezichtigen? Tot umfallen?

Ich schob die Sachen in die Aktenmappe zurück und war sehr nahe daran, das Wagenfenster hinunterzukurbeln und das ganze Zeug hinauszuwerfen. Dann bedachte ich, welchen Ärger das dem Fahrer einbringen würde, und wurde ruhiger. Ohnehin näherten wir uns dem Flugplatz.

Als wir dort anlangten, wies ich ihn an, zur Abflugsektion zu fahren, und murmelte etwas wie, daß es dringend erforderlich für mich sei, eine Maschine zu erwischen, die es mir, wenn ich in Frankfurt oder München umstiege, ermöglichen würde, noch am Nachmittag desselben Tages in Hamburg zu sein. Dann entlohnte ich ihn großzügig, sah ihn wegfahren und ging zur Ankunftsektion durch.

Ich mußte annehmen, daß die Polizei ein Auge auf mich geworfen hatte, also blieb mir nicht viel Zeit; aber es gab zwei Dinge, die erledigt werden mußten, bevor ich Reißaus zu nehmen begann.

Unter den im Ankunftbereich mit einem Stand vertretenen Autoverleihfirmen befand sich auch diejenige, bei der ich am Vortag in Frankfurt den Wagen gemietet hatte. Ich erklärte dort, wo ich ihn auf dem Parkplatz abgestellt hatte, händigte den Parkschein aus, gab die Wagenschlüssel ab und zahlte mit meiner Oberholzer-Kreditkarte. Die Polizei mochte davon halten, was immer sie wollte. Ich hoffte, es wäre geeignet, zu bestätigen, was ihr der Fahrer erzählen würde, daß ich nämlich auf dem Weg nach Hamburg sei. Sie würden etwa zehn weitere Minuten brauchen, um festzustellen, daß kein Oberholzer irgendeinen der Abflüge nach Westdeutschland gebucht hatte.

Das andere, was noch erledigt werden mußte, war, Carlo zu kontaktieren oder doch zumindest ihm eine dringende Botschaft zukommen zu lassen. Mit Hilfe der Telefonistin des Restaurants, die nichts dagegen hatte, zwanzig Franken zu verdienen, indem sie auf ihrem neuen PBX ein paar Knöpfe drückte, bekam ich eine Verbindung mit Mailand. Es war kurz vor zwölf Uhr mittags, und Carlo war noch nicht zum Lunch ausgegangen. Ich erzählte ihm in kryptischen Wendungen, was er zu jenem Zeitpunkt von den schlechten Neuigkeiten wissen mußte und was ich in diesem Zusammenhang zu tun gedachte. Ich bat sodann um die sofortige Entsendung eines Kuriers und nannte Einzelheiten für einen Treff. Carlo machte keine Einwendungen und stellte keine Fragen, sondern sagte, daß ich mich möglicherweise ein wenig gedulden müsse. Dann legte er auf.

Ich verließ das Flughafengebäude und ging zur Haltestelle der Busse. Einer traf gerade Anstalten loszufahren, und ich erwischte ihn noch. Ich fuhr, wie schon am Vortag, bis zum Hauptbahnhof; aber diesmal nahm ich einen Zug, den, der kurz nach dreizehn Uhr von dort über Lausanne nach Genf ging. Er hatte einen Speisewagen, aber ich betrat ihn nicht. Der Mann, der zwischen den Aufenthalten unterwegs meine Karte knipste, mochte sich an mich erinnern, wenn er befragt wurde, aber es war überflüssig, auch noch einen Kellner auf die Liste derjenigen zu setzen, die Reinhardt Oberholzer zuletzt gesehen hatten.

In Genf war der Wind sogar noch kälter als in Zürich, aber es schneite nicht, und die Sonne schien. Ich ging zum vereinbarten Treffpunkt, einem English Tea-Room in der Rue des Alpes.

Ich mußte eine Stunde lang warten, bis der Kurier eintraf. Sie war eine kleine untersetzte Französin Mitte der

Sechziger, sehr damenhaft, aber ziemlich furchterregend. Vor ein paar Monaten hatten zwei Lümmel versucht, ihr in der Pariser Metro die Handtasche zu entreißen. Beide mußten zunächst in der Unfallstation des nächsten Krankenhauses wegen erheblicher Schnitt- und Schürfwunden ärztlich versorgt werden, bevor sie in polizeilichen Gewahrsam kamen. Die Schnittwunden schienen mit einer Rasierklinge verursacht worden zu sein.

Sie betrat den Tea-Room, blieb den Bruchteil einer Sekunde lang stehen, um mich ausfindig zu machen, und gab mir einen Wink.

»Sie kommen am besten gleich mit«, sagte sie, »ich habe falsch geparkt.« Damit ging sie.

Das Geld, um meine Rechnung zu begleichen, hatte ich bereits auf den Tisch gelegt. Ich brauchte nur noch meinen Mantel vom Garderobenständer neben der Tür zu nehmen und ihr zu folgen.

Sie fuhr einen Renault mit Pariser Nummernschild, und im gleichen Augenblick, da ich neben ihr auf dem Beifahrersitz Platz genommen hatte, gab sie auch schon Gas. Eine Unterhaltung fand nicht statt; sie fuhr nur, schnell und umsichtig, bis sie an eine Kreuzung kam, wo sie in die Avenue Henri-Dunant einbog. Sofern man nicht nach Norden oder Nordosten in den Jura oder nach Lausanne fährt, gelangt man praktisch auf jeder Hauptstraße, die aus Genf hinausführt, außer Landes und nach Frankreich. Die Avenue Henri-Dunant mündet in die Straße nach Annecy, und ich dachte, sie würde sie nehmen. Statt dessen bog sie plötzlich in eine große Tankstelle mit automatischer Wagenwaschanlage ein.

Es war einer der männlichen Kuriere gewesen, der, als diese Dinger eingeführt wurden, als erster darauf hinwies, was für ein ausgezeichneter Sicherheitstrick sie seien. Für einen Zeitraum von etwa anderthalb Minuten war es möglich, sich von der Außenwelt vollkommen hermetisch abzuschließen. Noch gab es keinen Abhörmechanismus, der geeignet gewesen wäre, den akustischen Schutzmantel eines Wagens zu durchdringen, welcher einen Tunnel aus Stahl und Beton passiert, begleitet von den Geräuschen großer, an der Außenfläche der Karosserie rotierender Bürsten und durch Dutzende von Hochdrucksprühventilen entweichender Wassermengen.

Daher wurde, obschon die Möglichkeiten, daß sich im Wagen eines Kuriers unentdeckte ›Wanzen‹ befanden, gering zu veranschlagen waren, zeitweilig jedweder Austausch von Botschaften vertraulicher Art, wenn irgend möglich, in Autos vorgenommen, die eine Wagenwaschanlage durchliefen. Ziemlich albern, denn die Botschaft mußte entweder, um in dem Lärm vernehmbar zu sein, herausgeschrien oder aber aufgeschrieben und überreicht werden. Nachdem ein- oder zweimal Pannen passierten, weil lauthals herausgeschriene Botschaften mißverstanden worden waren, wurden Botschaften stets aufgeschrieben, und da ohnehin keine Wanze sie aufnehmen würde, schlief der Brauch, Wagenwaschanlagen für Sicherheitsbelange zu benutzen, schließlich ganz ein. Eine der vorteilhaften Begleiterscheinungen des Experiments bestand jedoch darin, daß während der ein, zwei Jahre seiner Dauer der Wiederverkaufswert der Kurierwagen leicht anstieg.

Dieser Kurier hatte die Botschaft bereits aufgezeichnet, bevor wir die Wagenwäscherei erreichten.

Carlo hatte sich kurz gefaßt: *Gesamte Paris-Operation ausblenden, wiederhole gesamte Operation, dann herkommen und mich baldmöglichst aufsuchen.*

Noch ehe der Wagen unter dem Gebläse der Heißluft-trockenanlage war, hatte sie sich den Zettel mit der Botschaft wieder aushändigen lassen, ein Streichholz daran gehalten und die verkohlten Reste im Aschenbecher durcheinandergerührt.

Wir verließen die Schweiz und gelangten inmitten des frühabendlichen Nahverkehrs nach Frankreich. Auf keiner Seite der Grenze interessierte sich irgend jemand für Pässe oder sonst etwas. Jenseits der Grenze bog der Kurier nach rechts ein und fuhr über Bourg nach Chalon. Dort nahm ich einen Zug nach Paris.

Als Carlo mich anwies, die Pariser Operation auszublenden, hatte er gemeint, daß ich jedwede Papierschnitzel-Fährte tilgen solle; und mit dem Nachdruck auf die ›gesamte‹ Operation hatte er sich auf etwas bezogen, wovon nicht einmal die Kuriere wußten. Dies war die Tatsache, daß wir in Paris ein Zwei-Zimmer-Junggesellenappartement unterhielten. Das hatte mir ermöglicht, zu kommen und zu gehen, ohne in Hotels polizeiliche Meldezettel ausfüllen zu müssen. Die Wohnung war auf der Basis eines jährlich zu verlängernden Vertrags angemietet worden, so daß sich die Frage nach meiner ständigen An- oder Abwesenheit nicht stellte. Der *gérant,* der die betreffende Wohnung betreute, war natürlich ein Gauner, und ich wage zu behaupten, daß er, wenn es ihm nur möglich gewesen wäre herauszubekommen, wer die Geliebte sein könne, für die ich das Appartement unterhielt, mit Sicherheit einen freundlichen kleinen Erpressungsversuch unternommen hätte. Sie existierte jedoch nicht, oder doch nur als Phantom-Präsenz, vertreten durch halbvolle Make-up-Töpfe und Parfümflaschen, ein paar Kleidungsstücke sowie eine Passion für die Werke Simone de Beauvoirs, belegt durch ein ausschließlich mit diesen gefülltes Bücherregal und die Tatsache, daß die meisten Bände vom häufigen Wiederlesen bereits auseinanderfielen. Melanie hatte auch in diesem Fall vorzügliche Arbeit geleistet.

Carlos Entscheidung, die Wohnung aufzugeben und unsere Kontakte mit der Dienstleistungsfirma abzubrechen, basierte eindeutig darauf, daß alle von Kramer überwachten Klienten von Paris aus ›betreut‹ worden waren, sowie auf der Schlußfolgerung, zu der er gelangt war, daß alles, was auch nur entfernt mit Kramer zu tun gehabt hatte, zu einer Bedrohung unserer Sicherheit geworden war und daher umgehend aufgegeben oder neutralisiert werden mußte. Wieso er zu diesem Schluß gekommen sein mochte, wußte ich zu jenem Zeitpunkt nicht, aber es war kein Thema, das man über eine offene internationale Telefonleitung ausführlich erörtern konnte.

Die unmittelbare Schwierigkeit war das Wochenende.

Die Dienstleistungsfirma war relativ leicht abzuhängen, weil sie vierteljährlich im voraus bezahlt wurde und ich bloß ein Oberholzer-Schreiben aufzusetzen hatte, mit welchem unsere Vereinbarung zum Ultimo des Jahres gekündigt wurde. Eingehende Post und empfangene Anrufe seien ab sofort unserem Büro in Rom zu melden oder nach dort weiterzuleiten – woselbst ein anderer Büro-Auftragsdienst alle Korrespondenz nach Frankfurt umdirigierte.

Das Appartement loszuwerden war nicht so einfach, weil der *gérant* am Freitagmorgen aufs Land zu fahren und bis Montagmittag unerreichbar zu sein pflegte. Es hatte keinen Sinn, einfach wegzugehen, alles zurückzulassen und das Beste zu hoffen. Ein neuer Mieter oder ein Polizist oder ein Gerichtsexperte mußten die Wohnung betreten können, die ich und meine große Liebe geräumt hatten, und dort nicht die geringste Spur irgendwelcher identifizierbarer menschlicher Wesen entdecken dürfen. Außerdem mußte der *gérant* absolut überzeugt nicht nur davon sein, daß er alles wisse, sondern auch davon, daß er auf die noblen Trinkgelder, die er ehedem von dem jetzt gramerfüllten Oberholzer zugesteckt bekam, in Zukunft zu verzichten haben würde und sich daher sogleich nach einem Ersatztrottel umsehen müsse.

Alles, was ich übers Wochenende tun konnte, war, die Sympathie der Frau des Concierge zu gewinnen, die das Appartement für mich saubergehalten hatte, und sie zu veranlassen, die persönlichen Sachen der Dame, die mich hintergangen hatte, indem sie zu ihrem Mann zurückgekehrt war, zusammenzupacken, da ich es nicht über mich brachte, die Dinge zu berühren. Ich bot einen ihr recht nahegehenden Anblick, als ich die Koffer hinuntertrug und in das Taxi schaffte.

Ich wurde sie los, indem ich zum Air Terminal fuhr und einen Hinflug nach Toulouse buchte. Ich kann mich nicht erinnern, welchen Namen ich benutzte – irgend etwas wie Souchet, glaube ich –, aber ich weiß noch, daß ich wegen Simone de Beauvoirs Gewicht einen Aufpreis zahlen mußte, als ich die Koffer abgab; aber nachdem ich eine Ladung Gepäck auf dem Weg nach Toulouse und zur Hölle wußte, blieb mir nur noch, den Extra-Anzug und ein paar Dinge einzupacken, die ich dort zum eigenen Gebrauch verwahrt hatte, und bis Montagnachmittag zu warten.

Es wurde Dienstag, ehe ich in Mailand eintraf.

Carlo blickte nicht auf, während er sich meinen Bericht anhörte, und als ich ihn beendet hatte, schwieg er eine Weile lang.

Schließlich regte er sich, seufzte schwer und sagte finster: »Ich glaube, wir sind in Schwierigkeiten, Paul.«

»Es kommen einige Unannehmlichkeiten und Unkosten auf uns zu, ja. Wir werden es möglicherweise für nötig oder ratsam erachten, ein paar ergiebige Klienten aufzugeben. Die Oberholzer-Tarnfigur wird selbstverständlich verschwinden müssen. Aber wir haben auch früher schon gelegentlich vergleichbaren Ärger gehabt, Carlo. Und werden ihn ohne Zweifel auch in Zukunft immer einmal wieder kriegen. Dies ist eine ärgerliche Geschichte, ja. Aber, sind wir in Schwierigkeiten? Ich glaube nicht.«

»Wir haben Glück gehabt«, sagte er geringschätzig. Glück war etwas, was er immer zutiefst verachtet hatte. »Aber Sie haben mich nicht verstanden, Paul. Ich sagte, *wir* sind in Schwierigkeiten.«

»Sie meinen, unsere Partnerschaft?«

»Wie sie jetzt existiert, ja.«

»Carlo, *ich* habe Kramer nicht umgebracht.«

»Haben Sie Schritte unternommen, um etwas über die Umstände seines Todes in Erfahrung zu bringen?«

»Wozu? Er war tot, und seine Frau und seine Tochter ließen keinen Zweifel daran, daß sie so wenig wie möglich von mir zu sehen wünschten.«

»Ich habe nicht gemeint, daß Sie sich bei ihnen hätten erkundigen sollen. Ich selber habe über Lugano Erkundigungen anstellen lassen.«

»Und?«

»Kramer wurde in seinem Büro krank. Er hatte einen Herzanfall, wie Sie gehört haben. Aber eine Stunde zuvor war er ausgiebig von Männern des Polizeidezernats verhört worden, das mit Vergehen gegen Bankgesetze befaßt ist. Die nervliche Belastung muß für ihn beträchtlich gewesen sein, meinen Sie nicht?«

»Ja.«

»Was würden Sie getan haben, wenn Sie gewußt hätten, was ich Ihnen gerade erzählt habe?«

»Ich hätte gemacht, daß ich wegkomme.«

»Genau. Lugano berichtet auch, daß die Polizei, nachdem Sie bei der Trauerfeier identifiziert und fotografiert worden waren, das Hotel aufgesucht hat, in dem Sie übernachtet hatten. Was haben Sie getan, Paul? Sich als Oberholzer eingetragen?«

»Natürlich nicht. Und es hat nie auch nur die geringste Möglichkeit bestanden, daß sie mich in dem Hotel gefunden hätte. Ich habe die Rechnung beglichen, bevor ich zur Trauerfeier ging. Alles, was ich eingebüßt habe, indem ich nicht dorthin zurückgegangen bin, waren ein paar getragene Wäschestücke.«

»Und die Chance natürlich, die Männer anzutreffen, die Kramers Herzanfall verursacht haben. Woher wußten sie, wohin sie gehen mußten? Ein paar rasche Telefongespräche? Unsinn! Zürich ist dafür viel zu groß. Woher wußten sie es?«

Ich dachte nach. »Die Blumen«, sagte ich langsam; »es müssen die Blumen gewesen sein.«

Ich sagte ihm die Wahrheit. Einander Lügen aufzutischen war etwas, was wir nie getan hatten.

»Die Polizei muß sämtliche Karten überprüft haben, die mit den Blumenspenden gesandt worden waren«, sagte er mißmutig. »Als sie Ihre entdeckte, überprüfte sie das Geschäft, das sie geschickt hatte. Das muß das Feld für ihre Suche erheblich eingeengt haben.«

Ich hätte erwähnen können, daß das Hotel damit auch

schon ermittelt war, denn ich hatte der jungen Frau in dem Blumengeschäft gesagt, wo ich abgestiegen sei, als sie mich danach fragte; aber genug war genug.

»Zusätzlich zu Ihrem Foto«, fuhr er fort, »haben die jetzt also auch eine Handschriftenprobe von Ihnen, und nahezu mit Sicherheit Ihre Fingerabdrücke obendrein. Und Sie erheben Einwände dagegen, wenn ich von Schwierigkeiten spreche? Sie machen mich staunen. Das viele Geld, das Sie haben, Paul, hat Sie bequem und zu so etwas wie einer Belastung werden lassen, fürchte ich.«

»Was sollen wir tun? Uns trennen?«

»Die Schwierigkeiten, die damit verbunden wären, dürften Ihnen ebenso klar sein wie mir. Wir brauchen beide Zeit für eine Denkpause. Inzwischen aber müssen Sie sich rar machen. Ich meine, Sie sollten für eine Weile auf die Insel gehen.«

Die Insel, die er gekauft hatte, befand sich in den Bahamas. Er und seine Frau liebten sie, meine Frau war ganz hingerissen von ihr, ich haßte sie.

»Anna wird es recht sein«, sagte ich.

»Ihre Frau wird bleiben, wo sie ist«, sagte er kurz, »wo eine Ehefrau sein sollte, zu Hause, und sich um das Kind kümmern, wenn Sie in Geschäften unterwegs sind.«

»Also gut.«

»Vielleicht werde ich nächste Woche rüberkommen. Dann können wir über die Zukunft reden, ohne Emotionen, wie vernünftige Männer.«

»In Ordnung.«

Es dauerte einen Monat, ehe er sich blicken ließ. Ich wurde bestraft. Und es *war* Strafe, von Anfang an. Man ging nach New York oder Miami und von dort nach Nassau. Dann nahm man eine Maschine, die von Insel zu Insel

hopste und einen fast bis zu den Caicos-Inseln hinunter-
brachte. Schließlich ging es wieder zurück nach Norden,
diesmal in einer stinkenden kleinen Nußschale, die einen
auf eine Lieferantentour nach zehn oder zwölf der ›Out
Islands‹ mitnahm, wohin Post, Benzin, Kerosin und auf
Flaschen gezogenes Gas neben Dosenfleisch, Milchpulver,
Mineralwasser und anderen lebensnotwendigen Waren
befördert wurden. In einem dieser Inselhäfen wurde man
von Carlos Kajütenkreuzer aufgelesen und noch weiter in
die Vergessenheit expediert.

Jeder, der dem Glauben anhängt, eine westindische Insel
– von ein paar Dienstboten abgesehen – ganz allein für
sich selber zu haben sei schlechthin die Seligkeit, muß auf
Sonnenbäder, Fischfang mit Speeren, Unterwasserfoto-
grafie oder die wiederholte Lektüre von Milben heimge-
suchter Paperbacks versessen sein. Wenn er an keinem dieser Dinge Spaß hat, ist die Langeweile tödlich und total.
Zudem regnet es auf dieser speziellen Insel im November
und Dezember heftig.

Carlos Haus war behaglich, das gebe ich zu; aber ich
hatte bei früheren Besuchen festgestellt, daß es noch be-
haglicher sein konnte, wenn er selber da war, um auf die
Köchin einzuwirken und ihr genau zu sagen, was er zubereitet zu sehen wünschte. Selbst am Tag seiner Ankunft, als
er von der Reise noch zu sehr ermüdet war, um intensiv auf
sie einzuwirken, besserte sich das Niveau der Küche merklich. An jenem Abend war das Essen genießbar.

Hinterher fragte er mich, ob ich mir über meine zukünf-
tige Rolle in unserer Partnerschaft irgendwelche Gedanken
gemacht hätte.

»Mein einziger Gedanke ist der gewesen, daß ich keine
Rolle mehr zu haben scheine.«

»Da bin ich anderer Auffassung. Ich habe die Weiterentwicklung des Trends auf dem Gebiet der Steuervermeidung – nicht Hinterziehung, wenn ich bitten darf, sondern Vermeidung – beobachtet. Wenn dieses Wort vor ein paar Jahren benutzt wurde, kamen einem automatisch bestimmte Namen als Steuerparadiese in den Sinn. Welche waren das?«

»Monaco, Liechtenstein, die Kanalinseln, Bermuda, Curaçao vielleicht, Panama, möglicherweise auch die Schweiz.«

»Und jetzt? Welche Namen würden Sie hinzufügen?«

»Die Bahamas, die britischen Virgin Islands, die Caymans, die Neuen Hebriden, die abstrusesten Gegenden. Man braucht ein geographisches Wörterbuch, um einige von ihnen zu finden.«

»Ja, und was tun wir, um daraus Nutzen zu ziehen?«

»Was würden Sie denn gern getan sehen, Carlo?«

»Ich hätte gern, daß eine Bestandsaufnahme von jemandem erstellt werden würde, auf dessen Urteilsvermögen ich mich verlassen kann. Ich selber kann nicht umherreisen, weil in Europa zu vieles im Gange ist, worum ich mich selber kümmern muß« – er bereitete zu jener Zeit den Butterzug-Coup vor –, »aber Sie werden wissen, wonach Ausschau gehalten werden sollte, und fähig sein, die Möglichkeiten abzuschätzen. Wir sollten Investitionen dort erwägen, wo es erforderlich ist, unsere Position gegen spätere Konkurrenz abzusichern.«

Wir diskutierten vier Tage lang darüber, dann verließen wir die Insel; er, um nach Mailand zurückzugehen, ich, um mich in der Karibik nach geeigneten Projekten umzusehen, bevor ich nach Westen in den pazifischen Bereich flog.

Ich habe Carlo nie wiedergesehen.

Krom fingerte unruhig an der Akte herum, die er in der Hand hielt, und ich wußte, daß er es kaum erwarten konnte, sich darüberherzumachen.

»Ich hätte da einen Vorschlag, Herr Professor«, sagte ich.

Er sah mich mißtrauisch an. Wollte ich ihm noch in letzter Minute mit einem faulen Trick kommen?

»Ja, Mr. Firman?«

»Ich schlage vor, wir vertagen dieses Meeting bis morgen vormittag. Wenn Sie gelesen haben werden, was ich dort geschrieben habe, werden Sie natürlich Fragen stellen wollen, die sich daraus ergeben. Wäre Ihnen halb neun hier zu zeitig für ein Treffen beim Frühstück?«

Ich blickte die anderen beiden an, um zu sehen, was sie davon hielten, aber Krom konsultierte sie nicht.

»Einverstanden«, sagte er sehr bestimmt. »Halb neun.« Er stand ein wenig unsicher auf, riß sich zusammen und entsann sich seiner guten Manieren. »Ich habe Ihnen für ein ausgezeichnetes Abendessen zu danken. Gute Nacht, Mr. Firman.«

Unter geschickter Nutzung der Rückenlehnen nahezu aller Terrassenstühle gelang es ihm, einen einigermaßen geraden Kurs ins Innere des Hauses zu steuern. Connell warf mir einen verstohlenen Blick zu.

»Was war denn eigentlich mit dem Wein los, Mr. Firman?«

»Nichts, außer daß er zu kalt serviert wurde.« Ich stand auf.

Sie verstanden den Wink und sagten ebenfalls Gute Nacht.

Yves und ich tranken unseren Wein aus. Melanie sagte, daß sie einen Spaziergang machen wolle.

Nach etwa zehn Minuten gingen Yves und ich auf den über der Garage gelegenen Dachspeicher. Bei Krom und Henson herrschte Schweigen; sie lasen. Connell stellte sicher, daß der Text seiner Ausfertigung des Materials dem zukünftigen Gebrauch erhalten blieb, indem er ihn auf Band sprach. Nur ein gelegentlicher Laut der Überraschung oder des Zweifels ließ erkennen, daß er ihn erstmals durchlas. Es war interessant, alles laut gelesen zu hören – Wahrheiten, Nonsens und Halbwahrheiten –, alles so, als handele es sich um eine Art Heiliger Schrift.

Ich lauschte fasziniert, als er von einem Klopfen an seiner Tür unterbrochen wurde. Er schaltete das Bandgerät ab und ging öffnen.

Dr. Hensons Stimme sagte: »Tut mir leid, Sie zu stören, aber ich habe gerade diesen Zettel von Krom unter meiner Tür hindurchgesteckt bekommen. Haben Sie auch einen gekriegt?«

»Mit der Bitte um ein Vorfrühstücks-Meeting um halb acht in seinem Zimmer? Ja, habe ich auch bekommen.«

»Gehen wir darauf ein?«

»Wenn unser Herr und Meister im voraus gesichert wissen will, daß er derjenige ist, der alle Fragen stellt und die Anklage vertritt, warum nicht? Das Kommando wird er ohnehin übernehmen.«

»Das steht zu vermuten. Ich habe Sie reden hören. Was haben Sie gemacht? Alles auf dem Dingsda aufgenommen?«

»Ja. Warum?«

»Da man Ihnen das hier durchgehen läßt, wie wär's, wenn Sie mir eine Kopie des Transkripts überließen?«

Eine Pause trat ein, dann: »Dr. Henson, darf ich Sie Geraldine nennen?«

Er hatte es wie einen Scherz klingen lassen, und sie reagierte darauf, als sei es einer. »Seien Sie kein Narr, Connell.«

»Gerry?«

»Meine Freunde nennen mich Hennie, und ich versichere Ihnen, als Spitznamen ist das ganz passend. Nochmals gute Nacht dann also.«

»Gute Nacht.« Die Tür schloß sich, und er fuhr mit der Übertragung des Textes auf Band fort.

Im nächsten Augenblick hörten wir unsichere Schritte die nackten Stufen der Holztreppe zum Speicher hinaufkommen.

Es war Melanie, und sie sah entgeistert aus. Zudem war sie außer Atem.

Ich gab Yves einen Wink, die Lautstärke zu reduzieren. »Was ist mit Ihnen, Melanie?«

»Sie wissen, ich habe einen Spaziergang gemacht, und ich *glaube* – glaube nur, ich bitte, das zu beachten, Paul –, daß dieses Haus möglicherweise observiert wird. Sowohl an der oberen als auch der unteren Küstenstraße sind Wagen geparkt. Es ist schwierig, bei Nacht Gewißheit zu erlangen, aber ich dachte, Sie sollten lieber Bescheid wissen.«

Sieben

Alle drei verbrachten wir eine schlechte Nacht, aber Melanie und ich ergatterten wenigstens ein bißchen Schlaf. Yves kriegte überhaupt keinen.

Etwa eine Stunde nach Melanies Hinweis kehrte er auf den Horchposten über der Garage zurück, um seine vorläufigen Feststellungen zu machen. Da er die Stunde größtenteils zwischen Büschen auf dem Bauch kriechend und von Insektenstichen geplagt verbracht hatte, sah er entsprechend mitgenommen aus.

Er lieh sich mein Taschentuch und betupfte einige ausgedehntere Kratzspuren an seinen Händen und Armen, während er beschrieb, wodurch sie verursacht waren. Wie Melanie gesagt hatte, waren auf beiden Straßen Wagen geparkt. Er hatte einen auf der unteren Straße neben der Gartenpforte gesehen und zwei auf der oberen Straße, je einen zu beiden Seiten der Haupteinfahrt. Letztere waren beide in Abständen von etwa hundertfünfzig Meter vom Eingang geparkt. In dem Oleanderdickicht entlang der oberen Umzäunung, wo er sich die beiden Wagen genauer ansehen wollte, war er dann in Schwierigkeiten geraten. Irgendwann einmal war das Kettenglied-Gatter von einem Wagen oder Laster, der die Kurve zu schnell genommen hatte und daher von der Straße abkam, beschädigt worden. Man hatte Betonpfosten einrammen lassen, um die Wiederholung eines Unfalls dieser Art zu verhindern, aber die

Lücke in der Umzäunung war provisorisch mit einem Stacheldrahtverhau geschlossen worden, zu dessen Entfernung nach der Reparatur des Gatters sich niemand veranlaßt gesehen hatte.

Dennoch gelang es ihm, beider Wagen ansichtig zu werden, indem er sich geduldete, bis die Scheinwerfer gelegentlich vorbeifahrender Autos sie anstrahlten. In jedem der beiden saßen zwei Personen, welchen Geschlechts hatte er freilich nicht ausmachen können, und beide Wagen hatten die örtlichen Kennzeichen Alpes Maritimes 06. Bei beiden Wagen waren die Vorderräder bis zum Anschlag nach links eingeschlagen. Zudem verbreiterte sich sowohl auf der unteren als auch auf der oberen Straße dort, wo die Wagen parkten, die Fahrbahn um ein geringes. Wenn man die Absicht hatte, auf diesen Straßen aus irgendeinem üblichen Grund – sei es, daß man eine Zigarette rauchen und sich unterhalten, sei es, daß man zärtlich werden oder ein Sandwich essen wollte – zu parken, so waren dies die Stellen, die man logischerweise dazu aussuchen würde. Möglicherweise nicht gar so logisch, sofern man eine simple Observierungsoperation auf die Villa Esmaralda unternehmen wollte, weil die Aussicht auf sie so stark eingeengt wäre; wenn man jedoch alle ihre Insassen daran hindern wollte, das Anwesen unbemerkt zu verlassen, oder aber deren Abfahrt im Wagen überhaupt verhindern wollte, befand man sich in der genau richtigen Position. Man hatte die untere Toreinfahrt im Blickfeld, falls sie versuchen sollten, zu Fuß zu entkommen, und mit Hilfe der beiden Wagen auf der oberen Straße konnte man jeden Versuch einer Flucht auf der Straße mühelos vereiteln, indem man startete, vier Meter fuhr und auf die Bremse trat. Wenn man mit gespitzten Ohren auf von unten her kommende Motorengeräusche lauschte, konnte man die Straße beiderseits des Eingangs blockieren, bevor die Fluchtwagen sie erreichten.

Und natürlich konnten wir uns, oder vielmehr: konnte Melanie sich das alles auch bloß eingebildet haben.

Ich würde es Yves nicht im geringsten verübelt haben, wenn er diese Möglichkeit für immerhin diskussionswürdig gehalten hätte. Tatsächlich ließ er sie noch nicht einmal anklingen. Er schien Melanies Instinkt nicht weniger zu trauen als seinem eigenen.

»Ein geparkter Wagen wäre ohne Bedeutung«, sagte er; »zwei wären ein pikanter Zufall. Drei geparkte Wagen zu dieser Zeit, an diesen Stellen und in diesen Positionen werde ich so lange nicht als erklärlich aus irgendwelchen anderen als Überwachungsgründen akzeptieren, bis ich eine Erklärung zu hören bekomme. Wenn ich dann mit den Fingern schnipsen und ›Aber natürlich! Wie dumm von mir!‹ sagen kann, werde ich zu Bett gehen. Bis dahin kann ich leider nicht aufhören, naheliegende Fragen zu stellen. Wer sind sie? Für wen arbeiten sie? Welche Anweisungen haben sie? Warum verhalten sie sich gerade so?«

»Es gibt noch eine andere Erklärung, die Sie erwägen könnten«, sagte ich. »Dies ist eine reiche Gegend. Oh, ich weiß, viel Wertvolles dürfte aus der Villa Esmaralda kaum zu holen sein, aber von den Bildern müßte sich das eine oder andere verhökern lassen. Der Eigentümer ist bekanntermaßen abwesend. Es könnte eine Bande sein, die das Anwesen ausbaldowert.«

»Und warum tun sie's dann nicht? Warum sitzen sie alle sechs bloß in ihren Autos, wo sie so wenig sehen, aber ihrerseits so leicht gesehen werden können? Und warum überhaupt sechs? Ein Haus zu taxieren, bevor man es auszurauben beschließt, ist ein Einmannjob, und der Mann kommt bei Tage mit einem Beglaubigungsschreiben von einer Versicherungsgesellschaft. Man muß zu dem Schluß gelangen, daß diese Leute ihre Anwesenheit demonstrieren wollen, daß sie gesehen werden wollen.«

»Vielleicht verkaufen sie Schutz? Es gab einmal eine Bande entlang dieser Küste, die einem alles aus dem Haus abschleppte, Teppiche und Küchenherd eingeschlossen, wenn man sie nicht schmierte.«

Dies wurde ignoriert. Yves hatte sich wieder Melanie zugewandt.

»Es wäre ja ebensogut möglich gewesen, daß ich keinen Spaziergang gemacht hätte«, sagte sie zweifelnd.

»Aber die *haben* Sie gesehen?« fragte er.

»Oh, ja.«

»Haben die auch gesehen, daß Sie sie interessant oder verdächtig fanden?«

»Das bezweifle ich. Ich bin mir nicht sicher.«

»Dann meine ich«, sagte er, »daß wir sehen sollten, was geschieht, wenn sie wissen, daß sie gesehen worden sind.« Er überlegte einen Moment lang. »Patron, entweder sind sie uns so nahe auf den Pelz gerückt, weil sie jetzt gleich irgend etwas Gewalttätiges unternehmen und niemanden entkommen lassen wollen, oder sie wenden psychologischen Druck an, damit wir von hier verschwinden.«

»Sie mögen da draußen sein, um uns Beine zu machen, aber ich glaube nicht, daß sie irgend etwas Gewaltsames vorhaben, es sei denn, sie wüßten, daß wir, von Ihrem Revolver abgesehen, unbewaffnet sind. Dazu sind sie nicht genug. Womit wir wieder bei Ihrer ersten Frage wären. Wer sind sie?«

»Ich könnte hingehen und sie fragen«, sagte Melanie.

Zuweilen redet sie wirklich dummes Zeug. »Alles, was Ihnen das einbrächte, wäre ein ungerührter starrer Blick«, sagte ich.

»Ich glaube«, sagte Yves, taktvoll wie immer, »es müßte eine einfachere Möglichkeit geben, sie merken zu lassen, daß wir von ihnen wissen. Wir brauchten bloß die Eingangspforten zu schließen. Von dort aus, wo die Wagen geparkt sind, kann man sie sehen.«

»*Schließen* sie denn? Bei all dem Gesträuch, das um sie herum und durch sie hindurch wächst, würde ich sagen, daß niemand sie je geschlossen hat. Vermutlich sind sie in geöffnetem Zustand festgerostet.«

Yves gab sich Mühe, nicht beleidigt dreinzuschauen. »Als wir hier einzogen, Paul, war eines der ersten Dinge, die ich getan habe, die Torangeln zu ölen. Auch die von der Pforte an der unteren Straße.«

»Verzeihung. Kann man sie abschließen? Ich weiß, es gibt unzählige Möglichkeiten, hier hereinzukommen, aber wenn man gewalttätig werden wollte, wäre die, im Wagen mit einer Gruppe bewaffneter Rowdies hereinzupreschen, ohne Zweifel diejenige mit dem größten Einschüchterungseffekt.«

»In der Garage hängt eine Kette. Ich könnte dafür sorgen, daß die Entfernung der Ketten von den geschlossenen Pforten einigen Lärm verursachen würde.«

»Dann tun Sie das bitte. Sichern Sie auch die Pforte an der unteren Straße, wenn Sie können.«

»Die hat ein Schloß und einen Schlüssel.«

Er ging. Kurz darauf hörte ich das entfernte Geräusch der Hauptpfortenflügel, die geschlossen wurden, und dann ein Rasseln von Ketten. Fast unmittelbar danach kam

Melanie, die in einem der Auffahrt näheren Raum am offenen Fenster gesessen hatte, um zu berichten, daß beide Wagen, sobald die Pforten geschlossen waren, angelassen worden und weggefahren seien.

Nachdem Yves für die Schließung der Pforte an der unteren Straße gesorgt hatte, kehrte er zurück, um zu berichten, daß der dritte Wagen, als er sie aufgesperrt und vor dem Verschließen laut zugeworfen hatte, ebenfalls abgefahren sei. Er hatte noch eine zusätzliche Beobachtung zu berichten. Unmittelbar vor seinem Auftritt an der Pforte hatte er jemandes Stimme gehört. Sein Eindruck war gewesen, daß die Stimme aus einem kleinen Lautsprecher von der Art drang, wie sie in einem Miniatur-Sprechfunkgerät üblich ist, und daß einer der Insassen des Wagens das Gerät in der Hand hielt. Einen Moment lang hatte er eine kurze verchromte Peitschenantenne der an solchen Geräten gebräuchlichen Sorte aufblitzen sehen, die auf der Beifahrerseite schräg aufgerichtet aus dem Wagenfenster herausragte. Die Wörter, welche er die Stimme hatte sagen hören, waren: »... jetzt. Okay, Ende.«

Die drei Wörter waren in englischer Sprache gesagt worden; die Nationalität des Englischsprechenden erraten zu wollen, weigerte er sich freilich entschieden. Wovon man mit einiger Wahrscheinlichkeit ausgehen konnte, war lediglich, daß er das Ende einer Unterhaltung zwischen einem der Insassen eines der beiden Wagen, die auf der oberen Straße geparkt gewesen waren, und dem Beifahrer in dem einzelnen Wagen auf der unteren mit angehört hatte. Die vorangegangene Unterhaltung hatte stattgefunden, als er sich auf dem Weg von der Pforte am Haupteingang zu derjenigen in der unteren Mauer befand.

»Sobald wir sie also wissen lassen«, schloß er, »daß uns ihre Gegenwart nicht verborgen geblieben ist, räumen sie das Feld. Was ist der nächste Schachzug, Paul?«

»Sie könnten ein bißchen Schlaf nachholen. Wir alle könnten das.«

»Jemand sollte Wache halten, für den Fall, daß Alarm geschlagen werden muß. Sie haben es morgen früh wieder mit unseren Gästen zu tun und müssen daher frisch sein. Am besten ist es wohl, wenn ich Wache halte. Melanie könnte mich vielleicht für eine Stunde ablösen, damit ich nicht anfange, Dinge zu sehen, die gar nicht da sind.«

»Gut«, sagte Melanie. »Sagen wir um zwei?«

»In Ordnung, Paul?«

»Ausgezeichnet. Teilen Sie sich die Wache, wie Sie wollen. Ich werde jetzt wohl eine Schlaftablette nehmen müssen, fürchte ich, aber meinen Wecker auf halb sieben stellen, sofern nicht einer von Ihnen mich vorher weckt. Ich werde auch das Sieben-Uhr-dreißig-Treffen unserer Gäste abhören. Wenn draußen irgend etwas von Interesse passiert, wird einer von Ihnen es mich wissen lassen, ja?«

Trotz der Schlaftablette verbrachte ich eine schlechte Nacht.

Nicht wegen der Beobachter draußen vor der Villa; zumindest nicht direkt ihretwegen. Was ich über erpresserische ›Beschützer‹ gesagt hatte, war von Yves mit einer geringschätzigen Geste abgetan worden, aber das war die Erklärung, mit der ich mich für mein Teil zufrieden gab; und ich tat dies, weil ich sie zu diesem Zeitpunkt für die wahrscheinlichste hielt.

Es gibt derartige Gangster, die an der französischen Riviera operieren, und da ihre Forderungen in aller Regel nicht wirklich außergewöhnlich hoch sind, ist es, gerade für

Ausländer, einfacher zu zahlen als moralistische Standpunkte zu beziehen und die Folgen auf sich zu nehmen. Letzteres kann ebenso ermüdend wie kostspielig sein. Einem mir bekannten Deutschen, der eine Villa auf Cap Ferrat besitzt, sich jedoch weigerte, ein paar tausend Francs als Schutzgebühr zu entrichten, wurde das gesamte Haus ausgeräumt, während er abwesend war, wobei die Bande reguläre Möbelwagen einsetzte. Die Polizei nahm die Beschwerde des Eigentümers verständnisvoll, aber ohne Erstaunen entgegen. Derartige Dinge geschahen nun einmal gelegentlich. Nach solchen drastischen Demonstrationen hatten die Beschützer offenkundig viel weniger Ärger mit dem Einkassieren ihrer Gebühren, selbst in schwierigen Fällen wie dem meines deutschen Freundes. Wenn ich auch verstand, daß der Gedanke für einen Mann von Yves' Naturell inakzeptabel sein mochte, schien mir meine Annahme, daß es angesichts allerorts steigender Lebenshaltungskosten üblich geworden sei, nicht nur die Hauseigentümer, sondern jetzt auch die Sommersaison-Gäste zur Kasse zu bitten, durchaus einleuchtend. Ich war ziemlich sicher, anderntags mit der Morgenpost nicht nur die gute Nachricht zu erhalten, daß Beschützerdienste verfügbar seien, sondern auch ein Subskriptionsformular zum Ausfüllen und Zurücksenden, nicht ohne Beigabe eines in geforderter Höhe ausgeschriebenen Schecks, versteht sich.

Es war also nicht etwa die Sorge, die mich wachhielt, sondern mein altes Leiden: die Unfähigkeit, mit der Lösung eines Problems zu warten, bis alle verfügbaren Fakten vorliegen. So seltsam es auch anmuten mag, das Problem, das mich beschäftigte und fortfuhr, mich zu beschäftigen, nachdem seine Lösung längst aufgehört hatte, eine Rolle zu spielen, bestand darin, herauszufinden, wie die Gegenwart äußerer Feinde am besten zu nutzen sei, um mir Krom und seine Zeugen vom Hals zu schaffen.

Um sieben ging ich in die Küche hinunter, beklagte mich bei der Köchin, daß mir das Essen am Abend zuvor schwer im Magen gelegen und mich wachgehalten habe, und nahm die Kanne voll Kaffee an mich, die sie für ihren Mann und sich bereitet hatte. Dazu verzehrte ich eines der frisch von der Dorfbäckerei gelieferten petits-pains. Der Mann der Köchin erzählte mir, daß während der Nacht irgendeine unbefugte Person die äußeren Pforten verschlossen habe. Ich sagte, ich sei es gewesen, der sie geschlossen habe, um streunende Hunde fernzuhalten. Offenkundig, und keineswegs überraschenderweise, dachte er, ich müsse den Verstand verloren haben.

Ich trank eine Tasse Kaffee in meinem Schlafzimmer und nahm eine zweite mit mir auf den Dachboden der Garage.

Kroms Sieben-Uhr-dreißig-Meeting begann mehr oder weniger pünktlich. Connell war als erster zur Stelle.

Nachdem sie einander begrüßt und beteuert hatten, wie müde sie gewesen seien und wie gut sie geschlafen hatten, sagte Krom: »Ich habe dieses Zimmer für unser Meeting gewählt, weil es frei von Wanzen ist.«

»Wissen Sie das mit Bestimmtheit, Herr Professor?«

»Ich selber habe das ganze Zimmer sorgfältig abgesucht.«

»Und nichts gefunden. Nun gut ...« Connell ließ seine Zweifel auf sich beruhen. »Glauben Sie, daß wir eine Tasse Kaffee bekommen könnten, wenn wir die Klingel dort betätigten? Solange ich morgens keinen Kaffee gehabt habe, fühle ich mich einfach nicht ...«

Er unterbrach sich, als Dr. Henson eintraf. Weitere Guten-Morgen-Wünsche. Auch sie hatte gut geschlafen.

Krom sagte: »Kaffee wäre wünschenswert, aber ich glaube, es ist wichtiger, daß wir zur Sache kommen, bevor wir mit Firman zusammentreffen. Ich kann wohl davon ausgehen, daß Sie beide dieses Papier gelesen haben? Ja? Dann würde ich zunächst gern einmal Ihre generelle Ansicht darüber hören.«

»Im ganzen wahr? Im ganzen unwahr? Oder im ganzen halb und halb?« fragte Henson.

»Soviel für den Anfang, ja.«

»Ich würde sagen halb und halb.«

Connell sagte: »Ich auch, aber ich kann mich nicht entscheiden, was welche Hälfte ist. Ich hoffe da auf Ihre Hilfe, Herr Professor. Die Passagen über die Konfrontation vor dem Krematorium müssen der Wahrheit entsprechen, weil Sie da waren und alles mit angesehen haben. Aber wie kam es eigentlich dazu, daß Sie da waren? Es wäre ganz hilfreich, wenn wir es jetzt erfahren dürften, finde ich.«

»Das wäre es in der Tat.« Die Stimme mußte von Henson kommen.

Krom räusperte sich. »Das wird selbstverständlich alles in meinem Buch drinstehen, aber ich glaube, ich kann Ihnen beiden vertrauen.«

Ebensogut hätte er lauthals sagen können, daß er ihnen, falls sie auch nur ein Wort davon weiterzuerzählen wagten, eine besonders langsame und qualvolle Todesart zugedacht habe, aber sein Tonfall übermittelte die Botschaft schon deutlich genug.

Henson gab einen merkwürdigen Laut von sich, bei dem es sich vermutlich um ein unwillkürliches, durch Husten rasch verschleiertes Kichern handelte.

»Deswegen sind wir ja hier, Professor«, sagte Connell.

Er schaffte es, unversehens wie der Sheriff von Dodge City in einem TV-Western zu klingen.

Krom zögerte, unschlüssig, wie er die Vorführung aufnehmen sollte. Schließlich entschied er, sie zu ignorieren, und fuhr dann fort: »Ich hatte die Genehmigung der eidgenössischen Justizbehörden in Bern erhalten, mich mit den Hintergründen einiger Fälle von Erpressung oder, genauer gesagt, Nötigung näher zu befassen, die Personen oder Körperschaften mit Bankguthaben in der Schweiz betrafen. Diese Fälle waren mir durch einen internationalen Auskunftei-Agenten zur Kenntnis gebracht worden, der gelegentlich von Tips, die ich ihm hatte geben können, Gebrauch gemacht hatte. Diesmal war er nicht nur derjenige, der *mir* Informationen überließ, die mir seiner Ansicht nach nicht vorenthalten bleiben sollten, sondern er suchte auch Rat. Diese Fälle von Nötigung, in denen er gebeten worden war, zuweilen in einer defensiven Rolle, zuweilen auch als Unterhändler zu agieren, erstreckten sich über einen Zeitraum von etwa drei Jahren. Die Fälle hatten allesamt zwei Elemente gemeinsam. Sie drehten sich um Steuerhinterziehung oder Verstöße gegen Devisen-Kontrollbestimmungen unter verschiedenartigen nationalen Gerichtsbarkeiten, und sie involvierten eine Organisation, die sich als Schulden-Beitreibungsagentur bezeichnete und Niederlassungen in den meisten westeuropäischen Ländern unterhielt. Bedauerlicherweise hatte er seinen diversen Klienten so gut wie keine Erfolge zu melden vermocht. Beauftragt mit einer defensiven Rolle, gab es nichts, was er tun konnte, außer ihnen anzuraten, ihre Schulden voll zu zahlen. Angewiesen zu verhandeln, sah er sich nichts anderem als kahlen Wänden gegenüber. Er merkte sehr bald, daß er es bei dieser Mahnagentur mit einer bloßen Fassade zu tun hatte, daß aber diejenigen, die sich dahinter verbargen, sowohl gut informiert als auch ungemein diszipliniert waren. Seine Klienten dagegen waren von dem Augenblick an, da sie ›Opfer‹ geworden waren, bis zu dem Moment, da sie sich schließlich dazu durchrangen zu zahlen, zumeist, wie er es nannte, ›gänzlich durcheinander‹. Keiner von ihnen war jemals in der Lage gewesen, die Anschuldigungen der Hinterziehung oder des Verstoßes gegen Bestimmungen zu dementieren, oder zumindest nicht lange, und ohnedies waren nur ein oder zwei von ihnen entschlossen oder verbohrt genug zu kämpfen. Es gibt immer einige wenige Männer und Frauen, die es vorziehen zu kämpfen, statt zu kapitulieren, selbst in einer Sache, von der sie sehr wohl wissen, daß sie fragwürdig ist, von der sie nur zu genau wissen, daß sie keinen Blumentopf gewinnen können, daß sie verlieren müssen. Man kann solchen Wahnwitz nur bestaunen.«

Es hätte Carlo sein können, der hier sprach.

Ich ertappte mich dabei, mir einen Augenblick lang vorzustellen, zu welcher Art von Mann Krom sich ohne die Bürde des schwergewichtigen Über-Ichs, die er mit sich herumschleppt, entwickelt hätte. Was wäre aus all der ›Anarchie‹ geworden, vor der er sich so sehr fürchtet? Hätte er nicht einer unserer skrupelloseren Konkurrenten werden können?

Ein angenehmer Tagtraum, aber doch ein Tagtraum; er war wieder dabei, sich über die Schwierigkeiten seines dümmlichen Freundes, des Privatdetektivs, auszulassen, der mir unwissentlich so viel Unannehmlichkeiten bereitet hatte. Ich zwang mich zur Aufmerksamkeit.

»Diese Unentwegten unter seinen Klienten waren es, die ihm besondere Sorge verursachten. Und das nicht einfach nur, weil ausgiebig publizierte Verlierer, sofern bekannt wurde, daß sie zu seinen Klienten zählten, geschäftsschädigend waren. Er befürchtete auch – wie wir sehen werden, zu Recht –, daß derart unausgeglichene Personen leicht beschließen könnten, das Gesetz in die eigenen Hände zu nehmen und Akte krimineller Gewalttätigkeit zu begehen. Er wollte die ganze Sache von irgendeiner verantwortlichen Polizeibehörde regelrecht untersucht wissen. *Er* konnte nichts mehr tun. Die entscheidenden Anstöße, meinte er, konnten nur in der Schweiz erfolgen, wenngleich offenkundig nicht von ihm aus. Mit meinen dortigen akademischen Verbindungen könne ich möglicherweise mehr erreichen.«

»Und Sie *haben* mehr erreicht.« Hensons Verlangen nach Kaffee war jetzt ebenfalls herauszuhören.

»Ein bißchen schon, ja.« Krom kostete jeden Augenblick aus. Wenn seine Zeugen glaubten, ihn mit höflichen Ermunterungen zu rascherem Tempo anfeuern zu können, so hatten sie sich schwer getäuscht. »Ein bißchen mehr«, wiederholte er, »aber nur ein bißchen. Sowohl die Gerichtsbehörden als auch die Polizei hatten gewisse Vorstellungen, was den Gegenstand dieser Fälle von Nötigung betrifft, denen entgegenzuwirken mir Schwierigkeiten bereitete. Sie waren sich natürlich dessen bewußt, daß von seiten mehrerer sogenannter Großbanken wie auch einiger kantonaler und privater Banken Informationen durchgesickert sein mußten. Selbstverständlich waren sie entschlossen, diese durchlässigen Stellen zu lokalisieren und abzudichten, weil schweizerische Gesetze, *ihre* Gesetze, gebrochen worden waren und die Schuldigen gefunden und bestraft werden mußten. Soweit die Informationen über bestimmte Verstöße gegen das Gesetz zum Schutz des Bankgeheimnisses, die ich ihnen brachte, sie hierzu befähigte, waren sie interessiert. Sobald aber von organisierter Nötigung die Rede war, verloren sie jedes Interesse.«

Henson ließ einen Quietschlaut des Unglaubens hören. »Die Schweizer verloren jedes Interesse an einer Organisation, die Nötigung betreibt?«

Ich war ihr dankbar. Es war die Frage, die mir selber sofort in den Sinn gekommen war.

»Sie glaubten nicht, daß es sie gibt«, erklärte Krom. »Sie meinten zu jenem Zeitpunkt, daß ich lediglich eine Lieblingstheorie von mir zu beweisen versuchte. Sie sagten, daß ich, um das zu tun, zwei ganz verschiedene antisoziale Aktivitäten durcheinanderbrächte. Die eine sei gar kein Verbrechen. Sie bezogen sich dabei auf den Handel mit Informationsleckerbissen, der seinerzeit mit diversen US-Behörden betrieben wurde. Da gab es zum Beispiel das einträgliche Denunziantentum derer, die Luxuswaren wie Pelze und Diamanten an reiche Amerikaner verkauften. In Städten wie London, Paris und Antwerpen verdiente sich das Verkaufspersonal häufig eine zusätzliche Provision, indem es, sobald der Verkauf getätigt war, die US-Steuerbehörden über ihre Kunden informierte. Wenn ein Kunde beim Schmuggeln erwischt wurde, erhielt der Informant einen Prozentsatz der Geldbuße als Belohnung. Nicht nett oder menschenfreundlich, und auch den Geschäften auf längere Sicht nicht förderlich, aber nicht ungesetzlich. Im übrigen war es nicht in der Schweiz passiert. Wofür sie sich, was mich betraf, interessierten, das waren die Namen der Bankangestellten, die sich hatten bestechen lassen, und die der bösen Männer und Frauen, die sie bestochen hatten. In dieser letztgenannten Gruppe zählten zu denen, die sie besonders gern verhaftet und verurteilt hätten – es tut mir leid, das sagen zu müssen, Dr. Connell –, Agenten der amerikanischen Steuerbehörden, die, mit Billigung des amerikanischen Kongresses, aus ihrer Feindseligkeit dem schweizerischen Bankgeheimnis-Gesetz gegenüber keinen Hehl machten. Diese Agenten mit ihren beträchtlichen Bestechungsgeldern galten zu jenem Zeitpunkt als die eigentlichen Übeltäter. Eine Zeitlang hatte man es für möglich gehalten, daß Oberholzer ein wichtiger Funktionär der amerikanischen Steuerbehörden sein könnte, oder gar ein CIA-Agent.«

Connell lachte. »Oberholzer ein amerikanischer Regierungsbeamter? Mit *dem* Akzent?«

»Sie haben einen Außenminister mit deutschem Akzent akzeptiert«, sagte Henson entschieden. »Ich kann nichts Abwegiges daran finden, daß man Oberholzer für einen möglichen IRS- (IRS = Internal Revenue Service, US-Steuerbehörde) oder CIA-Agenten gehalten hat. Firmans Akzent – und ich gehen davon aus, daß wir von ein und demselben Mann sprechen – ist jedenfalls kein zeitgenössisch britischer. Ich würde ihn als mittelatlantischen Emigranten-Akzent bezeichnen. Das gleiche könnte man von seinem Wortschatz sagen. Wenn er einen ungarisch-amerikanischen Akzent hätte, würden Sie die Idee, ihn der CIA zuzuzählen, keineswegs abwegig finden.«

»Stimmt.«

»Und wir reden nicht über das, was *wir* rückblickend darüber denken, sondern von dem, was die Schweizer wußten und zu diesem oder jenem Zeitpunkt annahmen«, rief Krom ihnen ins Gedächtnis. »Ich sagte, daß nicht alle Opfer der Oberholzer-Organisation bereit waren, das Handtuch zu werfen. Unter denen, die sich für den Kampf entschieden, waren zwei Kunden des Auskunftei-Agenten

– ein Spanier und ein Amerikaner –, deren Fälle gewisse gemeinsame Nenner hatten. Beide unterhielten Konten in der Zürcher Hauptgeschäftsstelle der gleichen Bank. Mindestens drei weitere nachweisliche Opfer hatten ihr Geld ebenfalls dort. Der andere gemeinsame Nenner war die Methode, die von der sogenannten Schulden-Beitreibungs-Agentur angewendet wurde.«

»Von derjenigen, deren Methoden Firman so sehr mißbilligt?«

»Von derjenigen, deren Methoden zu mißbilligen er *behauptet*, ja, Dr. Henson.«

»Ich habe ohnehin nicht begriffen, wie das funktioniert haben soll«, sagte Connell. »Ich habe mir eine Notiz gemacht, um ihm eine Frage dazu zu stellen. Wie leistet man eine Schuldzahlung, die weder vermerkt noch nachgewiesen werden kann?«

»Eine gute Frage«, sagte Krom; »ich werde sie auf meine Liste erforderlicher Klärungen setzen. Sonst noch etwas?«

»Die Rolle, die Frau Kramer und ihre Tochter bei dem Vorfall spielten, beschäftigt mich«, sagte Henson. »Was hatten die beiden vor? Der Polizei zu helfen oder ihr gefällig zu sein? Sich an Oberholzer dafür zu rächen, daß er den guten Kramer korrumpiert hatte? Sich gegen den Vorwurf abzusichern, daß sie sich der strafbaren Unterlassung einer Anzeige schuldig gemacht hätten? Diese Identifizierungsparade nach der Trauerfeier klingt mir nicht nach einer sonderlich guten Idee der Polizei. Warum hat sie ihren ursprünglichen Plan nicht ausgeführt und Oberholzer in der Wohnung dingfest gemacht? Dann hätte er nicht ausbüchsen können, jedenfalls nicht in der Weise, wie er es tat. Und welche Idee soll dahintergesteckt haben, ihm diese

Klarsichtmappen mit den Codenamen darauf auszuhändigen? Das ergibt überhaupt keinen Sinn.«

»Oh, doch, das tut es, junge Frau.« Krom kicherte. »Und, wie es so geht, ist der Sinn, den das ergibt, mit der Antwort auf Ihre Frage nach der Rolle Frau Kramers in der Affäre verknüpft.«

Ich lauschte gespannt auf den nächsten Leckerbissen, weil ich auf die Antworten genauso erpicht war wie Dr. Henson, wenn nicht noch mehr; dieselben Fragen hatten mich damals und seither wiederholt beschäftigt.

»Frau Kramer«, fuhr Krom fort, »kann, denke ich, ihren Mann nie sehr glücklich gemacht haben. Sie war eine dieser Frauen, die sich, im selben Augenblick, da sie sich beklagen, daß ihre Männer nicht höher und rascher auf der Erfolgsleiter aufsteigen, an ihre Rockschöße klammern, um so den Aufstieg zu erschweren und vielleicht überhaupt unmöglich zu machen. Sie sind gewissermaßen moralische Saboteure. Konkret gesprochen, Kramer hatte wie so viele Männer in großen Organisationen seine naturbedingte Grenze maximaler Verwirklichung erreicht, ohne zu begreifen, warum er nicht weiter aufsteigen würde, geschweige denn seine eigenen Grenzen zu erkennen und sich mit ihnen abzufinden. In seiner Weigerung, sich abzufinden, wurde er von seiner Frau bestärkt. Aber als es zu Oberholzers Kontaktnahme kam, lagen die Dinge zweifellos anders. Ehrgeizige Frauen vom Typ der Frau Kramer haben oft einen kräftigen Hang zur Selbstgerechtigkeit. Sie halten die Zwecke für erstrebenswert, lehnen aber die Mittel ab. Oder vielmehr, sie wollen mit den Mitteln nichts zu schaffen haben.«

»Als würde Lady Macbeth sagen, sie wolle von nichts wissen«, bemerkte Connell.

»Pardon?« Es herrschte ein kurzes Schweigen, während Krom mit der Anspielung zu Rande zu kommen versuchte. »Nun, ja, vielleicht. Aber ich bin sicher, Frau Kramer *hat* von dem Oberholzer-Arrangement gewußt. Es ist nur niemals offen diskutiert worden, so daß sie, mit der Hand auf dem Herzen, sagen konnte, man habe ihr nie etwas davon gesagt.«

»Daher auch ihre und ihrer Tochter Abneigung gegen Oberholzer«, kommentierte Henson.

»Die Haltung der Tochter war weit mehr von den ungünstigen Auswirkungen bestimmt, die ein krimineller Skandal auf ihre Ehe und ihr gesellschaftliches Ansehen gehabt hätte. Nach Kramers zweitem Herzanfall im Hospital und als ihr klar geworden war, daß er einen dritten schwerlich überleben würde, galt Frau Kramers Hauptsorge dem Geld, das ihr Mann angehäuft hatte. Alles, was sie wissen wollte, war, ob sie es würde erben dürfen oder nicht. Natürlich hatte die Polizei es nicht eilig, sie darüber aufzuklären. Andererseits konnte sie keine Fragen nach dem Privatvermögen ihres Mannes stellen, ohne damit einzugestehen, daß sie an der Verschleierung der kriminellen Handlungen, die es hatten entstehen lassen, beteiligt gewesen war. Die Tochter wäre vermutlich bereit gewesen, auf das Geld zu verzichten, oder doch jedenfalls auf die Aussicht darauf. Die Mutter hätte das nie über sich gebracht.«

»Hatten sie denn keinen Rechtsanwalt, der sie hätte beraten können?« wollte Connell wissen.

»Natürlich. Aber was nützt ein redlicher Anwalt, wenn man einen unredlichen braucht? Nein, sie entschied sich statt dessen dafür, mit der Polizei zu kooperieren. Die akzeptierte das dankbar, blieb jedoch eisern korrekt und unterließ es, sich ihre Dankbarkeit auch nur einen Moment lang anmerken zu lassen.«

»Waren Sie bei den ersten Kramer-Vernehmungen dabei?« fragte Connell. »Ich meine, bevor er den Herzanfall bekam.«

»Aber nein. Das wäre ganz regelwidrig gewesen. Aber ich bin auf dem laufenden gehalten worden. Ich war außerdem zugegen, als die Entscheidung getroffen wurde, Kramers verschlüsseltes Telegramm abzusenden, in der Hoffnung, es würde Oberholzer, seinen Schatzmeister, herbeilocken. Wie wir wissen, tat es das.«

Dr. Henson schnaubte verächtlich. »Selbst eine so dumme Person wie Frau Kramer muß gewußt haben, daß die Polizei- und Gerichtsbehörden keinen Toten hätten belangen und verurteilen können. Wenn er Gelder der Bank *veruntreut* hätte und ihm das, auch ohne seine Anwesenheit, hätte nachgewiesen werden können, wäre die Sachlage möglicherweise eine andere gewesen. Nach Lage der Dinge jedoch hatte die Polizei keine Handhabe gegen sie oder Oberholzer und vermutlich auch keinen Anspruch auf irgendwelches Geld, das vorhanden sein mochte.«

»Sie wären überrascht«, sagte Krom, »welch imposanten Eindruck von Machtfülle ein höherer schweizerischer Polizeibeamter lediglich durch seine unerschütterlich ernste Miene erwecken kann. Mit einer Ausnahme hat Frau Kramer genau das getan, was ihr gesagt worden war. Die Ausnahme betraf den Ort, wo die Identifizierung Oberholzers vor Zeugen stattfinden sollte. Sie weigerte sich, praktisch in letzter Minute, Oberholzer in ihrer Wohnung zu empfangen.«

»Aus welchen Gründen? Er muß schon bei früheren

Gelegenheiten dort gewesen sein, sie muß ihn gekannt haben, wie hätte sie ihn denn sonst identifizieren können?«

»Sie behauptete, sie habe nicht gewußt, daß Oberholzer ein Krimineller sei, bevor die Polizei es ihr gesagt hätte.«

»*Hatte* die Polizei ihr das gesagt?« fragte Connell.

»Natürlich nicht. Zu diesem Punkt befragt, beharrte sie darauf, daß das von der Polizei bekundete Interesse an Oberholzer ausgereicht habe, um ihr das zu sagen. Es sei für sie jetzt offenkundig gewesen, daß Oberholzer ein Krimineller sein mußte. Ihr Mann, der ihn flüchtig gekannt hatte, sei über ihn vernommen worden, habe aber von nichts gewußt. Jetzt wurde sie vernommen. Auch sie wußte nichts, erklärte sich aber bereit, der Polizei bei der Identifizierung des Schurken behilflich zu sein, überall, nur nicht in der dem Andenken ihres Mannes und ihren eigenen Erinnerungen an ihr gemeinsames Glück geweihten Wohnung.«

Sie hatte keinen Anwalt gebraucht, würde ich denken.

»Da ist noch die Frage der Codenamen«, rief Dr. Henson Krom ins Gedächtnis.

»Ich habe sie nicht vergessen, junge Frau. Meine guten Beziehungen zu den schweizerischen Behörden hängen ganz offenkundig nicht allein von akademischen Verbindungen ab. Wenn mir Informationen zugänglich gemacht werden, werden sie mir mit der Maßgabe zugänglich gemacht, daß die Vereinbarung auf Gegenseitigkeit beruht. Ich partizipiere von ihrem Wissen, sie partizipieren von meinem. In diesem Fall half ich ihnen, die wahren Namen der beiden Klienten des Auskunftei-Agenten zu ermitteln, des Spaniers und des Amerikaners, die sich gegen die Oberholzer-Organisation zur Wehr gesetzt oder versucht hatten, sich zur Wehr zu setzen.«

»Sie meinen Kleister und Torten? Oh, ich verstehe. Sie haben die Codenamen mit den von der Polizei in Kramers Privatakten gefundenen Einzelheiten verglichen.«

»Genau.« Krom schätzte es nicht, sich von Connell in dieser Weise die Trümpfe aus der Hand nehmen zu lassen, und stellte dies sogleich klar. »Aber die Frage, die gestellt worden war, hieß nicht: ›Wie hat die Polizei die Namen herausbekommen?‹, sondern: ›Warum gab sie sie an Oberholzer weiter?‹ Ich werde es Ihnen sagen. Angefangen hat es als Scherz.«

»Als Scherz?«

»Ja, ganz recht. Als recht makabrer Scherz zwar, aber nichtsdestoweniger als Scherz. Meine Freunde bei der Polizei hatten Ermittlungen nach den seinerzeitigen Aufenthaltsorten von Kleister und Torten angestellt und herausgefunden, daß Torten, der Amerikaner, seit er zur Bewährung aus der Haft entlassen worden war, seine Freiheit in Florida genoß. Kleister, sein alter Kampfgefährte, war jüngst dort zu ihm gestoßen. Mehr noch, wie man hörte, nicht, um dort lediglich einen kurzen Urlaub zu verbringen, sondern für ständig. Beide Männer waren Witwer und, ungeachtet ihrer kostspieligen Schwierigkeiten, noch immer vermögend. Es schien denkbar, daß sie möglicherweise die Wiederaufnahme ihrer Operation gegen die Oberholzer-Erpresser vorbereiteten. Konnte es für zwei Männer ihres Alters mit reichlichen Geldmitteln und einem gemeinsamen Anliegen, das sie eines heiligen Kreuzzuges für wert erachteten, einen angenehmeren Zeitvertreib geben, als einen Mann aufzuspüren, den sie beide haßten, und seine Ermordung in die Wege zu leiten?«

»Ja«, sagte Connell, »ich begreife, daß es da tüchtig was zu lachen gab.«

»Ich höre noch meine Freunde von der Polizei in ihrer drolligen Art sagen, sie würden es, falls Oberholzer ermordet werden sollte, vorziehen, wenn das Verbrechen außerhalb ihrer Jurisdiktion geschähe, da sie die Aufklärung des Falles nur mit halbem Herzen betreiben würden. Irgend jemand schlug vor, Oberholzer durch mündliche Erwähnung von Torten und Kleister eine Warnung vor der Gefahr zukommen zu lassen. Als dann später die Konfrontation aus der Wohnung vor das Krematorium verlegt wurde, steckten sie diese mit den Codenamen gekennzeichneten Klarsichthüllen in die Aktenmappe, weil sie vorhatten, Oberholzer bei dem Versuch, das Land zu verlassen, auf dem Flughafen abzufangen und zu vernehmen. Ihr Ziel war, ihn, da sie ihn nicht unter Anklage stellen konnten, erstens einzuschüchtern, zweitens, wenn irgend möglich zu einer belastenden Aussage über seine Beziehung zu Kramer zu provozieren, und schließlich, ihm klarzumachen, daß er als unerwünschter Ausländer angesehen werde und gut beraten wäre, wenn er in Zukunft der Schweiz fernbliebe. Sie meinten, die Codenamen in der Aktenmappe könnten sich in der Vernehmung als nützliches Element erweisen. Tatsächlich entwischte er ihnen, wie wir jetzt wissen, auf dem Flughafen, wenn auch mehr durch schieres Glück als durch sonderlichen Einfallsreichtum. Dennoch ist die Warnung mit den Codenamen, so scheint's, nicht gänzlich unbeachtet geblieben. Er ist noch am Leben. Ich frage mich, ob Torten und Kleister es noch sind. Vielleicht weiß er es. Vielleicht werde ich ihn fragen.«

»Immerhin«, sagte Dr. Henson, »ist eines klargeworden. Ich begreife jetzt, warum er sich so heftig gegen diese Feldausrüstung von Langridge gesträubt hat, die ich hereinzuschmuggeln versucht hatte. Mit einem in der Schweiz verwahrten Satz von Fingerabdrücken, der eine alte Identität fixiert, wäre die Existenz eines weiteren Satzes von Fingerabdrücken, eines mit seiner derzeitigen Identität verbundenen, das letzte, was er sich wünschen würde. Die beiden würden nahezu mit Sicherheit verglichen werden. Ich muß allerdings sagen, daß er auf mich nicht gerade wirkt wie jemand, der jahrelang unter den von einem Paar halbverblödeter Steuerschwindler ausgestoßenen Todesandrohungen gelitten hat. Wenn irgend jemand das Leben genossen und eine angenehme Zeit verbracht hat, dann, würde ich sagen, ist er es. Sehr bedauerlich, ohne Zweifel, aber meine Vermutung geht dahin, daß er gar nicht weiß, was eine Regung des Gewissens ist, und daß er sich immer großartig amüsiert hat.«

»Er wird sich nicht mehr allzu lange amüsieren, meine Liebe. Da können Sie ganz sicher sein. Was uns betrifft, so glaube ich, daß es an der Zeit ist, zum Frühstück hinunterzugehen.«

Ich saß schon am Tisch auf der Terrasse und wartete auf sie, als sie herunterkamen.

Alle drei erzählten sie mir, der ich mich höflich danach erkundigte, wie angenehm untergebracht sie seien und wie gut sie geschlafen hätten, danke sehr; wobei sie zugleich deutlich zu machen verstanden, daß ich nicht darauf hoffen könne, mit meiner gastgeberischen Sorge um ihr Wohl mir ihre Nachsicht einzuhandeln, und daß es, je eher man jetzt, da sie ausgeruht seien, ohne Umschweife zur Sache käme, desto besser sei. Keiner von ihnen erkundigte sich danach, wie *ich* geschlafen hatte.

Der Kaffee war nicht annähernd so gut wie der, den ich zwei Stunden zuvor getrunken hatte, aber sie schlürften ihn genießerisch und aßen ihre Croissants. Krom jedoch wartete nicht, bis er seines aufgegessen hatte, bevor er in Aktion trat.

»Wir alle haben Ihr erstes Papier mit Interesse gelesen«, sagte er und versprühte Krumen mit den Zischlauten, »und wenn wir auch einiges davon brauchbar finden, so stimmen wir doch alle darin überein, daß es keineswegs zufriedenstellend ist.«

»Voller Lücken«, erklärte Connell.

»Und mich dünkt, er gelobt zuviel und verwahrt sich allzuoft«, sagte Henson mit ihrer Langridge-Stimme, »gegen Anklagen, die, soweit ich weiß, noch gar nicht erhoben worden sind.«

»Tut mir leid«, sagte ich. »Vielleicht sollten Sie alle versuchen, es nochmals zu lesen, und aufmerksamer.«

Krom schluckte den Rest seines Kaffees und langte nach weiterem. »Ich meinerseits habe es dreimal gelesen«, sagte er, »und mit jeder erneuten Lektüre schien es mir weniger und weniger erhellend zu sein, außer in einer Hinsicht.«

»Ich bin erleichtert zu hören, daß mein Versagen kein totales war.«

»Sarkasmus hilft Ihnen gar nichts. Was so brillant erhellt wird, das ist Ihre Entschlossenheit, jegliche Verantwortung für alles und jedes zu leugnen, was mit dieser kriminellen Aktivität großen Ausmaßes zusammenhängt, ausgenommen die bescheidene Rolle, die Sie darin als eine Art von höherem, aber nicht allzu kompetentem Botenjungen gespielt haben.«

»Inkompetent, ja. Bescheiden? Ich hoffe ernstlich, nein.

Einen falschen Eindruck hervorzurufen wäre das letzte, was ich wünschte.«

»Leichtfertiges Daherreden ist sogar noch ermüdender als Sarkasmus, Mr. Firman, also kommen Sie uns weder mit dem einen noch mit dem anderen. Wir jedenfalls sind ernsthaft, und« – er nestelte einen zusammengefalteten Bogen Papier mit Notizen darauf aus seiner Hemdentasche – »um einen Anfang zu machen, schlage ich vor, eine Reihe von Fragen an Sie zu richten.«

»Solange Ihnen klar ist, daß ich mich möglicherweise weigere, diejenigen zu beantworten, die mir nicht zusagen, schießen Sie ruhig los.«

»Sie sagten, daß Sie eine Anzahl von Diskussionspapieren vorbereitet hätten und daß Sie dazu befragt werden könnten. Sie sagten nicht, wie viele Papiere, nur daß sie Ihre Aktivitäten als Oberholzer über einen Zeitraum von drei Jahren umfassen würden. Meine erste Frage lautet, wie groß ist das Ausmaß der beschriebenen Aktivitäten? Wie ist das Material als Ganzes gegliedert?«

»Es ist leider überwiegend anekdotischer Art, wie das erste Papier. Sehr vieles ist natürlich Hörensagen. Ich kann's nicht ändern.«

»Nein, nicht solange Sie uns die Existenz von Seniorpartnern weismachen wollen, deren Anordnungen Sie demütig befolgen, von einzelnen Gruppen böser Männer, die jedwede Dreckarbeit erledigten, welche Ihr Boss für notwendig erachten mochte. Wenn Sie diese Vorspiegelung aufgeben würden, wäre das hilfreich.«

»Ich sagte, daß ich versuchen würde, Ihre Fragen zu beantworten, Herr Professor, und nicht, daß ich über Ihre Behauptungen debattieren wolle. Sie fragten nach dem Ausmaß der in den Papieren beschriebenen Aktivitäten.

Ich habe versucht, Ihre Frage zu beantworten. Dr. Connell beschwert sich, daß das erste Papier Lücken aufweist. Sind Sie ebenfalls seiner Meinung?«

»Ich gehe weiter. Für mich ist es in jeder Hinsicht unbefriedigend.«

»Meinen Sie, nicht aufregend genug, Professor? Nicht genug Mord und Totschlag?«

Connell versuchte, das Gespräch an sich zu reißen. »Er meint, daß zu viel Schaum darin ist und nicht genug Substanz. Zum Beispiel . . .«

Krom brachte ihn mit einem Blick zum Schweigen.

»Dr. Connell war im Begriff, eine Frage aufs Tapet zu bringen, die wir uns alle gestellt zu haben scheinen. Akzeptieren wir für einen Augenblick die Fiktion, daß Sie nie erster Mann, sondern nur ein Erfüllungsgehilfe waren, was hatte es mit dieser Schuldenbeitreibungs-Agentur auf sich, von der Sie sagen, daß sie von Ihren Arbeitgebern eingeschaltet wurde oder eingeschaltet sei, um die Zahlung ihrer Gebühren zu erzwingen? Bitte erzählen Sie uns alles über diese bemerkenswerte Institution, Mr. Firman.«

Ich lächelte. »Das ist Gegenstand eines der Papiere, nach denen Sie mich befragten.«

»Ein ganzes Papier?«

»Es war eine komplexe Organisation. Und beachten Sie bitte, daß sie nicht mehr existiert. Ursprünglich hatte sie ihren Hauptsitz in Luxemburg, mit Nebenstellen in Hannover, Rom, Paris und London. Sie hat ihre Tätigkeit vor Jahren eingestellt.«

»Kurz nachdem ich Sie in Zürich sah, um genau zu sein.«

»Zwischen den beiden Vorkommnissen bestand kein Zusammenhang, Herr Professor. Jedenfalls bin ich mir sicher, daß Sie es vorziehen würden, zu lesen, was ich zu dem Thema geschrieben habe, anstatt es stückweise serviert zu bekommen.«

Dr. Connell wagte sich wiederum vor. »Erklärt das, was Sie geschrieben haben, wie Sie – das heißt die – das Geld bekamen, ohne daß die Opfer wußten, wohin es ging?«

Ich wartete gespannt darauf, daß Krom sich einschaltete, aber diesmal ließ er die Frage ohne Protest zu. Ohne Zweifel war er selber neugierig.

»Ich weiß nicht, ob ich Sie richtig verstanden habe«, sagte ich. »Mit Opfern meinen Sie Schuldner, nehme ich an.«

»Nennen Sie sie, wie Sie wollen. Ich nenne sie Opfer. Also, wie funktionierte das? Ich vermute, der Prozeß der Beitreibung setzte ein mit einem Schreiben, das besagte, die Luxemburger Finance Corporation, oder wie immer Sie sie nannten, habe den Anspruch auf die geschuldete Summe übernommen, wollen Sie also bitte unverzüglich zahlen, andernfalls undsoweiter undsoweiter. Stimmt's?«

»Ich habe der Firma überhaupt keinen Namen gegeben, und die Lech-Firman-Partnerschaft war weit davon entfernt, etwa ihr bedeutendster Klient zu sein. Ihr Name war übrigens Agence Euro-Fiduciare.«

»Bedeutungslos, klingt aber respektabel, nehme ich an. Okay. Also, wie war das mit dem Eröffnungszug?«

»Der lag etwa auf der von Ihnen beschriebenen Linie. Das erbrachte zuweilen Resultate.«

»Aber nicht oft?«

»Nicht oft, würde ich sagen, nein.«

»Dann wurden Sie also massiv. Ja, ich weiß, *die* wurden massiv.«

»Wenn die Agentur das Anrecht auf die geschuldete Summe von uns erwarb, erhielt sie natürlich eine Aufstellung der Dienste, die wir dem Klienten geleistet hatten. Diese Aufstellung pflegte eine auf unseren Unterlagen basierende, vollständige Darlegung der finanziellen Situation des Klienten zu enthalten.«

»Meinen Sie damit, alles, was daheim *nicht* deklariert worden war?«

»Eine *vollständige* Darlegung, wie ich sagte. Sie führte sämtliche Vermögenswerte auf, in welcher Form und wo auch immer sie besessen wurden, manchmal zugleich mit einer Zusammenfassung der letzten offiziellen Steuererklärung, die der Klient seiner örtlichen Finanzbehörde gegenüber abgegeben hatte. Wo Devisenbestimmungen umgangen worden waren, wurden statt dessen Fotokopien einschlägiger Dokumente beigelegt. Wenn, sagen wir, aus irgendeinem Randbezirk des Sterling-Bereichs Geld zur Finanzierung einer Transaktion in Grundbesitz oder Gold transferiert worden war, wurde dies als Hinweis dokumentiert.«

»Junge, Junge!«

»Zugleich wurden neue Anweisungen erteilt, auf welche Weise die Schulden zu begleichen waren.«

»Das will ich meinen! Dieser Punkt gehörte zu den Lücken, die ich ausgefüllt wissen wollte. Wie wurde es bewerkstelligt, daß Kleister und andere seinesgleichen, denen es heftig widerstrebte und die sich dagegen sträubten, unter Druck genommen zu werden, nicht wußten, als sie sich schließlich zu der Einsicht bequemten, daß sie zahlen *mußten*, wer sie unter Druck genommen hatte? Ihr erster Gedanke muß Ihnen als dem Steuerberater gegolten haben. Stimmt's?«

»Innerhalb der Partnerschaft wurde immer auf Abstand geachtet.«

»Ich nehme an, Sie meinen, alles Geschäftliche wurde über Strohmänner abgewickelt. Okay, also konnten sie Sie, als es hart auf hart zu gehen begann, nicht ausfindig machen. Stimmt's? Aber Euro-Fiduciare konnten sie ausfindig machen, wie?«

»Die Agentur hatte ihre eigenen Methoden«, sagte ich karg. Die Fleischhappen, die ich auszuteilen hatte, durften ihnen nicht schon auf die ersten Kläfflaute hin zugeworfen werden.

Connell ließ sich ungern sagen, daß er zu warten habe. Er versuchte danach zu schnappen. »Die haben Kidnapper ebenfalls«, sagte er, »ihre eigenen Methoden, meine ich. Erpresser und Wucherer auch. Aber es kommt ein Augenblick, den keiner von ihnen umgehen kann. Das ist der Augenblick, wenn sie das Geld abholen. Okay, sie sagen dem Adressaten der Erpressung, daß es an einer bestimmten Stelle mitten in einer Wüste in gebrauchten Zwanzig-Dollar-Scheinen in einer durchsichtigen Plastiktasche, auf der in roter Farbe ›Don't Fence Me In‹ aufgemalt ist, hinterlegt werden soll, aber nichtsdestoweniger müssen sie hingehen und es abholen. Das ist der Augenblick, von dem ab die Sache gewöhnlich anfängt, schiefzulaufen. Ihr Hubschrauber hat Motorschaden oder der Pilot erweist sich als Gamma-minus-Navigator, der weit weg von der Beute aufsetzt. Die Polizei ist vom Opfer oder dessen Familie am Ende doch noch eingeschaltet worden. Die Scheine sind chemisch behandelt und, gebraucht oder nicht, kenntlich gemacht worden. Irgendein Bulle oder FBI-Agent, der hinter einem Felsen hervor die Abholung beobachtet, wird von einer Klapperschlange gebissen und stößt einen Schrei aus. Ein Schuß wird versehentlich abgefeuert. Alles und jedes kann passieren. Wie schaffte es die Agentur, dafür zu sor-

gen, daß sie, wer auch immer Schaden erlitt, selber ungeschoren blieb?«

»In meinem Papier führe ich Beispiele dafür an, wie die
ganze Geschichte funktionierte.«

Damit hörte ich auf und schenkte mir den restlichen Kaffee ein.

Henson saß, eine unangezündete Zigarette in der einen
Hand und das Feuerzeug in der anderen, reglos da.
Krom und Connell lehnten sich beide erwartungsvoll vor.
Alle drei sabberten jetzt, metaphorisch gesprochen, und in
der Tat auch fast schon buchstäblich.

»Erzählen Sie uns davon«, befahl Krom.

Ich zuckte ergeben die Achseln, dachte aber nicht daran,
zu gehorchen. Ich wußte, wenn ich ihnen erlaubte, alles
Fressen, das ich für sie präpariert hatte, zu verschlingen,
bloß weil ihnen der Geruch davon in die Nasen stieg, dann
würde nichts mehr für morgen übrigbleiben.

Ja, das war so etwa die Art und Weise, wie ich nach wie
vor dachte. Ich hatte selbst zu jenem Zeitpunkt noch immer
nicht realisiert, daß es für mich als Gastgeber in der Villa
Esmaralda kein Morgen mehr geben würde.

»Es ist nicht wirklich gar so schwierig, Herr Professor«,
sagte ich. »Sehen Sie es doch einmal so. Im derzeit gängigen
Sprachgebrauch werden die Dienstleistungen, die Carlo
den alten Schwarzhändlern antrug, ›Geldwaschen‹
genannt. Alles, was die Leute von der Schulden-Beitreibungsagentur getan haben, war, einen weiteren sanitären
Prozeß in Gang zu setzen, der ihren eigenen besonderen
Bedürfnissen entsprach. In meinem Papier zu diesem
Thema nenne ich es ›Mülldeponie‹. Gewaschenes Geld ist
Geld, das von allen Spuren, die auf die Taschen verweisen,
in denen es gesteckt hat, gereinigt worden ist. Mülldeponie-

Geld verschwindet ganz einfach in einem Abwässersystem, einem mit so vielen Abflüssen, daß kein spezifisches Deponat, nachdem es einmal den Ausguß verlassen hat, auf dem Weg zu seiner endgültigen Bestimmung jemals verfolgt oder nachgewiesen werden kann.«

Krom blickte säuerlich drein. »Ihre Metapher ist in angemessener Weise anal, Mr. Firman, aber ich habe keine Metaphern verlangt. Ich will Einzelheiten, Fakten, von der Art, in die Bankiers und Bücherrevisoren in Polizeidiensten ihre Zähne schlagen können.«

»Und die Fakten sollen Sie auch bekommen«, sagte ich. »Sie werden sie alle in meinem nächsten Papier vorfinden. Für heute allerdings werden Sie sich mit Papier Nummer Eins und Metaphern begnügen müssen. Es sei denn, irgendeiner von Ihnen möchte gern versuchen, das Geldtransfer-Problem zu lösen, das Dr. Connell so sehr zu beschäftigen scheint. Als technische Übung, meine ich. Ich habe nichts dagegen, freundliche Ratschläge zu geben.«

Kroms Lippen wurden schmal, und er blieb stumm, aber Connell nahm es nicht so genau mit seiner Würde.

»Was für eine Art von freundlichen Ratschlägen?« fragte er.

»Sie wissen, daß in der ganzen Welt Banken einander wechselseitig vermittels dessen, was das ›tested-cable‹-System genannt wird, Geld überweisen. Gut. Dann werden Sie auch wissen, daß Gauner ›tested-cables‹ benutzt haben, um Banken, oft über deren Computer, um Millionen von Dollar zu betrügen, deren Spur sich als unauffindbar erwies. Nun, wenn Gauner nichtnachweisbare Überweisungen vornehmen können, dann überlegen Sie einmal, um wieviel leichter es sein muß, wenn die Zahlenden für ehrenwerte Männer gehalten werden und die Empfänger schlichte Schulden-Beitreiber sind.«

Henson stieß einen girrenden Laut aus. »Was für eine absolut *brillante* Idee!« rief sie aus.

»Nein, Dr. Henson.«

»Nein was, Mr. Firman?«

»Nein, ich werde mich nicht durch Schmeicheleien dazu verleiten lassen, mit einem nur schwach gemurmelten Protest die Unterstellung hinzunehmen, die Benutzung des ›tested-cable‹-Systems sei meine Idee gewesen. Der leitende Kopf der Beitreibungs-Agentur hat das ausgeheckt.«

»Oh? Und wer war der?«

Ich fiel auch darauf nicht herein. »Er? Es kann auch eine Frau gewesen sein. Ich weiß es nicht, Doktor Henson.«

Krom warf seinen Zeugen bedeutungsvolle Blicke zu. »Sehen Sie? Mr. Firman ist ein aalglatter Bursche. Wissen Sie, daß er in Brüssel doch tatsächlich die Impertinenz hatte, mir zu erzählen, die meisten Verbrechen würden von Regierungen begangen, und Straffälligkeit sei eine Funktion des Klassenkampfes?«

»Ach, du liebes bißchen!« Dr. Henson verschluckte sich ein wenig am Rauch der Zigarette, die sie endlich entzündet hatte. »Das klingt eher nach Trotzkismus-Verschnitt als nach Anarchie.«

»Es ist Gewäsch«, sagte Krom. »Und das habe ich ihm gesagt. Ganz unnötigerweise natürlich, denn er ist intelligent genug, um das selber zu wissen.« Er richtete seine Aufmerksamkeit wieder auf mich. »Wir haben die Schutzbehauptung von der geteilten Verantwortung bis zum Überdruß gehört, Mr. Firman. Wir nehmen sie Ihnen nicht ab. Sie haben alles ausgeheckt. Sie saßen sowohl an den Hebeln der Erpressungsmaschinerie, die Sie als eine Inkasso-Agentur bezeichnen, als auch an denen des sogenannten Steuerberatungsdienstes, den sie mit Informationen speiste. Ihre Version der Oberholzer-Verschwörung ist nichts als ein Haufen Lügen. Was haben Sie dazu zu sagen?«

»Daß Sie nicht nur unhöflich sind, Herr Professor, sondern sich überdies auch im Irrtum befinden.«

»Würden Sie es vorziehen, wenn ich von der Firman-Verschwörung spräche? Welche Rolle spielt schon der Name? Als wen auch immer Sie sich jetzt auszugeben belieben, Sie waren die Figur, um die sich alles drehte. Ihre Hände waren es, in der die Fäden zusammenliefen, Ihr Kopf, der die Organisation konzipierte. Das ist der zentrale, der entscheidende Tatbestand.«

»Zentral und entscheidend möglicherweise für Ihre Fallstudie, Herr Professor. Das macht es noch nicht zu einem Tatbestand. Einem Mann von Ihrem akademischen Rang und Ruf gegenüber zögere ich, in einer Diskussion wie dieser, und noch dazu am Frühstückstisch, eine harte Sprache zu sprechen, aber ich muß Ihnen hier vor Ihren Zeugen sagen, daß im Zentrum Ihrer Fallstudie das steht, was man unter einer *idée fixe* verstand. Heutzutage spricht man von einer Zwangsvorstellung.«

Er sagte laut etwas über meinen persönlichen Charakter. Was er sagte, war wahrscheinlich recht unerfreulich und möglicherweise sogar zutreffend; da er es jedoch auf holländisch sagte, kann ich dessen nicht sicher sein. Ich war im Begriff, ihn zu bitten, es mir zu übersetzen, als wir von Melanie unterbrochen wurden.

Sie trat nicht auf die Terrasse hinaus, sondern rief von einem Wohnzimmerfenster aus nach mir. Ich drehte mich um, und sie machte mir ein Zeichen. Offenkundig war, was sie mir zu sagen hatte, nicht für andere Ohren bestimmt. Ich entschuldigte mich und trat ans Fenster.

»Was gibt's?«

»Yves will Sie sprechen. Er wollte sich nicht zeigen, weil er ziemlich dreckig war. Er ist oben in seinem Zimmer.«

»Ist es dringend?« Es widerstrebte mir, ausgerechnet jetzt wegzugehen und ihnen womöglich den Eindruck zu vermitteln, ich wolle vor ihnen davonlaufen.

»Ja, Paul. Ich glaube, es ist dringend.«

»Gut. Gehen Sie rüber und sagen Sie ihnen, daß ich gleich zurück bin.«

Ich ging zu Yves' Zimmer hinauf. Er hatte geduscht und trocknete sich gerade ab. Er begrüßte mich mit jener verdrießlichen Phrase, die mir nachgerade auf die Nerven zu fallen begann. Nur daß er sie diesmal um des erhöhten Nachdrucks willen leicht variierte.

»*Nous sommes vraiment foutus*«, sagte er.

»Erzählen Sie mir nur, was geschehen ist. Ich ziehe dann schon meine eigenen Schlüsse daraus, Yves.«

Er bedachte mich mit diesem düster dräuenden Blick, der Connell an einen ihm bekannten Kammerjäger erinnert hatte. »Ich habe nicht vergessen, daß ich Ihren Weisungen unterstellt bin, Patron.«

»Gut. Was ist passiert?«

Er lächelte unangenehm. »Was passiert ist? Ich werde von Minute zu Minute nervöser. Das ist passiert. Kennen Sie das Haus von oben bis unten?«

»So ziemlich. Warum?«

»Dann werden Sie wissen, daß es auf dem Dachbodengeschoß zwei Fenster gibt, von denen aus, wenn man vom einen zum andern geht, bei Tageslicht praktisch das ganze umliegende Gebiet zu überblicken ist.«

»Ja.«

»Bei Sonnenaufgang habe ich dort mit einem Feldstecher Posten bezogen. So gegen halb sieben sah ich etwas, was mir nicht gefiel. Und zwar auf dem Streifen Land jenseits der unteren Küstenstraße an der rechten Seite der Bucht.«

»Sie meinen die Landzunge mit den Tamarisken darauf?«

»Diesen kleinen Bäumen? Ja. Es gibt dort auch Büsche. Da war jemand.«

»Der Streifen Land liegt außerhalb dieses Grundstücks. Ich glaube, er gehört der Gemeinde. Was für eine Person war das?«

»Das erste, was ich sah, war so ein Aufblitzen von Licht, wie es geschieht, wenn Ferngläser Sonnenstrahlen reflektieren, aber es war nicht genau zu erkennen, weil das Aufblitzen aus dem Gebüsch kam.«

»Jemand, der seinerseits genauso Wache hält, um dieses Haus zu beobachten, wie Sie vom Dachboden aus Ihrerseits die Umgebung des Hauses beobachten?«

»Das ist es, was ich *gedacht* habe. Ich habe auch gedacht, daß es ein Amateur sein muß, jemand, der noch nicht einmal genügend Ahnung hatte, um im Schatten zu bleiben, damit die Sonne keine Reflexe erzeugt. Und als Melanie mir Kaffee brachte, erzählte ich ihr, was ich gesehen hatte, und ging los, um mir den Späher näher anzusehen. Ich habe auch gedacht, ich könnte diesem Amateur vielleicht ein bißchen Angst machen.«

»Und?«

»Es war kein Amateur da, und ich habe niemandem Angst gemacht, außer mir selber.« Er zog sich frisches Unterzeug und eine saubere Hose an, während er fortfuhr.

262

»Was ich blitzen gesehen hatte, war der Boden von zwei neuen, glänzenden Tomatensaft-Cocktail-Mixture-Konservendosen. Sie waren mit Klebestreifen zusammengehalten und hingen an einem schwarzen Faden gerade so tief von einem Ast herab, daß sie sich hinter einem Busch befanden. An dem Klebestreifen war eine Schnur befestigt, die ungefähr dreißig Meter lang ausgelegt durch das Buschwerk hindurch zurückreichte. Dies bezweckte zweierlei. Es hielt die Konservenbüchsen in dieser Richtung fixiert, und es ermöglichte der Person am anderen Ende der Schnur, die Dosen leicht hin und her zu bewegen, wie sich ein Fernglas bewegt, das jemand, der die Gegend absucht, in der Hand hält.«

»Also folgten Sie der Schnur bis ans Ende und stellten fest, daß die Person verschwunden war.«

Yves saß auf der Bettkante und holte, nachdem er darunter gelangt hatte, einen Schuh hervor. »Das ist nicht alles, was ich festgestellt habe.« Er hielt den Schuh hoch. »Sehen Sie sich das bitte mal an.«

Es war ein Espadrille aus blauem Leinen, von der Sorte, die früher schlichte Bastsohlen hatte, jetzt aber mit Kreppsohlen versehen in den Handel kommt. Merkwürdig an diesem hier war die Tatsache, daß sich ausgedehnte Brandflecken darauf befanden, die Art von Brandflecken, wie man sie zu sehen erwarten würde, wenn der Espadrille beim Austreten der Funken eines Buschfeuers getragen worden wäre.

»Was ist passiert?«

»Ich bin der Schnur bis dorthin nachgegangen, wo das letzte Ende an einem schmalen Pfad entlang ausgelegt war, und dann auf dies hier getreten.«

Er langte nochmals unter das Bett und zog ein viereckiges versengtes Stück Sperrholz von der Größe eines Schachbretts hervor, in dessen Mitte ein langer Bolzen befestigt war.

»Was ist das?«

»Die Druckplatte einer sehr kleinen, beleidigend harmlosen Brandbombe.«

»Wieso harmlos? Sie hat Ihr Espadrille verbrannt.«

»Wenn die gewollt hätten, hätten sie mir einen Fuß wegfetzen können. Dieser Bolzen hat eine mit Schwefelsäure gefüllte kleine Röhre zerbrochen, als ich auf das Brett trat. Alles, was sie entzündete, war eine sehr kleine mit Zucker gemischte Kaliumchlorat-Menge. Aber ich war doch ganz froh, daß ich die Socken anhatte.« Er nahm mir den Schuh aus der Hand und steckte einen Finger durch ein Brandloch. »Die haben sich nur einen Scherz erlaubt, wissen Sie. Aber für Scherze dieser Art habe ich nichts übrig, wenn sie auf meine Kosten gemacht werden, Patron.«

»Gesehen haben Sie *niemanden*?«

»Niemanden Bestimmtes. Die Motorjacht kam an, die große, die vor dem Sandstrand beim Cap ankert.«

»*So* früh am Morgen?«

»Die schwimmen gern vor dem Frühstück. Ich habe sie durchs Glas beobachtet. Einer von der Crew läßt für sie das Dinghy zu Wasser, mit dem sie dann an den Strand rudern. Ein Mann, zwei Frauen. Sie schwimmen jeden Tag morgens und am frühen Abend.«

»Haben Sie außer der Falle selbst irgend etwas Ungewöhnliches gesehen? Oder irgend etwas *gehört*, einen startenden Fluchtwagen zum Beispiel?«

»Patron, sind Sie schon einmal da unten auf der anderen Seite der Straße gewesen?«

»Nein.«

»Alles, was Sie von dort aus, wohin ich geraten war, sehen können, ist ein Ausschnitt von der Bucht, der Ausschnitt mit dem kleinen Anlegesteg, an dem wir ein Motorboot zum Wasserskilaufen festmachen könnten, wenn wir ein Motorboot hätten. Alles, was Sie dort hören können, ist das Klatschen der Wellen, die sich unten an den Felsen brechen, und die wegen der Büsche ganz schwachen Geräusche des Durchgangsverkehrs auf der Straße. Und das kann ich Ihnen sagen. Nachdem die kleine Schreckmine hochgegangen war, habe ich nicht mehr sonderlich genau auf irgend etwas geachtet oder gelauscht. Aber ich hatte Zeit zum Nachdenken, und ich bin zu einigen Schlüssen gelangt, falls Sie Wert darauf legen, sie zu hören.«

»Selbstverständlich.«

»Gestern nacht hat man uns gesteckt, daß wir aufgeplatzt sind. Jetzt hat man es uns zum zweitenmal gesteckt und zusätzlich noch ein, zwei schlechte Neuigkeiten zu wissen gegeben.«

»Zum Beispiel?«

»Daß wir nicht bloß so ein bißchen aufgeplatzt sind, sondern ganz und gar. Die wissen beispielsweise, wie wir organisiert sind, Patron.«

»Erklären Sie mir das bitte.«

»So wie ich es sehe, sind Sie hier, um diesem Krom und den anderen Informationen zu geben. Nein, ich bin nicht neugierig. Ich will gar nicht mehr wissen. Es ist schon besser so, wie es ist. Aber Sie sind die Schlüsselfigur, diejenige, die diesen gebildeten Halbidioten die Informationen gibt. Die da draußen können nur unterbinden wollen, was sich hier drinnen abspielt. Im Augenblick *scheinen* sie zu versuchen, das zu erreichen, indem sie uns in Angst und Schrecken versetzen und dadurch zum Abbruch der Tagung veranlassen wollen. Warum? Die können uns nur Beine machen wollen, damit sie Sie dann leichter erledigen können.«

»Mit ›erledigen‹ meinen Sie killen, nehme ich an. Dramatisieren Sie die Dinge nicht etwas?«

»Sie sind derjenige mit den Informationen, Patron. Wie anders könnten die Sie bremsen?«

»Sie sagten, sie wüßten, wie wir organisiert sind. Was meinen Sie damit?«

»Sie sind *mindestens* zu sechs Mann hoch, und sie sind keine Amateure. Das wissen wir mit Bestimmtheit. Sechs Profis kosten Geld. Man heuert sie nicht an, damit sie Dummejungenstreiche spielen. Patron, die *wußten*, daß ich diese Reflexe sehen und hinuntergehen würde, um die Ursache herauszufinden. *Ich*, und ich allein.«

»Was läßt Sie so sicher sein?«

»Weil sie, wenn sie geglaubt hätten, es bestände auch nur eine Chance, daß Sie hinuntergehen könnten, Ihnen bestimmt ein bißchen was Wirkungsvolleres zum Drauftreten zurückgelassen hätten. Sie hätten was zurückgelassen, was Sie umgebracht haben würde.«

Ich überlegte einen Augenblick lang. Er war im Irrtum, und ich hätte ihm sagen können, warum.

In Italien habe ich während des Krieges eine Menge Minenfallen und deren Auswirkungen auf diejenigen gesehen, welche ihre Gefährlichkeit nicht richtig eingeschätzt hatten. Es gab da einen von den Deutschen mit besonderer Vorliebe angewendeten Trick, den ich nie vergessen habe. Die Handfeuerwaffen, die ihre Offiziere und Portepee-Unteroffiziere trugen, wurden von den alliierten Truppen außerordentlich geschätzt. Die Leute aus den frontnahen Gebieten pflegten sie zum Stückpreis von zwei- oder dreihundert Dollar an die Etappenkrieger in den rückwärtigen

Gebieten zu verkaufen. Als die Deutschen das spitz bekamen, ließen sie, wenn sie ein Dorf aufgaben, Luger- und
Walter-Pistolen zurück, die sie mit Sprengladungen versehen hatten. Die alliierten Pionierpatrouillen kamen sehr
bald dahinter und trugen Schnüre mit Haken bei sich.
Wenn sie dann eine zurückgelassene Pistole sahen, befestigten sie einen Haken daran, wickelten das Seil ab, bis sie ein
nahes Ein-Mann-Loch fanden, das Deckung bot. Selbst
wenn das Ziehen an der Schnur die Granate zur Entzün-
dung brachte, blieb die Pistole meist unbeschädigt. Dieses
Spiel wurde fortgesetzt, bis die Deutschen, vermutlich
durch irgendeinen Gefangenen, den sie gemacht hatten,
erfuhren, was geschah. Von da an wendeten sie etwas mehr
Erfindungskraft auf. Sie ließen nach wie vor Pistolen
zurück, aber jetzt war es nicht mehr die Pistole, die sie mit
Sprengladungen versahen. Statt dessen war es das einladend nahe Schützenloch, das sie präparierten, und nicht
bloß mit einer Handgranate; sie legten eine Tellermine
hinein, die einen Mann entzweireißen konnte. Deswegen
war Yves im Irrtum. Wenn ich dort eine ausgelegte
Schnur gesehen hätte, die einladend in die Büsche führte,
würde ich schreckensbleich gemacht haben, daß ich weg-
käme, und so schnell als möglich ins Haus zurückgewetzt
sein. Wer einmal tretminenbewußt geworden oder in ein
Minenfeld geraten ist, vergißt das sein Leben lang nicht
mehr.

Ich beschloß, alles das jedoch für mich zu behalten.
Meine so bequeme Beschützer-Gang-Theorie ergab, seit ich
die Terrasse verlassen und Krom sich zuvor entrüstet hatte,
keinerlei Sinn mehr. Yves war nervös und ich ebenfalls.
Was am dringlichsten benötigt wurde, waren Ruhe und
soviel Sinn und Verstand, wie wir nur aufbringen konnten,

um mit einer Schwierigkeit fertig zu werden, die wir noch nicht begriffen.

»Was würden Sie vorschlagen?«, fragte ich.

»Daß wir aufhören sollten, für gewisse Leute, die nicht hier sind, den Kopf hinzuhalten, und anfangen, wieder an uns selbst zu denken.«

»Indem wir was tun, Yves?«

»Das ist ein sehr auffälliger Wagen, mit dem wir gekommen sind.«

Er hatte ganz recht; ein weißer Lincoln-Continental mit Liechtensteiner Kennzeichen ist ein auffälliges Objekt; aber er wußte, daß der Lincoln in der Garage ein Teil unserer Tarnexistenz als Bewohner der Villa Esmaralda war, und ich las seine Gedanken nicht sogleich.

»Na und?«

»Sie haben mich um Rat gefragt. Ich sage, wir vergessen unsere Hausgäste, nehmen deren kleinen Wagen, nur wir drei, und hauen ab. Dann gehen wir auf Tauchstation und heuern Hilfskräfte an, damit die sich der Gegenseite annehmen.«

»Woher wissen Sie, daß es eine Tauchstation gibt?«

»Wenn Melanie ein Arrangement plant, gibt es immer eine Tauchstation.«

»Ich werde mir Ihren Vorschlag merken, aber im Augenblick sagt er mir nicht zu. Wir wissen zu wenig. Angenommen, die Opposition erweist sich als ein staatliches Organ. Sie könnten keine Hilfskräfte anheuern, die sich dessen annimmt.«

»Es sind nicht die Franzosen. Die würden uns keine üblen Streiche spielen. Auf ihrem eigenen Territorium, auf dem wir sind, würden sie irgendein abgekartetes Spiel fertig vorbereitet haben – Anschuldigungen wegen Rauschgifthandels oder Waffenschmuggels, irgend etwas in der Art –, und wir wären in den Händen der Polizei, während sie uns einzeln einen nach dem anderen auseinandernehmen, bis sie hätten, was immer sie haben zu wollen glauben. Wenn es Organe eines fremden Staates sind, die mit französischer Erlaubnis operieren, wären die Schwierigkeiten von der Sorte, wie wir sie ihnen machen könnten, das letzte, was sie wollten.«

»Schon möglich. Ich mag die Scherze ebensowenig wie Sie, aber sie ärgern mich auf eine andere Weise. Ich werde das Gefühl nicht los, daß wer immer da draußen ist, bloß darauf wartet – und sich dabei nur mit Mühe versagt, laut herauszulachen –, zu sehen, wie rasch wir uns wie brave Jungen in Marsch setzen, um in die Falle zu laufen, die er für uns ausgelegt hat. Wir haben ihn wissen lassen, daß wir nicht schlafen. Bevor wir irgend etwas Positives unternehmen, will ich wissen, wer ihn oder sie bezahlt und wofür.«

»Vielleicht hatte Melanie doch recht. Vielleicht sollten wir versuchen, die Leute zu fragen.«

»Die ersten, die wir fragen, sind die da unten auf der Terrasse. Falls irgend jemand von denen irgend etwas weiß, was wir nicht wissen, ist es an der Zeit, daß wir es herausfinden. Übrigens müssen sie alle, selbst wenn keiner von ihnen irgend etwas Neues weiß, gesagt bekommen, was vorgeht. Ich wünsche keine weiteren Mahlzeiten auf der Terrasse. Wir geben ein allzu bequemes Ziel ab. Sie werden heute nacht wohl wieder aufbleiben, Yves. Warum versuchen Sie nicht, jetzt ein bißchen Schlaf zu bekommen?«

»Danke, Paul. Vielleicht später. Im Augenblick würde ich es vorziehen, die Antworten zu hören, die Sie unten bekommen werden.«

»In diesem Fall bringen Sie am besten Ihren Schuh und das andere Beweisstück mit. Krom könnte eher geneigt sein, Ihnen Glauben zu schenken als mir.«

Krom war nicht geneigt, auch nur einem von uns beiden Glauben zu schenken.

Zunächst tat er nichts weiter, als gackernd zu lachen. Das endete mit einem Hustenanfall, worauf er sich, nachdem das Röcheln und das Räuspern abgeklungen waren, wiederholt unterbrochen von Gekicher, wann immer sein eigener Witz ihn übermannte, anschickte, den gestrengen Vater zu spielen. Und erst als ihm bewußt wurde, daß seine Zeugen aufgehört hatten, auch nur leicht belustigt zu sein, beruhigte er sich hinreichend, um in zusammenhängenden Sätzen ein Urteil zu fällen.

»Nein, Mr. Firman«, erklärte er volltönend; »gestern waren wir müde, und deshalb ließen wir Sie billig davonkommen. Heute liegen die Dinge gänzlich anders. Heute müssen Sie schon mit sehr viel mehr Geschicklichkeit lügen, wenn Sie erwarten, daß man Sie ernst nimmt oder Ihnen gar Glauben schenkt. Ablenkende Taktiken so elementarer Art wie diese – finstere Späher, die, ausgerüstet mit Sprechfunkgeräten, in den Büschen lauern, Feldstecher, Minenfallen und Bomben – werden Ihnen keinen Augenblick lang helfen. Ich bitte Sie, unsere Zeit nicht mit dergleichen zu verschwenden. Lassen Sie uns wieder auf Oberholzer und den Bericht zu sprechen kommen, den Sie über die Art, wie das Material, das er Ihnen gab, verwendet wurde, abgefaßt haben.«

Ich warf einen raschen Blick auf Yves und Melanie, um

zu sehen, wie sie es aufnahmen. Melanie zeigte den Ausdruck geistesabwesender Teilnahmslosigkeit, der ihre übliche Reaktion auf Langeweile oder Stress darstellt; und ich hatte erwartet, Yves in seinen habituellen Trübsinn versinken zu sehen. Zu meiner Überraschung und auch Beunruhigung sah seine graue Haut eine Spur durchbluteter aus, und seine Lippen waren seltsam verkniffen. Ich brauchte einen Augenblick, bis mir aufging, daß er vor Wut außer sich war.

Als er meinen Blick auffing, stand er plötzlich auf und blickte zu mir herunter.

»Patron, ich entschuldige mich. Ich bin entgegen Ihrem Rat runtergekommen, weil ich erwartet hatte, einige Fragen beantwortet zu bekommen oder zumindest diskutiert zu hören. Ich sehe jetzt, daß ich die Schwierigkeiten unterschätzt habe.« Er zeigte auf Krom. »Dieser aufgeblasene alte Sack voll Piß und Wind findet sich selbst viel zu großartig, um denken zu können, und diese anderen hier kriechen ja doch bloß vor ihm auf dem Bauch. Wenn Sie noch immer meinen, irgend jemanden von denen dazu bringen zu können, auf die Stimme der Vernunft zu hören, so ist das Ihre Angelegenheit. Ich glaube nicht, daß es die Mühe wert ist. Ich glaube, mit Verlaub, Patron, wir sollten den Vorschlag, den ich oben gemacht habe, ernst nehmen und diejenigen, für die Sie den Kopf hinhalten, davon in Kenntnis setzen, daß sie von jetzt ab die eigene Haut zu Markt werden tragen müssen. Diese Leute hier zählen nicht. Wir zählen. Aber das liegt bei Ihnen, und ich unterstehe nach wie vor Ihren Weisungen. Sie haben mir gesagt, daß ich mich erst mal ein bißchen hinlegen und Schlaf nachholen soll. Das hätte ich gleich tun sollen. Und das ist es, was ich jetzt tun werde.«

Er wandte sich zum Gehen. Es war Henson, die ihn aufhielt.

»Mr. Boularis?« Sie sprach in scharfem Ton und mit steigender Modulation, als bäte sie einen Besucher, der erwartet, ihr aber noch nicht vorgestellt worden war, sich zu identifizieren.

Er verharrte und wandte sich halb um.

»Mr. Boularis«, fuhr sie rasch fort, »ich bezweifle nicht, daß Sie müde sind, aber ich wäre Ihnen dankbar, wenn Sie die Erläuterung wiederholten, die Sie uns über dieses Höllenmaschinchen gegeben haben.«

Yves wandte sich jetzt ganz um und beäugte sie mißtrauisch.

»Ich weiß«, fügte sie hinzu, »daß die Erklärung, die Sie gegeben haben, genügen sollte, aber für jemanden, der von Sprengkörpern nicht viel versteht, war sie ein bißchen verwirrend.«

Den Blick auf Krom gerichtet, antwortete Yves ihr: »Ich bin überrascht, daß Sie bei all der Schwafelei überhaupt irgend etwas gehört haben. Was verstehen Sie nicht?«

»Nun, zum Beispiel beschreiben Sie das Ding als in der Weise präpariert, daß der lange Bolzen in der Mitte wie eine Art Stoßkolben in eine Flasche hineinreichte, die das Zündmaterial enthielt. Das Ende des Kolbens ruhte auf einer mit Schwefelsäure gefüllten Röhre, die es zerbrach, als Sie auf das Brett traten. Ist das richtig?«

»Das ist es, was ich aus dem, was übriggeblieben ist, gefolgert habe.«

»Danke. Was ich aber dennoch nicht übersehe, ist, wie schwer es sein würde, ein solches Ding anzufertigen und aufzustellen.«

»Ganz leicht, wenn Sie das Zeug haben.«

»Sie meinen, wenn man im voraus weiß, daß man es herstellen, und auch ungefähr, wann man es benutzen wird?«

»Ja.«

»Wie lang würde man brauchen, um es zu bauen, und wie lange, um es aufzustellen?«

Yves ging langsam einige Schritte zurück und überlegte, wie er ihr antworten sollte. Ein paar köstliche Augenblicke lang war es mir möglich, Krom zu vergessen. Einer unserer Gäste hatte plötzlich angefangen, vernünftig zu reden, und die ganze Atmosphäre hatte sich geändert. Melanie, das sah ich, hatte es ebenso empfunden. Ich fragte mich, wie lange die Besserung wohl anhalten mochte, und konzentrierte mich darauf, dreinzublicken, als habe ich nichts bemerkt.

»Eine Glasröhre mit Schwefelsäure zu füllen und sie zu verschließen wäre knifflig«, sagte Yves. »Am besten würde man einen ausgiebig eingefetteten durchbohrten Gummikorken verwenden, durch dessen Loch der Bolzen hindurchgleiten und den Boden der Röhre zerbrechen könnte. Außerdem würde man darauf achten müssen, daß der Bolzen nicht mit der Säure in Berührung käme, weil er sonst zerfressen werden würde. Die ganze Sache müßte schon sehr sorgfältig gehandhabt werden.«

»Es wäre also nichts, was man aus der Eingebung des Augenblicks heraus realisieren könnte?«

»Nein. Im Umgang mit solchen Materialien will man nicht zur Eile angetrieben werden. Ein Unfall könnte sehr häßlich sein.«

»Demnach ist die Anlage gestern oder noch früher erstellt worden?«

»Gewiß.«

Connell konnte Henson nicht länger alle Punkte für sich gewinnen lassen. »Wie steht es mit der Wahl des geeigneten Platzes für den Hinterhalt? Wie mit dem Ausheben des Erdlochs für die Anlage und wie mit ihrer Installation?« fragte er. »Wäre das bei Nacht zu machen?«

»Nur, wenn man eine ausreichend helle Beleuchtung zur Verfügung hätte, um dabei sehen zu können.«

»Demnach muß diese Belästigung, oder wie immer Sie es nennen wollen, beizeiten geplant worden sein?«

Krom schnaubte. »Natürlich ist sie im voraus geplant worden, Mr. Firman plant alle seine Spezialeffekte weit voraus. Denken Sie doch nur, wie sorgsam er plante, seinen magischen Zauberstab zu heben und den unglückseligen Carlo Lech in einen Beelzebub zu verwandeln. Damit verglichen, muß es ein leichtes gewesen sein, diese Bande von Kobolden und bösen Geistern aus dem Nichts heraufzubeschwören, um die Kinder zu ängstigen und sie artig, folgsam und unkritisch zu machen.«

Alle blickten mich an, mit Ausnahme von Henson, die noch immer Yves beobachtete.

»Was würden *Sie* dazu sagen, Mr. Boularis?« fragte sie.

»Warum sollte Professor Krom oder Dr. Connell oder ich oder sonst irgendwer, der gelesen hat, was Mr. Firman über sich selbst einzugestehen bereit ist, noch irgend etwas, das er jetzt sagt, für bare Münze nehmen? Sie begreifen die Schwierigkeit?«

»Welche Schwierigkeit?« fragte Yves. »Ich bin ein erfahrener Mann, der Führungsqualitäten anerkennt und respektiert. Was unser alter Sack hier Mr. Firman vorwirft, das ist, daß er *mir* sinnlose und daher unqualifizierte Streiche spielt!«

»Und warum sollte er das nicht?« warf Krom ein. »Er

bringt es glatt fertig, andere einschlägig bewanderte Männer anzuheuern, um genau das zu tun.«

»Natürlich bringt er das fertig«, sagte Connell; »aber warum sollte er? Ich meine, wo liegt da der Vorteil für ihn?«

»In Ihren eigenen Worten, Dr. Connell«, entgegnete Krom. »*Da* liegt der Vorteil für ihn. Sie und Dr. Henson vertreten jetzt Firmans Fall in seinem eigenen Sinn.«

»Professor, das entspricht nicht ganz der Wahrheit. Sie sagen, er versucht, uns hinters Licht zu führen. Okay. Das ist sehr wahrscheinlich der Fall. Alles, was wir uns fragen, ist lediglich: Warum sollte er uns *in dieser Weise* hinters Licht führen wollen? Wohin bringt ihn das? An einen Punkt, wo er sagen kann: ›Tut mir leid, Leute, aber ich werde von Feinden schikaniert, weswegen Sie sich, was die Fortsetzung unseres Treffens anlangt, halt mit undatierten Teilnahme-Berechtigungskarten zufriedengeben müssen.‹ So dumm kann er unmöglich sein. Schließlich ist er uns gegenüber nach wie vor in einer Zwangslage. Wir würden in einem solchen Fall alles, was er an Papieren vorbereitet hätte, an uns nehmen und uns auf einen späteren Zeitpunkt vertagen. Also muß es eine andere Erklärung geben. Entweder mauert er aus irgendeinem Grund, den wir noch nicht herausgefunden haben, oder es gibt eine Erklärung, die *er* noch nicht gefunden hat.«

Ihre Blicke richteten sich wieder auf mich.

»Ganz recht«, sagte ich. »Ich habe sie noch nicht gefunden. Wenn Professor Krom seinen Unglauben einen Moment lang beherrschen könnte oder doch wenigstens nicht äußerte, würde ich es gern nochmals versuchen.« Ich sah Yves an. »Setzen Sie sich oder gehen Sie ins Bett, Yves. Bitte, stehen Sie nicht bloß so herum.«

Er setzte sich wieder.

Krom seufzte schwer. »Jetzt springt das Kaninchen aus dem Zylinder.«

Ich ignorierte ihn. »Solange wir nicht wissen, wer uns diese Streiche spielt«, sagte ich, »läßt sich überhaupt nichts herausfinden. Das *Warum* kann später beantwortet werden. Yves, Melanie und ich haben den Vorteil, mit Sicherheit zu wissen, daß ich nicht dahinterstecke. Vielleicht lassen auch Sie das einmal für einen Augenblick als wahr gelten. Das einzige, was wir einstweilen sicher wissen, ist, erstens, daß all die ausgeklügelten Sicherheitsvorkehrungen, die wir getroffen haben, durchbrochen wurden, und, zweitens, wer immer sie durchbrochen haben mag, uns über jeden Zweifel hinaus wissen lassen will, daß sie durchbrochen worden sind. Wie ich schon sagte, müssen wir die Beantwortung der Frage Warum? auf später verschieben. Lassen Sie uns mit dem Wer? beginnen. Yves glaubt wegen der angewendeten Methoden nicht, daß wir es mit einer Organisation des französischen Staates zu tun haben. Ich bin derselben Meinung. Es könnte sich jedoch um einen ausländischen Dienst handeln, einen westdeutschen zum Beispiel oder einen britischen, der mit entsprechender Genehmigung auf französischem Territorium operiert.«

Dr. Henson lächelte leise. »Sofern Dr. Connell nicht Verbindungen zur CIA hat, von denen wir nichts wissen, bleiben demnach der Professor und ich als mögliche Verantwortliche übrig.«

»Ich fürchte, ja.«

»Unsinn!« sagte Krom und drohte mir mit dem Zeigefinger. »Entweder haben Sie ein schlechtes Gedächtnis, mein Freund, oder Sie hoffen, daß meines schlecht ist. Gestern erzählten Sie uns, daß wir, wenn einer von uns unter Überwachung gestanden hätte, nicht näher als bis Turin an Sie herangekommen wären. Sie haben uns auf der ganzen Strecke sorgsam beobachten lassen. Wie hätten wir wohl einen, wie Sie es nennen, ›ausländischen Dienst‹ zu Ihnen führen sollen, selbst wenn wir bereit und willens gewesen wären, nicht nur gegen unsere Interessen als Wissenschaftler zu handeln, sondern auch gegen unsere die Sicherheitsvereinbarungen betreffenden Zusagen zu verstoßen? Wenn wir das unwissentlich getan haben sollten, dann kann das nur geschehen sein, weil Ihre hochgepriesene Überwachung unserer Anreise nach hier versagt hat. Das heißt, sofern es sie je gegeben hat.« Er grinste Connell an. »Sie bemerkten, daß sie kostspielig gewesen sein muß. Falls es sie tatsächlich gegeben hat, wage ich zu sagen, daß sie *sehr* kostspielig gewesen sein dürfte, *zu* kostspielig. Ein Firman-Märchen darüber zu erfinden, wäre eine weniger mühselige Angelegenheit, und eine unendlich viel billigere dazu.«

Der Blick, den Connell auf mich richtete, war feindselig. »Wie steht es damit, Firman?«

Ich gab Yves einen Wink. »Sagen Sie's ihnen.«

»Was es gekostet hat?«

»Was veranlaßt wurde.«

»Ah.« Er überlegte kurz. »Also, es gab mehrere gute, klare Kontrollpunkte. Die erste Etappe führte, wie Sie sich erinnern werden, per Flug von Amsterdam nach Mailand, und dann, per Leihwagen, nach Turin ins Palace-Hotel. Nur Professor Krom wußte soviel im voraus. Im Turiner Hotel waren Sie noch immer sauber. Die nächste Instruktion lag, adressiert an den Professor, schon bereit. Sie sah ein Treffen zum Lunch im Restaurant Tre Citroni in Cuneo für den nächsten Tag vor. Dort wurde Ihnen die Kartenskizze mit der Rechnung in einem geschlossenen Umschlag ausgehändigt.«

»Vergessen Sie nicht etwas?« fragte Connell. »Wir alle wußten am Abend zuvor, daß wir anderntags zum Lunch zu diesem Restaurant in Cuneo fahren würden. Jeder von uns hätte das verraten können.«

Yves nickte. »Das hätten Sie können, ja. Das ist der Grund, weswegen Ihnen Gelegenheit dazu gegeben wurde. Wenn einer von Ihnen sie ergriffen hätte, wäre keine Straßenskizze in Cuneo ausgehändigt worden. Aber keiner von Ihnen hat sie ergriffen. Keiner von Ihnen hat in jener Nacht oder am nächsten Morgen telefoniert, es sei denn, um Bestellungen beim Zimmerservice aufzugeben. Keiner von Ihnen hat Briefe oder Benachrichtigungen, die später hätten abgeholt werden können, im Hotel zurückgelassen. In der Nacht ist Ihr Wagen sorgfältig auf Minisender untersucht worden. Die Straße nach Cuneo führt größtenteils durch offenes, flaches Land von der Art, die eine von aufmerksamen Beobachtern unbemerkte Verfolgung erschwert. Sie wurden weder auf diesem Abschnitt der Strecke noch auch später, als Sie hinter Cuneo die Straße über die Berge nahmen, verfolgt. An der französischen Grenze waren Sie ebenfalls sauber. Ungeachtet dessen wurde eine zusätzliche Vorsichtsmaßnahme getroffen, als Sie die letzte Wegstrecke nach Nizza hinunterzufahren begannen. Kurz hinter Ihnen gab es einen Verkehrsunfall. Keine größere Sache, aber immerhin blockierte sie die Straße nahezu zehn Minuten lang. Inzwischen waren Sie entweder in den spätnachmittäglichen Verkehrsstauungen von Nizza unauffindbar geworden oder hatten Nizza bereits hinter sich gelassen und befanden sich auf der unteren Küstenstraße in dieser Richtung.«

Ein paar Augenblicke lang ließen sie sich alles das durch den Kopf gehen. Es war Connell, der das Schweigen brach.

»Murphys Gesetz?« fragte er.

Ich zuckte die Achseln.

»Was haben Sie gesagt?« Krom rückte urplötzlich bis zur Sitzflächenkante seines Stuhles. »Was für ein Gesetz ist das?«

Connell lächelte mild. »Pardon, Herr Professor, ich habe eine volkstümliche amerikanische Wendung gebraucht, eine Art scherzhafter These, die Murphys Gesetz genannt wird. Sie besagt, daß bei jedwedem menschlichen Unternehmen, das mit Vorausplanung zu tun hat, alles, was unerwartet schiefgehen kann, unweigerlich schiefgehen wird.«

»Was hat das mit Firmans Vorsichtsmaßregeln zu tun?«

»Nun, es bedeutet, daß, selbst wenn diese undichte Stelle in seinem Sicherheitssystem, nach der er sucht, von jemandem aus unserer Gruppe verursacht wurde, dies nur durch irgendein unwahrscheinliches Mißgeschick verursacht worden sein kann, wie zum Beispiel dadurch, daß ein zur Verfolgung eingesetzter Wagen, der aus irgendwelchen Gründen zuvor nicht gesichtet worden war, sich außerhalb von Nizza wieder an uns hängte. Ich persönlich halte es für wahrscheinlicher, daß es die französische Polizei gewesen ist. Eine Kleinigkeit wie ein Unfall, durch den eine Straße blockiert wird, würde sie nicht davon abgehalten haben, vorauszufunken.«

Henson widersprach sofort. »Das ist ganz einfach nicht schlüssig, wissen Sie. Angenommen, wir wären zu einem Hochhausappartement in Monaco unterwegs gewesen. Wo hätten sie die Minenfalle, die sie vorbereitet hatten, aufstellen sollen? Wenn da draußen wirklich irgend jemand mit feindseligen Absichten lauern sollte, so hätte er diese

Lokalität doch nicht dadurch ausfindig machen können, daß er uns gefolgt wäre. Er *muß* es vorher gewußt haben.«

»Und da wir keinerlei Beweise dafür vorliegen haben«, sagte Krom, »daß da draußen irgend etwas lauert, das feindseligere Absichten haben könnte als die Insekten, die Mr. Boularis gebissen haben, dürfen wir daraus schließen, daß Mr. Firman nach lebenslanger Rechtsverdreherei die Dinge schließlich nicht mehr im Griff hat. In seinem ängstlichen Bestreben, mich loszuwerden, hat er uns, seine Gäste, bezichtigt, etwas getan zu haben, das ihn und seine Mitarbeiter in Gefahr bringt, etwas, das, seiner eigenen Darstellung zufolge, keiner von uns getan haben kann. Ich finde es sehr traurig.«

Derart plumpe Albernheiten hätten mich nicht ärgern sollen, aber genau das taten sie. Meine innere Anspannung mußte mir zugesetzt haben. Schlimmer noch, der Versuchung, entsprechend zu antworten, nicht zu erliegen erwies sich als einigermaßen schwer. Ich war im Begriff, ihm zu sagen, er solle sich seine Tränen sparen, beherrschte mich aber noch rechtzeitig, bevor die Worte heraus waren.

»Bis jetzt sind die Dinge niemandem entglitten«, sagte ich statt dessen. »Und niemand ist bezichtigt worden. Als Ihr Gastgeber erkläre ich Ihnen lediglich, daß die zu Ihrer hiesigen Sicherheit und Ihrem Schutz getroffenen Vereinbarungen ungeachtet aller Sorgfalt, die auf sie verwandt wurde, durchkreuzt worden zu sein scheinen. Es war meine Pflicht, sie zu warnen, also habe ich das getan. An dem runden Tisch an der Balustrade da drüben werden keine Mahlzeiten mehr serviert werden. Bis jetzt haben diese Leute uns lediglich geärgert. Möglicherweise planen sie jedoch aggressivere Akte. Aber ob sie das tun oder nicht, ich jedenfalls habe nicht vor, ihnen sitzende Ziele zu offerieren.«

Krom warf einen Blick auf die Balustrade, der schreckerfüllt aussehen sollte. »Ich bin überrascht«, sagte er, »daß Sie die Polizei nicht einschalten.«

»Falls das erforderlich werden sollte, Herr Professor, werde ich es Ihnen überlassen, mit den Reportern fertig zu werden. Als Sensationsnachricht müßte die Belagerung der Villa Esmaralda für Blätter wie *France Dimanche* ein gefundenes Fressen sein. Ich wage zu behaupten, daß auch Ihr Kollege Professor Langridge sie genußreich finden wird. Falls Sie inzwischen einen Inspektionsspaziergang machen und den Schauplatz der Minenfalle besichtigen wollen, so tun Sie das nur. Wenn Sie Glück haben, wird der Gegner Ihnen vielleicht einen Streich zu spielen versuchen. Das dürfte den Spaziergang interessanter machen, und wenn Sie zurückkommen, werden Sie mir erzählen können, wie knapp Sie dem Tod entronnen sind. Inzwischen werde ich meine Untersuchungen fortsetzen. Über die Ergebnisse werden Sie selbstverständlich auf dem laufenden gehalten werden.«

Die Vorstellung einer sensationellen Publizität hatte Krom nachhaltig genug erschüttert, um seine Reaktion auf ein verächtliches Schnauben zu reduzieren. Keiner von ihnen machte jedoch Anstalten zu gehen, und ein paar Augenblicke lang saßen wir alle bloß da und starrten einander an.

Dann sprach Connell. »Dürfte jetzt wohl ein bißchen schwierig für Sie werden, nicht wahr, Mr. Firman?«

»Schwierig? Wie soll ich das verstehen?«

»Ich meine, die Suche nach undichten Stellen wird jetzt schwierig sein. Nachdem wir jetzt nicht mehr in Frage kommen, ist Ihr Vorrat an Verdächtigen knapp geworden, würde ich sagen.«

Ich lächelte ihn an. »Dr. Connell, ich sagte, daß ich meine Untersuchungen fortsetzen werde. Ich habe keinen Bedarf nach weiteren Verdächtigen.« Ich machte eine Pause, um ihn mich unterbrechen zu lassen, wenn er das wollte. Er tat es nicht. »Nachdem Sie drei ausgeschieden sind, ist das Rätsel, oder doch ein Teil davon, gelöst. Ich weiß jetzt, daß die undichte Stelle nur von einer einzigen Person verursacht worden sein kann.«

Melanie brach das Schweigen, das folgte, indem sie ein gurgelndes kleines Lachen ausstieß.

»Mr. Firman meint mich«, sagte sie.

Acht

K rom und Connell sahen bestürzt drein. Einzig Henson belustigte dieses seltsame Gelächter.

Sie bot Melanie eine Zigarette an. »Werden Sie von Mr. Firman gerügt?« fragte sie.

»Oh, ich glaube nicht.« Melanie lehnte die Zigarette mit einer anmutigen Handbewegung ab. »Es ist vielmehr so, daß er es jetzt, wo er sich wieder vergegenwärtigt hat, daß er und ich die einzigen waren, denen dieser Tagungsort im voraus hätte bekannt sein dürfen, bequemer findet, laut zu denken.«

»Er kommt nicht etwa auf die Idee, sich zu fragen, ob er möglicherweise selber der Schuldige sein könnte? Zwei Personen sollten vorher eingeweiht gewesen sein, aber nur eine von ihnen hätte die Information durchsickern lassen können – Sie. Kann das stimmen?«

»Ja, natürlich.«

»Natürlich? Wollen Sie damit sagen, daß Sie diesen Urteilsspruch wirklich akzeptieren, oder daß Ihnen keine andere Wahl bleibt?«

»Oh, ich akzeptiere ihn.«

»Der Meister ist unfehlbar?«

»Natürlich.«

Melanie war unzufrieden mit mir, und ihre normalerweise unter dem äußeren Anschein blauäugiger Dümmlichkeit wohlverborgene angeborene Boshaftigkeit begann hindurchzuschimmern. Hätte ich jetzt nicht interveniert, würde sie sehr bald Unsinn einer weniger verzeihlichen Sorte dahergeredet haben.

»Sie dürfen Melanie nicht allzu ernst nehmen«, sagte ich. »Sie hat eine Vorliebe für preziöse Übertreibungen. Ich warne sie immer davor, stimmt's, meine Liebe?«

Ihr übereifriges augenblickliches Nicken weckte väterliche Instinkte in Krom. »Warnen Sie sie auch immer davor«, wollte er wissen, »daß sie als Ihre Sekretärin sich damit abzufinden hat, als Sündenbock zu dienen?«

»Nein, Herr Professor, das pflege ich nicht zu tun. Eine derartige Warnung wäre gegenstandslos. Als anerkannte Expertin für nachrichtendienstliche beziehungsweise geheime Aktivitäten kennt sich Melanie Wicky-Frey, was das Selektieren und Managen von Sündenböcken betrifft, sehr viel besser aus als ich.«

Henson wollte etwas sagen, aber ich schnitt ihr das Wort ab, indem ich mit erhobener Stimme fortfuhr: »Zu Ihrer weiteren Information darf ich bemerken, daß sie diesen Tagungsort persönlich ausgesucht, alle unserer Abschirmung dienlichen Tarnstories ersonnen und mich hinsichtlich allgemeiner Sicherheitsbelange in allen Planungsphasen beraten hat. Worüber sie sich jetzt beklagt, das ist die Tatsache, daß ich sie nicht behandle, als sei *sie* unfehlbar. Ich mache ihr das nicht zum Vorwurf. Wie Leuten Ihresgleichen sehr wohl bekannt sein dürfte, neigen Experten dazu, jedweder Kritik gegenüber für sich selbst den Status der Immunität zu beanspruchen.«

Krom sah Melanie erwartungsvoll an, begierig, jede Leugnung meiner heimtückischen Beschuldigungen, nach der ihr der Sinn stehen mochte, zu begrüßen und uneingeschränkt gutzuheißen. Als alles, wozu er sie damit bewegen konnte, ein ausdrucksloses Starren war, seufzte er und wandte sich schwerfällig wieder mir zu.

»Sie uns als Ihre Sekretärin vorzustellen, war demnach also eine Lüge.«

»Seien Sie nicht albern, Herr Professor. Wozu sollte ich hier eine Sekretärin benötigen? Ich war überrascht, daß Sie gar keine Fragen darüber gestellt haben. Die Idee ist so offenkundig unsinnig. Tatsächlich ist Melanie eine Public-Relations-Expertin ganz spezieller Art.«

»Eine Lügnerin ganz spezieller Art, wollten Sie dann doch wohl sagen. Aber es ist schwer zu glauben, daß auf diesem Gebiet irgend jemand spezialisierter sein sollte als Sie selber.«

Yves räusperte sich. »Patron, ich dachte, diese Leute wollten einen Spaziergang machen. Wenn nicht, schlage ich vor, daß Sie und Melanie sich im Eßzimmer unterhalten. Da werden Sie nicht gehört.«

Er meinte, daß sich im Eßzimmer keine Wanzen befanden. »Gute Idee«, sagte ich und stand auf, wobei ich Melanie einen entsprechenden Wink gab.

»Oh, nein!« Krom hievte sich aus seinem Sessel hoch. »Ich weigere mich, in dieser Weise abgehängt zu werden.«

»Niemand hängt Sie ab«, sagte ich; »aber hier ist es offenkundig nicht möglich, ernsthaft zu reden.«

Als ich mich in Bewegung setzte, stellte er sich mir in den Weg. Ich machte Anstalten, um ihn herumzugehen; da packte er mich am Arm.

Connell war sofort zur Stelle und trompetete: »Nicht, nicht!«, als sei ich im Begriff gewesen, den alten Narren zu schlagen.

Ich sagte zu Melanie: »Gehen Sie schon vor. Ich treffe Sie im Eßzimmer.« Dann sah ich die Hand auf meinem Arm an, wie ich sie am Abend zuvor angesehen hatte, als sie Melanies Arm umklammerte. Gleich anderen zwanghaften Armgrapschern schien auch Krom sich nicht darüber im klaren zu sein, daß seine Angewohnheit als zudringlich empfunden werden könnte. Als ich meinen Arm mit einem Ruck seinem Griff entwand, sah er verärgert aus, als hätte ich eine Gedankenkette unterbrochen, und drohte mir mit erhobenem Zeigefinger.

»Ihre Erklärung«, wiederholte er, »war eine Lüge, und überdies, wie Sie jetzt zugegeben haben, eine unnötige. Sie *haben* das zugegeben, ja? Sehr gut. Noch wissen wir nicht, was für ein Mann Sie sind, aber das bisher vorliegende Material legt den Schluß nahe, daß Sie, wenngleich möglicherweise kein krimineller Psychopath in irgendeinem allgemein akzeptierten Wortsinn, doch viele der Wesenszüge aufweisen, die dem sogenannten moralisch defekten Charakter zugeschrieben werden. Dennoch werden wir uns vorerst mit einer Ad-hoc-Definition begnügen müssen wie beispielsweise – oh, was wollen wir sagen? – vielleicht sollten wir von einem diversifizierten Delinquenten sprechen?« Sein Blick warb um die Zustimmung der Zeugen. »Eines allerdings wissen wir nunmehr mit Bestimmtheit: daß unser Delinquent ein ebenso unermüdlicher wie einfallsreicher Lügner ist.«

Ich war mürbe genug, die Geduld mit ihm zu verlieren.

»Woher«, fragte ich, »beziehen Sie eigentlich diese absonderliche Idee, Sie hätten ein zwingendes Anrecht darauf, nichts als die Wahrheit erzählt zu bekommen? Dringt sie von unten her durch die Sitzfläche Ihres akademischen Lehrstuhls und Ihnen auf diesem Weg ins Gehirn? Gibt es irgendeinen geschwätzigen Soziologie-Heiligen, der einst verkündete, daß alle, die sich Ihrer Befragung zu unterziehen haben, kraft göttlichen Dekrets automatisch unter Eid stehen? Aber natürlich, so wird es sein. Und was soll geschehen, wenn die armen Seelen einen Meineid schwören? Sie auf dem Scheiterhaufen zu verbrennen wäre offenkundig eine zu milde Strafe. Statt dessen werden wir langsam und brutal klassifiziert! Habe ich recht, Herr Professor?«

Connell kicherte, aber Krom nickte bloß ermunternd. »Langsam und brutal? Ja, ich nehme an, Sie haben recht, Mr. Firman. Und was folgert daraus?«

»Daraus folgert, daß Sie immer dann eine Wahrheit zu hören bekommen werden, wenn sie mir zufällig besser ins Konzept paßt als eine Lüge oder wenn keine der verfügbaren Lügen sich als gut genug erweist, um einer Überprüfung standzuhalten. Wahrheitsspiele sind gefährlich, sogar für Kinder. Alles, worauf ich setze, ist Sicherheit, Sicherheit für mich und meine Partner in dem, was Sie Verbrechen zu nennen belieben.«

Krom strahlte. »Diese Offenheit ist *höchst* erfrischend.« Er richtete das Strahlen auf Connell und Henson. »Diese Verstimmung, die wir jetzt bei Mr. Firman beobachten können, ist mit Gewißheit eine unmittelbare Reaktion auf meine diagnostischen Stimulationen. Wir machen Fortschritte. Wenn sich, wie er sagt, in seinen Tarnarrangements Defekte herausgestellt haben, mag für uns der richtige Augenblick gekommen sein, sein tiefgestaffeltes Verteidigungssystem zu sondieren.«

Obwohl den Zeugen schwerlich entgangen sein konnte, daß Krom ihnen, kraft des von ihm benutzten Plurals, unvermittelt den kollegialen Status gleichberechtigter Mitarbeiter zuerkannt hatte, ließ sich das doch keiner von ihnen auch nur im geringsten anmerken. Sie kannten ihren Krom, waren sich vermutlich darüber im klaren, daß es sich bei von ihm kommenden Höflichkeiten solcher Art nur um Versprecher handeln konnte.

»Ich stimme Ihnen zu«, sagte Connell; »es wird Zeit, daß wir uns einige der Schrauben und Muttern dieser Lügenkonstruktion näher ansehen. Wenn er glaubt, uns davon überzeugen zu können, daß er im Grunde inkompetent ist, wird er etwas Beeindruckenderes vorweisen müssen als ein Stück angekokeltes Sperrholz.«

»In Anbetracht der Tatsache«, bemerkte Henson, »daß Wicky-Frey laut Firman die Schrauben-und-Muttern-Expertin ist, würde ich meinen, daß wir uns zunächst einmal auf sie konzentrieren sollten.« Sie steckte ein Lächeln für Yves auf. »Nun, und was meinen *Sie*, Mr. Boularis?«

Sie hatte ihn schon einmal umzustimmen vermocht; aber das war vor einer halben Stunde gewesen, und inzwischen hatte er eine Menge hinzugelernt. Er warf ihr einen flüchtigen Blick zu und fuhr dann wieder fort, die kleinen Vögel zu beobachten, die unter den Stühlen umherhüpften und Brotkrümel aufpickten.

Dann sagte er: »*Ich*, Madame, meine jetzt, daß Sie *alle* voll Piß und Wind sind.«

Während das Schweigen noch anhielt, das sich auf diese weitere diagnostische Stimulation hin einstellte, entfernte ich mich, um zu Melanie ins Eßzimmer zu gehen.

Ich traf sie, eingenebelt in Zigarettenrauch an der Schmalseite des Tisches sitzend, an.

Sie rauchte, ausgenommen nach dem Essen, nur selten. Der Aschenbecher vor ihr und die brennende Zigarette in ihrer Hand waren Deklarationen ihres Bedürfnisses nach Erlösung von dem unerträglichen Schmerz, den ihr mein Mißfallen verursachte. Zugleich gaben sie mir eindeutig zu verstehen, daß sie, sofern ich nicht augenblicklich Abbitte leisten und ganz außerordentlich freundlich zu ihr sein würde, sich sehr wohl dazu getrieben fühlen könne, rituellen Selbstmord durch Inhalieren zu begehen.

Da ich nichts begangen hatte, wofür ich hätte Abbitte leisten müssen, und nicht beabsichtigte, freundlicher zu sein, als mir in diesem Augenblick zumute war, machte ich keine Anstalten, mich hinzusetzen. Im Stehen ist es mir stets leichter gefallen, mein Temperament zu zügeln und zivilisierte Formen zu wahren.

Im übrigen ging ich davon aus, daß Melanie, nachdem sie genügend Zeit gehabt hatte, die ganze Abschirmungsoperation Phase für Phase noch einmal im Geist Revue passieren zu lassen, inzwischen wußte, wo die undichte Stelle zu suchen war, wie sie entstanden war und wer die Unverfrorenheit besessen haben mochte, sie sich zunutze zu machen. Waren mir diese Dinge erst einmal bekannt, so würde ich, davon ging ich aus, sofern ich weder Überraschung noch Verzweiflung die Oberhand gewinnen ließe, in der Lage sein, mich daran zu machen und mir Mittel und Wege auszudenken, um aus meinen Mißgeschicken Kapital zu schlagen. Kroms Charakterisierung gewisser Eigenschaften meines taktischen Denkens als »Oktopustinte« war so abwegig nicht gewesen; und allerdings, selbst im Eßzimmer am Morgen jenes zweiten Tages sann ich noch immer darauf, wie ich die Witzbolde dort draußen gegen die Witzbolde hier drinnen ausspielen könnte.

Nennen wir es die letzten Minuten der Unschuld.

»Nun?« fragte ich.

Melanie drückte ihre Zigarette aus. »Leider Fehlanzeige, Paul. Nein, lassen Sie mich ausreden. Ich habe alles so gründlich wie möglich Punkt für Punkt durchgenommen, und zwar wiederholt und sogar, als diese gräßliche kleine

Lesbierin tat, als sei sie nett zu mir. Ich habe Ihnen nichts zu sagen, was Sie nicht schon wüßten. Niemand außer Ihnen wurde eingeweiht. *Niemand!* Und nur die zwei Kommunikationscodes wurden ausgegeben.«

»Warum zwei? Welche zwei?«

Sie seufzte ergeben. »Das Büro Brüssel hat einen im Panzerschrank zum Gebrauch im Notfall. Die üblichen Sicherheitsvorkehrungen. Der andere wurde von Mr. Yamatoku in London angefordert. Das ist vorschriftsmäßig genehmigt gewesen. In beiden Fällen wurde das übliche Verfahren befolgt.«

Das war es. Ich fühlte mich plötzlich ganz sonderbar, etwa so, als hätte mir jemand Watte in die Ohren gestopft und angefangen, meinen Kopf mit einer Fußballpumpe aufzublasen. Weil ich wußte, ich würde, wenn ich mich nicht sehr rasch hinsetzte, umkippen, griff ich nach der Lehne des nächstbesten Eßzimmerstuhls, drehte ihn ein wenig zu mir herum und setzte mich.

Melanie sagt, es sei mir gelungen, die Bewegung so aussehen zu lassen, als hätte ich ganz einfach nicht länger herumstehen mögen, und sie habe keine Ahnung gehabt, daß ich in jenem Augenblick drauf und dran war, ohnmächtig zu werden. Dennoch könnte es in Zukunft ratsam für mich sein, eine von diesen mit mehrsprachigen Hinweisen versehenen medizinischen Identitätskarten bei mir zu tragen. Ich meine Hinweise, die darauf aufmerksam machen, daß der Inhaber der Karte einen implantierten Schrittmacher oder eine Penicillin-Allergie hat oder Diabetiker ist. In meinem Fall sollte auf der Karte stehen: *Inhaber lehnt es, wenn tot, möglicherweise ab, sich hinzulegen.*

»Sagten Sie, die Herausgabe dieses zweiten Kommunikationscodes erfolgte mit ordnungsgemäßer Genehmigung?

Was meinen Sie damit?« fragte ich. »Genehmigt von wem? *Ich* habe sie nicht genehmigt.«

»Sie brauchte nicht von Ihnen genehmigt zu werden, Paul. Das wissen Sie doch sicherlich? Das verschlüsselte Ersuchen um Bestätigung ist über Fernschreiber nach London ergangen, und die verschlüsselte Bestätigung ordnungsgemäß eingetroffen.«

»Sie sind nicht auf den Gedanken gekommen, mich zu fragen, weshalb London daran interessiert sein sollte, unseren Kommunikationscode für diese Operation zu erfahren?«

»Natürlich nicht. Sowohl das Ersuchen als auch die Erwiderung auf Brüssels Doppelcheck entsprach exakt den Vorschriften. Alles ganz normal. Weshalb hätte ich Sie oder sonst jemanden fragen sollen? Welchen Zweck haben solche Vorschriften, wenn nicht den, daß ihnen gemäß verfahren wird?«

Ich sah nun sehr deutlich, warum Mat sie für ein Sicherheitsrisiko gehalten hatte. Er hatte etwas entdeckt, was der Organisation Gehlen entgangen war. Hatte sich ein Sicherheitsverfahren einmal eingespielt, hörte sie ein für allemal auf, dessen Anwendung im Einzelfall in Zweifel zu ziehen. Sie war nicht hinreichend paranoid.

Unser Kommunikationscode war von Carlo ursprünglich für den Fall, daß die üblichen Kommunikationswege abgeschnitten wären, als ein Mittel zur Kontrolle des Kuriernetzes ersonnen worden. Wenn zum Beispiel ein Kurier von seiner Standardroute abweichen oder er umgeleitet werden mußte, war das erste, was er zu tun hatte, sobald er die Reise unterbrach, telefonisch oder telegrafisch eine aus einer sechzehnstelligen Zahl bestehende Botschaft durchzugeben, die als Preisnotierungsliste frisiert war. Die entschlüsselten Zahlen übermittelten den Namen des Kuriers, die Region des Landes, in der er sich aufhielt, und eine Telefonnummer, unter der er zu erreichen war. Nach Carlos Tod, als die Symposia-Gruppe entstand und die alten Freibeuter-Methoden längst aufgegeben worden waren, hatten wir für Kurierdienste oder irgendwelchen sonstigen Untergrundoperations-Hokuspokus keinen Bedarf mehr. Wenn die Entscheidung mir überlassen worden wäre, hätte ich das Kommunikationscode-System abgeschafft. Ein modern aufgezogener Geschäftsbetrieb müßte ohne derartige Spielzeuge auskommen können. Es war Mats Idee, daß wir dieses spezielle behalten sollten.

Die Gründe, die er dafür angeführt hatte, daß wir es taten, hatten sich ebenso schlau wie stichhaltig ausgenommen. Das Code-Reglement war einfach, es hatte jahrelang ausgezeichnet funktioniert, es war billig in der Unterhaltung und vor allem motivierte es unsere Leute im Außendienst zu persönlicher Initiative. Praktisch gab es ihnen zu verstehen: »Rufen Sie uns nicht an – es sei denn, um uns Ihre Nummer zu übermitteln oder wissen zu lassen, daß irgend etwas im Gang ist, was Ihnen zu groß erscheint, als daß Sie in eigener Verantwortung darüber entscheiden könnten –, wir rufen Sie an.« Seine wahren Gründe für die Beibehaltung des Reglements waren die, daß es ihm ermöglichte, Brüssel und alle jene einträglichen Symposia-Transaktionen zu kontrollieren, in denen er, ohne daß außer mir irgend jemand davon etwas wußte, seine Finger drin hatte. Selbst Mitarbeiter, die dem leitenden Personal zuzurechnen waren wie Melanie, die wußte, daß Frank Yamatoku in London irgend jemandes zweiter Mann war, wußten nicht, daß dieser jemand kein anderer als Mat Williamson war.

Mit freiem Zugang zu unserem Kommunikationscode und mit Frank, der die Ferngespräche für ihn führte, zu seiner Disposition, konnte es Mat keinerlei Schwierigkeiten bereitet haben, uns in der Villa Esmaralda ausfindig zu machen. Wenn er es eilig gehabt hatte und ihm ein Branchen-Telefonverzeichnis der Alpes-Maritimes-Region zuhanden gewesen war, durfte das Aufspüren innerhalb einer Stunde erledigt worden sein.

Ich wußte jetzt, wer für die Präsenz dieser unerfreulichen Leute draußen um das Haus herum verantwortlich war. Es blieb nur noch herauszufinden, wer sie waren und welche Anweisungen man ihnen erteilt hatte. Ich nehme an, es besagt einiges über die Art meiner ehemaligen Beziehung zu Mat, wenn ich berichte, daß mein erster Gedanke angesichts eines dringenden Bedürfnisses nach Antworten auf Fragen, bei denen es, den Empfindungen in meiner Magengrube nach zu urteilen, um Leben und Tod ging, noch immer der war, *ihn* darum zu bitten; mehr noch, ihn darum zu bitten, wiewohl ich mit ziemlicher Sicherheit wußte, welche Antworten ich bekommen würde. Sie würden nicht gänzlich unwahr sein, natürlich nicht, denn Mat hat es stets vorgezogen, sich statt eindeutiger Lügen halber Wahrheiten und Doppelsinnigkeiten zu bedienen; aber ich wußte, daß ich bei genauem Zuhören und unter Außerachtlassung der wörtlichen Bedeutung des Gesagten die Art der Hintergrundmusik, die verwendet wurde, um jene überzeugend klingen zu lassen, wahrscheinlich eine Menge von dem verraten würde, was ich erfahren mußte.

Noch immer die Gekränkte, die auf eine wohlverdiente Entschuldigung wartet, inspizierte Melanie den Lack auf ihren Nägeln. Ich lehnte mich auf dem Stuhl zurück und schnippte leise mit Daumen und Mittelfinger, bis sie aufblickte.

»Gehen Sie wieder nach draußen«, sagte ich. »Sagen Sie ihnen, ich hätte ein paar Telefongespräche zu führen. Ich lasse Sie wissen, was los ist, sobald ich es selber weiß.«

Sie stand auf. »Was ist mit dem zweiten Ordner?«

»Den geben wir ihnen vielleicht nach dem Lunch. Nicht daß es jetzt noch eine Rolle spielt, aber je ruhiger sie gehalten werden können, desto besser. Wir werden sehen. Was das Thema Lunch betrifft, so essen wir lieber hier drinnen.«

»Da gäbe es einen geeigneten Platz neben dem Swimming-pool. Er ist nicht eingesehen.«

»In Ordnung.«

»Wir könnten dort auch zu Abend essen. Es ist ziemlich weit weg von der Küche, aber heute abend wird es ohnedies nur kalte Gerichte geben.«

»Warum?«

»Heute ist der vierzehnte Juli. Die Hausangestellten wollen frühzeitig mit der Arbeit fertig sein und zum Fest ins Dorf gehen. Sie haben gefragt. Ich habe gesagt, sie könnten.«

Als wir die Villa Esmaralda bezogen, war ihr Telefonanschluß noch immer nicht vollständig in das internationale Direktwahlnetz integriert. Dies bedeutete, daß wir, wenngleich wir von außerhalb des Landes direkt angewählt werden konnten, unsererseits Auslandsgespräche nur über ein Amt tätigen konnten. Es gehörte Geduld dazu, um wieder und wieder zu wählen, bis sich eines meldete.

In diesem großen Haus gab es nur drei Apparate: einen in der Eingangshalle mit einem Nebenanschluß im großen Schlafzimmer, demjenigen, in welchem ich nächtigte, und einen an einer zweiten Leitung ohne Nebenanschlüsse. Ich benutzte den letzteren, nachdem ich ihn zuvor auf offenkundige Wanzen überprüft hatte. Es hätte keinen Sinn gehabt, Mats Londoner Hotel anzurufen. Zwar hätte er sich vielleicht gerade dort aufgehalten, bestimmt aber einen über die Telefonzentrale des Hotels laufenden Anruf aus dem Ausland nicht entgegengenommen. Ich brauchte zwanzig Minuten, um zu unserer Londoner Relaisstation durchzukommen.

Der diensttuende Mann dort sprach ungemein langsam und deutlich, als mißtraue er dem Telefon und hätte lieber ein Kurzwellenempfangs- und Sendegerät bedient. Dies war durchaus normal. Mat benutzt gern Amateurfunker in Schaltstellen und tut das in einer ganzen Anzahl von Ländern; zum einen, weil Amateurfunker gewohnt sind, zu den unmöglichsten Stunden wachzubleiben, und zum andern, weil einige von ihnen dazu überredet werden können, in einer Notsituation und für nicht länger als die wenigen Sekunden, die zum Ausstrahlen einer Blitznachricht benötigt werden, ihre Sender illegal zu betätigen. Meist sucht er sich ältere Männer mit aufbesserungsbedürftigen Renten und einer verschämten Vorliebe für Verschwörungen dazu aus. Wenn sie ehemalige Pfadfinder sind, um so besser.

Ich gab die Nummer des Telefons an, das ich benutzte, sowie meinen Decknamen, und sagte, daß die Angelegenheit dringend sei. Es könne eine halbe Stunde dauern, wurde mir erklärt, bis ich angerufen werden würde.

Ich hatte beide Apparate mit Entstörern versehen, und es erwies sich als vorteilhaft, daß ich es getan hatte, denn der Rückruf kam über die andere Leitung.

Es war jedoch nicht Mat, sondern Frank Yamatoku.

»Hallo, Paul«, sagte er; »also doch noch am gleichen

Ort. Ist das richtig? Als Sie uns diese andere Nummer gaben, dachten wir, daß Sie womöglich umgezogen seien, ohne uns Bescheid zu geben.«

»Und Ihre Pläne durcheinandergebracht hätte?«

»Oh, wir wußten, daß Sie das nicht getan hatten.«

»Das wußten Sie?«

»Klar. Wir hätten Klagen zu hören bekommen, wenn Sie nicht im Zielgebiet geblieben wären. Was für eine Bewandtnis hat es mit dieser anderen Nummer? Eine zweite Leitung, von der wir nichts wußten?«

Ich hatte von ihm schon jetzt die Nase voll. »Es war großartig, Ihre Stimme zu hören, Frank, aber es ist mein alter Freund, den ich angerufen habe, und mein alter Freund, den ich sprechen will. Ist er da?«

»Im Augenblick nicht, Paul. Später vielleicht. Inzwischen habe ich Neuigkeiten für Sie. Wir haben diesen Anruf seit Stunden erwartet, müssen Sie wissen. Seit gestern abend. Weshalb die Verspätung? Wir fingen an, uns Sorgen zu machen. Was hat Sie abgehalten?«

»Die Reaktionszeiten müssen wohl länger geworden sein.«

Er kicherte. »Soll uns allen so gehen, heißt es. Aber jetzt sind Sie ja da, also lassen wir das. Ich komme zu dem, was ich Ihnen auszurichten habe. Er sagt, Sie werden diverse Fragen beantwortet haben wollen und daß die erste ›Wer?‹ lauten wird. Danach ist ›Warum?‹ an der Reihe. Schließlich kommt ›Was sollen wir tun, um gerettet zu werden?‹ dran. Die muß wohl religiös gemeint sein, schätze ich, der Art und Weise nach zu urteilen, wie er es sagte. Sind Sie noch dran, Paul?«

»Bin ich noch, und ganz Ohr.«

»Dann komme ich ohne Umschweife zum ›Warum?‹ der

Sache. Ich brauche Ihnen nicht zu sagen, Paul, daß wir beide sehr in Sorge waren. Nicht darüber, wie Sie sich aufführen würden, das natürlich nicht, weil wir beide Sie kennen und achten, aber in Sorge *Ihretwegen* und *um* Sie. Also haben wir angefangen, uns zu überlegen, was wir hier an der Heimatfront für Sie tun könnten. Wir wollten, daß Sie, wenn Sie diesen Ihren einsamen Kampf da draußen ausfechten, nicht das Gefühl haben, Sie seien allein. Wir wollten Sie wissen lassen, daß Sie Freunde haben, die hinter Ihnen stehen, bereit, helfend einzugreifen, wenn Sie in Bedrängnis geraten. Sie verstehen mich, Paul?«

»Frank, genau diese Freunde, die hinter mir stehen, sind es, und das, was sie womöglich tun werden, bevor ich mich umdrehen und sie daran hindern kann, weswegen ich angerufen habe.«

»Hören Sie mir zu und lassen Sie mich Ihnen unsere Erwägungen darlegen. Unser erster Gedanke war, daß Sie, daß wir alle in viel größeren Schwierigkeiten steckten, als Sie zugeben wollten, und daß Sie mehr benötigten als ein Papiertaschentuch, um diese ganze Scheiße abzuwischen, in die Sie da reingetreten sind. Ich meine, so abzuwischen, daß kein Geruch zurückbleibt. Was Sie brauchen, sagten wir uns, war eines von diesen Deodorants, die mehr tun als bloß die Luft auffrischen. Sie brauchen eines, das den Geruchssinn der Opposition vernichtet. Stimmt's?«

»Ich kann Ihnen nicht folgen.«

»Sehen Sie es doch mal unter diesem Gesichtspunkt. Was passiert, wenn eine dieser Gernegroß-Regierungen der Dritten Welt Schwierigkeiten an der Heimatfront hat? Sie wissen, was passiert. Sie sieht sich nach irgendeinem äußeren Feind um, der die Leute von all dem Ärger zu Hause ablenkt, indem er vor der Tür steht und das Feuer auf sich zieht. Xenophobie, stimmt's? Bösewichte von draußen?«

»Ich verstehe.«

»Natürlich verstehen Sie. Und sie werden auch verstehen, daß wir uns angesichts der Sorte von Nicht-Kombattanten, die Sie da bei sich innerhalb der Stadtmauern beherbergen, auf keine Risiken einlassen durften. Sie werden Sozialwissenschaftler von diesem Kaliber nicht mit Fasnachtsmasken und Tonbandschreien beeindrucken können. Das sind sehr ernst zu nehmende Ermittlungsspezialisten. Man muß denen schon einen Vorgeschmack vom Wahren und Echten zu kosten geben, sonst glauben sie's nicht, oder?«

»Was glauben sie sonst nicht?«

»Daß diese Untersuchung, die sie da anstellen, gefährlich ist, physisch gefährlich. Gefährlich für Sie, gefährlich für Ihre Arbeitgeber und daher gefährlich für *sie*. In der Tat so verflucht gefährlich für jedermann dort, daß sie, je eher sie ihre Ärsche lupfen und abschwirren, desto weniger Gefahr laufen, das Ihnen zugedachte schreckliche Schicksal teilen zu müssen. Tod durch Nähe, das ist es, was sie zu befürchten haben, Paul.«

»Das werden sie mir nicht abkaufen.«

»Noch wissen Sie ja gar nicht, was Sie zu verkaufen haben werden, mein Freund. Ich versuche gerade, es Ihnen zu sagen. Damit kommen wir zur Frage ›Wer?‹. Hören Sie mich noch? Was jetzt kommt, ist wichtig.«

»Ich höre Sie.«

»Also, ich kenne das Team, das angeheuert wurde, zwar nicht persönlich, aber ich habe davon gehört, und nach allem, was ich weiß, ist es talentiert genug, um Spitzenhonorare fordern zu können. Mehr kann ich nicht sagen, weil ich gehalten bin, mich auf harte Fakten zu beschränken. Was ich Ihnen jedoch von unserem Freund zu bestellen habe, ist die Tatsache, daß die Leitung und Ausführung der Operation von drei Burschen übernommen worden ist, die gemeinsam in Aktion treten, drei Burschen, deren Namen Ihnen, wie er sagt, bekannt sein dürften. Ich habe sie aufgeschrieben. Wollen doch mal nachsehen. Ja, hier haben wir sie schon. Die Namen sind Torten, Kleister und Vic. Vic Wie, steht hier nicht. Vielleicht kennen Sie seinen Nachnamen.«

»Ja, ich kenne ihn.« Die an meinen Kopf angeschlossene Fußballpumpe war wieder in Gang gesetzt worden.

»Gut. Dann werden Sie auch wissen, Paul, daß diese drei Gentlemen, was Sie betrifft, allesamt ein bißchen voreingenommen sind. Das heißt, es muß damit gerechnet werden, daß diese Narren, obwohl unser Freund ihnen eindringlich klargemacht hat, daß Schikanen nur insoweit statthaft seien, als sie unerläßlich sind, um der Glaubwürdigkeit Nachdruck zu verleihen, über das Ziel hinausschießen, sobald sie sich dazu provoziert fühlen. Er hat mich gebeten, hierauf ganz besonders hinzuweisen.«

»Ich weiß seine Besorgnis zu schätzen.«

»Ich hoffe, Sie meinen auch, was Sie sagen, Paul, weil Sie sie in der Tat schätzen *sollten*. Er hält trotz allem noch immer viel von Ihnen, Paul, und er möchte Sie noch immer schützen, wenn Sie ihm nur die Gelegenheit dazu geben. Er sagt, Sie hätten, bevor Sie den Knacks wegbekommen hatten, wirklich sehr gut Polo gespielt und seien, wenn Sie sich in einer Notlage befänden, möglicherweise durchaus noch imstande, diesen Burschen ein Schnippchen zu schlagen und sie dadurch erst richtig in Wut zu versetzen.«

»Möglicherweise bin ich das, ja.«

»Der Tip lautet: Lassen Sie's. Alles, was Sie sich damit einhandeln, ist bloß, daß Sie tüchtig was abkriegen statt nur ein bißchen was. Das ist, bitteschön, natürlich nur ein Ratschlag, Paul. Er hat vor Ihnen als seinem alten Boss noch immer zuviel Respekt, um Ihnen da etwa Vorschriften machen zu wollen. Er bittet Sie lediglich, einen freundschaftlichen Rat zu beherzigen.«

»Gibt es sonst noch was, das ich beherzigen sollte?«

»Er hat mir aufgetragen, Ihnen zu sagen, daß er in Gedanken die ganze Zeit bei Ihnen sein wird. Das hat er auch so gemeint. Die *ganze* Zeit.«

»Ich werde an *ihn* denken.«

»Dann wünsche ich Ihnen noch einen schönen Tag, Paul.«

Er legte auf.

Ich stellte das Tonbandgerät ab und drückte sofort auf die Rücklauftaste. Nachdem ich das Band zweimal hatte ganz ablaufen lassen, hörte ich mir den Anfang ein drittes Mal an, bevor ich einen Zettel für Yves und Melanie schrieb.

Yves, bitte finden Sie sich auf Gfst. ein, nachdem Sie dies Melanie weitergereicht haben. Melanie, geben Sie bitte Aktenordner Nummer 2 aus und stoßen Sie anschließend zu uns.

Ich machte den Mann der Köchin ausfindig und beauftragte ihn, den Zettel zu überbringen. Dann holte ich das Tonbandgerät aus meinem Schlafzimmer und ging auf unseren Gefechtsstand über der Garage.

Als Yves sich zu mir gesellte, war alles hergerichtet und bereit.

Ich zeigte auf das Bandgerät. »Ich habe gerade einen Anruf aus London damit aufgenommen. Ich möchte, daß

Sie sich zunächst den Anfang davon anhören und mir sagen, ob Ihnen irgend etwas daran auffällt, egal was.«

Er stellte keine Fragen, nickte bloß und setzte sich.

Ich begann das Playback. Nach den ersten paar Sätzen stoppte ich es und sah ihn an.

»Noch einmal, bitte«, sagte er, »und diesmal so laut wie möglich. Die Tonqualität spielt keine Rolle.«

Ich konnte es nicht viel lauter stellen, weil Entstörer gar so offizient nun auch wieder nicht sind und der Verstärker des Geräts nicht mehr viel zusätzliche Lautstärke hergab, aber ich versuchte mein Bestes. Seltsamerweise klang Franks Stimme, als sie so, vom Zischgeräusch des laufenden Bandes unterlegt, daherquakte, obwohl noch immer verständlich, weniger aggressiv, als sie es bei geringerer Lautstärke getan hatte. Ich ließ das Band ein paar Augenblicke lang laufen, ehe ich es abstellte.

Yves spitzte die Lippen. »*Alles*, was mir auffällt?«

»Ja, bitte.«

»Sie sagten, der Anruf sei aus London gekommen. Das glaube ich nicht.«

»Woher wollen Sie das wissen?«

»Anrufe von London nach hier werden durchgewählt. Bei direkter Ferndurchwahl wird ein elektronischer Zeit- und Entfernungszähler aktiviert, sobald der angerufene Teilnehmer den Hörer abnimmt. Der Zähler ist mit dem Computer verbunden, der dem Kunden den Anruf in Rechnung stellt. Ich weiß nicht genau, wie lange es dauert, bis der Zähler einsetzt – Bruchteile einer Sekunde nur, würde ich meinen –, aber falls man den Hörer schon ans Ohr hält, sobald der Stromkreis geschlossen ist, hört man es. Es klingt wie das Geräusch, das entsteht, wenn man einen Stock einen Augenblick lang an einem Eisengitter entlang schleifen läßt. Ihre Aufnahme hier setzt ein, während das Telefon noch klingelt. Wenn der Anruf aus London oder Bonn oder Amsterdam gekommen wäre, hätten wir den Gebührenzähler in Aktion treten hören, als Sie den Hörer abnahmen. Das Geräusch fehlt. Dieser Anruf kommt nicht von weiter her als aus Nizza oder Menton. Und er wurde auch nicht von einem Münzfernsprecher aus getätigt. Auch in dem Fall hätte man einen Gebührenzähler einsetzen hören müssen. Das Geräusch wäre anders gewesen als bei einem Ferngespräch, aber gehört hätte man es dennoch.« Er machte eine Pause und fügte dann hinzu: »War es das, was Sie bestätigt haben wollten?«

»Nicht, was ich wollte, aber was ich erwartet hatte. Ich habe es erst bemerkt, als ich das Band zum zweiten Mal abspielte.«

»Die meisten Leute hören es überhaupt nicht. Normalerweise beginnt der Zähler innerhalb der Zeit zu laufen, die zwischen dem Abnehmen und dem Zum-Ohr-Führen des Hörers verstreicht. Sie wollten alles wissen, was mir aufgefallen ist. Ich habe auch die Stimme des Anrufers erkannt. Es ist ein Mann, der mir als Mr. Yamatoku bekannt ist.«

Er beobachtete mich scharf, gespannt auf meine Reaktion. Ich nickte. »Ich werde Sie gleich bitten, sich den Rest der Unterhaltung anzuhören, aber lassen Sie uns damit noch einen Moment lang warten, bis Melanie kommt.«

Wir mußten mehrere Minuten lang warten.

»Fragen«, erklärte sie verdrossen. »Paul, Sie hätten in Gegenwart solcher Leute nicht in dieser Weise mit mir reden sollen. Die sind unfähig, die Mäßigung höflicher Umgangsformen durchzuhalten.«

Die plötzliche Verschlechterung ihrer englischen Sprachkenntnisse ließ vermuten, daß die ihr gestellten Fragen unangenehm bohrend gewesen waren.

»Hat der zweite Aktenstoß sie denn in gar keiner Weise abgelenkt?«

»Kann man Löwen mit Aas ablenken, wenn frisches Fleisch zu kriegen ist? Diese Leute haben ganz schlechte Manieren.«

»Sie sind zu pingelig«, sagte ich; »es sollte mich nicht überraschen, wenn diese anderen Leute, mit denen wir es zu tun haben, diejenigen, die wir *nicht* erwartet hatten, überhaupt irgendwelche Manieren haben.«

Yves schob ihr einen Stuhl gegen die Kniekehlen, und sie setzte sich abrupt.

»Was wissen Sie«, fragte ich, »über einen Mann namens Mathew Tuakana? Zuweilen nennt er sich Mat Williamson. Sagt Ihnen das irgendwas?«

Ich sah Yves an, während ich sprach, um Melanie klarzumachen, daß ich die Sitzung eröffnet hatte und von ihrer Seite keinen weiteren Unsinn zu hören wünschte. Ich hatte nicht wirklich damit gerechnet, eine Antwort von ihm zu bekommen. Bei der speziellen Art seiner Tätigkeit war es unwahrscheinlich, daß er in irgendeinen der bislang vergeblich unternommenen Versuche, die dichten Tarnvorhänge zu penetrieren, die Mats Operationen abschirmten, verwickelt gewesen sein sollte; aber ich hatte mich getäuscht.

»Ja, ich habe von ihm gehört. Ein polynesischer *métis*. Homosexuell. So eine Art Banker. Steinreich. Ist das der Mann?«

»Wo haben Sie diesen Klatsch aufgeschnappt?«

»Ich kenne jemanden, der für ihn gearbeitet hat. Stimmt wohl alles nicht, nehme ich an.«

»Es stimmt, was die Tatsache, daß er ein Halbblut ist, anlangt, aber es stimmt nicht, soweit es die farbige Komponente betrifft. Seine Mutter war Melanesierin, nicht Polynesierin. Außerdem hat er nicht nur zu Männern, sondern auch zu Frauen Beziehungen gehabt. Wer war Ihr Informant?«

Eine impertinente Frage, die nicht hätte gestellt werden dürfen. Yves überging sie, ohne sich dafür zu entschuldigen.

»Man hat mir auch erzählt«, sagte er, »Williamson sei einer, um den man, sofern das im eigenen Belieben steht, einen Bogen machen sollte. Einige dieser Steinreichen haben die Angewohnheit, Sachen abzustoßen, sobald sie ihrer überdrüssig sind, selbst wenn die Sachen nur ein einziges Mal benutzt wurden. Genauso hält es Williamson mit Leuten, habe ich mir sagen lassen. Oder liege ich auch damit schief?«

Ich zögerte, also mußte er natürlich aufs Ganze gehen.

»Ist *er* derjenige, den Sie hier decken?«

Ich hatte keine Chance, zu entscheiden, wie eingehend oder offen ich antworten sollte. Bevor ich noch Luft holen konnte, wandte sich Melanie über meinen Kopf hinweg an Yves, um ihm zu antworten.

»*Natürlich*«, sagte sie zu ihm, »es muß Williamson sein. Ich hätte längst selber darauf kommen sollen. Er ist der Placid-Island-Mann, derjenige, der im Namen der Eingeborenen die Entschädigung aushandelt, die von den Phosphatinteressenten geleistet werden muß. Er ist ein Wirtschaftsexperte mit unorthodoxen Vorstellungen. Sie wissen schon, Vorstellungen, die faszinierend klingen, solange sie dazu benutzt werden, etwas zu verkaufen, von denen man aber nie wieder hört, sobald der Handel perfekt geworden ist. Williamson tritt außerdem als Bevollmächtigter einer kanadischen Bank auf. Wenn dieser Mann gegen Krom abgeschirmt werden muß, hätte ich angenommen, die Bank übernimmt das. Warum wird die arme kleine Symposia damit behelligt?«

Indem sie mir mit dieser boshaften Bemerkung über die Symposia eins auswischte, versuchte sie, die Einbuße an Würde wettzumachen, die sie Minuten zuvor erlitten hatte, als ihre Hinterbacken unsanft auf die Sitzfläche des Stuhls prallten.

»Er kontrolliert die kanadische Bank nicht«, sagte ich, »wenngleich seine Verbindung mit ihr kein Geheimnis ist. Symposia dagegen kontrolliert er und kontrolliert er durch mich. Diese Tatsache ist alles andere als allgemein bekannt, und sie mußte um jeden Preis vor den Leuten mit Röntgenaugen und Zugang zu Publikationsorganen, und insbesondere vor Krom, geheimgehalten werden. Die Nachricht, daß zwischen dem von trendbewußten Virtuosen des schnellen Dollars bevorzugten Steuerparadies-Beratungsservice und Seiner Exzellenz Mat Tuakana, dem Idol des Volkes, Pfadfinder und Namensheiligen von Placid Island, geheime finanzielle Absprachen beständen, würde seine Chance, die internationale Lizenz zum Drucken von Geld zu bekommen, für immer zunichte machen. Und eine zweite Chance würde sich ihm nie mehr bieten.«

Ich wandte mich wieder an Yves. »Ich bin derjenige, dessen Tarnung von Krom aufgedeckt wurde, folglich bin ich auch derjenige, der die Scharte auszuwetzen, die Stellung zu halten, das Loch zu stopfen, sich auf die detonierende Granate zu werfen oder zu tun hat, was immer sonst noch erforderlich sein mag, um den Ruf Seiner Exzellenz zu wahren und zu gewährleisten, daß er unangetastet, makellos und intakt bleibt. Ja, er pflegt Leute abzuschreiben, wenn er sie benutzt hat. Hoffen wir, daß ihm das mit uns nicht gelingt.«

»Mit *uns*, Paul?« Wiederum Melanie.

Der Blick, mit dem ich sie bedachte, war ebenso unfreundlich wie ihrer. »Ich glaube, es ist an der Zeit, Ihnen, falls Sie das noch nicht wissen sollten, zu eröffnen, daß Sie *beide* von Mat Williamson höchst persönlich für diese Operation handverlesen worden sind. Und wenn Sie meinen, daß es keine sonderliche Auszeichnung darstelle, von dem großen Mann persönlich für diesen Auftrag ausersehen worden zu sein, so befinden Sie sich im Irrtum. In Ihrem Fall zumindest, Melanie, wurde die Wahl mit allergrößter Sorgfalt getroffen. Um das zu beweisen, werde ich Ihnen jetzt eine telefonische Unterhaltung zu Gehör bringen, die ich soeben mit Frank Yamatoku geführt habe. Er ist Williamsons linke Hand, Melanie. Deswegen war ich auch etwas beunruhigt, als Sie mir sagten, daß Sie ihm unseren Kommunikationscode gegeben haben.«

Yves flüsterte »Merde!«, als wäre das ein Gebet.

Sie starrte mir ungerührt aufs Kinn. »Ein fähiger Operationsleiter hätte die Standard-Sicherheitsregelungen überprüft, bevor er das Team in die Pflicht nimmt.«

Ich hatte nicht die Absicht, darüber mit ihr zu diskutieren. »Als ich Williamsons Londoner Relaisstation von hier aus anrief, ließ ich ihm ausrichten, ich bäte um seinen persönlichen Rückruf. Statt dessen rief Yamatoku zurück, und es klingt, als telefoniere er von einem örtlichen Apparat unweit von hier. Hören Sie sich das an.«

Sie hörten es sich an. Sie hörten sich die ganze Sache dreimal an. Zwischen den Playbacks beantwortete ich Fragen so wahrheitsgemäß, wie es mir unter den gegebenen Umständen angezeigt zu sein schien.

Wer, zum Beispiel, waren Kleister, Torten und Vic?

»Nein, sie sind, so sehr der Anschein dagegen sprechen mag, *keine* Schlappseilnummer aus einem drittklassigen Wanderzirkus. Von Komik kann bei diesen dreien beim besten Willen nicht die Rede sein. Es sind alte geschäftliche Rivalen, die ihren Groll gegen mich wegen der Schlappen, die sie einstmals bei ein paar großen Abschlüssen einstecken mußten, noch immer hegen und pflegen. Die sagen, ich hätte sie ausgetrickst. Sie wissen, wie das mit Verlierern so geht, zumindest mit *einigen* Verlierern. Die denken, daß Gewinner nur durch Gaunerei gewinnen und es daher recht und billig ist, wenn Verlierer ihrerseits Gaunermethoden anwenden, um sich zu rächen. Wir sollten versuchen, Mitleid für die armen Wichte zu empfinden.«

Natürlich glaubten weder Melanie noch Yves auch nur ein Wort von dieser Rührstück-Version der Fakten; aber sie akzeptierten deren wesentliches Element. Es war mehr als wahrscheinlich, daß frühere Opfer mir auflauerten. Aber womit auflauerten?

Wie real war die in Yamatokus Bemerkung enthaltene Drohung, K's, T's und Vic's lustige Jäger könnten ›über das Ziel hinausschießen‹? Verdiente solch martialisches Schnurrbartgezwirbel ernst genommen zu werden?

Ich sagte ihnen, wer es mit Mat Williamson zu tun habe, müsse alles ernst nehmen, aber nichts für bare Münze. Im Rahmen unseres Kriegsrats könne jedoch von ein paar als gesichert geltenden Annahmen ausgegangen werden.

Unter solchen alten Bekannten von mir, die ihre Gründe hatten, mich nicht zu mögen, seien K, T und V nicht wegen ihrer Fähigkeit ausgewählt worden, soweit es mich betraf,

Zurückhaltung zu üben – es war bekannt, daß K und T schon vor Jahren gedroht hatten, mich umzubringen –, sondern weil sie ungeachtet ehedem erlittener Unbill noch immer sowohl reich als auch verrückt genug waren, ein Team professionell harter Männer anzumieten, das Weisungen ausführte, die Mat billigte. Wenn es um die Realisierung einer von ihm verfolgten Politik ging, die mit der Verauslagung einer auch nur mäßigen Summe Bargeldes einherging, sorgte Mat stets dafür, daß jemand anders die anfallende Rechnung begleichen mußte. Er hatte von K, T und V gewußt, weil ihre Dossiers im Inventar von Carlos Beratungs-Kontenführung, das ich geerbt hatte, verzeichnet waren; Dossiers, die ich Mat später im Zuge unserer Generalvereinbarung transferierte.

Ja, Mr. Yamatokus Feindseligkeit war seiner Stimme deutlich anzuhören. Bedauerlicherweise muß die Idee, daß Frank lediglich seiner persönlichen Abneigung gegen mich freien Lauf gelassen haben könne, so beruhigend sie gewesen wäre, verworfen werden. Zweifellos hatte er es genossen, mir seine schlechten Nachrichten übermitteln zu können; aber er hatte sie nicht erfunden. Bestimmt hatte er unsere Unterhaltung auf Band aufgenommen, wie auch ich es meinerseits getan hatte, aber *sein* Band würde Mat vorgespielt werden müssen. In Anbetracht solch hyperkritischer Zuhörerschaft, einer Zuhörerschaft, die es sich angelegen sein ließ, jede Nuance im Tonfall auszuwerten, würde Frank es nicht gewagt haben, von den Weisungen, die ihm erteilt worden waren, abzuweichen.

In mir wuchs die Überzeugung, daß Frank ein sorgfältig vorbereitetes, alle Eventualitäten abdeckendes Script vor sich liegen gehabt hatte, als er mit mir sprach; aber noch war ich nicht an dem Punkt angelangt, wo ich bereit gewesen wäre, Mat Williamson irgend jemand anderem als mir selber begreiflich zu machen oder auch nur den Versuch dazu zu unternehmen.

Es gab da etwas anderes, dessen ich mir zuvor sicher sein mußte.

Inzwischen, so dachte ich mir, mochte es ratsam sein, Melanie wieder auf meine Seite zu ziehen.

»Sie hatten recht«, sagte ich; »ich hätte die Standard-Sicherheitsregelungen überprüfen sollen, bevor ich sie Ihrer Sorgfalt anempfahl. Ich bitte um Vergebung. Aber jetzt, glaube ich, wird es Zeit, daß wir anfangen, Entscheidungen zu treffen.«

»Entscheidungen darüber, ob Sie seinen freundschaftlichen Ratschlag annehmen sollten oder nicht, Patron?« Yves hatte den kleinen Kassettenrecorder an den Abhörverstärker angeschlossen und sich meine Unterhaltung mit Frank über Kopfhörer zurückspielen lassen. Er drückte auf eine Taste. »Was bedeutet das hier?«

Franks Stimme kam über den Monitor-Lautsprecher: »*Er hält trotz allem noch immer viel von Ihnen, Paul, und er möchte Sie noch immer schützen, wenn Sie ihm nur die Gelegenheit dazu geben.*«

Yves stellte das Gerät ab. »Trotz *allem*, Patron? Trotz welchem ›allem‹?«

»Er meint, daß er mir die Unannehmlichkeiten vergibt, die ich ihm dadurch bereitet habe, daß es mir vor Jahren unterlief, von einem niederländischen Kriminologen vor einem schweizerischen Krematorium gesehen zu werden.«

»Mir ist es ernst, Patron.«

»Ich habe nicht gescherzt. Das ist schlicht und einfach Mat Williamsons Art, mich wissen zu lassen, daß ich das bin, was Sie ›abgestoßen‹ nennen.«

»Und *dies*?« Er hatte das Band im Vorlauf weiter abspulen lassen. »Was bedeutet *dies*?«

Wiederum Franks Stimme. *»Das ist, bitteschön, natürlich nur ein Ratschlag, Paul. Er hat vor Ihnen als seinem alten Boss noch immer zuviel Respekt, um Ihnen da etwa Vorschriften machen zu wollen. Er bittet Sie lediglich, einen freundschaftlichen Rat zu beherzigen.«*

»Das wurde hineingebracht«, sagte ich, »mit der Idee, es schwierig für mich zu machen, das Band Krom vorzuspielen. Franks Idee, vermutlich. Ich würde sagen, Mat hat es ihm durchgelassen, um ihn bei Laune zu halten. Er selber würde sich nicht die Mühe genommen haben. Er weiß, daß ich Krom das Band abhören lasse.«

Melanie schrie ihren Protest geradezu heraus. »Und ihm damit einen weiteren Anlaß liefern, Sie einen Lügner zu nennen? Während Sie mit Yves hier oben waren, haben die über Sie geredet, als sei ich gar nicht dabei gewesen. Nichts von dem, was wir uns überlegt und wovon wir gehofft hatten, daß sie es glauben würden, hat sie überzeugt. Wissen Sie, wie Dr. Connell Sie nennt? ›Die graue Eminenz‹, so nennt er Sie! Paul, Sie werden es jetzt nie mehr hinkriegen mit Krom und diesen anderen. Mit Ihren Leugnungen der Wahrheit haben Sie sich selber ins Gesicht geschlagen. Sie haben mit Ihrer Amoralität geprahlt, damit, daß alles, was Sie sagen, Lüge sei, und die sind bereit, in aller Rechtschaffenheit zu glauben, daß Sie wenigstens in diesem Punkt die Wahrheit gesagt haben. Die haben sich ihre Meinung gebildet, und was immer Sie jetzt noch tun können, ändert daran nichts mehr.«

Es kostete mich einige Anstrengung, nicht aus der Haut zu fahren. »Die Situation ist jetzt eine gänzlich andere.« Ich machte eine Pause, um noch etwas mehr von dem aufwallenden Ärger hinunterzuschlucken. »Haben Sie es denn nicht begriffen? Ist der Groschen noch nicht gefallen?«

Yves ließ ihr keine Chance, etwas zu erwidern. Ihm machte eine Befürchtung anderer Art zu schaffen. »Sie haben die Frage noch nicht beantwortet, die ich Ihnen gestellt habe, Paul. Nehmen Sie Mr. Williamsons freundschaftlichen Rat an oder nicht? Oh, ja, die Situation ist jetzt ein bißchen verändert, aber es gibt nach wie vor nur einen Ausweg aus ihr. Diese Hunde da draußen sind dort nicht postiert worden, bloß um Sie zu veranlassen, London anzurufen. Wir sind zum Abschuß freigegeben. Ich fühle das.«

»Damit könnten Sie recht haben.«

»Dann lassen Sie uns tun, was ich gesagt habe, Paul. Denken wir nicht an die Gäste. Das Ganze war ohnehin ihre Idee, und auf sie kommt es jetzt nicht mehr an. Wir sollten an uns selber denken. Keine Konsultationen. Keine Diskussionen. Wir passen den richtigen Moment ab, wir nehmen den Leihwagen, wir hauen ab und gehen auf Tauchstation, und da bleiben wir, bis dieses Nest von Ihren eigenen bezahlten Schweinehunden desinfiziert worden ist.«

Ich versuchte zu sagen, was gesagt werden mußte. »Das funktioniert nicht, Yves. Es gibt keinen richtigen Moment, den wir abpassen könnten. Zum einen würden wir es denen da draußen zu leicht machen, zu leicht, einen Unfall zu inszenieren. Sie wissen schon, einen von diesen Unfällen, bei denen alle Insassen eines kleinen Wagens hopsgehen, wenn er auf der Corniche von der Fahrbahn abkommt. Das passiert sowieso jeden Tag, und ganz ohne Nachhilfe. Niemand würde Verdacht schöpfen.«

Er rammte seinen rechten Ellenbogen in die Handfläche

seiner Linken. Dann zielte er mit dem Zeigefinger auf mich.

»Paul, ich garantiere Ihnen, wenn *ich* fahre, bringt sich jeder zu Tode, der uns von der Straße abzudrängen versucht – *jeder*, und wenn es ein italienischer Kidnapfahrer ist –, bevor er auch nur einen Kratzer in unseren Lack geschrammt hat. Diese kleine Knatterkiste ist nicht schwer, aber sie hat eine gute Straßenlage, und auf diesen Strecken hier reicht das aus. Mit mir am Steuer reicht das aus, um uns aus dieser Fliegenfalle raus- und freizubekommen, uns schnell und sicher auf unsere Tauchstation zu bringen. Paul, ich *garantiere* Ihnen das!«

Ich sah Melanie an.

Sie zuckte verdrossen die Achseln.

Mein Blick wanderte zu Yves zurück. Er dachte, ich versuche noch immer, mir schlüssig zu werden, und wiederum schnellte der Zeigefinger hervor, der sich diesmal starr hin und her bewegte, um verbliebene Zweifel zu vertreiben.

»Sie trauen es mir nicht zu, wie?«

Ich sagte: »Unsere Relaisstation war das Hotel in Turin. Wissen Sie noch?«

»Ja, und?«

Er hatte noch nicht einmal angefangen zu begreifen. Es war möglich, daß er im Geist noch immer makellose Schleuderkehren in den Haarnadelkurven der Corniche vollführte, während der Gegner radschlagend den Abhang hinunterstürzte und in Flammen aufging. Ein guter Techniker, Yves, aber ein unverbesserlicher Romantiker. Es blieb nichts anderes übrig, als deutlicher zu werden.

»Yves«, sagte ich, »es tut mir leid, aber diese Fliegenfalle *ist* die Tauchstation.«

Seine entsetzte Miene war von der vorhersehbaren

Sorte, und ich verschwendete keine Zeit darauf, ihn zu beruhigen. Ich wußte zu diesem Zeitpunkt, wie es um uns stand. Ich wußte mehr oder weniger auch, was ich zu tun hatte, um das Blatt zu wenden.

»Ein bemerkenswerter Mann«, sagte Krom, »bemerkenswert in jeder Hinsicht.«

Er wußte alles über Mat Williamson oder glaubte doch, alles über ihn zu wissen, und hatte seine Zeugen über ihn ins Bild gesetzt. Von Frank hatte er jedoch nie gehört. Ich buchstabierte Yamatoku für ihn. Sie schrieben sich den Namen auf, und dann gingen wir alle ins Eßzimmer.

Ich ließ das Band zweimal ganz ablaufen. Während des zweiten Playbacks machten sich sowohl Krom als auch die Zeugen Notizen. Schließlich lehnte Krom sich in seinem Stuhl zurück und sah Henson fragend an.

»Irgendwelche Anmerkungen, meine Liebe?«

Sie drückte ihre Zigarette aus. »Nur ganz banale, fürchte ich. Eine zwielichtige Figur namens Vic ist dem von Kleister und Torten angeführten Ensemble hinzugefügt worden. Es sollte mich nicht wundernehmen, wenn er, als Teufel kostümiert und eingehüllt in Schwefeldämpfe, in einem späteren Diskussionspapier auftauchen würde.«

»Ein skeptischer Unterton ist unüberhörbar.« Er nickte wohlwollend und sah Connell an.

»Ich hatte genau denselben Gedanken, Herr Professor. Und noch einen oder zwei weitere.« Connell konsultierte seine Notizen. »Dieser Mr. Yamatoku, zum Beispiel. Seine Aussprache klingt amerikanisch – er könnte, was sie betrifft, aus meinem eigenen Bundesstaat kommen –, und ich bin sicher, wenn wir der Sache nachgehen, finden wir heraus, daß der Placid-Island-Banker, Williamson, einen Nisei*-Buchprüfer dieses Namens in seinem Mitarbeiterstab hat. Aber damit wäre die Frage der Herkunft nach wie vor ungeklärt. Ist der Frank-Darsteller in dieser Frank-und-Paul-Show, die wir uns angehört haben, der echte, der wahre Yamatoku, oder ist er irgendeine vom alten Boss hier eingewiesene Charge, die Sätze abzulesen hat? Ich nehme übrigens an, daß die Sätze verschlüsselte Bedeutungen enthalten, die uns erst später offenbart werden sollen. Es gibt da – um nur ein Beispiel zu nennen – eine Anspielung auf den Polosport, die zum gegenwärtigen Zeitpunkt keinerlei Sinn erkennen läßt.«

»Weiterer Skeptizismus, fürchte ich, Mr. Firman.«

Kein Geschnatter mehr jetzt, keine dick aufgetragenen Sarkasmen. Irgend etwas war mit Krom geschehen, während wir weg waren. Ich vermutete, daß die Zeugen, von Yves' Ausbruch auf der Terrasse beeindruckt, sich mit ihrem Anführer zusammengesetzt und ihn davon überzeugt hatten, daß er mehr aus uns herausbekommen würde, wenn er seinerseits weniger Lärm machte.

Henson täuschte artig vor, eine plötzliche Eingebung gehabt zu haben. »Jetzt frage ich mich aber! Warten Sie mal! Wenn Mr. Firman London anrufen und prompt seinen Gegenanruf bekommen konnte, können wir doch sicherlich das gleiche tun. Natürlich können wir nicht gewiß sein, daß der Mr. Yamatoku – habe ich den Namen richtig mitbekommen? –, mit dem wir gesprochen haben, auch wirklich der echte Artikel war, aber wir müßten eigentlich imstande sein, die Darsteller-Theorie zu testen. Nur ein

---

* In den Vereinigten Staaten geborener und aufgewachsener Nachkomme japanischer Einwanderer (A.d.Ü.)

sehr guter könnte in diesem salbungsvollen Erweckungs-
prediger-Tonfall improvisieren.«

»Ich hatte angenommen, einer von Ihnen, die Sie ja
Experten sind, würde bemerkt haben, daß es sich um ein
Ortsgespräch handelte«, sagte ich. »Wollen Sie es ihnen
bitte erklären, Yves?«

Yves tat es.

Sie hörten ruhig und aufmerksam auf eine Art und
Weise zu, die mir nicht behagte. Kroms naturwüchsige
Ungeschliffenheit und die schmeichlerische Kriecherei der
Zeugen waren empörend gewesen, und gewiß abträglich
für meinen Blutdruck, aber sie hatten ihren psychologischen
Nutzen gehabt. Sie hatten es mir ermöglicht, die Aussicht
darauf, daß er und seine Zeugen in naher Zukunft eines
gewaltsamen Todes sterben würden, nur mit einem Pro-
forma-Bedauern ins Auge zu fassen. Auf diese Weise hatte
ich den Kopf einigermaßen freibehalten, um mich darauf
zu konzentrieren, das gleiche Schicksal zu vermeiden. Die
neue Höflichkeit war nicht nur beunruhigend und daher
schädlich, sondern auch heimtückisch deprimierend. Als
Yves sich anschickte, in die Einzelheiten zu gehen, schnitt
ich ihm das Wort ab.

»Sie haben natürlich ganz recht, Dr. Henson«, sagte ich;
»mit Mr. Yamatoku zu sprechen, sofern Sie das könnten,
wäre nicht gar so hilfreich für Sie. Im übrigen hatte ich, als
ich Sie bat, sich diese außerordentlich kompromittierende
Unterhaltung anzuhören, nicht die Absicht, irgend jemandem von Ihnen etwas zu beweisen. Es geschah, um mir selber Ärger zu ersparen. Wenn Sie nur einen Augenblick lang
davon ausgehen könnten, daß der Mann, mit dem ich auf
dem Band da spreche, Yamatoku ist, und ›unser Freund‹,
von dem er spricht, sein Arbeitgeber Mat Williamson,

würde ich versuchen, Ihnen ohne zeitraubende Umschweife zu erklären, was vorgegangen ist und die Situation radikal verändert hat. Einverstanden?«

Connell redete an mir vorbei mit Krom. »Das müssen Sie unserem Gastgeber schon lassen, Herr Professor. In seinen Anspruch auf Nummer-Zwei-Status legt er alles rein, was er hat. Er gibt sich *wirklich* mehr Mühe. Das mit den heimlichen Spähern und den Bomben bei Nacht funktionierte nicht, also sind jetzt Drohanrufe finsterer Orientalen und plötzliches Knallen mit hypothetischen Peitschen an der Reihe – alles fabelhafte Sachen. Aber ich finde, sie veranlassen einen dazu, sich Gedanken darüber zu machen, welcher Art Therapie er sich wohl unterzogen haben könnte, und auch über deren Qualität. Einige von diesen ›Grausamkeit-ist-menschlicher‹-Gruppen, die derzeit von sich reden machen, fügen dem Geist anhaltenden Schaden zu.«

Krom krümmte sich unter der Pein, ein ernstes Gesicht zu wahren, und zeigte mir dann seine Zähne, als hätten sie auf einmal angefangen, ihm allesamt wehzutun. »Sie müssen unsere Schwierigkeiten verstehen, Mr. Firman. Wenn wir Sie nicht gar so ernst nehmen, wie Sie genommen zu werden wünschen, haben Sie sich das nur selber zuzuschreiben.«

»Das ist schon in Ordnung«, sagte ich gleichmütig; »ich bin froh, daß Sie so guter Dinge sind. Das mag helfen, die Neuigkeiten, die ich Ihnen mitzuteilen habe, annehmbarer zu machen.«

»Die Peitschenknallerei könnte ich Ihnen nachsehen«, sagte Henson; »was *ich* ermüdend finde, das ist die falsche Biederkeit.«

Krom tarnte ein unwillkürliches Kichern mit einem

glucksenden Laut vorgeschützter Mißbilligung. »Wenn Mr. Firman soviel Einfallsreichtum mobilisiert, um die Einhaltung unserer Abmachungen zu umgehen, sollten wir ihm lieber Beifall klatschen, als uns über ihn lustig machen. Seid artig, Kinderchen, *bitte*.«

Yves regte sich, und ich nahm an, daß er im Begriff war, etwas zu sagen, das obszön genug war, um sogar die ›Kinderchen‹ zu schockieren. Ich konnte es ihm nachfühlen, aber ich brauchte seine Unterstützung nicht und schnippte mit den Fingern, um es ihn wissen zu lassen. Im selben Augenblick stand ich auf, als schicke ich mich zum Weggehen an, und blieb nach ein paar Schritten stehen, so daß Krom gezwungen war, sich unbeholfen im Sessel umzudrehen, wenn er mir ins Gesicht sehen wollte.

»Als ich Sie bat, sich das Tonband anzuhören, sprach ich davon, unser Abkommen erneut auszuhandeln«, sagte ich. »Fraglos war das übermäßig taktvoll. Vielleicht ermöglicht es Ihnen, Ihre Belustigung zu zügeln, wenn ich Ihnen sage, daß wir kein Abkommen mehr *haben*. Das in Brüssel getroffene ist jetzt null und nichtig. Worüber wir nach wie vor diskutieren *können*, wenn Sie wollen, das ist die Frage, wieviel Ihnen von Ihrer Fähigkeit, mich zu erpressen, verblieben ist, und wieviel mir von meiner Fähigkeit, Sie zu schützen, übriggeblieben ist.«

»Wovor zu schützen?«

»Vor den Folgen, die sich daraus ergeben, Mat Williamson zu bedrohen. Er ist Erpressern gegenüber nicht so tolerant wie ich.«

»Ich habe von Ihrem Mr. Williamson gehört, wie ich Ihnen bereits sagte, aber ich kenne ihn nicht persönlich. Und ich bin, wie Sie ganz genau wissen, auch kein Erpresser.«

»Was genau Sie sind, Herr Professor, und in welcher Lage Sie sich infolgedessen jetzt befinden, das sind Dinge, die erneuter Überprüfung bedürfen. Wollen Sie Ihre Zeugen hinausschicken, oder macht es Ihnen nichts aus, wenn sie uns über die unappetitlichen Einzelheiten unseres Kuhhandels reden hören?«

Er ließ noch ein paar Zähne mehr sehen. »Sie verschwenden Ihren Atem, Mr. Firman. Ich lasse mich nicht provozieren. Meine jungen Freunde sind mit den Problemen der Researchtätigkeit auf diesem Feld durchaus vertraut. Warum sollten sie nicht die Einzelheiten hören?«

»Nun gut. Die fundamentale Drohung, die Sie gegen mich vorbrachten, bestand darin, daß Sie, sofern ich die diversen Dinge, die zu erklären und zu tun Sie von mir verlangten, nicht erklärte und tat, die – ich zitiere – Symposia-Verschwörung aufdecken würden. So nannten Sie es. Stimmt's?«

»So nenne ich es noch immer.«

»Dann, Herr Professor, müssen Sie noch immer eine ebenso große intellektuelle und akademische Niete sein, wie Sie es waren, als Sie auf dieses Schlagwort verfielen.«

Ich wartete seine Reaktion nicht ab, sondern drehte mich und ging ins Wohnzimmer hinüber. Es war mit Wanzen wohlversehen, und wenn ein Gegner unter Druck steht, ist es stets besser, ein Tonband zu besitzen, selbst wenn keine Möglichkeit zu bestehen scheint, es jemals zu benutzen. Ganz abgesehen davon schien es mir dringend geboten, ihn aus dem Gleichgewicht zu bringen. Deswegen ging ich weg, nachdem ich ihn beleidigt hatte. Eine solche doppelte Provokation ist wirklich schmerzhaft.

Als das empfand er sie zweifellos. Er kam gerannt. Die anderen folgten ihm, aber er wartete nicht auf sie, bevor er zum Gegenangriff überging. Er war zu aufgebracht, um zu warten.

»Sie werden Ihre Korruption nicht los, indem Sie sie mir anzuhängen versuchen«, fuhr er mich an. »Da können Sie jeden Polizisten fragen! Verteidigung durch Projektion ist unter Kriminellen üblich.«

»Sie ist üblich in allen Schichten der Bevölkerung, Herr Professor, Kriminologen eingeschlossen. Ich habe Sie eine Niete genannt. Ob Ihnen das paßt oder nicht, ich beabsichtige, Ihren Zeugen zu erklären, warum ich das getan habe.«

Ich machte eine Pause, als wollte ich seinen unausgesprochenen Protest zurückweisen, bevor ich weitersprach. »Symposia ist eine Organisation, die sich auf strikt legale Weise mit Steuervermeidung befaßt. Indem Sie ihren Namen mit dem Wort ›Verschwörung‹ koppelten, einem ungenauen, aber emotional wirksamen Begriff, der mit Assoziationen von Ungesetzlichkeit aufgeladen ist, kreierten Sie eine sachlich gegenstandslose, aber potentiell tödliche Verleumdung. Sie haben Ihre Gabe verschwendet, Herr Professor. Sie hätten Politiker werden sollen.«

Sein gottergebener Märtyrerblick veranlaßte Henson, ihm beizuspringen. »Wenn sie gegenstandslos war, warum sollte sie Sie dann so erregt haben?«

Ich schenkte ihr mein bestes Lächeln. »Wie sagte doch Ihr Professor Langridge? ›Scheint mehr mit Journalismus zu tun zu haben als mit Gelehrsamkeit‹, nicht wahr? Irgend etwas in der Art, glaube ich. Ich frage mich, was er gesagt haben würde, wenn er seinen Kollegen damit hätte drohen hören, er würde das ganze Verleumdungspaket Finanzblättern und Nachrichtenmagazinen zuspielen, wenn ich nicht kollaborierte? ›Kollaborieren‹ war der verwendete Euphemismus. Moralische Erpressung und Nötigung waren die Realitäten.« Ich blickte Krom wieder an. »Gestern abend räumten Sie ein, ein Erpresser zu sein. Natürlich waren Sie, wie Sie heute erklärt haben, gestern abend müde. Aber müde wovon? *Nur* von der Reise? Oder auch müde von der Heuchelei?«

Connell warf sich in die Bresche. »Sie haben die Frage noch immer nicht beantwortet, Firman. Wenn die Anschuldigung grundlos war, weshalb sind wir dann hier? Warum haben Sie ihm nicht gesagt, daß er Ihnen den Buckel runterrutschen soll?«

»Ich kann mir nicht vorstellen, Dr. Connell, daß Sie einfältig genug sind, um anzunehmen, einer Verleumdung sei immer am besten entgegenzuwirken, indem man sie ignoriert. Diese Haltung können sich nur die ganz wenigen Unverletzlichen oder diejenigen leisten, die längst darüber hinaus sind, sich darüber Gedanken zu machen, was aus ihrem Ruf wird. Im übrigen möchte ich Sie daran erinnern, daß Institute, die auf den Umgang mit dem Geld anderer Leute oder auf die Beratung hinsichtlich des Umgangs mit dem Geld anderer Leute spezialisiert sind, zu denen zählen, die durch falsche Anschuldigungen dieser Art, wie grundlos sie auch sein mögen, am verletzlichsten sind.«

»Aber in Ihrem Fall *war* die Anschuldigung nicht falsch oder grundlos.« Wiederum Henson, von Kroms Nicken abgesegnet. »Soviel jedenfalls räumte Ihr erstes Diskussionspapier ein, und das nicht nur freiwillig, sondern keck und unverfroren. Oh, ja, Sie weisen ausdrücklich darauf hin, daß Oberholzer in Ihre Prä-Symposia-Zeit gehörte, aber das sind doch bloße Haarspaltereien.«

Es fiel mir schwer, kühl zu bleiben, und es bedurfte einer entschlossenen Anstrengung, damit es mir gelang. »Lassen wir darüber keine Unklarheiten aufkommen. Was ich eingeräumt habe, das ist die Tatsache, daß ich früher einmal Verstöße gegen die schweizerischen Bankgeheimnis-Gesetze beging, indem ich mir über einen Bankangestellten vertrauliche Informationen beschaffte. Wie Sie sehr wohl wissen, ist dies ein Vergehen, das im Lauf der Jahre von Agenten und Beamten nichtschweizerischer Regierungen wieder und wieder begangen wurde. Zu ihnen haben sowohl die Regierungen der meisten Industrienationen als auch die einer stattlichen Reihe der Dritten Welt angehörender Länder gezählt. Innerhalb der internationalen Bruderschaften von Steuerfahndern, Betrugsdezernats-Spezialisten und Devisenkontrollbeamten außerhalb der Schweiz wird das Vergehen etwa so ernst genommen wie falsches Parken. Zudem muß ich Ihnen offenbar ins Gedächtnis rufen, daß ich weder in der Schweiz noch sonst irgendwo jemals zu einer Vernehmung vorgeladen, geschweige denn von einem Gericht verurteilt worden bin.«

Connell ließ eine weltschmerzliche Schluß-mit-dem-Drumherum-Gerede-Solonummer vom Stapel. »Bitte, Mr. Firman. Wir haben es bluten sehen. Wie wär's, wenn Sie uns jetzt mal die Wunde zeigten? Sie sagen, alles, was Sie gekriegt haben, ist ein Strafzettel wegen unerlaubten Parkens. Und doch tun Sie um der Ehre der guten alten Symposia willen, als seien Sie wegen Mordes ersten Grades gebucht. Ich *bitte* Sie! Der Verschwörungscharakter der Symposia bezieht sich nicht auf Parksünden. Er bezieht sich auf eine mit Erpressermethoden arbeitende Bande von Großschiebern, die sich hinsichtlich der Zurichtung ihrer prospektiven Opfer auf eine geheimdienstähnliche Organisation stützt, welche ihrerseits als Steuerparadies-Anlageberatung getarnt ist und, was das Beitreiben ihrer Blutgelder betrifft, auf ein Netz illegaler Mahnbüros, die von internationalen Kommunikationssystemen ungesetzlichen Gebrauch machen. Das ist es, was Professor Krom auszuleuchten vorhatte, und das ist es, was er noch immer auszuleuchten beabsichtigt. Alles, was er Ihnen angetan hat, war, Ihnen einen Kuhhandel von der Art zu offerieren, wie sie die Vertreter des Gesetzes überall in der ganzen Welt Gaunern seit eh und je offerieren. ›Mach den Informanten, und wir nehmen es mit der Anklage nicht so genau. Bleib stur, und wir zeigen dir, was 'ne Harke ist.‹ Zu Anfang haben Sie sich an die Abmachungen gehalten, und jetzt versuchen Sie zu mogeln. Unnötig, sich deswegen zu entschuldigen. Wir können uns vorstellen, wie das ist. Aber verschonen Sie uns mit dem unsinnigen Gerede über Strafzettel wegen unerlaubten Parkens. Okay?«

Ich brachte es nahezu ohne Anstrengung fertig, zu lachen. »Als Sie Ihr Buch über das organisierte Verbrechen schrieben, Dr. Connell, war das etwa die Art Sprache, die Sie den dümmlicheren Distriktanwälten und den überdurchschnittlich reaktionären Polizeibeamten in den Mund legten. Sie enttäuschen mich.«

»Hübsch pariert, Mr. Firman«, sagte Henson; »aber daß Sie lesen konnten, wußten wir schon.«

Ungeachtet ihres selbstgewissen Tonfalls waren ihr inzwischen diverse Zweifel gekommen, und Krom hatte das bemerkt.

»Er gräbt sich nur sein eigenes Grab, meine Liebe. Die Arbeit wollen wir ihm doch nicht abnehmen.« Er versuchte, das so klingen zu lassen, als sei er ganz entspannt, aber er zeigte so gut wie keine Zähne, und seine Augen hatten den wachsamen Ausdruck, den ich zuerst in Brüssel gesehen hatte, als er es mit der Angst vor mir bekam; diesmal jedoch hatte er es nicht mit der Angst vor dem bekommen, was ich möglicherweise tun würde, sondern vor dem, wovon er ahnte, daß ich es möglicherweise sagen würde.

Er hatte zwei Monate Zeit gehabt, um die Euphorie seines Brüsseler Sieges über mich zu vergessen und sich zu fragen, warum dieser Sieg so leicht zu erringen gewesen war.

Jetzt fand ich eine boshafte Genugtuung darin, ihn nicht zu beachten und seinen Zeugen die Antworten zu geben, auf die er so begierig wartete. Außerdem waren sie erfreulicher anzusehen.

Ich sagte: »Sie haben mich gefragt, warum ich, wenn diese angedrohte Verleumdung jeder Grundlage entbehre, Freund Krom, ihrem Erfinder, nicht gesagt hätte, er solle tun, was er nicht lassen könne, und in drei Teufels Namen veröffentlichen. Eine Antwort darauf habe ich Ihnen bereits gegeben. Alle Gerüchte, die ein Kein-Feuer-ohne-Rauch-Gerede in Gang setzen, können auf die eine oder andere Weise kostspielig sein. Man zahlt aus dem gleichen Grund, aus dem große Gesellschaften Störaktionen häufig außergerichtlich beilegen. Auf lange Sicht mag es billiger sein, zu zahlen als über Recht oder Unrecht zu streiten. Ich hätte Ihnen noch eine zweite Antwort geben können. Falls wir zum Äußersten gedrängt worden wären, hätten wir den Bluff des Professors platzen lassen und seinen Verleger warnen können, daß es sich hier um eine Quelle handele, die den üblicherweise gewährten Schutz der Anonymität nicht beanspruchen könne, weil eben diese Quelle bereits versucht habe, *uns* die Geschichte zu verkaufen. Auf diese Weise hätten wir uns auf rechtlich ausreichend gesichertem Boden bewegt. Wir haben uns für diesen Weg nicht entscheiden wollen, weil er mit einem für uns nicht akzeptablen Risiko verbunden gewesen wäre.«

»Aha!« rief Krom.

Ich hielt es für nicht der Mühe wert, ihm zu sagen, daß seine Erleichterung vorschnell war, sondern fuhr, an die Zeugen gewendet, unbeirrt fort. »Unter all dem Hörensagen, dem Klatsch, den Unterstellungen und schlichten Unwahrheiten, die zusammengerührt wurden, um den Verschwörungs-Unsinn zu stützen, gab es einen oder zwei Tatsachenkomplexe. Das meiste war unwesentlich oder irrelevant. Einer war es nicht. Ich spreche vom Placid-Island-Material.«

»Was ist daran so bemerkenswert?« rief Connell aus. »Placid ist typisch. Die meisten seiner natürlichen Ressourcen sind längst ausgebeutet worden. Die einzige Zukunft, die ihm noch bleibt, ist die, ein Steuerparadies-Vorposten mit einigen wenigen Geschäftshochhäusern zu werden. Sein einziger sonstiger Aktivposten scheint dieser Williamson zu sein, den Sie erwähnten – ein Banker und überdies ein Wirtschaftsexperte mit solidem akademischem Hintergrund, der noch dazu auf dieser elenden Insel geboren ist. Professor Krom bemerkte, daß Symposia Placid Angebote gemacht und versucht hätte, dort eine Monopolstellung zu etablieren. War es *das*, was Sie nicht mochten?«

»Das ist, was Mat Williamson nicht mochte. Er mochte es nicht, weil Symposia nicht nur *versucht* hat, eine Monopolstellung zu etablieren, sondern sie bereits etabliert *hatte*. Die Symposia-Gruppe gehört zu achtzig Prozent Mat Williamson und hat ihm schon immer zu achtzig Prozent gehört.«

»Aber das habe ich nicht *gewußt*!« bellte Krom. Nicht daß er etwa schwer von Begriff gewesen wäre; nur sträubte sich sein Verstand noch immer, die Katastrophenwarnung zur Kenntnis zu nehmen, die angefangen hatte, die wichtigeren Zentren seines Gehirns lahmzulegen.

»Natürlich haben Sie es nicht gewußt«, sagte ich. »Praktisch niemand hat es gewußt oder weiß es *jetzt.* Die kanadische Bank, für die Mat in derartigen Angelegenheiten als Berater tätig ist, weiß es bestimmt nicht. Auch die Regierungsvertreter, mit denen die Unabhängigkeit von Placid Island ausgehandelt wird, wissen es nicht. Zu den Ignoranten zählen des weiteren Häuptling Tebuke und die Anwälte der Phosphatgesellschaft, die von Mat mit Kompensationsforderungen ausgenommen wird. Dr. Connell fragt, weshalb wir hier sind. Nun, ich werde Ihnen sagen, was ich *dachte,* weshalb wir hier seien, wenn das überhaupt noch von Interesse ist. Wir sind hier, damit *Sie,* Herr Professor, das Boot, das mir, wie ich zugeben will, zu zwanzig Prozent gehört, nicht zum Kentern bringen, indem Sie die Williamson-Symposia-Beziehung aufdecken.«

»Wie hätte ich sie aufdecken können? Wie Sie selber sagen, wußte ich nichts davon.«

Zweifellos war er noch immer in einem Schockzustand, aber es fiel mir schwer, höflich und gesittet zu bleiben. »Ich kann mir nicht vorstellen, daß Sie wirklich derart weltfremd sind. Sie müssen die Wahnvorstellung hegen, nur Wissenschaftler seien fähig, Forschung zu betreiben. Sie glauben, daß die juristischen Personen, die die Symposia-Gruppe bilden, für Sie ein offenes Buch sind, weil Sie sich alle Ihnen zugänglichen Unterlagen angesehen haben. Die weisen mich als Anteilseigner und als Sprecher anderer stimmberechtigter Anteilseigner aus. Tiefer sind Sie nie eingedrungen, weil Sie, was mich betraf, aufgrund der Tatsache, daß Sie mich vor Jahren einmal in Zürich gesehen hatten, von Annahmen ausgingen, die zu modifizieren oder gar zu überdenken Sie nicht gewillt waren. Von Mats Standpunkt aus gesehen, war das in Ordnung – solange es dabei blieb. Aber würde es das immer? Das erste, was jeder Journalist, der diesen Namen verdient, tun würde, wäre gewesen, alle Ihre Annahmen in Frage zu stellen, wie hübsch sie sich auch ausnehmen mochten. Und nachdem er sie in Frage gestellt haben würde, hätte er Wege gefunden, Antworten zu bekommen, die *seinen* professionellen Maßstäben entsprochen haben würden. Es wären nicht Ihre Wege gewesen, weil er sehr viel schneller hätte arbeiten müssen als Leute Ihresgleichen. Er hätte geduldig und hartnäckig gebohrt und gebuddelt, allerdings, aber er hätte sich dazu der Techniken bedient, die von Regierungen, je nachdem, wer was auf wessen Seite betreibt, Spionage oder Spionage-Abwehr und von Zeitungsverlegern Enthüllungsjournalismus genannt werden. Es spielt keine Rolle, wie *wir* sie nennen. Was zählt, das ist die Tatsache, daß, wenn man Ihnen erlaubte, Ihre Symposia-Lumpentüte dem Finanz- und Wirtschaftsredakteur eines Nachrichtenmagazin zu überreichen, die Information, die Mat Williams mit Symposia in Verbindung bringt, innerhalb von Tagen ans Licht gekommen und das Resultat nicht als ›Verschwörung‹ bezeichnet worden wäre. Es wäre als die ›Placid-Island-Kaperung‹ oder als noch Schlimmeres bezeichnet worden. Es wäre vom Sich-Placid-Island-unter-den-Nagel-Reißen die Rede gewesen. Begreifen Sie *jetzt*?«

Schweigen. Krom sah aus wie der Tod.

»Nun«, sagte Connell schließlich, »nichts von alldem ist passiert, und bis jetzt hat niemand das Boot zum Kentern gebracht. Was also hat sich geändert, seit Sie und der Professor Ihre Abmachung getroffen haben? Ihnen zufolge war unsere Einschätzung der Situation von Anfang an fehlerhaft. Nun gut. Und was weiter?«

»Bedauerlicherweise ist *meine* Einschätzung der Situation fehlerhaft *geworden. Das* hat sich geändert. In London scheint das Risiko, das die Entschlossenheit des Professors, auf seiner Jagd nach Informationen Erpressermethoden anzuwenden, darstellt, als nicht versicherbar beurteilt worden zu sein. Mit diesem Telefonanruf sollte uns das gesagt werden, uns allen.«

»Ich verstehe. Die beste Art, sicherzugehen, daß niemand ein Boot zum Kentern bringt, ist die, niemanden an Bord zu lassen. Dann dürfte Ihre revidierte Einschätzung der Lage vermutlich dahin gehen, daß diese Freunde von Freunden von Ihnen da draußen nunmehr beabsichtigen, uns alle umzubringen. Stimmt's? Oder soll dies ein selektives Massaker werden? Sind nur Sie dran? Nur wir? Einige von beiden? Was verlautbart das neue Orakel?«

Melanie sagte fröhlich: »Es ist gleich Lunchzeit.«

Der Mann der Köchin klopfte an die Tür und fragte, ob er das Eis für die Drinks hereinbringen solle oder ob wir in den Swimming-pool-Bereich hinausgehen wollten.

Ich sagte, daß wir die Drinks drinnen nehmen würden. Als wir dann zum neben dem Swimming-pool gedeckten Lunch hinausgingen, waren einige weitere Dinge gesagt und unsere Gäste nachdenklich geworden. Connell hatte mich nicht mehr gedrängt, seine Frage zu beantworten. Wahrscheinlich war er zu dem Schluß gekommen, daß ich keine Antwort wußte.

Neun

Ein paar Minuten lang schienen sie aufgehört zu haben, sich darüber Gedanken zu machen, ob man mir Glauben schenken könne und gegebenenfalls wieviel, und sich eine Frage zu stellen, von der ihre Bücher immer behauptet hatten, daß sie irrelevant sei. Gab es so etwas wie eine Ehre unter Gaunern, oder gab es sie nicht?

Konnten kriminelle Beziehungen denen gleichen, die man in Handel und Wirtschaft antraf? Waren Vergleiche, die mit dem gezogen wurden, was man über Ehen und außereheliche Beziehungen wußte, angemessen? Oder war die kriminelle ›Standard‹-Beziehung eine ausschließlich von den Gesichtspunkten des Vorteils und betrügerischen Einverständnisses bestimmte, wie ein Abkommen zwischen Politikern, von beiden Seiten ohne vorherige Warnung kündbar in dem Augenblick, da sie in irgendeiner Weise zu einer Belastung wurde?

Niemand war sehr hungrig. Henson kapitulierte schon sehr bald vor dem Loup. Ich hatte das bereits getan. Er ist ein überschätzter Fisch.

»Nach dem, was Sie uns erzählen, Mr. Firman«, sagte sie, »möchte man fast glauben, daß Sie und Mr. Williamson vor langer Zeit einmal recht gute Freunde gewesen sind.«

»Wir hatten eine langjährige und für beide Seiten einträgliche Geschäftsverbindung. Offenkundig enthielt unsere Beziehung ein freundschaftliches Element.«

»Freundschaftlich genug, um Ihre eigene Tarnung aufzugeben, damit seine eigene gegen die Ermittlungen des Professors abgeschirmt blieb. Das war *sehr* freundschaftlich, oder?«

»Im Mai schien es noch in unser beider Interesse zu sein, daß ich ihn abschirme. Vergessen Sie nicht, ich habe zwanzig Prozent. Vielleicht hat das meine Urteilsfähigkeit getrübt.«

»Und doch scheint die Tatsache, daß er Sie verrät und Ihnen das zudem auch noch sagt, Sie jetzt nicht sonderlich zu überraschen oder aufzuregen. Er betrügt Sie tatsächlich, nehme ich an. Dieses Tonband, das wir angehört haben, ist nicht zufällig eine Fälschung?«

Zwei steife Gins mit Tonic hatten Kroms Selbstgewißheit nahezu wiederhergestellt. »Sie lernen dazu, meine Liebe. Ich habe mich das gleiche gefragt.« Er sah mich aus leicht zusammengekniffenen Augen an. »*Ist* es eine Fälschung?«

»Ich wünschte, es wäre eine.«

Connells Feindseligkeit gegen mich hatte wieder ihr normales Maß erreicht. »Sie geben nicht viel auf unser Recht auf Wahrheit«, sagte er. »Wie halten Sie es mit Geschäftspartnern wie Mr. Williamson? Ich meine, wie lautet jetzt das Diktum über die Nützlichkeit der Wahrheit?«

»Carlo Lech und ich haben uns immer die Wahrheit gesagt. Das zu tun war Teil unseres gegenseitigen Respekts. Im Fall Mat Williamson gründet der gegenseitige Respekt auf Einsichten von anderer Art. Wenn hier eine Frage gestellt wird, erwägt man zunächst nicht so sehr, wie die strikt wahrheitsgemäße Antwort zu lauten habe, sondern was der Fragesteller von einem zu hören wünscht. Nein, es überrascht mich weder, von ihm verraten zu werden, noch von ihm, auf seine undurchsichtige Weise, gesagt zu bekommen, daß dem so ist. Wenn man es mit Mat zu tun hat, besteht immer die Möglichkeit, daß er einen zu täuschen oder zu verraten *versucht*. Was man tun *sollte*, ist, sicherzustellen, daß er es nicht kann. Ich dachte, ich *hätte* es sichergestellt. Aufgeregt? Eher verärgert, würde ich meinen. Mat ist ein komplexes Naturell, schwierig zu erklären.«

Er und ich waren in Singapur gewesen, als ich von Carlos Tod erfuhr.

Meine Berichte über die existierenden und potentiellen Steuerparadiese im pazifischen Raum waren geschrieben. Ich wartete auf Carlos Empfangsbestätigung und, zugleich damit, auf ein Wort von ihm, das mir Absolution erteilte und mein Exil für beendet erklärte.

Er starb an einem Herzversagen im Gefolge einer Virusinfektion, laut Auskunft des Anwalts in Vaduz, der dort für unsere diversen Firmenkonstruktionen tätig war. Daß der Mann keine genaueren Einzelheiten mitteilte, war immerhin verständlich. In Italien waren Gesetze gegen Liechtensteiner Institute in Vorbereitung und Bestrebungen im Gange, gegen Staatsbürger, die große Kapitalmengen im Ausland deponiert hatten, scharf vorzugehen. Es wäre unbedacht von ihm gewesen, auch nur Carlos Büro in Mailand aufzusuchen, und höchst gefährlich, mit der Familie Verbindung zu halten. Geschäftliche Gründe, das zu tun, hätte es ohnedies nicht gegeben. Carlos auf die Seite geschafftes Vermögen wurde und wird nach wie vor von dem Mann in Vaduz und seinen Partnern einerseits und mir andererseits treuhänderisch verwaltet. Carlos invalide Ehefrau, sein Sohn und seine Tochter sind in Übereinstimmung mit den italienischen Erbschaftsgesetzen allesamt Nutznießer des formalen Testaments, das er dort aufgesetzt hatte. Die Treuhandschaften begünstigten nur die

Tochter, ihren Musiker-Gatten und vor allem Carlos Enkelsohn, Mario. Der Junge wird, wenn er herangewachsen ist, einmal sehr reich sein.

Darüber hinaus jedoch hatte Carlo, dem ersten Brief aus Vaduz zufolge, mir ein Stück wertvollen Grundbesitzes vermacht.

Diese Nachricht überraschte mich. Meine eigenen Besitzanteile in unseren gemeinsamen Unternehmungen waren bereits mehrere Millionen wert, und ich hatte das ganze Thema schon lange zuvor mit Carlo durchdiskutiert. Wir hatten beide viel Geld, das durch unsere gemeinsamen Anstrengungen verdient, aber entsprechend einer diesbezüglichen Vereinbarung verteilt worden war, die wir getroffen hatten, als Carlo von seiner Gallenblasengeschichte genas. Abgesehen von der Einhaltung des Übereinkommens, war keiner von uns dem anderen etwas schuldig außer gutem Glauben und einer einzigen Pflicht. Wenn einer von uns starb, würde der andere nach besten Kräften gewährleisten, daß die Familie des Toten versorgt und anderen privaten Verpflichtungen in angemessener Weise Rechnung getragen wurde. Um der Optik willen würde der Überlebende die Honorare erhalten und die Auslagen erstattet bekommen, die ein Treuhänder normalerweise zu beanspruchen hat.

Ein zweites Schreiben aus Vaduz teilte mir mit, daß es sich bei dem vorerwähnten Stück wertvollen Grundbesitzes um Carlos Insel handelte.

Aus meiner Überraschung war jetzt Verwirrung geworden. Trotz meiner gelegentlichen höflichen Lügen, was dieses Thema betraf, hatte Carlo stets gewußt, daß mich die Insel langweilte. Das war auch der Grund dafür gewesen, weshalb er mich dorthin geschickt hatte, um mich nach dem

Züricher Fiasko im eigenen Saft schmoren zu lassen. Mir die Insel zu vermachen hätte die Art törichter Geste sein können, die sich reiche Wohltäter zuweilen nicht nehmen lassen, um in irgendeinem alten und lächerlichen Zerwürfnis das letzte Wort zu behalten; aber Carlo war alles andere als töricht und schon gar nicht der Mann gewesen, der ein tropisches Eiland, das er geliebt hatte, an einen Tropenhasser wegschenken würde, der seinerseits nichts Eiligeres zu tun gehabt hätte, als es zu verkaufen.

Das dritte Schreiben erklärte alles. Carlos Eiland gehörte einer Grundstücksmakler-Firma auf den Niederländischen Antillen, deren Anteilscheine an Mario übergehen würden, sobald er einundzwanzig geworden war. Ich wurde gebeten, sie bis dahin treuhänderisch für ihn zu verwalten. Um mich für die Zeit und den Aufwand zu entschädigen, die es mich kosten würde, das Eiland in dem Zustand zu erhalten, in welchem es zu Carlos Lebzeiten unterhalten worden war – und wie ich es gekannt hatte, komplett mit Bedienstetenstab zu meinem eigenen Privatvergnügen –, sollte ich jederzeit freies und uneingeschränktes Verfügungsrecht über das Eiland und seine Einrichtungen haben, bis Mario alt genug war, den Besitz zu übernehmen. Unser Mann in Vaduz gab aufmerksam zu bedenken, daß es eine gute Idee sein könne, wenn ich auf meiner Rückreise nach Europa einen Abstecher auf die Insel machte, um mir dort einen Überblick über die derzeitige Situation zu verschaffen.

Carlo, Neuerer bis ins letzte, hatte einen Weg gefunden, in einem alten Streit das letzte Wort zu behalten und auf Kosten eines in die Enge getriebenen Treuhänders noch aus dem Grab heraus eine höhnische Geste zu machen.

Vaduz würde es für töricht und auch kleinlich von mir gehalten haben, wenn ich mich der Aufgabe entzogen hätte. Inseln im Karibischen Meer hatte man zu lieben, Punktum. Das gehörte sich so. Weshalb sonst reisten schließlich alle Touristen dorthin?

Der einzige mir damals nahestehende Mensch, der an dem Scherz seinen Spaß gehabt haben würde, war Mat. Scherze über Leute, die auf metaphorischen Bananenschalen ausrutschten, brachten ihn immer noch zum Lachen. Zum Glück habe ich ihm von diesem nie erzählt.

Was mich davon abhielt, war nicht Vorsicht gewesen, sondern die Reihenfolge, in der die Dinge damals abliefen. Mat hatte von Carlo und von meiner Verbindung mit ihm bereits gewußt – *wie* er davon hatte erfahren können, habe ich nie herausbekommen –, bevor wir einander auf den Neuen Hebriden begegneten. Der einzige Trost war für mich gewesen, daß er mir von der Lech-Oberholzer-Operation erzählt hatte, während er mich noch immer für einen windigen Charakter namens Perrivale (Perry) Smythson hielt, den er über gewisse Lücken auszuhorchen versuchte, die das anglo-französische Condominium-Gesetz angeblich aufweisen sollte. Ich hatte angefangen, ihn für einen Eingeborenen-Jungen zu halten, der erfolgreich gewesen war. Als die Sache mit unseren Identitäten geklärt und genügend Zeit zu gegenseitiger Inspektion aufgewendet worden war, hatten informatorische Erkundungsgespräche über die Möglichkeit gemeinsamer Projekte uns ein kleines Stück weitergebracht. Ich würde Carlo über unsere Gespräche berichten und seine Meinung einholen. Ein weiterer, für uns beide bequem erreichbarer Treffpunkt wurde bestimmt – Singapur. Natürlich hörte ich von Carlo nie etwas zu diesem Thema; der Virus muß bereits aktiv gewesen sein; aber sein unerwarteter Hingang rührte alles auf und beschleunigte die Entwicklung der Dinge. Ich trauerte um Carlo und brauchte Ablenkung. Als ich das nächste Mal mit Mat zusammentraf, war unser Symposia-Projekt zu einem diskutablen Vorhaben gediehen. Zu Bananenschalenscherzen hatte es bis zu jenem Zeitpunkt weder Zeit noch Anlaß gegeben.

In jener frühen Phase unserer Beziehung begegnete mir Mat mit der einem ›älteren Staatsmann‹ gebührenden Verehrung. Davon ging einiges natürlich auf Konto seiner Strategie, mir zu schmeicheln und zugleich das Gefühl zu vermitteln, alt zu sein, aber nicht alles. Ich besaß Kenntnisse, die ihm nützlich sein mochten. Er pflegte dem, was ich zu sagen hatte, mit mehr als nur vorgetäuschter Aufmerksamkeit zuzuhören, selbst wenn es mit einer Kritik seines Urteilsvermögens verbunden war. So hatte beispielsweise das Netz geschäftlicher Vereinbarungen, das er rings um den pazifischen Raum zu knüpfen bemüht war, nicht meine Billigung gefunden, und ich sagte ihm das.

Er erging sich in längeren Ausführungen über die Vakua, die durch die Abdankung alter Imperialismen entstanden waren. Es existierte ein dringender Bedarf nach unternehmerischer Qualifikation, um konstruktive geschäftliche Aktivitäten auf provinziellen Ebenen zu stimulieren, um das in Matratzen versteckte Geld herauszuholen, es für alle arbeiten zu lassen und die Nicht-Chinesen für größere Unternehmungen zu engagieren.

»Sie sind gerade dabei, entweder von ihren Bäumen herunterzuklettern«, schloß er, »oder sich aus extrem alten feudalistischen Bindungen zu lösen. *Irgend jemand* muß die Dinge für sie in Bewegung bringen.«

»Das ist genau das, was der ›Investieren-Sie-in-die-

Zukunft‹-Betrügertyp zu sagen pflegt, wenn er schließlich gefaßt wird.«

Seine Fähigkeit, unschuldig-verwirrt dreinzublicken, während er sich über seinen nächsten Schachzug schlüssig wurde, pflegte mich in jenen Tagen sehr zu beeindrucken.

»Was haben Betrüger mit mir zu tun, Paul?«

»Betrüger dieser Sorte sind strafrechtlich *ebenfalls* sehr schwer zu belangen.«

»*Ebenfalls?*«

»Diese unternehmerischen Fähigkeiten, die Sie besitzen, Mat, werden in einer Weise genutzt, die jeder Polizeibeamte sehr wohl durchschaut. Die Engländer nennen das Vergehen, Kreditgewährung unter erleichterten Bedingungen nach dem ›Heute-hier-morgen-woanders‹-Prinzip auszubeuten, ›long-firm-fraud‹. In Deutschland heißt es ›Stoßbetrug‹, in Frankreich ›carambouillage‹, und in Amerika nennen es die meisten Betrugsdezernate ›scam‹, glaube ich. Behörden in der ganzen Welt tun sich hauptsächlich deswegen schwer, Verurteilungen zu erwirken, weil sie zu wenige geeignete Buchprüfer haben, die wissen, *wonach* sie suchen müssen und *wo* sie danach suchen müssen *und* die vor allem rasch genug arbeiten können, um die schriftlichen Unterlagen sicherzustellen, bevor sie verschwinden. Sie, Mat, haben noch einen zusätzlichen Vorteil, der für Sie arbeitet, weil Sie nicht nur in inspirierter Weise von Firmengründung zu Firmengründung schreiten, sondern sich auch zwischen nationalen Jurisdiktionen hin- und herbewegen. Sie sind so gut wie nicht zu greifen, außer auf einem Gebiet.«

Das breite Lächeln. »Ich weiß nichts von Kniffen, Paul. Bitte, klären Sie mich auf.«

»Zwei Polizeibeamte verschiedener Nationalität könnten sich eines Tages zusammentun, weil sie vielleicht ein Interpol-Bulletin gelesen und bedauert haben, daß es keine Handhabe gibt, Sie mit vereinten Kräften zu erledigen. *Aber* einer von ihnen oder auch beide, je nachdem, um welche Länder es sich handelt, könnten beschließen, wegen Bruchs irgendeiner Devisenkontrollbestimmung gegen Sie zu ermitteln. Sie werden sich freilich schwertun damit und möglicherweise auf die Anklage wegen Betrugs nie eine Verurteilung erwirken, aber eines gibt es, was diese Rechtsbesessenen immer sehr rasch herbeiführen können. Sie können Bankkonten für die Dauer anhängiger Ermittlungen einfrieren lassen. Wie ich höre, kann das auf den Betroffenen wie eine sehr häßliche schleichende Krankheit wirken, die ihn am vollen Lebensgenuß hindert.«

Er tippte mir leicht auf den Arm. »Sie haben absolut recht, Paul. Das ist seit langem auch meine Ansicht, und ich bin froh zu hören, daß Sie sie teilen.« Er ließ es so klingen, als habe er mich getestet; und aller Wahrscheinlichkeit nach *hatte* er es. »Tatsächlich«, sagte er, »habe ich meinen Namen schon vor Monaten zurückgezogen, und das nicht nur, weil mir nicht zusagte, was einige der Schurken, denen ich vertraut hatte, im Schilde führten. Es waren die ortsansässigen Chinesen, die für mich schließlich den Ausschlag gaben. Das ist einer von den Clubs, deren Mitgliedern man weder in den Hintern treten noch in den Hintern kriechen kann. Die Übersee-Chinesen, das sind die geborenen führenden Geschäftsleute. Einige Leute vergleichen sie mit den Juden – Diaspora, Leben im Ghetto, Bewahrung kultureller Identität trotz Assimilation und dergleichen mehr. Ich sage, das ist ganz oberflächlich gesehen. Ich sage, daß sie der einzige multinationale Konzern sind, der niemals und nirgendwo unter irgendeinem Antitrustgesetz auffliegen wird.

Warum? Weil aus jeder einzelnen Eintragung in die Geschäftsbücher die unbeschränkte örtliche Autonomie für jedermann ersichtlich ist. Wo, bitte, ist der Konzern nachweisbar? Er ist in ihren Genen programmiert. Werde Ihnen noch was über die Chinesen verraten . . .«

Er schwieg einen Moment lang. Er hatte mehr oder weniger ungezwungen mit einem Zuhörer geredet, der von ihm als sicher klassifiziert worden war. Jetzt aber schickte er sich an, etwas zu sagen, was er für bedeutend hielt; deswegen überlegte er es sich noch einmal, bevor er es mich hören ließ.

»Paul, den Chinesen kann man keine Angst machen wie dem Rest.«

Mit ›dem Rest‹ war, wie ich später herausfand, der Rest der Menschheit gemeint.

Die Art seiner seltsamen Vorstellungen von Einschüchterung und den Techniken, Menschen zu absolutem Gehorsam zu zwingen, indem man ihnen Angst macht, wurde deutlich aus dem, was er mir dann von einem Vorfall erzählte, den er auf Java erlebt hatte. Selbstverständlich hatte er zu jenem Zeitpunkt bereits seine erste Million gemacht, und so nahm sich seine Darstellung der Begebenheit angenehm heiter aus.

»Allein schon dorthin zu gelangen war ungemein schwierig«, sagte er. »Banditen, die sich religiöse Patrioten nannten, plünderten die Dörfer, und außerhalb von Djakarta und den anderen großen Städten ging der Bürgerkrieg überall weiter. Es war gefährlich, ohne militärische Eskorte über Land zu reisen, und sei es auch nur von Djakarta nach Bandung, und keineswegs etwa absolut sicher, dies *mit* einer solchen zu tun. Alle nennenswerten Städte waren daher überfüllt. Mit bescheinigter Spitzenpriorität bekam man ein Bett, aber sonst so gut wie nichts weiter. Ein Einzelzimmer? Nur selten, sehr selten. Die Russen zählten zu den größten Freunden der Revolution, aber die sowjetische Botschaft mußte monatelang mit einem Bungalow im Hotel-des-Indes-Komplex vorlieb nehmen. In den westlichen Gebieten wurde es mit der Zeit etwas besser, aber auf Ostjava und besonders in Surabaja, Jogjakarta und Semarang blieb die Situation schwierig. Das lag daran, daß die Unentwegten auf beiden Seiten das Landesinnere noch immer als Schlachtfeld benutzten. Oh, Gott, wie ich Unentwegte hasse! Laßt Pragmatiker um mich sein!«

»Es war mir nicht klar, Mat, daß Sie sich jemals genötigt gesehen haben sollten, an diese Wahl auch nur einen Gedanken zu verschwenden.«

»Sie haben nie für eine revolutionäre Regierung gearbeitet, das ist mal sicher. Nun, ich hatte damals Spitzenprioritäts-Status, und ich kann Ihnen versichern, daß ich den immer, wenn ich in den Osten des Landes reisen mußte, benutzte, als sei ich Dschingis Khan. Ich hatte herausgefunden, daß die beste Art, in jenen Gegenden in aller Bequemlichkeit Geschäfte abzuwickeln, darin bestand, ein ausländisches Konsulat zu requirieren. Es waren mehrere verfügbar. Ausländische Konsuln saßen zu jenem Zeitpunkt natürlich keine darin, wegen der Unruhen, aber die Gebäudekomplexe und Villen waren noch da, und die alten einheimischen Dienstboten in den meisten Fällen ebenfalls. Theoretisch waren sie da, um das im Besitz befreundeter ausländischer Regierungen befindliche Eigentum zu bewachen, und genossen diplomatischen Status und Immunität.«

»Wie sind Sie damit fertig geworden?«

Er schenkte mir sein jungenhaftes Lächeln. »Dienstboten, die im Auftrag der Zentralregierung ausländisches

Eigentum bewachen, waren der Zentralregierung verantwortlich. Wenn einer der Beamten dieser Regierung beschloß, das Eigentum zu inspizieren, um zu prüfen, ob die Bewacher pflichtgemäß ihrem Auftrag nachkamen, empfahl es sich dringend für sie, zu kooperieren. Andernfalls fanden sie sich sehr rasch auf der Straße oder, wahrscheinlicher noch, im Gefängnis wieder.«

»Also kooperierten sie.«

»Ja. Aber sie waren voller Groll und Haß und überlegten sich, wie sie den Eindringling kleinkriegen könnten, diesen Mann, der ihnen plötzlich Anweisungen gab und sie zwang, zu arbeiten statt zu faulenzen, der an des Konsuls Eßtisch saß, in des Konsuls Bett schlief. Was hätten Sie an ihrer Stelle getan, Paul?«

»Vermutlich so getan, als seien Sie der Konsul, und versucht, Sie durch Liebenswürdigkeit zu töten, nehme ich an.«

»Dazu sind die fähig, und das haben sie oft getan. Aber manchmal schien ihnen die Anstrengung zuviel zu sein, und dann versuchten sie, die Oberhand zurückzugewinnen. Das ist einmal passiert, als ich in einem französischen Konsulat ›abgestiegen‹ war. Ich war bei dem Beamten, dem die Hafenbehörden unterstanden, zum Abendessen eingeladen gewesen, weil ich geschäftlich mit ihm zu tun hatte. Er wohnte in einem Häuserkomplex, der zwei Minuten vom Konsulat entfernt war, also ging ich, nach einem frühen Abendessen und kurzem Gespräch, zu Fuß zur Villa des Konsuls zurück. Sie wissen, wie diese Wohnsitze angelegt sind? Viereckiges Grundstück von vielleicht einem halben Hektar, hohe Mauer drumherum mit Stacheldraht obendrauf als optische Zugabe, Villa im Zentrum, separierte Dienstbotenunterkünfte im hinteren Teil des Anwesens,

Lücke in der Mauer fürs Tor, Auffahrt vom Tor zum Haus?«

»Ich weiß.«

»Na, als ich zum Tor kam, fand ich es unverschlossen vor. An dem Ort und zu der Zeit hätte das allein schon genügt, um mich stutzig zu machen. Außerdem hörte und sah ich Bewegung drinnen. Der Mond schien, also wartete ich am Tor, bis meine Augen sich an das Licht gewöhnt hatten und ich sehen konnte, was vor sich ging. Haben Sie viele französische Konsuln kennengelernt, Paul?«

»Nicht viele, nein.«

»Die, die ich kennengelernt habe, waren, alles in allem, keine großen Hobby-Enthusiasten. Da gab es einen, der ein bißchen so was wie ein Ornithologe war und ein Hobby aus seiner Vogelfotografiererei gemacht hatte, aber ich habe keinen getroffen, der seinen Garten sonderlich kultiviert hätte, es sei denn aus Gründen der Karriere oder rein metaphorisch. Ich nehme an, dieser bestimmte Konsul könnte eine englische Frau gehabt haben.«

»Sie werden mir schon sagen müssen, wovon Sie reden, Mat. Ich werde keinen Versuch machen, es zu erraten.«

»Das Anwesen hatte einen Rosengarten vor dem Haus.«

»Das ist keine Blume, die ich besonders schätze.«

»Aber ein englischer Rosengarten auf Java, Paul! Es war verrückt. Kümmerliche Gewächse, wie Sie sich denken können. Immerhin, da waren sie, gepflanzt ohne Zweifel gleich nach dem Abzug der Japs fünfundvierzig und von Madame Consul mit Liebe gehegt, bis der neue Krieg ausbrach und die Dienstboten das Regime übernahmen. Was ich jetzt sah, als ich im Dunkel am Tor stand, das waren ein paar von diesen Dienstboten, zwei Männer, die im Rosenbeet herumschaufelten und irgend etwas darin vergruben.

Na, was würden Sie gedacht haben, was die da mitten in der Nacht vergraben könnten, Paul?«

»Mit Ihnen als selbsternanntem Regierungsschnüffler auf dem Grundstück? Handfeuerwaffen, würde ich denken, oder vielleicht auch den Rest der alten konsularischen Bestände vakuumverpackter Gauloises Bleues.«

»Oder Munition, oder gestohlene Auto-Ersatzteile? Klar. Als ich da unmittelbar vor dem Tor stand, sie beobachtete und darauf wartete, daß sie ihre Arbeit beendeten, erwog ich alle diese Möglichkeiten, und noch andere dazu. Mir war auch klar, daß dies ein Amateurjob sein mußte, kein professionelles Ding, sonst hätten sie einen Boy Schmiere stehen lassen, für den Fall, daß ich frühzeitig zurückkäme. Als sie schließlich fertig und die Sträucher alle wieder eingepflanzt waren, mußte ich mich etwas zurückziehen, weil ihnen jetzt einfiel, daß sie das Tor offengelassen hatten, und sie herüberkamen, um es zu verschließen. Ich hörte sie über irgend etwas kichern, aber ich konnte nicht hören, worüber. Dann gingen sie weg, in ihre Unterkünfte. Sobald sie aus dem Weg waren, schloß ich das Tor auf und ging ins Haus.«

»Ohne stehenzubleiben und einen Blick auf die Rosen im Mondlicht zu werfen?«

»Die verdammten Rosen interessierten mich nicht, und sie hätten auch Sie nicht interessiert. Das Ärgerliche war, daß sie die Spaten mit sich genommen hatten. Elektrischen Strom gab es um die Zeit in der Nacht keinen, und alles, was ich mit Hilfe meiner Taschenlampe als geeignetes Werkzeug zum Graben finden konnte, war ein silbernes Visitenkarten-Tablett, das neben der Haustür auf einem Tisch lag. In der finstersten Ecke von ganz Java mit Tablett und Taschenlampe! Sind Sie mitgekommen?«

»Nach draußen in den Rosengarten, um die Geldkassette des Konsuls auszubuddeln? Doch, doch. Ich hoffe, das silberne Tablett war der Aufgabe gewachsen.«

»Das Tablett war nicht aus Silber«, sagte er rasch; »es war dubliert.« Ich wußte damals noch nicht, daß Mats Pfadfindertraining ihm eine Achtung vor dem Eigentum anderer – abgesehen von ihrem Geld, meine ich – eingepflanzt hatte, die er nie verlor. »Übrigens«, fuhr er fort, »war der Boden dort, wo sie gegraben hatten, ganz locker. Ich habe das Tablett hinterher sorgfältig abgewaschen. Es war kein einziger Kratzer darauf.«

»Wie war das mit der Geldkassette des Konsuls?«

Er atmete tief ein, um die verlorene Gelassenheit wiederzugewinnen, bevor er antwortete.

»Was sie da vergraben hatten, Paul«, sagte er todernst, »das waren die Eingeweide eines Schweins.«

Nun mochte ich in jener frühen Phase zwar von seiner Besorgnis um die Erhaltung entliehener Gegenstände oder von irgendwelchen sonstigen Nebenprodukten seines ungewöhnlichen Bildungsganges noch nicht viel gewußt haben, aber ich *hatte* bereits begriffen, daß er, wenn man ihm erlaubte, einem selbst gegenüber seinen feierlich-übernatürlichen Tonfall anzuschlagen, ohne daß man sofortige Gegenmaßnahmen traf, unerträglich herablassend werden konnte. Er hatte erwartet, mich zu überraschen, also achtete ich sehr sorgfältig darauf, ungerührt dreinzublicken.

»Woher wußten Sie, daß es Eingeweide vom Schwein waren?« fragte ich mißtrauisch. »Es hätten ja auch Eingeweide eines Schafs oder einer Kuh sein können.«

»Auf Java?«

»Na gut, vielleicht die Eingeweide von einem Ochsen.«

»Es waren die Eingeweide eines Schweins. Ich kenne mich in diesen Dingen aus, Paul. Sie können es mir glauben.«

»Okay, ich glaube es Ihnen. Na und? Getrocknetes Blut und Knochenmehl sollen guter Dünger sein. Warum nicht Eingeweide vom Schwein? Sie haben gesagt, die Rosen sahen kümmerlich aus. Die armen Kerls wollten ganz einfach Ihrer Kritik zuvorkommen, indem sie die Dinger fütterten, als sie glaubten, daß Sie längere Zeit wegblieben.«

»Und kicherten, während sie das taten?«

»Eine kulturelle Kuriosität. Anthropologischer Kram von der Art des Goldenen Zweigs. Die javanischen Bauern erachten Eingeweide als ungemein belustigend.«

Ich hatte ihn natürlich gereizt. Das war ihm jetzt klargeworden, und es mißfiel ihm. Er bedachte mich mit einem langen, finsteren Blick, bevor er fortfuhr.

»Sie waren da«, sagte er langsam, »um mich zu behexen, damit sie mich hilflos in ihre dreckigen Hände bekamen.«

»Oh.«

Sobald er einmal angefangen hatte, von Zaubersprüchen zu reden, war es sinnlos, Bemerkungen machen oder ihn unterbrechen zu wollen. Er wußte, wovon er redete, und liebte es, den Lehrer zu spielen. Wenn er bei solchen Gelegenheiten klang, als kläre er einen befremdlich zurückgebliebenen Jugendlichen ein letztes Mal über den Ernst des Lebens auf, so war das vermutlich ein weiteres Relikt aus seinen Pfadfindertagen auf den Fidschi-Inseln.

»Diese Dienstboten wußten, daß der Rosengarten dem Eigentümer viel bedeutete. Daß ich nicht der rechtmäßige Eigentümer war, machte keinen Unterschied. Als die Person, die dem Anwesen vorstand, wenn auch nur zeitweilig, hatte ich die Eigenschaften des Besitzers angenommen, seine Stärken und, vor allem, seine Schwächen. Ich war eine Gefahr für sie, weil ich gehässige Berichte über die Anzahl Illegaler schreiben konnte, die sie auf dem Anwesen versteckt hielten, um ihnen für ein Stückchen Dach und einen Unterschlupf vor dem Zugriff der Behörden das letzte Geld abzunehmen. Ich war ihnen ein Dorn im Auge, weil ich ihnen Arbeit machte, die sie nicht mehr gewohnt waren. Ich verdarb ihnen alles, ich verlangte Essen, ein gemachtes Bett, gebügelte Anzüge. Sie wollten mich weghaben, konnten mir aber nicht sagen, daß ich gehen solle. Was blieb ihnen also zu tun? Nur eines. Meine Fähigkeit, Störenfried zu sein, auf ein Minimum zu reduzieren. Wie? Indem sie die Geister der Toten veranlaßten, mich impotent zu machen. Auf welche Weise? Indem sie mich mit Hilfe meines Rosengartens entmannten. Indem sie die Verkörperung der erzürntesten und eifersüchtigsten Geister dort vergruben, wo ich verwundbar war. Begreifen Sie jetzt?«

»Hm.«

»Also was tun Sie, wenn feindselige Geister gerufen werden, um Sie zu vernichten und zu korrumpieren? Sie drehen sie um, machen Doppelagenten aus ihnen, das ist es, was Sie tun. Ha! Diese Abfall-Verscharrer kannten den Mann nicht, den sie herausforderten. Sie erfuhren es sehr rasch. Gleich am nächsten Morgen, beim Frühstück, nur um schon einmal einen Anfang zu machen. Der Butler kann es gar nicht abwarten, zu testen, ob der Zauber zu wirken begonnen hat. Also ändert er, was sie mir zum Frühstück zu servieren haben. Ich hatte Papaya bestellt. Er bringt mir Bananen. Der Augenblick der Wahrheit! Wenn ich es nicht bemerke, weil ich nicht mehr weiß, was ich bestellt habe, oder wenn ich, nachdem ich es bemerkt und mich beschwert habe, den Ersatz dennoch akzeptiere, dann fängt der Zauber an zu wirken. Ich bin vom Spuk besessen, und sie kriegen die Oberhand. Wenn ich es aber bemerke und mich beschwere und ihnen sage, daß sie die gottverdammten Bananen wegbringen und mir Papaya bringen sollen, dann müssen sie vielleicht noch ein bißchen warten. Das heißt, bis zur nächsten Mahlzeit, um mich erneut mit meinem Essen zu testen oder um zu sehen, was passiert, wenn sie mein Hemd so sehr stärken, daß ich die Knöpfe nicht durch die Löcher hindurchbekomme. Vielleicht ist der Tag ungünstig. Vielleicht müssen diese Eingeweide noch etwas reifer werden, bevor sich die Geister in ihnen wohlfühlen. Man muß der Sache Zeit lassen, was?«

»Das nehme ich an.«

»Nein, nichts da! Man versetzt den Butler auf der Stelle und umgehend in Angst und Schrecken. Man akzeptiert die Bananen nicht. Statt dessen fragt man, was man geordert hat. Man fragt ihn langsam, und während man spricht, pocht man im Rhythmus der Worte auf den Tisch. Er wird ein bißchen Angst bekommen und sagen, Sie haben zwar Papaya bestellt, die auf dem Markt erhältlichen Früchte sind aber nicht gut gewesen. Dann sprechen Sie ihn im Tonfall eines Todeszauberspruchs an – vielleicht eine Intonation nach Art des Bei-lebendigem-Leib-Aufgefressen-Werden-Geistes – und sagen ihm, daß Sie Mango bestellt haben, keine Papaya. Jetzt ist er in ernstlichen Schwierigkeiten. Er weiß nicht, was er davon halten soll, es sei denn, daß die Geister nicht auf seiner Seite sind. Und das ist nur der Anfang. Von da an sorgen Sie dafür, daß nichts von dem, was er tut, richtig ist. Sie bestellen Fleisch zum Essen, und er versucht, Ihnen Fisch anzudrehen. Sie machen ihm die Hölle heiß, sagen ihm aber, Sie hätten laut und deutlich Gemüse verlangt. Hat er etwa vor, Sie zu vergiften? Sie bestellen wieder Fleisch. Verängstigt will er klein beigeben, indem er Ihnen Fleisch bringt. Sie machen ihm erneut die Hölle heiß, und diesmal drohen Sie, die ganze Bande ins Gefängnis werfen zu lassen, weil sie Fleisch gestohlen hat, während das Land hungert. Jetzt geraten sie aber wirklich ins Schleudern, ich meine, Panik packt sie, und sie kriegen das große Zittern. Die Geister in den Eingeweiden haben sich gegen sie gewendet. Da bleibt ihnen nur noch eines zu tun, nicht wahr?«

»Die Eingeweide auszugraben und loszuwerden, nehme ich an.«

»O ja, sie werden die Uhr zurückstellen müssen, aber die Geister zu besänftigen wird nicht so einfach sein. Sie werden daran arbeiten müssen. Hart arbeiten. Tun, was ihnen gesagt wird, ohne zu versuchen, einen auszutricksen. Tun, was für sie das Natürliche ist.«

»Was wäre das?«

»Für sie? Gehorsam sein.«

Ich lächelte.

Ihm fiel sofort ein, daß der gute Pfadfinder zu jeder Zeit ritterlich ist, ein vollendeter Kavalier, der einen besiegten Gegner niemals tritt, wenn der Tölpel am Boden liegt. »Sobald sie beschlossen hatten, sich zu benehmen«, fügte er hinzu, »war ich natürlich wieder nett zu ihnen. Das ist die Art, wie Zaubersprüche wirken, wie ein Gewittersturm. Einen Augenblick lang Blitz und Donner und große Angst vor der befreienden Reinigung. Und dann, wenn die Götter und Zauberer besänftigt sind, kommt die Sonne wieder hervor.«

Das war nur einer seiner Vergleiche zum Thema Zaubersprüche und Hexerei. Eine ganze Anzahl weiterer sollte ich noch recht gründlich kennenlernen. Für mich jedoch war der Sachverhalt, den er – oft durchaus poetisch – beschrieb, lediglich eine primitivere und nur um weniges fatalere Spielart dessen, was der Bewohner der westlichen Hemisphäre heutzutage ›gamesmanship‹, eine draufgängerische Art von Obenaufbleiben, nennt. Eine tödliche Verwünschung kann auf zweierlei Weisen wirken: dadurch, daß das Opfer zu Tode erschreckt wird, oder, weil nur wenige Menschen der Angst ganz und gar widerstandslos zugänglich sind, dadurch, daß das Opfer durch Schrecken dazu gebracht wird, etwas Törichtes zu tun – zum Beispiel zu viele Schlaftabletten zu nehmen oder sich vor die U-Bahn zu werfen.

Mat war fest davon überzeugt, daß Lord Baden-Powell ein geborener großmächtiger Zauberer gewesen sei und daß seine globale Führerschaft, wäre er nicht zufällig als Engländer zur Welt gekommen, sich weit über die Grenzen der Pfadfinder-Bewegung hinaus erstreckt haben würde. Er hätte den Willen gehabt, seine überlegene Schläue und Geschicklichkeit politisch zu nutzen.

Mat hatte eine eingehende Studie von des Pfadfinderhäuptlings Verteidigung der Stadt Mafeking im Burenkrieg erstellt. B.-P. zufolge, der die Verteidiger der Stadt befehligte, war die berühmte Belagerung, die im Oktober 1899 begann und mehr als acht Monate andauerte, eine ›kleinere Operation‹ gewesen und seine erfolgreiche Verteidigung gegen eine überwältigende Übermacht ›weitgehend ein einziger Bluff‹.

Mat sagt, daß er die Feinde verhexte. Ein offizieller Historiker sagte, daß er von den ihm zu Gebote stehenden beschränkten Mitteln taktisch einfallsreichen Gebrauch machte. Einer von beiden könnte recht haben oder alle beide könnten es. Indem er seinen einzigen Azethylen-

Scheinwerfer umherwandern ließ, machte B.-P. die Feinde glauben, daß ein Nachtangriff nie und nimmer Erfolg haben könne. Er störte sie in ihrem Schlaf, indem er ein Megaphon benutzte, um Gräben erstürmenden fiktiven Stoßtrupps Befehle zuzurufen. Er zermürbte sie mit Scharfschützen, die nur am späten Nachmittag feuerten, wenn die Sonne ihnen im Rücken stand und den Feind blendete. Seine Männer schleuderten Bomben mit Angelruten gegen den Feind, als ständen sie an einem Ufer und würfen sie nach Flundern aus. Als er seine befestigten Feldstellungen und sein Grabensystem weit genug von der Stadt weg vorgetrieben hatte, eröffnete er sogar mit Feldgeschützen gezieltes Einzelfeuer, und die ganze Zeit über unterhielt er eine forsch-fröhliche Korrespondenz mit dem Feind, der ihn auszuhungern oder aufzureiben gedachte – ein Pfadfinder pfeift und lächelt auch noch, wenn er in größten Schwierigkeiten ist. In der vermessenen Hoffnung, Hexenmeister-Tricks – oder psychologische Kriegführung? – nach Art B.-P.s praktizieren zu können, hatte der Burenkommandant irgendwann ein Kricketmatch zwischen den beiden kämpfenden Parteien vorgeschlagen. Nach Mats Meinung hätte B.-P.s Antwort hierauf nicht besser sein können: »Sie müssen uns erst ›outbowlen‹*, bevor Ihre Mannschaft reinkommen kann.«

Bei Mat bin ich mir nie wirklich sicher gewesen, wo die Schläue endet und die Arglist beginnt. Innen drin in diesem zweitrangigen Geist konnte ein drittklassiger stecken, der sich abstrampelte, um hinauszugelangen.

Unter den Äußerungen Mats, die ich Krom und seinen Zeugen berichtete, war diese:

* to bowl out = Durch Balleinwurf im Kricket die Stäbe berühren, daher den Schläger absetzen; bildlich: jemanden schlagen, entwaffnen

»Jemand hat mich einmal einen Hai genannt. Sie wissen, welche Trottel manche sogenannten Geschäftsleute sind. *Er* verliert Geld, also nennt er *mich* einen Hai. Er glaubte mich beleidigen zu können. Ich habe es als Kompliment aufgefaßt. Wissen Sie was? Meine Leute mütterlicherseits auf den Fidschis beten Haie an. Das tun sie, weil Haie die größten aller Totengeister sind. Superheilige, könnte man sagen, göttergleiche Wesen. Also lachte ich bloß, als er mich einen Hai nannte. Was ist dagegen einzuwenden, wenn man als Gott bezeichnet wird? Tatsächlich habe ich es sogar genossen.«

»Das war *sehr* hübsch«, sagte Dr. Henson.

Sie und Connell befanden sich in ihrem – Hensons – Zimmer. Nach einer Pause knarrte das Bett erneut.

Ich war mit der Abhöranlage allein in dem Speicherraum über der Garage. Yves war auf eigenes Drängen hin auf einen Kontrollgang zur Inspektion der Perimeter-Umzäunung geschickt worden. Melanie hatte Wache an den Dachstubenfenstern. Krom war auf seinem Zimmer, studierte Aktenordner Nummer zwei *und* leckte sich ohne Zweifel die Wunden. Er würde zudem fieberhaft nach einer Möglichkeit suchen, seine Position zurückzugewinnen. Gänzlich würde ihm das jetzt nicht mehr gelingen können, aber er verfügte noch immer über so etwas wie eine Verhandlungsposition; und trotz der Wunden, die ich ihm zugefügt hatte, würde er das Beste daraus zu machen versuchen. Weitere zähe Verhandlungsrunden standen zu erwarten.

Das heißt, sie standen zu erwarten, sofern die beiden

derzeit attackierten Parteien in leidlich guter Verfassung blieben.

Connell und Henson hatten wieder angefangen zu reden.

»Der alte Herr ist selber schuld«, sagte er; »hätte er uns in Amsterdam reinen Wein eingeschenkt und die Geschichte mit uns durchgesprochen, oder das doch wenigstens annäherungsweise getan, würden wir jetzt zumindest eine gewisse Chance haben. Wir hätten nicht wie die Zombies herumstehen müssen, während Firman Schmetterbälle schlug, die der Alte nicht einmal *sehen* konnte.«

»Man fühlt immerhin mit ihm.«

»Oh, sicher. Diese Oberholzer-Identifikation war sein großer Durchbruch, also mußte alles, was nachher kam, von daher rühren, ob es sich nun wirklich so verhielt oder nicht. Er trug Scheuklappen, und uns wurde nicht gestattet, das zu kommentieren oder auch nur zu bemerken.«

»Verspätete Einsicht, mein Freund.«

»Zugegeben. Selbst wenn . . .«

»Selbst wenn, was hätten wir ändern können? Möglicherweise hätten wir unsere privaten Zweifel gehabt, aber siehst du einen von uns beiden dem alten Herrn klarmachen, daß er das Pferd beim Schwanz aufzäumt? Noch etwas. Firman hat recht. Hätten *wir* die Nachforschungen betreiben müssen, wir würden Monate gebraucht haben, um Symposias Liaison mit diesem australasiatischen Zauberer-Pfadfinder aufzudecken. Du weißt, daß wir das würden. Mein rechtes Bein schläft übrigens gerade ein. Macht es dir was aus, ein ganz klein wenig zur Seite . . .«

»Entschuldige.«

»Nein, ist schon gut. Geh nicht weg. Warst du jemals Pfadfinder?«

»Nie. Keiner hat mich anzuwerben versucht. Erzähl mir nicht, daß du Pfadfinderin warst.«

»Ich staune bloß über das generelle Ethos einer Bewegung, die Mr. Williamson mitsamt seinen Eigentümlichkeiten so mühelos vereinnahmen konnte. Mein Bruder schloß sich als Junge den Pfadfindern an, aber er ist acht Jahre älter als ich, und so haben wir über seine Erfahrungen nicht gesprochen, während er sie machte. Ich habe nur Erwachsene darüber diskutieren hören. Er ist ausgeschert. Ich weiß nicht mehr genau, weswegen. Eine Sache *weiß* ich noch, die er aus dem Baden-Powell-Buch über das Pfadfindertum zitierte. Was mein Bruder hatte, das war die zwölfte Ausgabe, eine erweiterte und revidierte. Ich weiß das, weil mein Vater die Ohren spitzte, als er daraus zitierte. Dachte, daß es womöglich die Edwardianische Erstausgabe und daher wertvoll sei.«

»Weil die zitierte Passage ein Edwardianisches Werturteil darstellte?«

»Nicht unbedingt. Das Buch sagte, ein Neuling ängstige sich manchmal davor, Tote oder Verwundete anzufassen oder Blut zu sehen.«

»Hier ist einer, der das immer noch tut.«

»Nun, Baden-Powell sagte, wenn man ein Schlachthaus besichtige, gewöhne man sich rasch daran. Er sagte nicht, wie oft man eines besichtigen müsse. Bis man sich daran gewöhnt *hatte*, nehme ich an.«

»Daran gewöhnt hatte, Tote in einem Schlachthaus zu sehen?«

»Daran gewöhnt hatte, Blut zu sehen. Ein Problem, das sich für Mr. Williamson nie gestellt hat, würde ich meinen. Mochtest du die Sache mit der Anbetung des Hais? Wir haben eine Anthropologin, die ihre Doktorarbeit über eine dieser Inselgruppen geschrieben hat. Ich habe ihr und ihren Südsee-Inseln-Kollegen nie ganz über den Weg getraut. Ich meine der Khakishorts-und-Bärte-Brigade. Du weißt schon. Mit all diesen animistischen Stämmen, an denen sie sich mästen, kann für die da draußen überhaupt nichts schieflaufen. Du denkst dir eine Subkultur aus, die Gefallen daran findet, die Seelen der Dahingeschiedenen in leeren Coca-Cola-Büchsen aufzubewahren? Alles, was du zu tun hast, ist suchen, finden und dann möglichst viele Meter Farbfilm abzudrehen, bevor das irgend jemand anderes tun kann, und dein Ruf ist gesichert. Wenn es Haifisch-Anbetung nie gegeben hätte, würde es Mr. Williamson keinerlei Schwierigkeiten bereiten, sie zu erfinden.«

»Nach allem, was ich herausgehört habe, dürfte es Mr. Williamson nicht schwerfallen, zu tun, was immer ihm beliebt. Diese Sache mit dem Ausspruch, er habe es genossen, gesagt zu bekommen, daß er ein Gott sei, klang ziemlich echt. Und da waren noch andere Kleinigkeiten, die ich nicht für Firman-Erfindungen halte. Unser Gastgeber mag ein Hurensohn sein, wie er im Buche steht, aber er würde kein Vergnügen daran finden, bei Hausangestellten, die sich nicht wehren können, Gehirnwäschen zu veranstalten, und ich bezweifle, ob er fähig wäre, sich die Eingeweide-Geschichte auszudenken. Teufel auch, ich fange an, ihm seine Rolle als Nummer zwei abzukaufen.«

»Die habe ich ihm abgekauft, als ich Yamatoku gehört hatte. Wen die Götter zerschmettern wollen, den rufen sie zuvor an, um ihm die bevorstehende Vernichtung zu verkünden.«

»Es sind nicht nur die Götter, die die Dinge in dieser Reihenfolge zu erledigen belieben.«

»Tut mir leid, war dumm von mir. Ich hatte aber nicht bloß an kaputte Ehen gedacht.«

Eine Pause trat ein. Ich wartete geduldig, bis sie es sich bequemer gemacht hatten. Dann fuhr sie fort.

»Mafeking hat mich doch nachdenklich gestimmt. Oder vielmehr das Spiegelbild davon, das uns so beziehungsvoll vorgehalten wurde, um die Art unserer mißlichen Lage zu demonstrieren. Es enthält alles, oder doch *nahezu* alles, womit wir es hier zu tun haben, oder?«

»*Fast* nahezu alles, ja.«

»Eine belagerte Garnison, aber ziemlich knapp an Feldgeschützen, um Einzelfeuer zu veranstalten? Meinst du *die* Art von Nahezu-fast?«

»Ich dachte eigentlich mehr in der Weise daran, daß der gute alte Oberpfadfinder in dieser Spiegelbild-Version der Belagerung draußen auf seiten der Belagerer steht, pfeift und Zaubersprüche klopft, anstatt unbeugsam den Eingeschlossenen beizustehen und dem Feind mit Bomben an Angelruten Saures zu geben oder sardonische Anmerkungen zum Thema Kricket zu formulieren.«

»Da ist einmal das, zugegeben.« Aber sie klang zweifelnd. Sie war ganz nah daran. »Was mich beunruhigt, ist nicht im Spiegelbild.«

»Mit Mafeking hat es nichts zu tun?«

»Oh, mit Mafeking sehr viel. Der Grund, warum die Belagerung von Mafeking unvergessen ist und weshalb die Sprache ihr ein neues Wort für Masseneuphorie verdankt, ist nicht, weil sie aus Baden-Powell einen populären Helden machte, sondern weil der langersehnte Entsatz so wilde Freude auslöste. Der *Entsatz* von Mafeking, das ist es, was in Erinnerung bleibt, nicht die Belagerung. Und was mich beunruhigt, ist nicht, daß Baden-Powell auf der falschen

Seite gezeigt wird, sondern daß keine Entsatzkolonne auf dem Marsch ist.«

»Ich verstehe, was du meinst. Kein fernes Trompetensignal, keine Drauflossäbelei der Kavallerie, die durch mörderisches Feindfeuer hindurch zu unserer Rettung herangaloppiert.«

»Die Polizisten hier haben Motorräder. Aber ja, das gehört zu dem, was ich meine.«

»Der alte Herr hat den Gedanken an die Polizei schon einmal zurückgewiesen. Okay, die Lage scheint sich verändert zu haben. Aber worüber sollen wir oder die beim örtlichen *Commissaire* Klage führen? Über die Brandlöcher in Monsieur Boularis' Schuh? Über Mr. Yamatokus Gebrauchtwagenhändler-Höflichkeit?«

»Meinst du nicht, mein Freund, daß wir womöglich noch immer an der Sache vorbeireden? Dieser Anruf war eine Drohung, aber nur, wenn man genug wußte, um zu verstehen, warum. Als wir zu merken begannen, daß unser Anführer eine Reihe ziemlich schwerwiegender Fehler gemacht hatte, hast du Firman eine Frage gestellt. In was für einer Art Gefahr wir uns befänden und welche Ausmaße sie habe?«

»Eine Frage, die er nicht beantwortet hat.«

»Eine Frage, die er nicht *sofort* beantwortete. Angenommen, er hätte uns alsbald und ohne Umschweife gesagt, daß sein Boss und Partner, Mat Williamson, sich entschlossen habe, dieses unkalkulierbare Risiko, das wir alle darstellen, zu terminieren, indem er uns umbrächte. Wie hättest du darauf reagiert? Genauso wie ich, nehme ich an. Wir hätten vergnügt gekichert und wären zur nächsten Frage übergegangen: ›Was müssen wir tun, um gerettet zu werden?‹«

»Noch immer vergnügt kichernd?«

»Vergnügt genug, denke ich, um mit Sicherheit zu bewirken, daß jede Antwort, die wir bekämen, entweder
scherzhaft oder ausweichend wäre. Boularis gibt sich uns
gegenüber nicht einmal mehr den bloßen Anschein von
Höflichkeit, Firman tut noch immer sein Bestes, aber unsere
akademischen Eitelkeiten müssen ihn nachgerade unerträglich langweilen.«

»Ich fürchte, da hast du recht.«

»Also, ich glaube, daß Firman deine Frage beantwortet
hat.«

»Mit all diesem Zeug über Hexerei und Mafeking-Stu-
dien?« Er schien wieder seine Zweifel zu haben.

»Authentisches Anekdotenmaterial würde ich es nennen.
Welche Währung ist dem armen Mann denn sonst noch
geblieben? Welche Währung, meine ich, die wir von ihm
akzeptieren würden, ohne zu sagen, daß sie fraglos
gefälscht sei?«

»Nun gut. Wir haben unsere Antwort. ›Ja, ihr seid alle
für den Richtblock vorgesehen. Tut mir leid.‹ Aber wie
gehen wir nun die Frage des Überlebens an? Ich glaube, wir
wären beide dankbar, wenn seine Antwort darauf etwas
weniger orakelnd ausfiele und keiner Auslegung bedürfte.
Immer vorausgesetzt natürlich, daß es eine Antwort darauf gibt, und daß er sie weiß.«

»Danach sollten wir ihn vielleicht zuerst zu fragen versuchen. Ich habe noch einen weiteren Vorschlag.«

»Schieß los.«

»Daß wir Firman in Professor Kroms Gegenwart keine
weiteren Fragen mehr stellen.«

Pause. Dann seufzte er. »Schwierig.«

»Wieso? Krom wird, falls er je wieder in die Zivilisation
zurückkehrt, all dies zweifellos so aufschreiben, als ob alles

genauso gekommen sei, wie er es geplant hatte. Er wird sich schnurstracks wieder in seine Traumwelt zurückbegeben. Wir lehnen es ab, uns zu irgend etwas außer zur Authentizität dieser Papiere zu äußern, die wir gesehen haben. Ende der Verpflichtung. Was ist daran schwierig? Hättest du was dagegen, mir meine Zigaretten herüberzureichen?«

Zwei verläßliche Verbündete würden genügen für das, was ich vorhatte. Ich schaltete den Monitor aus und ging in die Garage hinunter.

Als ich die Sachen gefunden hatte, nach denen ich auf der Suche gewesen war, versteckte ich sie unter der Treppe.

Wieder auf dem Speicher, sah ich mir den Karton mit den Tonbändern durch. Die Schachteln, welche die von Yves benutzten Bänder enthielten, waren numeriert. Ich nahm die Bänder heraus, fügte dasjenige, welches ich gerade aufgenommen hatte, dem Stapel hinzu, ließ aber die numerierten Schachteln in dem Karton zurück.

In meinem Schlafzimmer hinterlegte ich die Tonbänder in einem sicheren Versteck, bevor ich wieder auf den Dachboden hinaufging.

Melanie hatte Yves' Fernglas auf dem Schoß und die Hände darüber gefaltet. Sie blickte auf, als ich eintrat, hatte aber offenkundig gedöst.

Ich sagte ihr, daß sie ihr Zimmer aufsuchen und ein Nickerchen machen solle, und daß ich eine Zeitlang Wache halten würde.

Als sie gegangen war, benutzte ich das Fernglas, um zu sehen, wie weit Yves auf seiner Inspektionsrunde gelangt war. Ich entdeckte ihn unten nahe dem Tor an der Küstenstraße, ein gutes Stück vom Haus entfernt.

Ich kehrte in die Garage zurück. Der Job, den ich dort zu erledigen hatte, hätte nicht mehr als eine halbe Stunde in Anspruch nehmen sollen, aber ich brauchte viel länger als das. Ich bin nie sonderlich geschickt mit den Händen gewesen. Leute wie Yves, die so rasch und sicher mit ihnen arbeiten können, haben schon immer meinen Neid erregt. Aber zumindest verrichtete ich den Job anständig; erledigte ihn, ohne gestört zu werden oder Aufmerksamkeit zu erregen, und gelangte wieder nach oben, ohne auf dem Weg dorthin gesehen worden zu sein.

Diesmal konnte ich Yves, als ich durchs Fernglas nach ihm Ausschau hielt, nicht lokalisieren. Noch vor einer Stunde würde mich das beunruhigt haben.

Jetzt tat es das nicht. Ich ging in mein Schlafzimmer hinunter, säuberte mich, und nachdem ich einen Zettel unter Melanies Tür hindurchgeschoben hatte, begab ich mich nach unten ins Wohnzimmer. Der Zettel unterrichtete sie, daß sie nicht auf den Dachboden zurückzukehren brauche, da ich unsere Sicherheitsmaßnahmen revidiert hätte.

Jetzt war es überflüssig, einen Späher dort oben zu postieren.

Jetzt war alles, was mir zu tun blieb, weiterhin einen klaren Kopf zu behalten und Connell und Henson, die mir schon von der Terrasse her entgegenkamen, die Anweisungen für unser kollektives Überleben zu geben.

O ja, und ich mußte auch entscheiden, wie ich Mat antworten wollte. Ich wußte, er würde anrufen; nicht bloß, um sicherzugehen, daß seine Hexerei zu wirken begann – was das betraf, würde er kaum Zweifel hegen –, sondern vor allem, um sicherzugehen, daß ich getreu bis in den Tod blieb und daß ich, sollte der Prozeß meines Ablebens länger dauern als erwartet, die zusätzliche Zeit nicht damit verbringen würde, unerfreuliche Schlüsse zu ziehen und dem Krankenwagenpersonal gegenüber abenteuerliche Erklärungen abzugeben. Das war eine Aufgabe, die er Frank Yamatoku nicht überlassen würde. Geist und Herzen der Menschen zu prägen war Arbeit für Götter.

Zehn

Das Feuerwerk begann bald nach dem Abendessen.
Als die ersten Raketen von einer vor der Küste von Monte Carlo ankernden Jacht aufstiegen, schienen sie auf Krom wie ein Signal zu wirken.

Wir hatten, wie von Melanie vorgesehen, recht einfach gegessen, damit die Hausangestellten frühzeitig zu ihrer örtlichen Quatorze juillet fête gehen konnten. Während sie den Tisch abräumten, waren wir auf die Terrasse hinausgetreten, wobei wir freilich dicht am Haus und damit innerhalb eines Bereichs blieben, der, wie ein verdrossen-nervöser Yves zugeben mußte, nicht exponiert war. Ein Tablett mit Drinks für uns war bereits hinausgetragen worden. Ich hatte eine Flasche Cognac geöffnet.

Als die knatternden Geräusche der fernen rot-weiß-blauen Detonationen bei uns ankamen, beugte sich Krom vor und hob sein Glas. Absurderweise dachte ich einen Moment lang, er sei im Begriff, einen Bastille-Tag-Toast auszubringen, aber nein; er hatte ein Insekt in seinem Cognac ertrinken sehen.

»Mr. Firman, ich freue mich, Ihnen erklären zu können«, sagte er, während er den Leichnam mit der Spitze einer Serviette herausfischte, »daß ich jetzt bereit bin, Ihr Papier Nummer zwei zu diskutieren und ihr Papier Nummer drei unserem Übereinkommen gemäß entgegenzunehmen.«

»Um was für ein Übereinkommen handelt es sich, Herr Professor?«

Ich hatte ihn seit meiner Unterhaltung mit Connell und Henson gemieden. Sie mochten jetzt Bundesgenossen sein, aber eben nur, was man so Bundesgenossen nennt. Ich konnte von ihnen nicht erwarten, daß sie, wenn es mit Krom wegen der in Brüssel ausgesprochenen Drohungen und Zusagen zu neuerlichem Feilschen kam, seine berechtigten Ansprüche auf ihre Unterstützung ignorierten. Es war daher wichtig gewesen, daß sie Zeit genug hatten, sich an die Idee zu gewöhnen, mir bei dem zu helfen, was zählte, ohne mich wegen anderer Dinge, die inzwischen kaum mehr eine Rolle spielten, erneut bekämpfen zu müssen. Die Lösung hatte darin bestanden, daß ich in meinem Zimmer blieb und es Melanie überließ, Krom mit Vor-Tisch-Drinks zu traktieren. Mat, das wußte ich, würde nicht ohne Vorankündigung anrufen. Vorab würde es einen unheilsschwangeren bildlichen Trommelwirbel oder ein, zwei Theaterdonnerschläge geben, verabreicht, um in die Herzen von uns schlichten Seelen Furcht zu säen. Ich hatte die Zeit dazu benutzt, sämtliche Tonbänder wohlverpackt und -versteckt in der kleinen Reisetasche zu verstauen, die ich auf die Flucht mitzunehmen gedachte, und die Telefonnummern der örtlichen Funktaxi-Dienste herauszusuchen. Die Flasche gefrorenen Champagners, die mir der Ehemann der Köchin gebracht hatte, war genügend aufgetaut, um es mir zu ermöglichen, zwei Gläser davon zu trinken, und der Burgunder, den es zum Essen gegeben hatte, war recht gut gewesen. Die Nervenanspannung war nicht zu leugnen, aber sie war unter Kontrolle zu halten gewesen. Als wir auf die Terrasse hinaustraten, war ich bereit gewesen, freundlich zu Krom zu sein.

Jetzt zeigte er mir wieder seine Zähne, und davon nicht bloß die gewohnten Mengen.

»Ich spreche von unserer ursprünglichen Vereinbarung«, sagte er, »und es ist zwecklos, die Augen zu rollen, Mr. Firman. Ich beabsichtige, die ursprünglichen Bedingungen in jeder Hinsicht durchzusetzen.«

»Indem Sie welche Sanktionen verhängen, um sie durchzusetzen, Herr Professor?«

Er bot mir die Weitwinkelansicht seiner zahntechnischen Brückenbauten. »Zwanzig Prozent dessen, was ich bereits hätte benutzen können, mein Freund. Zwanzig Prozent von Symposia statt einhundert Prozent, *und* die Gewißheit, daß, selbst wenn es nur ein Prozent wäre und wir es mit einem kriminellen Frühstücksdirektor zu tun hätten, der Direktor des Instituts für Internationale Anlage- und Treuhandberatung nach wie vor den Anschein aufrechterhalten muß, ein ehrenwerter Mann zu sein.«

»Jeder Versuch Ihrerseits zu behaupten, ich sei es nicht, wird Ihnen gerichtliche Schritte wegen Beleidigung, Verleumdung und übler Nachrede einbringen, Herr Professor, je nachdem, in welcher Form Sie Ihre Behauptungen aufstellen und wo. Hören Sie inzwischen auf meinen Rat. Sie werden über kurz oder lang Ihre ganze Kraft benötigen, übernehmen Sie sich also nicht. Ich habe weitere Papiere für Sie vorbereitet, und Sie werden sie zum geeigneten Zeitpunkt ausgehändigt bekommen. Melanie hat die Kopien fertig und abrufbereit vorliegen. Im Augenblick allerdings hält sie sich zur Entgegennahme eines Anrufs bereit, den ich erwarte, den von Mat Williamson. Sie können ihn mithören, wenn Sie wollen. Tatsächlich bin ich der Meinung, Sie *sollten* ihn mithören, Sie alle.« Ich hatte mich, während ich sprach, zu Yves umgewandt. »Mit der technischen Ausrüstung, die Sie haben, müßte sich das doch arrangieren lassen, oder?«

Yves wand sich sichtlich, versuchte dann aber, sich zusammenzureißen, Mißmut wurde von Bombast abgelöst. »Bei allem Respekt, Patron, meine ich, daß es bei einem solchen Gespräch, falls es dazu kommen sollte, angemessener wäre, wenn Sie Ihren eigenen Recorder benutzten.«

»Yves ist empfindlich, was seine technischen Fertigkeiten betrifft«, erläuterte ich. »Es war bloß ein Vorschlag. Ich dachte, vielleicht würden Sie es alle gern hören, während es stattfindet.«

»Ich bin dafür«, sagte Connell. »Authentischer so, würde ich sagen. Meinen Sie nicht auch, Herr Professor?«

»Wenn Mr. Firman möchte, daß wir eine telefonische Unterhaltung mithören, stellt sich die Frage nach ihrer Authentizität nicht. Es kann davon ausgegangen werden, daß sie gefälscht ist.«

Ich zuckte die Achseln. »Nun gut, wie Sie meinen. Ich wollte es nur erwähnt haben.«

Das war der Augenblick, in dem Yves der Kragen platzte. Er stand unvermittelt auf.

»Patron, wozu noch warten? Wozu auf schlechte Nachrichten warten? Weil es höflich ist, das zu tun? Ich will nichts damit zu schaffen haben, und das habe ich auch Melanie gesagt. Ich glaube, sie denkt jetzt genauso darüber.«

»Worüber, Mr. Boularis?« Dr. Henson lächelte zu ihm auf. »Was sollten wir *Ihrer* Meinung nach tun?«

»Sie?« Er blickte wie überrascht auf sie hinunter und vollführte dann eine weitausfahrende Geste der Verachtung. »Sie können tun, was Sie wollen, Frau Doktor. Sie gehören zu Ihren Freunden. Sie können krepieren mit Ihren Freunden. Warum sollte ich es . . .?«

Er verstummte. Irgend etwas jenseits der Terrasse hatte seinen Blick auf sich gezogen. Er starrte, dann wandte er sich, bestürzt, wieder mir zu. Er hatte es jetzt aufgegeben, seine Würde zurückzugewinnen.

Ich stand ebenfalls auf, um zu sehen, worum es sich bei dem, was er in jenem Moment so wenig erwartet hatte, handelte.

Die große Motorjacht, die bislang nur um die Frühstückszeit einzulaufen pflegte, glitt am Vorland vorüber in die Bucht. Sie war hell erleuchtet. Unter der Persenning über dem Achterdeck war ein Tisch für vier Personen gedeckt. Um einen weiteren Tisch, auf dem Flaschen und ein Eiskübel standen, waren zwei Paare versammelt. Die Frauen trugen Leinenjacketts zu ihren Hosen, und einer der Männer hatte einen Pullover angezogen. Vermutlich war es kühl dort draußen auf dem Wasser. Die Unterhaltung schien ungemein lebhaft zu sein. Ich hatte kein Fernglas zur Hand, glaubte aber nicht, irgend jemanden von ihnen schon einmal gesehen zu haben.

»Ich dachte, es seien nur drei Passagiere an Bord«, sagte ich, »der eine Mann und die beiden Frauen, die sich zum Baden immer an den Strand rudern lassen.«

»Der im Pullover muß ein Gast oder der andere Ehemann sein.«

Er ließ eine Art ersticktes Lachen hören. »Die sehen mir alle betrunken aus.«

Und in gewisser Weise taten sie das wirklich; in der umhertorkelnden, mit-den-Armen-schlenkernden Weise von Filmstatisten, die in der Orgienszene eines biblischen Stummfilms Betrunkene zu mimen haben. Töne der Lustbarkeit drangen undeutlich über die Wasserfläche hinweg zu uns herüber. Viel lauter war das Geräusch plötzlich auf

Rückwärtsgang geschalteter Dieselmotoren und das Klirren der Kette, als der Anker geworfen wurde.

Um ihre Ankunft zu feiern, erhob sich der Mann im Pullover unsicher von dem Kissen, auf dem er mit übergeschlagenen Beinen gesessen hatte, und riß den Arm hoch, als stimme er ein dreifaches ›Hurra!‹ an. Im nächsten Augenblick hatte er einen länglichen Pappkarton ergriffen, der neben dem Tisch auf dem Deck lag, und taumelte damit zum Vorschiff. Das Crewmitglied, das dort die Ankerwinde bediente, nahm keinerlei Notiz, als der Mann den Pappkarton neben ihm fallen ließ und die gummierten Papierstreifen, die den Deckel verschlossen, abzureißen begann.

»Was, zum Teufel, hat der denn da drin?« rief Connell. »Flaggengirlanden? Wunderkerzen? Bengalische Streichhölzer?«

Die Gäste hatten sich jetzt ebenfalls erhoben. Nach Yves' Ausbruch war ihnen jede Ablenkung willkommen gewesen, nehme ich an. Ich sah das Mitglied der Crew rasch davongehen. Hensons Augen waren die schärfsten. Ihr Ausruf verriet Empörung.

»Oh, nein!«

Dann sah ich es. Für einen umhertorkelnden, täppischen Betrunkenen bewies der Mann auf dem Vorschiff plötzlich eine bemerkenswerte Geschicklichkeit. Innerhalb weniger Sekunden hatte er mit einem einzigen Streichholz nicht weniger als drei Schnüre chinesischer Knallfrösche angezündet und rings um ihn herum über das ganze Deck hüpfen lassen. Mehr noch, er erachtete es als unnötig, sie im Auge zu behalten. Er kramte bereits nach weiteren Wonnen in dem Pappkarton.

Ich konnte Henson durchaus nachfühlen, was sie zu dem

364

Protestschrei veranlaßt hatte. Ich erinnere mich, daß mein erster Gedanke, als der Mann die Knallfroschserie entzündete, der gewesen war, die Motorjacht müsse gechartert und die Crew verkommen und bestechlich sein. Niemand, der ein solches Boot besaß oder auch nur den geringsten Sinn für dessen Wert aufbrachte, würde zugelassen haben, daß ein gutes Deck in dieser Weise beschädigt wurde. Decks waren geheiligte und kostspielige Flächen. Der italienische Bankier hatte für Gäste, die unwissend oder einfältig genug gewesen waren, in lederbesohlten Schuhen an Bord zu kommen, Überschuhe bereitgestellt, und Raucher waren stets gehalten gewesen, an Deck Aschenbecher mit sich herumzutragen.

»Paul!« Das war Melanie.

»Telefon«, sagte sie. »Ein alter Freund. Und ich glaube, es ist ein Ferngespräch.«

»Auf welcher Leitung?«

»Über die registrierte Nummer.«

Zu Krom sagte ich: »Wenn Sie diese Unterhaltung mit Mat Williamson abhören wollen – in der Halle ist ein Nebenanschluß. Melanie wird Ihnen zeigen, wo.«

Ich wartete nicht erst ab, wie er auf das Angebot reagierte. Als ich mich jedoch wegwandte, ließ mich ein von der See her plötzlich aufstrahlender Schein zurückblicken.

Der Barbar auf dem Boot hatte eine Römische Kerze entzündet. Als er sie hochhielt, flammten rote Feuerbälle auf und fielen rings um ihn herum aufs Deck nieder. Seine Freunde begannen zu applaudieren.

Ich stieg langsam die Treppe hinauf. Mat würde warten, und ich wollte, wenn ich den Anruf entgegennahm, keineswegs den Eindruck erwecken, daß ich auch nur im geringsten außer Atem sei. Nachdem ich das Tonbandgerät angestellt hatte, wartete ich noch einen weiteren Augenblick lang, ehe ich den Hörer aufnahm, und begann, als hätte ich just nach ihm gegriffen, sofort zu sprechen.

»Mat? Was für eine angenehme Überraschung!«

Ich versuchte, meine Überraschung, wenn auch nicht meine Freude, echt klingen zu lassen, aber natürlich ließ er sich nicht täuschen.

»Tut mir leid, Sie vom Feuerwerk wegzuholen, Paul, aber das geschieht nur, weil es sich schließlich um einen Notfall handelt. Im übrigen rufe ich auf Ihren Anruf von heute morgen hin zurück.«

Ich mußte jetzt sehr flink denken. Er sprach mit der hohen nasalen Stimme eines der englischen Missionare, die an der Schule auf den Fidschis unterrichtet hatten. Ich hatte sie zuerst gehört, als er mir von Placid Island erzählte. Es war seine antiimperialistische Stimme, und auch dieselbe, die er zuweilen benutzte, um das Aussprechen irgendeiner höchst unangenehmen Sache so klingen zu lassen, als sei sie komisch. Er benutzte sie jetzt wahrscheinlich, um sich zu verstellen, oder jedenfalls auch deswegen, aber es verblüffte mich, und ich wußte, daß ich mich in acht zu nehmen hatte. Ich hätte mich von einem englischen Birmingham-Akzent nicht verblüffen lassen sollen. Bei laufendem Tonband jedoch durfte ich ihm das nicht kommentarlos durchgehen lassen.

»Was für eine sonderbare Stimme du hast, Großmama!«

Es war ein Mißgriff. Er konterte prompt, indem er eine Charakterstudie des treuen Gefolgsmannes zu Protokoll gab, der durch Spott schließlich dazu getrieben wird, vorübergehend aus der Rolle zu fallen. »Ich sagte, daß es mir leid tut, Ihnen den Spaß am Feuerwerk zu verderben, Paul, und es tut mir leid, Sie zu stören, wo Sie ohnehin schon so viel auf dem Teller haben, aber dies ist keine Gute-Nacht-Geschichte.«

»Das ist jetzt das zweite Mal, daß Sie das Feuerwerk erwähnen, Mat. Wo sind Sie? Irgendwo hier an der Corniche? Sehen auch Sie sich das Feuerwerk an?«

»Sie wissen, wo ich bin, Paul. Da unten an der Côte d'Azur machen sie immer Feuerwerk am Vierzehnten Juli. Wenn ich ein bißchen gereizt bin, dann nur, weil ich mit Frank gesprochen habe, also seien Sie nachsichtig mit mir. Ich habe mir auch Ihre vorausgegangene Unterhaltung mit ihm angehört und . . . Paul? Sind Sie noch da?«

»Ich bin hier.«

»Paul, was Frank Ihnen heute morgen gesagt hat, war eine einzige endlose Lüge.«

»Meinen Sie eine einzige ununterbrochene Lüge oder viele zusammengestoppelte einzelne Lügen?«

»Ich scherze *nicht*, Paul. Aus möglicherweise verständlichen Motiven heraus, aber ohne von mir auch nur im geringsten dazu autorisiert zu sein, hat Frank einen verdammten Narren aus sich gemacht. In dem Bestreben, Ihnen durch vermeintlich in Ihrem Sinne laufend unternommene Einmischungsversuche zu helfen, hat er eine Reihe von Dingen getan, die er besser hätte lassen sollen. Er hat schlau sein wollen, und restlos gelungen ist ihm nur, entsetzlich töricht zu sein. Da ich für ihn verantwortlich bin, ist das erste, was ich tun möchte, mich zu entschuldigen.«

»Entschuldigung angenommen.« Dann versuchte ich, ihn zu überrumpeln. Bis jetzt war jedes von ihm geäußerte Wort das an einen launischen Zuchtmeister gerichtete eines loyalen Untergebenen gewesen. Ich versuchte, ihn zu überrumpeln, indem ich plötzlich zum launenhaften Zuchtmeister wurde und in einer Art und Weise mit ihm redete, in der, dessen war ich mir sicher, seit langem nicht mehr, wenn überhaupt jemals, mit ihm geredet worden war. »Aber sagten Sie nicht«, fuhr ich ihn an, »daß sich zu entschuldigen das erste gewesen sei, was Sie tun wollten? Wie steht's mit dem *zweiten* und *dritten?* Oder haben Sie auf Ihrem schwarzen Hintern gesessen und darauf gewartet, daß jemand anders Ihnen das Denken abnimmt?«

Er schien nicht gehört zu haben, was ich gesagt hatte. Alles, was er tat, war, gelassen in seine Ausgangsposition für die zweite Phase zu gehen. »Paul, erinnern Sie sich noch an die Zeit vor ein paar Jahren, als wir – das heißt Sie – erwogen, uns in dieses malay-chinesische Gummi-Syndikat einzukaufen? Wir fuhren los, um diesen Leuten da oben bei Kedah einen Besuch zu machen.«

»Nein, ich kann mich daran überhaupt nicht erinnern, und ich bin auch nie in Kedah gewesen.«

»*Bei* Kedah, habe ich gesagt. Sie werden sich wieder daran erinnern, wenn ich es Ihnen sage. Es war kurz nachdem dieser Amerikaner einen Spaziergang im Dschungel machte und auf Nimmerwiedersehen verschwand. Der Amerikaner, der diesen Seidenhandel in Thailand aufgezogen hatte und in Malaysia Urlaub machte? Als Hausgast bei Freunden untergebracht war? Erinnern Sie sich jetzt, Paul?«

»Wie wär's, wenn Sie zur Sache kämen?«

»Aber das *ist* ja die Sache, daß er verschwand und bestimmt umgekommen ist. Die örtliche Theorie ging dahin, daß er, nachdem er seinen Freunden gesagt hatte, er wolle einen Spaziergang machen, durch Zufall ums Leben kam, nicht etwa, weil er sich im Dschungel nicht zurechtfand – tatsächlich war ihm der Dschungel durchaus vertraut –, sondern weil er in eine Tigerfalle stürzte, welche die Leute vom Dorf auf dem Pfad, den er beging, ausgehoben hatten. Es war nicht die Schuld der Dorfbewohner, natürlich nicht, aber sie hatten Angst, weil er Amerikaner war und *sie* die Grube gegraben und die scharf zugespitzten Bambuspfähle in den Boden gerammt hatten. Daher begruben sie den Leichnam und meldeten ihn nicht. Das ist der Grund, warum *unsere* Freunde nicht wollten, daß wir irgendwelche Spaziergänge außerhalb des Compound machten, solange wir ihre Gäste waren. Unser Verschwinden würde Polizeiverhöre, Ärger, Schwierigkeiten für sie nach sich gezogen haben. Übrigens mochten sie uns, glaube ich. Ich glaube, sie wollten unser Geld, aber ich glaube nicht, daß ihnen daran gelegen gewesen wäre, wenn wir uns vor ihrer Haustür selber zu Tode gebracht hätten.«

»Ebensowenig wie Ihnen daran gelegen wäre, wenn ich mich auf den Bambuspfählen aufspießte, die Frank so emsig gespitzt hat? Das ist nett, Mat. Ich bin froh, das zu hören. Wo steckt Frank hier unten an der Côte?«

»Nett ist es für niemanden, Paul. Und das schließt Ihre Gäste mit ein. Ich weiß nicht, warum. Falls trotz allem, was Sie unternommen haben, um sie zu schützen, zufällig irgend etwas schiefgehen sollte, müssen sie die Schuldigen sein. Ich habe übrigens gerüchteweise erfahren, daß mindestens zwei von ihnen mit Geheimdiensten in Verbindung stehen. Ich habe mich bei Freunden nach dem Briten erkundigt, und sie bestätigen es. Ich kann absolut nichts Nettes daran finden. Oh, ich gebe Ihnen recht, das entschuldigt Frank keineswegs. Er hat einen monumentalen Narren aus sich gemacht. Diese Leute, auf deren Existenz er gestoßen und mit denen er in Verbindung getreten ist, weil er Ihr Privatarchiv durchstöbert hat, diese alten Bekannten von Ihnen, sind nie die Tölpel gewesen, die sie hätten sein sollen, wenn es nach ihm gegangen wäre. Er weiß das inzwischen, und er kann keinen Augenblick lang mehr stillsitzen. Er spielt verrückt, weil er jetzt auch weiß, daß die Idee, einen Orden gewinnen zu wollen, indem er Sie von der Gegenwart unliebsamer Personen zu erlösen versucht, ohnehin nicht sonderlich gut war. Nicht ohne Konsultation. Ich hab's ihm gesagt. Er kann von Glück sagen, wenn er nicht geschaßt wird. Aber seien wir realistisch, Paul. Die Tatsache, daß er alles das weiß und sein Äußerstes tut, um die Dinge wieder ins Lot zu bringen, hilft uns bei der Lösung des Problems, mit dem wir unmittelbar konfrontiert sind, kein bißchen weiter. Die Leute zurückzupfeifen, die er ausgeschickt hat, damit sie Ihnen Fallen graben, ist nicht so leicht, wie es war, sie aufzutun.«

»Das will ich meinen, Mat. Wie Sie wissen werden, lautete Franks Rat, kein Widerstand. Ihrer scheint ein bißchen anders und eine Idee beruhigender zu lauten – keine Spaziergänge im Dschungel. Habe ich das richtig verstanden?«

Keine eindeutige Antwort, natürlich keine. Ich hatte nicht wirklich eine erwartet. Es war Zeit für jenen abschließenden, hochbedeutsamen Eintritt in die dritte Phase des Rituals. Die einleitende Proklamation, daß eine moralische Autorität, verbunden mit der ihr angemessenen Machtfülle, aus ihm sprach, war formgerecht erfolgt. Mit anderen, ungeschminkteren Worten, der Aufweichprozeß war beendet. Jetzt war es Zeit für die alles entscheidende Inkantation. Ich wüßte nicht, wie ich diesen Prozeß auf einfache Weise akkurat schildern sollte. Die fleischfressende Pflanze, die ihre Insektenbeute mit Enzymen traktiert, bevor sie sie auffrißt, wäre ein plumper Vergleich. Mat will seine Opfer nicht fressen; er will nur, daß sie ihm willfahren.

Er sprach langsam, und vermutlich klopfte er synchron mit den Worten auf eine Bürosessellehne oder Schreibtischplatte, während er sie sprach.

»Paul, es gibt da etwas, an das ich Sie jetzt gemahnen werde, etwas, was Sie, da bin ich ganz sicher, nicht vergessen haben werden. Sie werden es nicht vergessen haben, denn es war etwas, was Sie selber mir einmal erzählten. Sie erzählten es mir in einem Augenblick der Trauer über einen persönlichen Verlust, den Sie erlitten hatten, und Sie versuchten, sich schlimmere Dinge ins Gedächtnis zu rufen, die Sie hatten durchstehen müssen. Es handelte von der Zeit, als Sie mit der Armee in Italien waren, bevor Sie dann weiter oben im Norden Carlo begegneten. Sie erinnerten sich daran, einen Soldaten gesehen zu haben, einen der Ihrem persönlichen Kommando unterstellten Männer, der loslief, um einen Befehl auszuführen, den Sie ihm gegeben hatten. Und Bruchteile von Sekunden später war er dann auf eine Mine getreten – eine Tellermine, sagten Sie – und säuberlich mittendurchgerissen worden.«

Eine Drei-Klopfzeichen-Pause.

»Wie weit war er von Ihnen weg? Nur wenige Meter, war's nicht so? Nah genug für Sie, um ein paar Tage lang taub zu sein, ich weiß, und nahe genug für Sie, um zu sehen, wie seine Gedärme sich im Freien ausnahmen, während sein erstaunter Blick zeigte, daß er noch gar nicht begriffen hatte, was mit ihm passiert war. Dabei blieb ihm mit all diesen durchtrennten Arterien weniger als eine Minute zum Sterben. Aber das eigentlich Schreckliche für Sie – abgesehen davon, daß Sie dem Mann befohlen hatten, etwas zu tun, was ihn das Leben kostete –, das eigentlich Schreckliche für Sie kam erst hinterher, stimmt's? Ich meine nach dem ersten physischen Schock, als Ihnen klarwurde, daß überall um Sie herum, während *Sie* noch lebten, der Tod war. Als Sie mit all dem Sausen in den Ohren dort standen und wußten, daß Sie in ein Minenfeld geraten waren und auch, wenn Sie sich bloß um den Bruchteil eines Zentimeters vor oder zurück, nach rechts oder links bewegten oder auch nur das Schwergewicht Ihres Körpers vom einen auf den anderen Fuß verlagerten, auch *Ihre* Gedärme dort auf dem Erdboden herumschwabbeln würden. Also taten Sie, was auch andere zuweilen getan haben, wenn sie feststellten, daß sie in ein Minenfeld geraten waren und gesehen hatten, wie eine Mine den weichen menschlichen Körper zurichten kann. Keine Schande, nicht, wenn man sich in einem Schockzustand befindet und das Ergebnis einer falschen Bewegung so anschaulich vor Augen hat. Mancher andere hätte kehrtgemacht und wäre blindlings davongerannt. Sie nicht. Sie erstarrten. Und dort *blieben* Sie erstarrt, bis irgendwann jemand von einer Pionierpatrouille aufkreuzte. Wissen Sie noch? Es war ein Sergeant. Er nahm Sie bei der Hand und redete Ihnen gut zu, und schließlich brachte er Ihnen das Gehen wieder bei. Es war ein Gehen Schritt vor Schritt, viel langsamer als ein Trauermarsch, sagten Sie, links und rechts und links und rechts, bis Sie beide eine Stelle erreichten, wo Panzer gefahren waren. Die Kettenspuren waren frisch, also wußten Sie von da an, wohin Sie Ihre Füße setzen konnten, ohne daß sie von Tellerminen zerfetzt wurden. Sie gingen auf der Panzerspur zurück. Hören Sie mir zu, Paul?«

»Ja.«

»Sie haben mich um meinen Rat gefragt. Sie brauchen ihn nicht. Sie wissen schon selber, was Sie tun müssen. Sie sind in einem Minenfeld. Erstarren Sie. Rühren Sie sich nicht vom Fleck. Und bleiben Sie erstarrt, bis ich die Dinge ausgebügelt und die Gefahren abgewendet habe und Sie ohne Risiko davongehen können. Werden Sie das für mich tun, Paul?«

»Ja, Mat.«

Es hätte einer beträchtlichen Anstrengung meinerseits bedurft, irgend etwas anderes zu sagen.

Ganz abgesehen davon wäre es töricht gewesen, irgend etwas anderes zu sagen. Es war besser, ihn in dem Glauben zu lassen, daß der Zauber wirke; oder, um mich des Jargons zu bedienen, den er jetzt vermutlich vorzieht, daß ich korrekt programmiert sei.

»Ich werde zur Stelle sein, um Sie bei der Hand zu nehmen«, sagte er.

Gleich darauf war die Leitung tot.

Grüne, orange und rote Leuchtkugeln glühten und flimmerten am Himmel.

Von meinem Schlafzimmer aus hatte ich einen guten Überblick über die Bucht, und ich hatte mir Yves' Feldstecher vom Dachboden geholt. Ich nahm die Motorjacht näher in Augenschein.

Die Deckbeleuchtung war jetzt größtenteils ausgeschaltet worden, wie um das Feuerwerk besser zur Geltung kommen zu lassen; aber mehrere Römische Kerzen strahlten zugleich auf, und einige der orangefarben glühenden Bälle brannten länger als die anderen auf ihrem Weg ins Wasser hinunter. Ich bekam eine ganze Menge von der Jacht zu sehen.

Das Heck gab ihren Namen mit *Chanteuse* an, und ihr Heimathafen war Monrovia. Sie hatte liberianische Kennzeichen. Im Herbst würde sie inmitten Dutzender anderer Boote ihresgleichen im Jachthaften von Cannes festgemacht und zur Vercharterung im nächsten Jahr verfügbar gehalten werden. Es mußte teuer gewesen sein, dachte ich, sie so kurzfristig anzumieten. Obwohl es immer ein paar Charterer gab, die im Juni oder Juli ihren Herzinfarkt hatten und daher gezwungen waren, ihre Anzahlung verfallen zu lassen, mußte man mit gebündelten Dollar- oder D-Mark-Scheinen in beiden Händen zur Stelle sein, um sich bei den Jachtmaklern eine Vormerkung auf den Idiotenlisten für in letzter Minute kommende Klienten zu erkaufen.

Mat dürfte das zuwider gewesen sein; aber Frank würde nichts dagegen gehabt haben.

Daß Frank an Bord war, bezweifelte ich jetzt nicht mehr im geringsten. Ich wußte auch, wo er war. Die Leute mit den Drinks auf dem Achterdeck dienten lediglich als Staffage. Im Rumpf unten brannte Licht. Der einzige Ort, der in völliger Dunkelheit lag, war die Brücke. Sie war eine große, allseitig wie ein Gewächshaus verglaste Angelegenheit mit schrägen Scheiben, die den Widerschein des Feuerwerks reflektierten. Dort mußte er sein, mit einem Sprechfunkgerät, im Dunkeln, von wo aus er alles sehen und kontrollieren konnte, ohne seinerseits gesehen zu werden.

Der Mann, der mit den Feuerwerkskörpern hantierte, benutzte eine Taschenlampe, um bei ihrem Schein ein Feuerrad auf einer Planke zu installieren, die an der Heckreling festgezurrt war. Als er einen Schritt zurücktrat und wieder nach seinen Streichhölzern tastete, fiel der Schein direkt auf den Rest der Bescherung, auf all die spaßigen Sachen, die noch kommen sollten.

Ich hatte genug gesehen. Ich prüfte beide Telefonanschlüsse. Dann spulte ich das Tonband wieder auf und nahm das Gerät mit nach unten, damit die anderen hören konnten, was gesagt worden war.

Krom versuchte mich aufzuhalten. Er hatte über den Nebenanschluß mitgehört und war sehr aufgeregt.

»Wir müssen die Polizei rufen«, sagte er.

»Können wir nicht. Und es bleibt nicht mehr viel Zeit. Seien Sie ruhig und hören Sie zu.«

Sie hörten zu. Krom jedoch schien abgeschaltet zu haben. Unterhalb seines linken Auges hatte ein nervöses Zucken eingesetzt. Ich beobachtete die anderen, besonders Yves. Jedesmal, wenn ich ihn ansah, fing er meinen Blick auf und sah dann über meine Schulter hinweg an mir vorbei. Die Kassette war abgelaufen.

Henson hatte eine Frage. »Hat sich die Minenfeld-Geschichte wirklich so abgespielt, wie er sie schildert?«

»Nicht ganz so, wie er sie schildert. Das ist eine Lager-feuergarn-Version für Pfadfinder. Mat ist prüde, müssen Sie wissen, und er hat blinde Stellen. Er denkt zum Beispiel, daß Menschen nicht veränderbar seien. Es wäre ihm nie in den Sinn gekommen, die bloße Tatsache, daß ich imstande war, ihm von diesem lähmenden Erlebnis zu erzählen, könne bedeuten, daß die Erinnerung daran erträglich geworden sei. Nach mehr als dreißig Jahren kann sie mich nicht mehr lähmen, sondern höchstens dazu veranlassen, die Zehen zu krümmen.« Ich stand auf. »Draußen ist es kühler, und wir können uns das Feuerwerk ansehen.«

»Wir müssen die Polizei rufen«, sagte Krom.

Connell hatte Fragen. »Was glaubt dieser Williamson zu tun? Punktfeuer mit Feldhaubitzen zu schießen?«

»Und auch, den Schlaf des Gegners zu stören, nehme ich

an. Der Akzent, den er verwendete, kam übrigens vor langer Zeit aus Birmingham in England. Er kam über die Fidschis und stammte von einem friedliebenden Missionar.«

»Wir müssen . . .«, begann Krom wieder, legte dann aber eine Pause ein. Er streckte die Hände aus und umfaßte fest seine Knie. »Sie sind da, und er kann sie nicht stoppen«, fuhr er fort. »Er wird nicht rechtzeitig hier sein.«

»Nein«, sagte ich, »ich fürchte, das wird er nicht.«

Es gab keine schonende Art, die Lage zu erläutern, sei es ihm, sei es den anderen.

Das Feuerrad auf dem Boot hörte plötzlich auf zu rotieren und wirbelte durch die Luft davon und ins Meer.

»Mat sagt mir, ich soll mich nicht vom Fleck rühren, weil sein Zaubererkalkül ihm sagt, daß ich mich nach der Aufweichung, die mir zuteil wurde, und Frank Yamatokus Warnung irrational verhalten werde. Er glaubt, mich durch sein Gerede von Tigerfallen und Minenfeldern dazuzubringen, davonzulaufen und mich, mit mindestens zweien von Ihnen, dreien im weiteren Gefolge, in Richtung Gebirge absetzen zu wollen. Er spekuliert auf den Herdeninstinkt. Er will uns auf demselben Weg zurückscheuchen, auf dem wir gekommen sind, in zwei Gruppen.«

»Warum uns?« fragte Connell. »Sie sind derjenige, der ihn kennt. Sie sind die Gefahr. Und warum in zwei Gruppen?«

»Ich habe Sie über ihn aufgeklärt. Er weiß das. Genauso, wie er weiß, daß Dr. Henson Geschenke vom britischen Geheimdienst bei sich hatte, als sie herkam. Dieselbe Person wird ihm das gesagt haben. Tut mir leid, aber Sie fragten mich danach. Es ist ein denkwürdiger Augenblick. Sie kriegen die Wahrheit zu hören. Er will bloß, daß das Killen unauffällig vonstatten geht, mit einem Minimum an Aufwand und Unkosten. Zwei kleine Gruppen zu killen kommt billiger als eine große. Besonders in diesem Fall, weil getrennte Erklärungen billiger wären.«

»Billiger?« Henson war indigniert. »Und was haben Erklärungen mit dem zu tun, was ...«

»Killen kann heutzutage sehr teuer sein, oder es kann billig sein. Alles hängt davon ab, was zurückbleibt und ob und wie unverfänglich sich die hinterlassene Schweinerei erklären läßt. Auf den Straßen oder gleich daneben, da sind die bequemsten Abladeplätze. Alles, was Sie dort zurücklassen müssen, ist entweder ein weiteres Mahnmal unserer vulgären Autorouten-Gesellschaft oder, falls sich in irgendeiner der Leichen Kugeln befinden, ein weiteres häßliches Nebenprodukt des von Gangstern beherrschten Monopolkapitalismus. Das heißt, solange Sie die Dinge für die Verkehrspolizei nicht erschweren, indem Sie Soziologen mit Steuerberatern mischen.«

Oder ein Opfer reden lassen, bevor es ins Gras beißt. Wie wohldurchdacht ich programmiert worden war! Sollten meine letzten Augenblicke sich ungebührlich lang hinziehen, würde ich sie damit verbringen können, mir bekümmert zu vergegenwärtigen, daß der gute alte Mat doch recht gehabt hatte. Er hatte mir gesagt, ich solle mich nicht vom Fleck rühren, und ich Narr hatte nicht auf ihn gehört.

»Wollen Sie damit sagen, daß der Professor recht hat?« verlangte Melanie zu wissen; »daß wir uns nicht vom Fleck rühren sollen?«

»Nein, meine Liebe, das will ich keineswegs. Mat wird tun, was er irgend kann, um uns Beine zu machen, denn dadurch bekäme er, was er will, zum niedrigsten Preis.

Aber er hält es nicht für unter seiner Würde, auch einen fix und fertig ausgearbeiteten Alternativplan in der Schublade zu haben. Mit Hilfe des Vor-Ort-Agenten, den er hier hat, sollte es ihm ohne weiteres möglich sein, eine Zwei-Fliegen-mit-einer-Klappe-Blitzoperation anzuberaumen. Ebenso säuberlich wird sie allerdings nicht sein können und auch nicht ebenso billig. Das ist der Unterschied. Autos mit Leichen darin sind kein Aufmacher. Eine Horde von Psychopathen jedoch, die durch eine Luxusvilla tobt *und* fünf vorübergehend dort wohnhafte Ausländer umbringt, wird Schlagzeilen machen. Und bedenken Sie die Kosten! Wo auf dem Magnaten-Entführungskarussell all das große leichte Geld gemacht wird, verlangen die seriösen Leute Gefahrenzulage und Extravergünstigungen, wenn auch nur im entferntesten die Möglichkeit besteht, daß sie gefaßt oder auch nur identifiziert werden.«

Nein, weit besser, wenn ich handelte wie programmiert. Besser für *mich*. Besser für unsere Freundschaft. Das war es, was er mir mit einem Schluchzen in der Kehle hatte sagen wollen.

Connell sagte: »Der Agent vor Ort, von dem Sie sprechen, dürfte wohl Yamatoku sein. Richtig?«

Falsch, und der Blick, mit dem Henson mich ansah, verriet, daß sie das wußte. Aber Krom wurde plötzlich emphatisch.

»Wir müssen bleiben«, insistierte er. »Hier bleiben . . .«

Jener wunderschöne Bann, ersonnen, um mir den Willen des Zauberers aufzuzwingen, hatte bei mir versagt, weil seine Schönheiten für meinen Geschmack allzu kalkuliert und genüßlich entfaltet worden waren. Bei Krom dagegen, keinem Mann, der sich durch Schmalz einwickeln ließ, sofern ihm die Melodie bekannt vorkam, hatte er mit bemerkenswertem Erfolg gewirkt; wenngleich er nicht das von Mat beabsichtigte Ergebnis zeitigte.

Er hatte Krom nichts Bestimmtes gesagt, außer vielleicht, daß dies nicht der *wahre* Mat Williamson war, der sprach; aber Krom hatte zugehört, und was er gehört hatte, war ihm ungemein einleuchtend erschienen. Rühren Sie sich nicht vom Fleck, hatte Mat gesagt, also war, was Krom, wie er plötzlich selber wußte, tun wollte, war *alles*, was er tun wollte, genau das – sich unter keinen Umständen von der Stelle rühren, bis irgendein gütiger Fremder kam, um ihn bei der Hand zu nehmen und in Sicherheit zu bringen.

Ich glaube nicht, daß er für die Sorte hypnotischer Suggestion überempfänglich war, die Mat bevorzugt und so wirkungsvoll anzuwenden weiß, wenn er es mit Arglosen zu tun hat, noch gar, daß – denn soweit ich weiß, ist Krom in seiner Jugend nie in ein Minenfeld geraten – die Beschwörung einer in der Vergangenheit intensiv erlebten Furcht eine irrationale Reaktion auf Jahre später vorkommende Ereignisse auslöste. Was den Mann so gänzlich überrumpelte, war der Umstand, daß das Konglomerat von Fakten, das Mat zur Fabrikation seiner Mafeking-sur-Mer-Phantasien verwendet hatte, Krom nicht bloß vertraut, sondern zur Produktion seiner eigenen Phantasien – derjenigen über diesen Erzlügner und kompetenten Kriminellen Oberholzer alias Firman – auch unentbehrlich war. Er hatte seit Jahren gewußt, daß die beiden Männer, die unter den Codenamen Kleister und Torten firmierten, keine Fiktionen waren. Seine ureigenen schweizerischen Polizeikontakte hatten die reale Existenz der Männer wie auch deren seltsames psychotisches Ruhestandshobby bestätigt. Was sollte man angesichts dieser und weiterer rachsüchtiger Burschen, die dort draußen in der Dunkelheit ihren aufgestauten Haß nährten und, den Finger am Abzug, darauf warteten, jeden abzuknallen, der aus der Deckung heraustrat, anderes tun, als sich still verhalten, den Kopf einziehen und warten, bis Hilfe nahte?

»Bleiben Sie hier und rufen Sie die Polizei an«, wiederholte er.

Connell blickte von Krom zu mir. »Ich kann verstehen, Mr. Firman, warum Sie es für möglicherweise nicht ratsam halten, einen Ausbruch zu versuchen. Ich kann auch verstehen, warum Sie die Ausrüstung dieser Garnison mit Waffen und Know-how, wie sie zur Abwehr von Angriffen einer einschlägig ausgebildeten Überfalltruppe erforderlich ist, als etwas dürftig erachten. Es sei denn, Sie hätten nicht nur Cognac, sondern auch Handfeuerwaffen auszuteilen, meine ich. Ich sehe aber nicht, was dagegen sprechen sollte, die Polizei zu rufen. Wenn der Professor es für eine gute Idee hält und wir uns irgendeinen glaubwürdigen Vorwand, Polizeischutz anzufordern – verdächtige Herumlungerer vielleicht –, einfallen lassen könnten, den sie ernst nehmen müßte, würde ich sagen, wir sollten es tun. Und in Anbetracht der weiteren Aussichten und Möglichkeiten, die Sie uns geschildert haben, sage ich, tun wir's doch jetzt gleich. Rufen wir die Entsatztruppe herbei, verdammt nochmal!«

»Yves wird Ihnen sagen, warum wir das nicht können«, bemerkte ich. »Sagen Sie's ihnen, Yves.«

Er starrte gebannt auf das Boot.

»Yves hat eine Pistole«, fuhr ich fort; »er ist der einzige in unserem Kreis, der eine hat, und er achtet sorgfältig darauf, dort zu sitzen, wo keiner von uns hinter ihn treten kann. Er ist beunruhigt, weil er ziemliche Angst vor den Folgen hat, die sich für ihn ergeben, wenn er jetzt etwas falsch macht. Er könnte nicht mehr als zwei von uns niederschießen, bevor sich die anderen auf ihn stürzen, also spielt er's cool, versucht es zumindest, und wartet darauf, daß ihm sein Freund Frank sagt, was er als nächstes tun soll. Wir können das Telefon nicht benutzen, weil er gleich nach Mats Anruf beide Leitungen durchgeschnitten hat. Ich weiß es, weil ich's überprüft habe. Ich bin mir sicher, er wird es nicht zulassen, daß wir die Stelle zu finden und die Leitung zu flicken versuchen. Die Pistole steckt unter seinem Hemd in der linken Achsel. Ich glaube, es wäre uns allen lieb, wenn sie dort stecken bliebe.«

Krom nickte. »Status quo«, sagte er und langte nach der Cognacflasche.

Henson seufzte. »Ach, herrje.«

»Ach, herrje, in der Tat. Unser freimütiger, aufrichtiger Mr. Boularis hier ist ungemein geschäftig gewesen. Geschäftig, Minenfallen zu basteln, geschäftig, an der Ausfahrt zur unteren Straße über den Fortgang der Entwicklung Bericht zu erstatten, rührend bemüht, die sofortige Flucht zu empfehlen, ja, Melanie und mir sogar anzubieten, uns zu unserem privaten Höllensturz zu chauffieren, und das in *Ihrem* Wagen. Mr. Williamson und Mr. Yamatoku wollten, daß wir getrennt aufbrechen, und so hat sich Mr. Boularis alle Mühe gegeben, dafür zu sorgen, daß wir es taten. Mein Gott, wie hart er daran gearbeitet hat! Nicht seine Schuld, daß mich Fahrer, die mir erzählen, wie gut sie seien, nervös machen. Haben Sie sich nicht auch gefragt, Dr. Henson, wie Mat Ihre Verbindung zum britischen Geheimdienst herausbekommen hat?«

»Ja, das habe ich. Besonders, weil die einzige Verbindung, die besteht, diejenige ist, von der ich Ihnen erzählt habe. Mr. Boularis war aber nicht dabei, als ich Ihnen davon erzählte.«

»Er muß an der Tür gehorcht haben.«

»Oder aber . . .« Connell zögerte, weil er sich nicht schlüssig werden konnte, ob es taktlos sei, den Gedanken auszusprechen, der ihm plötzlich gekommen war. Manche Dinge bekam er sehr schnell mit. Er war es gewesen, fiel mir ein, der seine Zweifel darüber, ob es dem neuzeitlichen Menschen gegeben sei, eine Zimmer›wanze‹ schon dadurch auszumachen, daß er mit bloßem Auge danach sucht, laut geäußert hatte.

Melanie fertigte ihn entschlossen ab. »Nun, das ist jetzt nicht mehr von Belang. Sehen Sie nur! Seine Freunde auf dem Boot geben ihm Signale.«

Ein paar Pappkarton-Vulkane hatten begonnen, rote Lava und goldenen Regen zu spucken.

»Signale, die was bedeuten sollen?« Connell war in Gedanken noch immer bei der Zimmerwanzen-Hypothese, aber er sah Yves an.

Yves antwortete nicht. Sein Gesicht glänzte vor Schweiß.

Ich antwortete für ihn. »Signale, die bedeuten sollen, daß der Spaß vorbei ist, würde ich sagen. Jetzt wartet er auf die Knallerei, die ihm angekündigt wurde. Mat Williamson ist ein überzeugter Verfechter des großen Knalls als Argument. Schlichte Gemüter haben Respekt davor. Nicht gar so schlichte können häufig durch ihn ins Bockshorn gejagt werden. Als Mittel, um vernünftige Menschen dazuzubringen, sich töricht oder irrational zu verhalten, kommt ihm nichts gleich.«

Inzwischen redete ich, um meine eigene Moral hochzuhalten. Ich hatte die Abschußvorrichtung auf dem Deck des Bootes da draußen vom Schlafzimmerfenster aus gesehen. Sie wirkte wie die dem Gehirn eines Büromöbeldesigners entsprungene Vorstellung von einem aus gebündelten

Rohrleitungen zusammengebastelten Schirmständer. Der Feuerwerker hatte den grellen Lichtschein der feuerspeienden Vulkane aus dem Pappkarton dazu genutzt, um dabei sehen zu können. Er wollte sichergehen, daß ihm bei diesen Dingern kein Fehler unterlief.

»Um nochmals auf das Thema Entsatztruppen zurückzukommen, wenn Sie erlauben«, sagte Henson; »Sie sprachen doch von einer Notwendigkeit konzertierter Aktion, sobald der richtige Augenblick dazu käme und Sie das Zeichen gäben. Schieben Sie es nicht ein bißchen zu lange auf?«

»Nein.«

Ich nahm mir nicht die Mühe, ausführlicher zu werden. Es wäre töricht gewesen, ihr zu sagen, daß es nach allem nun doch kein Zeichen geben würde. Bundesgenossen sind notorisch unfähig zu begreifen, warum sie, wenn die Zeit gekommen ist, häufig gar nicht mehr benötigt werden.

Übrigens wurden in diesem Augenblick die Raketen abgeschossen.

Optisch boten sie rein gar nichts: keine anmutigen Lichtbogen farbigen Feuers, keine hübschen zweiten Explosionsstufen, um entzückte Zuschauer zu überraschen, keine Christbäume an Fallschirmen, nichts von dem Ooh-und-Aah-Zeug, mit dem in Monte Carlo aufgewartet wurde. Als die erste Salve hochging, waren die orangen Flammenstrahlen, die die Dinger aus den Schirmständern hoben, alles, was wir sahen.

Alsdann schienen sie mit verschämten pfropfenknallähnlichen Lauten aufzugeben und verschwanden aus der Sicht.

Die Explosionen auf und nahe der Terrasse waren nicht imponierend, aber sie waren alles andere als verschämt. Ich bezweifle, ob sich in irgendeiner der Ladungen mehr als ein paar Unzen HE befanden. Das ist ungefähr soviel, wie in einer modernen Handgranate steckt; gerade genug, um eine wirklich umwerfende Anti-Personal-Druckwelle mit einem Radius von drei oder vier Meter zu erzeugen. Die aus einem Rasenstück ausgehobene flache Mulde hätte von einem Hund herrühren können, der dort einen Knochen vergraben wollte. Die steinerne Brüstung der Terrasse trug lediglich pockennarbenähnliche Spuren davon. Es gab jedoch mehrere zerbrochene Fensterscheiben.

Niemand war verletzt worden, aber der Effekt auf Krom war bemerkenswert gewesen. Auf ihn schien die Knallerei wie das traditionelle Fingerschnipsen zu wirken, mit dem Hypnotiseure das auf offener Varietébühne in Trance versetzte Subjekt wieder zu sich zu bringen pflegen.

Ich muß übrigens sagen, daß seine Reflexe für einen Mann seines Alters, der zudem eine halbe Flasche Cognac intus hatte, erstaunlich gut funktionierten. Als die erste Salve detonierte, landete er mit einem Hechtsprung auf den Steinplatten des Terrassenbodens. Ehe ich mich auch nur von der Stelle hatte rühren können, war er bereits hinter dem Sockel eines Marmorplattentisches in Deckung gegangen. Als die zweite Salve eintraf, kroch und robbte er schon über die zersplitterten Scherben der Wohnzimmerfenster auf die relative Sicherheit zu, die das Wohnzimmer selbst bot.

»Sehen Sie? Sehen Sie?« rief er, während er sich entfernte.

Freilich sahen wir; zumindest sahen wir, daß es notwendig war, die Terrasse zu räumen. Auf die dritte Salve, die eine weitere Fensterscheibe zerspringen ließ und eines der Gartensesselkissen in Schwelbrand setzte, folgte eine kurze Stille. Melanie brach sie.

»Diese Leute müssen ja wahnsinnig sein!«

»Natürlich sind sie wahnsinnig.« Krom lag zusammengekrümmt auf dem Boden und suchte seine Hemdbrust eifrig nach Glassplittern ab. »Sie sind seit Jahren wahnsinnig. Sie sind von unserem Gastgeber zum Wahnsinn *getrieben* worden.«

Er mochte aus einem Trancezustand geschnipst worden sein, aber der Zauber funktionierte nach wie vor unvermindert.

»Wollen Sie damit sagen«, verlangte Connell im respektlosesten Ton zu wissen, den ich ihn Krom gegenüber jemals hatte anschlagen hören, »daß diese Narren fortgeschrittenen Alters, die da auf dem Boot mit Feuerwerkskörpern spielen, Kleister und Torten sind?«

»Wer sonst sollte Mörsergranaten abfeuern, um seinen Peiniger zu lähmen oder umzubringen?«

»Diese bierbäuchigen Kretins da draußen sind in den Vierzigern.«

»Und sie feuern keine Mörsergranaten ab«, sagte Melanie. »Das wird Ihnen jeder, der schweren Artilleriebeschuß jemals aus der Nähe erlebt hat, bestätigen können. Dies waren Signalraketen, und zwar defekte.«

»Keine defekten«, sagte Yves; »nur zu Zielzwecken modifizierte. Die da haben den Tod bei sich an Bord. Dies war nur eine Kostprobe. Wollen Sie auf die richtige Sache warten? Hören Sie nicht auf das, was Firman sagt. Stehen Sie auf und machen Sie, daß Sie wegkommen, solange Sie noch können!«

Kein Zweifel, Yves gehörte zu den Unentwegten. Für ihn stand zuviel auf dem Spiel.

Ich hatte mich in Bewegung gesetzt und war schon fast an der Tür, als Henson das bemerkte. Da es in genau diesem Augenblick wichtig war, daß keine Aufmerksamkeit auf mich gelenkt wurde, nickte ich ihr bedeutsam zu. Ich hoffte, daß sie es als das versprochene Zeichen von mir und als einen Hinweis darauf interpretieren würde, daß der Zeitpunkt für ein Ablenkungsmanöver gekommen war.

Sie enttäuschte mich nicht.

»Woher *wissen* wir, daß die Telefonleitungen unterbrochen sind?« fragte sie Connell anklagend. »Haben Sie sich davon überzeugt? Hat irgend jemand sich davon überzeugt? Ich bin nicht der Ansicht, daß man sich auf Firmans unbewiesene Behauptung verlassen sollte. Vielleicht gibt es *eine* Leitung, die noch funktioniert. Wenn ja, meine ich, daß Professor Krom in unser aller Namen umgehend die Polizei anrufen sollte.«

Ein wackerer Versuch. Melanie intervenierte sofort, um das Geräusch der von mir geöffneten Tür zu übertönen.

»Wenn hier irgend jemand die Polizei anruft, werde ich das sein müssen, Herr Professor, weil ich die offizielle Bewohnerin dieser Villa bin. Ich bin es auch, die den für den Eigentümer handelnden Verwalter anrufen muß, damit die Schäden gemeldet und geschätzt werden können. Vergessen Sie für den Fall, daß eine der Leitungen – was ich nicht glaube – noch funktioniert, bitte auch nicht, daß der Name des derzeitigen Mieters und Inhabers nicht Firman oder Wicky-Frey ist. Er ist Oberholzer.«

»Aha!« sagte Krom befriedigt. »Seien Sie versichert, daß ich das behalten werde. Oberholzer! Wie sollte ich es wohl vergessen können?«

Der Kanister war aus Metall, ein echter Veteran aus dem Zweiten Weltkrieg und keine von diesen Imitationen aus

Kunststoff, die sie heutzutage herstellen. Wahrscheinlich hatte er jahrelang dort in der Ecke der Garage gestanden; seit irgendeiner dieser Zeiten, in denen es angezeigt zu sein schien, ein bißchen Benzin für den Notfall in Reserve zu haben, wenn die örtlichen Zapfstellen versiegten. Nach welchem Nahostkrieg war der Kanister zuletzt gefüllt worden? Nach dem von dreiundsiebzig? Von siebenundsechzig? Dem Suez-Fiasko von sechsundfünfzig?

Ich hoffte, daß es nicht die Suezkrise gewesen war, weil ein Stabssergeant, der das Zeug zu verscheuern pflegte, mir einmal erzählt hatte, daß jahrelang gelagertes Benzin seine Kraft verliere. Ich hoffte zudem, daß der Mann seine Veruntreuungen lediglich zu rationalisieren versucht hatte. Keiner der beiden Wagen hatte noch viel im Tank, und was ich wollte, das war ein Ereignis, kein bloßes Vorkommnis; es mußte eine richtige Feuersbrunst sein, eine, die rasch gesichtet und gemeldet, aber nicht ohne weiteres gelöscht werden würde.

Ich war auch wegen des Dachproblems besorgt. Als ich noch nicht ahnte, daß mir Mat mit Feuerwerkskörpern behilflich sein würde, hatte ich die Sache so hindeichseln wollen, daß sie nach einem Kurzschluß infolge mangelhaft isolierter altertümlicher Leitungen aussah. Ein Versicherungsexperte würde sich dadurch nicht täuschen lassen, aber ich war bereit gewesen, mich dieser Schwierigkeit zu einem späteren Zeitpunkt zu stellen, als Gegenleistung für die im gegebenen Augenblick benötigte Anwesenheit einiger Feuerlöschzüge mitsamt ihrer Mannschaften, verstärkt durch ein zusätzliches Aufgebot von Polizeiwagen und glotzenden Zuschauern. Das Feuerwerk hatte mir eine Tarnstory geliefert, die potentiell besser war als diejenige von den altertümlichen Lichtleitungen; ob sie aber auch dann die bessere wäre, wenn es kein Loch im Dach gab, das zeigte, wo der Feuerwerkskörper durchgeschlagen war? Sähe das nicht verdächtiger aus als ein angeblicher Kurzschluß? Verdächtiger noch als die Überreste der *Vorrichtung*?

Einen Augenblick lang erwog ich, einen Hammer mit zum Boden hinaufzunehmen und ein paar Dachschindeln zu zerschlagen. Ich tat es dann doch nicht; teils, weil ich keinen Hammer finden konnte, aber hauptsächlich, weil ich es, wie ich zugeben mußte, mit der Angst zu kriegen begann.

Der Raketenbeschuß konnte durchaus von einer Weisung an das wartende Aufräumkommando verbunden gewesen sein. »Das ist null, Jungens. Fangt an mit Zählen. Gebt ihnen zehn Minuten, damit sie sich sammeln können. Wenn bis dahin keiner von denen rausgekommen ist, geht ihr rein und fängt an, euer Geld zu verdienen.«

Oder so ähnlich. Übrigens war ich mir nicht einmal sicher, ob die Vorrichtung, die ich zusammengeschustert hatte, überhaupt funktionieren würde. Möglicherweise würde ich kostbare Zeit darauf verschwenden müssen, das herauszufinden. Irgend jemand – Yves zum Beispiel – konnte hinzukommen, um nach mir zu sehen, während ich das tat. Wenn ich den Job vermasselte, weil ich schweißnasse Finger hatte und in allzu großer Eile war, konnte die Sache für mich damit enden, daß ich da hineingehen und Gefahr laufen mußte, mich mit Hilfe brennender Streichhölzer selbst in die Luft zu jagen.

Der Durchgang, der zur Garage führte, endete an der Innentür eines ehedem für Chauffeure vorgesehenen Kämmerchens mit angrenzender Toilette. Jetzt war es vollgestopft mit solchen Dingen wie Wasserskiern, alten Schnorchelmasken, einem Korbsessel mit geborstener Sitzfläche

und einem Satz Golfschläger mit Schäften aus Hickory-
holz. An der gegenüberliegenden Wand befanden sich zwei
Lichtschalter, einer für die Gangbeleuchtung, der andere
für die der Garage. Dieser zweite Schalter war erforderlich, weil es in der Garage keine Fenster und kein Oberlicht
gab. Wenn die großen Außentüren geschlossen waren, war
es drinnen stockfinster. Ich überzeugte mich, daß der zweite
Lichtschalter auf »aus« geknipst war.

Um die Vorrichtung zu laden, mußte ich die Garage
betreten, ohne ein Streichholz anzuzünden, und mich um
die Wagen herum zu einer Werkbank an der gegenüberliegenden Wand tasten. Auf der Werkbank stand ein Ladege-
rät mit Klammerschrauben an langen Kabelschläuchen, die
es ermöglichten, das Ding an eine verbrauchte Batterie
anzuschließen, ohne daß diese aus dem Wagen ausgebaut
werden mußte. Die Vorrichtung bestand aus den beiden
Klammerfedern, drei Leukoplaststreifen sowie einem der
zur Innenausstattung des Lincoln gehörenden Zigarrenan-
zünder. Er wurde mit Bindfaden im aufgeklappten Deckel
des Kanisterverschlusses befestigt – an der Stelle also, wo
sich die stärksten Dämpfe entwickeln würden.

Die Vorrichtung laden hieß das Hauptstromkabel des
Ladegeräts an die Glühbirnenfassung über der Werkbank
anschließen. Sie war ihre reguläre Energiequelle. Eine
Steckdose an der Wand gab es nicht. Das Anknipsen des
Lichts würde sodann eines von zwei Dingen bewirken: es
würde entweder irgendwo im Haus einen Kurzschluß verursachen oder, mit größerer Wahrscheinlichkeit, eine Faser
des Zigarrenanzünders so weit aufheizen, daß sie die Ben-
zindämpfe anzündete.

Ich konnte die Dämpfe riechen, sobald ich die Tür öffnete. Falls sich das Zeug während seiner Lagerung tatsäch-

lich zersetzt hatte, so roch es doch noch immer wie Benzin, und das nachgerade überwältigend intensiv. Aber konnte man das nach seinem bloßen Geruch beurteilen? Auf meinem Weg um die Wagen herum war ich versucht, die Verschlußkappen von den Tanks abzunehmen oder zu lockern. Ich tat jedoch keines von beidem. Ein Tank ohne Verschlußkappe oder ohne Anzeichen dafür, daß er unter Druck geplatzt war, wäre genau die Art Sache, die einem Brandstiftungsexperten sofort auffallen mußte. Schlag dir das aus dem Sinn.

Ich bezweifle, ob ich eine Taschenlampe benutzt haben würde, wenn ich eine gehabt hätte. Die Nacht war sehr warm, und die Sonne hatte das Speicherdach unmittelbar über mir nahezu den ganzen Tag lang beschienen. Der Raum troff förmlich von Benzindämpfen. Ich hätte selbst noch vor dem winzigen Funken Angst gehabt, der im Gehäuse der Taschenlampe entstehen mochte. Das schwache Licht, das von der Tür her ins Haus drang, war, obwohl es größtenteils von den Wagen blockiert wurde, eine gewisse Hilfe. Das Gedächtnis und der Tastsinn schweißnasser Finger mußten ein übriges tun.

Die Glühbirnenfassung über der Werkbank zu finden war das Schwierigste. Als ich mit erhobenen Armen dort oben stand und auf gut Glück nach dem verfluchten Ding grapschte, begann ich mich mehr und mehr desorientiert zu fühlen. Zweimal mußte ich aufhören und wieder nach der Kante der Werkbank tasten, um mich zu vergewissern, daß ich noch immer der richtigen Richtung zugekehrt war. Einmal, als ich die Glühbirnenfassung gerade gefunden hatte, ließ ich das Ladekabel fallen und mußte wieder von vorn anfangen. Aber schließlich war es geschafft. Mein Seufzer der Erleichterung jedoch blieb mir unausgestoßen im Hals stecken bei dem Gedanken daran, daß die Vorrichtung, wenn Yves oder Melanie den Gang hinunterkam, um nach mir zu sehen, und, bevor ich sie daran hindern konnte, am Schalter neben der Tür das Licht anknipsten ...

Ich machte, daß ich da herauskam, so schnell, daß ich mich schmerzhaft am Heck des Lincoln stieß. Auch schlug ich mir das Schienbein blutig, als ich über die unterste Stufe der Treppe zum Garagendachboden stolperte. Panik. Verdammte, stupide Panik.

Wieder draußen und hinter der Tür, behaftet mit einem mir hartnäckig anhängenden Benzinduft und Schmerzen, die in meinem linken Arm und rechten Bein fühlbar zu werden begannen, war ich plötzlich überzeugt, daß die Vorrichtung nicht funktionieren würde, daß ich irgend etwas von entscheidender Bedeutung vergessen hätte.

Müde lehnte ich mich gegen die Tür und drückte auf den Lichtschalter.

Im Gang erlosch das Licht, aber sonst passierte nichts. Ich hatte den falschen Schalter gedrückt.

Ich wischte mir den Schweiß aus den Augen und drückte den richtigen.

Der Luftdruck der Explosion fühlte sich an, als stemme jemand seine Schulter gegen die Tür, nicht um sie aufzustoßen, sondern lediglich, um festzustellen, ob sie verriegelt sei.

Ich entriegelte sie ganz sacht. Sie versuchte, ebenso sacht, sich wieder zu schließen. Ich benutzte den Griff eines Tischtennisschlägers, um zu verhindern, daß sie sich gänzlich schloß, und öffnete dann das Toilettenfenster, um sicherzugehen, daß im Garagenraum kein Sauerstoffmangel entstand.

Ich schloß die Innentür hinter mir, als ich ging.

Aus der Halle drangen erhobene Stimmen, aber einen

Ausweg, um ungesehen nach oben zu gelangen, gab es nicht für mich.

»Es ist an Mr. Firman und an niemand anderem«, sagte Melanie gerade, »zu entscheiden, was geschehen soll und wann es geschehen soll. Er ist Ihr Gastgeber, und solange Sie seine Gäste sind, müssen Sie seine Wünsche schon respektieren.«

Ihr trotziges Gequengel verriet, daß sie dabei war, in dem Disput zu unterliegen. Es überraschte mich nicht festzustellen, daß es Krom war, dem sie unterlag.

»Da wir in Gefahr sind«, sagte er scharf, »dürften derartige protokollarische Spitzfindigkeiten kaum angebracht sein.«

»Ganz recht«, sagte ich.

Sie starrten mich mit verständlicher Neugier an. Nicht nur, daß meine Hose zerrissen war; ich muß auch verdreckt ausgesehen haben, und mein Hemd war dunkel vor Schweiß.

Die Neugier schlug in Argwohn um.

»Was haben Sie denn vorgehabt?« fragte Connell. »Sich durch die feindlichen Linien zu schlagen?«

»Nein. Nach der Kavallerie Ausschau zu halten.«

Melanie hielt mein Tonbandgerät in der Hand. Ich hatte es im Eßzimmer zurückgelassen. Ich nahm es ihr ab und wandte mich dann an Krom.

»Ich muß Ihnen mitteilen«, sagte ich, »daß es in Kürze für uns erforderlich werden wird, uns von hier abzusetzen. Erforderlich für uns alle. Irgendwelche weiteren Meetings, falls es noch zu solchen kommen sollte, werden an einem anderen Ort stattfinden müssen.«

Krom wollte den Mund aufmachen. Ich redete ihn nieder, indem ich die Stimme erhob.

»Keine Diskussionen. Sie haben, denke ich, Zeit genug, um Ihre Pässe und anderen Wertsachen aus Ihren Zimmern zu holen, aber keine Zeit, irgend etwas zu packen. Ich muß Sie bitten, sich spätestens in zehn Minuten wieder hier unten einzufinden.«

Als Krom erneut den Mund aufmachte, ließ ich ihn reden.

»Dürften die Gäste freundlicherweise erfahren, welches neue Desaster die eingehende Untersuchung Ihrer kriminellen Vergangenheit *diesmal* aufschiebt?«

»Gewiß. Das Haus steht in Flammen.«

Einen Augenblick lang glaubte ich, sein Gesichtszucken habe sich wieder eingestellt. Dann jedoch flachte ein ganz seltsamer Muskelkrampf den *accent circonflexe* seiner Oberlippe ab und bedeckte die Zähne dahinter.

Er versuchte, sich ein resigniertes Lächeln zu verbeißen.

Die südfranzösischen Départements Var und Alpes Maritimes haben immer wieder unter Waldbränden zu leiden, die Menschenleben kosten und ausgedehnte Sachschäden anrichten. Die örtlichen Feuerwehren sind daher hervorragend ausgerüstet und hervorragend ausgebildet. Am Vierzehnten Juli wird stets ein außergewöhnlicher Zustand von Alarmbereitschaft aufrechterhalten.

Unser Feuer wurde zuerst von dem Besitzer einer östlich von uns an der oberen Corniche gelegenen Villa gesichtet. Er meldete es zweifellos umgehend, weil eine leichte Brise von uns zu ihm wehte und weil er glauben mochte, wir seien an diesem Abend nicht zu Hause. Brände greifen in jenen Breiten rasch um sich.

Das Getöse der herannahenden Feuerlöschzüge und Polizeiwagen setzte ein, als ich die Dusche abstellte.

Ja, ich duschte. Ich zog mir auch saubere Kleidung an. Wer glaubt, die beste Art, die Polizei davon zu überzeugen, daß man kein Brandstifter ist, sei die, auszusehen, als habe man das Flammenmeer dort drinnen mit einem nassen Handtuch und einem Gartenschlauch zu bekämpfen versucht, befindet sich im Irrtum.

Als der erste Feuerwehrwagen in die Auffahrt einbog, war ich zu seinem Empfang bereit. Alles, was ich zuvor noch zu tun hatte, war, meine kleine Reisetasche mit den Tonbändern und diversen anderen Sachen, die ich später brauchen würde, an einem sicheren Ort auf der Terrasse abzustellen. Es hatte keinen Sinn, das Bandgerät ebenfalls mitzuschleppen, und so öffnete ich es, um die letzte Kassette herauszunehmen. Irgend jemand hatte sie bereits an sich genommen.

Yves? Dies war nicht der Augenblick, ihn zu befragen. Ich ging nach unten. Als der erste Polizeiwagen eintraf, trat ich mit Melanie hinaus, rang die Hände, stand den Feuerwehrmännern im Weg und führte mich auch sonst nach Kräften so auf, wie jeder andere rechtschaffene Mensch sich unter diesen Umständen aufgeführt haben würde.

Meine Geschichte war simpel. Verrückte an Bord von Motorjacht. Irrläufer-Raketen. Holz von zu Garage umgebauter alter Remise vermutlich trocken wie Zunder. Hatte Ausbrechen des Feuers in rückwärtigem Trakt des Hauses nicht bemerkt, weil mit Löschen in Brand gesetzter Kissen auf Terrasse befaßt gewesen. Telefone mittlerweile ausgefallen. Zeugen, darunter verdienter Professor, würden Aussagen bestätigen. Gott sei Dank, daß Sie hier sind.

Ich nannte den Namen des Bootes und empfahl ihnen,

nach Brandstellen auf seinem Deck Ausschau zu halten. Nein, es würde sich nicht um Brandstellen von der Art handeln, die man mit Wasser und Seife entfernen kann. Schleifmaschinen und viel Zeit waren vonnöten, um die Schäden zu beheben. Wenn sie die Schufte faßten, was sie ohne Zweifel tun mußten, wäre ich liebend gern mit einem Schrotgewehr zur Stelle. Ja, ich wußte, daß man das Gesetz nicht in die eigenen Hände nehmen durfte und daß ich überreizt war, aber gewiß würden sie mir meine Erregung nachsehen können.

Die Besorgnis darüber, daß es kein Loch im Dach gab, das zeigte, wo die verirrte Rakete hindurchgeschlagen war, hätte ich mir sparen können. Als die Feuerwehrleute dorthin gelangten, war das Dach zum größten Teil bereits eingestürzt. Sie beschränkten sich darauf, den Brand einzudämmen und auf den älteren, nicht umgebauten Teil des Gebäudes zu begrenzen. Der ranghöchste Feuerwehrmann meinte, es sei zu schaffen, aber es würde eine langwierige Angelegenheit sein und einige seiner Leute würden dableiben müssen, um ein mögliches Wiederaufflammen zu verhindern. Nein, er würde niemandem empfehlen, im Haus zu schlafen. Das Feuer hatte bereits die Hauptlichtleitung erreicht, und wenn die Rohre zu schmelzen begannen, würde das Wasser abgestellt werden müssen. Besser, man fange an, sich mit dem Gedanken zu befreunden, die Nacht in einem Hotel zu verbringen.

Da ich nicht die Absicht hatte, erreichbar zu sein, wenn die Versicherungsexperten Überlegungen darüber anzustellen begannen, wie es am besten zu umgehen sei, auf die Schadensmeldung des Eigentümers hin zu zahlen, blieben nur noch die gekappten Telefonleitungen als wahrscheinlichste Quelle des Ärgers mit den örtlichen Behörden. Wenn man den Leitungen ansehen konnte, daß sie gekappt worden waren, würde man unangenehme Fragen stellen und vorzeitig Verdacht schöpfen. Ich zog Yves zu Rat.

»Keine Sorge«, sagte er; »die Leitungen ins Haus sind von der Garage her verlegt, und dort habe ich sie auch gekappt. Das Feuer wird nichts übriggelassen haben, dem davon etwas anzusehen ist.«

»Gut. Jetzt nehme ich diese Kassette an mich.«

»Welche Kassette?«

»Die, die in meinem Recorder war. Die mit dem Anruf von Mat.«

»Die hat Krom an sich genommen. Er glaubt, niemand hätte es gesehen. Sie steckt in seiner Hemdtasche. Sie könnten versuchen, sie ihm da rauszuziehen. Ich wette, freiwillig wird er sie nicht hergeben.« Seine Augen verengten sich maliziös. »Wußten Sie, Paul, daß diese ganze wunderschöne technische Ausrüstung von mir Symposia in Rechnung gestellt worden ist? Sie haben auch diese Tonbänder eingebüßt. Pech.«

Ich bemühte mich, so dreinzublicken, als habe er damit einen weiteren Nagel in meinen Sarg getrieben.

Ein Sprechfunkwagen der Gendarmerie war eingetroffen, um die Kommunikation mit den diversen behördlichen Stellen entlang der Küste aufzunehmen, die für die Ortung der *Chanteuse* und die Vorführung ihrer Passagiere und Crew zur Vernehmung zuständig sein würden.

Die Köchin und ihr Mann, die im Dorf von dem Brand gehört hatten, kehrten auf ihrem Motorroller zurück. Der Anbau der Villa, der ihre Behausung enthielt, war zwar außen erheblich versengt, ansonsten aber unbeschädigt. Nach präludierenden Lamentationen machten sie sich daran, eine Liste wertvollen persönlichen Eigentums aufzustellen, das sie in Küche, Waschküche, Weinkeller, Pantry sowie einigen anderen an die Garage angrenzenden Räumen, die ebenfalls Beschädigungen aufwiesen, zurückgelassen hatten. Ein Farbfernseher, den sie erstanden und in der Pantry neben der Tiefkühltruhe installiert zu haben behaupteten, rangierte ziemlich weit oben auf der Liste. Wenn der Versicherungsexperte Brandstiftung diagnostizierte, würde er über eine Auswahl Verdächtiger verfügen.

Die Polizei hatte die obere Straße für jeden nicht lebenswichtigen Durchgangsverkehr gesperrt, sobald der Feueralarm ausgelöst worden war. Die Küstenstraße jedoch wurde rasch von motorisierten Schaulustigen blockiert, die gestoppt hatten, um sich das Spektakel anzusehen. Streifenpolizisten auf Motorrädern mußten eingesetzt werden, um sie zur Weiterfahrt zu veranlassen.

Ein Fernsehteam, das den Brand gesehen hatte, während es ein »folklorique« abfilmte, das oben in La Turbie stattfand, wurde vorgelassen, um für die regionalen Nachrichten Aufnahmen zu machen. Yves verdrückte sich umgehend, und ich tat es ebenfalls. Zum Glück blieben die Leute vom Fernsehen nicht lang. Der Brand war bereits unter Kontrolle. Ich mied die Kameras, indem ich in meinem Schlafzimmer Zuflucht suchte und die Zeit nutzte, um beim Licht einer Kerze aus einem der Leuchter in der Halle meine restlichen Sachen zu packen. Außerdem wischte ich diejenigen Oberflächen ab, welche dem, der nach solchen Dingen Ausschau hielt, am ehesten klare Fingerabdrücke preisgeben würden. Nachdem wir uns abgesetzt hatten, würden der Mann der Köchin und die Frau, die täglich zum Reinmachen kam, zwar irgendwann aufräumen; da nun aber doch nicht das ganze Haus niederbrennen würde, war es besser, wenn dort so wenig Spuren wie möglich von mir zurückblieben.

Melanie hatte keine Schwierigkeiten wegen der Fernsehkameras. Sie verhandelte hinter geschlossenen Türen mit der Polizei. Sie mußte sowohl als Eigentümerin eines ausgebrannten Wagens einen separaten Bericht über diesen Sachverhalt verfassen wie auch als Mieterin des Hauses eine Erklärung über den Brand abgeben. Zur Vervollständigung des Papierkrams würde Connell, der offenbar den Mietvertrag über den Fiat unterschrieben hatte, ebenfalls einen separaten Bericht verfassen müssen.

Mittlerweile war es dreiundzwanzig Uhr geworden.

Einer Sache zumindest konnte ich mir sicher sein. Wenn die *Chanteuse* aufgebracht wurde, würde sich Frank nicht unter denen befinden, die an Bord angetroffen wurden. Auch war es in Anbetracht all der polizeilichen Aktivitäten in der Villa Esmaralda und um sie herum wahrscheinlich, daß seine Trupps angeheuerter Helfer aus der Nachbarschaft abgezogen worden waren. Jetzt würden sie auf entfernteren Sammelplätzen zuwarten – zuwarten, um zu sehen, für welchen Schachzug ich mich als nächstes entschied.

Es war Zeit, daß ich ihn machte.

Ich fand Krom mit Henson und Yves im Salon sitzend vor und stellte den Aschenbecher, den ich als Kerzenhalter benutzt hatte, auf dem Tisch ab, der in ihrer unmittelbaren Nähe stand.

Krom war offenkundig sehr erledigt. Meine Hoffnung, daß seine Erschöpfung es mir leichter machen würde, mit ihm fertig zu werden, erwies sich als trügerisch.

»Wir haben kein Licht«, begann ich munter; »und der Feuerwehrmann sagt mir, daß in Kürze jemand komme, um die Hauptwasserleitung abzustellen. Natürlich gibt es noch immer den Swimming-pool, wenn Sie der Chlorgeschmack nicht stört und es Ihnen nichts ausmacht, Eimer zu benutzen, aber das Wasser ist größtenteils zur Brandbekämpfung von einem der Löschzüge herausgepumpt worden.«

Er winkte verächtlich ab. »Verschonen Sie uns damit. Sie hatten die Absicht, unser Meeting aufzulösen. Sie verfolgen auch jetzt keine andere Absicht. Nachdem die äußeren Feinde erledigt worden sind, wollen Sie nunmehr daran gehen, die inneren Feinde zu erledigen. Dr. Henson ist ganz meiner Meinung.«

Ihr Blick war unfreundlich. »Da die Entsetzung der belagerten Stadt vollzogen ist«, sagte sie, »macht sich die Garnison bereit, mit wehenden Fahnen abzumarschieren. Die Kavallerie verbleibt nach ihrem rettenden Ritt in der Festung.«

Da wußte ich, wo *sie* der Schuh drückte. Die Bemerkung, die Connell über die zur Hilfe herbeigaloppierende Kavallerie gemacht hatte, während er bei ihr im Bett lag. Indem ich ihm das Wort »Kavallerie« unbedacht zurückgab, als er mich scherzhaft des Fluchtversuchs bezichtigte, hatte ich ihnen beiden zu erkennen gegeben, daß sie in ihrer Privatsphäre von mir belauscht worden waren. Auf Kooperation von ihrer Seite konnte ich bei meiner Auseinandersetzung mit Krom nicht mehr zählen.

»Die Garnison *kann* abmarschieren«, sagte ich, »aber wehende Fahnen würde ich nicht empfehlen. Sie glauben doch nicht etwa, daß Mat Williamson wegen eines kleinen Rückschlags hier schon aufgeben wird, oder?«

Kroms Zähne meldeten sich vollzählig zum Dienst zurück. »Auch ich halte es für unwahrscheinlich, daß der Mann, der Sie angerufen hat, aufgeben wird. War er der

›Vic‹, den Sie zu einem früheren Zeitpunkt erwähnt hatten? Ich denke, er muß es gewesen sein. Er wird also ebensowenig aufgeben, wie Kleister und Torten aufgeben werden. Sie wollen ihre Rache, und sie haben lange darauf gewartet, sie nehmen zu können. Jetzt, nachdem ihnen irgend jemand gesagt hat, wo Sie zu finden sind, können sie Sie, wenn nötig, bis ans Ende der Welt verfolgen. Da sind wir besser dran.«

»An Ihrer Stelle wäre ich dessen nicht so sicher.«

»Oh, aber ich *bin* dessen sicher, und meine Zeugen sind ganz meiner Meinung. Die Wahrheit über Sie wird unser Schutz sein. Alles, was wir zu tun haben, ist, sie zu veröffentlichen. Sie sind's, den sie killen wollen, nicht wir. Mr. Boularis hat das eindeutig klargestellt.«

Ich warf einen Blick auf Yves. Er lächelte leise. Seine vertrauliche Sitzung mit ihnen war außerordentlich ergebnisreich gewesen. Es wurde Zeit für mich, meine Verluste abzuschreiben.

Ich ging zu Krom hinüber und setzte mich neben ihn. »Ich glaube, Sie haben etwas an sich genommen, was mir gehört, Herr Professor.« Ich deutete auf die Kassette in seiner Hemdtasche und streckte dann die Hand aus, als wollte ich danach greifen. »Das da!«

Er wich zurück, wobei er die Kassette ungestüm an seine Brust drückte. »Ah, nein! Nein, Mr. Firman, wenn Sie *die* wiederhaben wollen, werden Sie sie kaufen müssen. Und ich werde Ihnen den Preis nennen. Wollen Sie ihn nicht wissen?«

Seine beschützende Umarmung war leidenschaftlich genug gewesen, um jedweden meiner Fingerabdrücke, der auf dem Ding zurückgeblieben sein mochte, zu verwischen, aber ihm zu Gefallen nickte ich.

»Wieviel?«

»Ich verlange zweierlei. Ich verlange die restlichen Papiere, die Sie für mich vorbereitet hatten, diejenigen, die ich bekommen hätte, wären wir nicht unterbrochen worden, und ich verlange eine Wiederaufnahme unserer Meetings bis spätestens heute in einer Woche. Und sie werden in Brüssel stattfinden, wenn ich bitten darf. Wir haben uns dort bereits wiederholt unauffällig getroffen, und das in einem öffentlichen Lokal. Warum nicht erneut? Ich bin sicher, Sie werden sich dort vor Feuerwerkern zu schützen wissen, und Ihre Opfer sind es gewohnt, auf ihre Chance, sich Genugtuung zu verschaffen, warten zu müssen. Im übrigen sind es offenkundig vorsichtige Leute. Es sähe ihnen nicht ähnlich, Sie in der Lobby des Brüsseler Westbury-Hotels zu attackieren. In spätestens einer Woche also können wir weitermachen, oder? Was meinen Sie?«

Ich stand auf. »Ich meine, es ist Zeit, daß wir daran denken, von hier wegzukommen, und ich zumindest gedenke, was die Art und Weise betrifft, *wie* ich von hier wegkomme, außerordentliche Vorsicht walten zu lassen. Mit einigem Glück könnte es mir gelingen, die Gendarmerie zum Beistand zu überreden.« Ich sah Henson an. »Melanie hat noch immer mit der örtlichen Polizei zu tun. Der Professor ist müde. Ich wäre Ihnen für ein bißchen Hilfe dankbar, aber das liegt bei Ihnen.«

Sie folgte mir zum Mannschaftswagen der Gendarmerie hinaus und wich mir nicht von der Seite, als ich dem Sergeanten erklärte, daß mir der Feuerwehrmann geraten hatte, ein Hotel aufzusuchen.

Er zog eine Grimasse. »Zu dieser Jahreszeit? Hier in der Nähe werden Sie nichts finden. In Monte Carlo mag es etwas von der Art geben, die Sie gewohnt sind, aber wenn

Sie bloß ein Bett zum Übernachten wollen, werden Sie in Nizza noch am ehesten Glück haben. Bei irgendeinem der Hotels in der Nähe des Hauptbahnhofs.«

»Wäre es Ihnen vielleicht möglich, Sergeant, uns über Ihr Sprechfunkgerät ein Taxi zu rufen?«

Henson blickte ihn flehentlich an. »Oder auch sogar zwei Taxis, Sergeant? Wir sind nämlich sechs Personen, müssen Sie wissen, und wir haben Gepäck.«

Er sagte, daß Taxen in der Nacht des Quatorze möglicherweise schwer zu bekommen seien, daß er aber seinen Einfluß bei den Funktaxi-Dispatchern – bei denen, die nüchtern seien – spielen lassen und zusehen wolle, was zu machen sei.

Die Taxis kamen aus Beaulieu und waren innerhalb einer halben Stunde da.

Melanie übergab die Hausschlüssel dem Ehemann der Köchin, bevor sie sich zu mir in den Fond des zweiten Taxi setzte. Henson sagte, daß sie den Rat des Sergeanten befolgen und nach Nizza fahren würden. Adieu wurde nicht gesagt. Die Peitsche hatte geknallt. Es lag auf der Hand, daß ich vernünftig sein und wahren würde, was von meiner Reputation noch übriggeblieben sein mochte, indem ich mich in der kommenden Woche in Brüssel zum Dienst meldete. Sie schuldeten mir keine Artigkeiten. Wozu sollten sie vortäuschen, sie täten es?

Als sie sich zum Abfahren anschickten, bemerkte ich, daß Yves nicht bei ihnen war. Im selben Augenblick stieg er in unser Taxi und nahm auf dem Sitz neben dem Fahrer Platz. Er hatte weder eine Tasche noch sonst irgend etwas bei sich.

Ich sagte: »Hallo.«

Er drehte sich nicht um. »Wohin fahren wir?« fragte er.

Ich hatte dem Taxichauffeur schon gesagt, daß wir den

Nachtzug von Monte Carlo nach Paris nehmen wollten. Wahrscheinlich gab es überhaupt keinen, aber moderne Taxichauffeure haben nur Abflugzeiten im Kopf. Ich hatte nicht vor, im Zug irgendwohin zu reisen, sondern beabsichtigte lediglich, das Taxi an einem mir genehmen Ort loszuwerden.

»Nach Monte Carlo«, sagte ich. »Zum Bahnhof.«

Es wurde kein Wort mehr gesprochen, bis wir oben auf dem Hügel beim Hotel de Paris waren. Dort sagte Yves dem Fahrer unvermittelt, er solle anhalten.

»Verlassen Sie uns?« fragte ich.

»Ich habe eine üble Migräne«, sagte er, als er ausstieg, »und gleich dort drüben ist eine Apotheke, die nachts geöffnet hat. Es wird nicht lange dauern.«

Ich wartete, bis er außer Sicht und innerhalb des Gebäudes war, und wies dann den Taxichauffeur an weiterzufahren.

Melanie blickte überrascht drein.

»Er kommt nicht zurück«, sagte ich, »er hofft bloß, uns noch ein paar zusätzliche Minuten lang aufhalten zu können. Er ruft Frank an, um sich wieder Kredit zu verschaffen. Im Augenblick dürfte es damit ziemlich schlecht bestellt sein. Möglicherweise glauben sie sogar, er habe gewußt, daß ich das Feuer legen würde. Eine Meldung, daß wir im Zug unterwegs sind, könnte seine Lage für ein paar Stunden verbessern. Wenn sie sich als wahr herausstellen und wir uns auf dem Bahnhof einfinden würden, um uns wie brütende Enten greifen zu lassen, könnten sie ihm am Ende vielleicht doch noch Absolution erteilen.«

»All diese Gewalttätigkeit, wie ich die hasse! Wann haben Sie gegen ihn Verdacht geschöpft?«

»Als er sagte, daß er Leute kenne, die für Mat Williamson gearbeitet hätten, und daß Mat jemand sei, von dem man sich fernhalten solle, weil er die Angewohnheit habe, die Leute nach Gebrauch abzustoßen.«

»Meinen Sie, das stimmt nicht?«

»Es stimmt in gewisser Weise, aber ›abstoßen‹ ist Franks Wort, Bestandteil der Formel, die er stets benutzt, wenn er jemanden einweist, der nicht argwöhnen darf, daß Mat der Boss ist. Sie werden verstehen warum. Wer würde schon glauben, daß der Mann, der einen anheuert, in *dieser* Weise über seinen eigenen Boss reden sollte? Deswegen wußte ich also, daß Yves von Frank eingewiesen worden war. Übrigens spricht Mat nie davon, Leute abzustoßen, selbst wenn sie ihn in große Schwierigkeiten gebracht haben, sondern nur davon, sie zu verlieren.«

»Was meinen Sie dann aber damit, daß es ›in gewisser Weise stimmt‹? In welcher Weise?«

»Wenn Mat jemanden verliert, dann deswegen, weil die betreffende Person fallengelassen oder abgestoßen wird. Das ist nur zu wahr. Aber in aller Regel spricht niemand je davon, weil niemand je davon erfährt, daß er eingetreten ist, der Verlust eingetreten ist, meine ich.«

»Nicht einmal der Verlorene?«

»Der Verlorene am allerwenigsten. Der ist tot.«

»Abscheulich.«

Als wir uns dem Bahnhof näherten, sagte ich dem Fahrer, wir hätten es uns anders überlegt und wollten jetzt zum Hotel gefahren werden.

Ich war mir ganz sicher, daß das Mirabeau für niemanden Zimmer haben würde, der, ohne eines vorbestellt zu haben, zu diesem Zeitpunkt der Saison und zu dieser nächtlichen Stunde erschien. Der Fahrer war derselben Meinung. Ich brachte ihn zum Schweigen, indem ich in hochfahrendem Ton erklärte, daß ich eine Suite verlangen würde, und ihn, sobald er unsere Sachen ausgeladen hatte, augenblicklich entlohnte. Weil er jetzt in Monaco war und daher nicht berechtigt, einen weiteren Fahrgast zu übernehmen, befand er sich schon auf der Rückfahrt nach Beaulieu, noch ehe der Nachtportier vom Mirabeau erschien, um uns zu sagen, daß keine Aussicht auf ein Unterkommen bestand.

Ein Hundertfrancs-Schein verschaffte uns ein weiteres Taxi; und wir brauchten nicht lange darauf zu warten. Der monegassische Fahrer hatte bezaubernde Umgangsformen, und der Preis, den er dafür berechnete, daß er uns nach dem zehn Minuten entfernten Menton brachte, war nur mäßig überhöht.

Wir stiegen in einem Hotel ohne Restaurationsbetrieb in einer Nebenstraße unweit der Kirche Sacré Cœur ab; und wir verließen es nicht häufiger als unbedingt nötig.

Das einzige Mal, daß wir uns in die Nähe einer Hauptstraße begaben, geschah es, um zwei billige Radiogeräte zu erstehen. Wir kauften Zeitungen an einem Kiosk am nahen Quai. An der Straßenecke befand sich ein Café. Wir nahmen dort unsere Mahlzeiten ein und benutzten den Münzfernsprecher, um unsere Telefongespräche nicht über die Zentrale des Hotels führen zu müssen.

Yves hatte eine Wohnung in Paris und, da er nicht nur ein hochbezahlter Techniker, sondern auch ein begeisterter Skiläufer war, ein Chalet bei Megève. Wir wechselten uns darin ab, seine beiden Telefonnummern anzurufen, und wir riefen sie dreimal täglich an. Bis zum Abend des vierten Tages nahm weder unter der einen noch unter der anderen jemand ab.

Melanie war an der Reihe gewesen, den Anruf zu tätigen, und als sie an unseren Tisch zurückkehrte, sagte mir ihr ausdrucksloser Blick, daß sich jemand gemeldet hatte.

»Paris«, sagte sie, als sie sich setzte. »Eine Männerstimme. Ich fragte zweimal nach Yves. Er wollte wissen, wer ihn zu sprechen wünsche, und bot dann an, Yves zu einem Rückruf zu veranlassen. Bedrängte mich in ungemein schmeichelhafter Weise, ihm meinen Namen und meine Telefonnummer zu geben. Ich habe aufgelegt.«

»Eine Polizistenstimme?«

»Eine überfreundliche, einschmeichelnde Stimme. Ich dachte, Polizei. Warum versuchen Sie's nicht selber mal mit ihm?«

»Danke, Ihre Schilderung genügt mir. Es heißt, durchgewählte Anrufe seien schwer zu lokalisieren, aber das war letztes Jahr. Wer weiß, wie schwer oder leicht es heute sein mag?«

Wir verzehrten unser Essen, weil wir es bestellt hatten und weil es merkwürdig ausgesehen haben würde, wenn wir unvermittelt die Rechnung beglichen hätten und aufgebrochen wären. Wir konnten es uns nicht leisten, ausgerechnet zu diesem Zeitpunkt Aufmerksamkeit zu erregen.

Wieder in unseren Hotelzimmern zurück, hockten wir wie angeleimt vor den Radiogeräten. Ich wechselte zwischen den stündlich vom örtlichen Sender ausgestrahlten France-Inter-Nachrichten und einer italienischen FM-Station. Melanie blieb bei Radio Monte Carlo. Die erste Meldung kam über France-Inter, am Ende der Zweiundzwanzig-Uhr-Nachrichten und vor der Übersicht über die Sportereignisse.

Im Laufe des frühen Abends waren Meldungen über einen Bombenzwischenfall unweit von Cagnes eingelaufen.

Sie waren inzwischen bestätigt worden, wenngleich Einzelheiten noch ausstanden.

Der Vorfall betraf einen Wagen, der auf dem Vorland neben einem Entwässerungsgraben wenige Meter von der Auffahrt zur Ost-West-Spur der Autoroute entfernt aufgefunden worden war. Der Fahrer, ein Mann von Ende Dreißig, schien in dem Wagen ›plastiqué‹ worden zu sein.

Ein merkwürdiger Umstand des Vorfalls bestand darin, daß der Wagen, Jean-Pierre-Soundso zufolge, der ihn entdeckt hatte, selber so gut wie überhaupt nicht beschädigt worden war. Bei dem Mann handelte es sich um einen Nachtwächter, der bei dem auf einem angrenzenden Grundstück tätigen Bauunternehmer beschäftigt war. Von der Ankunft des Wagens hatte er nichts bemerkt. Auf seinem stündlichen Kontrollgang über das Gelände, zu dessen Bewachung er engagiert worden war, hatte ihn sein Hund dorthin geführt.

Der Wagen gehörte einem internationalen Autoverleih-Service. Er war zu einem früheren Zeitpunkt des gleichen Tages von einem Mann angemietet worden, der eine Kreditkarte vorgewiesen hatte, die auf den Namen Yves Boularis ausgestellt und auf der eine Adresse in Paris vermerkt war. Weitere Papiere, die sich in der Brieftasche des Opfers fanden, identifizierten den Toten als Boularis. Es folgte eine Beschreibung des Wagens sowie die Bitte an alle diejenigen, die ihn, sei es an jenem Abend in der Gegend von Cagnes, sei es zuvor in Nizza, zufällig gesehen hatten, sich mit der Polizei in Verbindung zu setzen.

Um dreiundzwanzig Uhr gab es eine Wiederholung derselben Story, jedoch mit zusätzlichen Einzelheiten.

Boularis war ein in der zentralen Ausländerkartei als Import- und Exporthändler elektronischer Ausrüstungen geführter Tunesier. Die Möglichkeit, daß er auch mit Rauschgifthandel zu tun gehabt hatte, war nicht übersehen worden. Freunde und Geschäftspartner des Toten wurden zwecks Vernehmung gesucht.

Es folgte eine kryptische Schlußbemerkung.

Ein Polizeisprecher hatte gesagt, daß eine beunruhigende Besonderheit des Falls in der bizarren Methode bestände, die vom Killer oder von den Killern angewandt worden war. Der Tote hatte mit angelegtem Sicherheitsgurt am Steuer gesessen. Der Sprengstoff war nicht durch einen Zündschlüsselkontakt oder auf sonst irgendeine der in solchen Fällen üblichen Weisen zur Detonation gebracht worden. Vielleicht ein Selbstmord? Mit Sicherheit keiner. Ganz ausgeschlossen.

Die Morgenblätter waren ein gut Teil ausführlicher, und einige davon auf übelkeiterregende Weise.

Es bestand kein Zweifel, daß Yves zum Ort der Hinrichtung gefahren worden war. Er war zu dem Zeitpunkt bewußtlos oder doch nur halbwegs bei Bewußtsein gewesen. Es gab Hinweise, die dafür sprachen, daß Gewalt angewendet worden war, um ihm die Injektion zu verabreichen. Um welche Art Droge es sich gehandelt hatte, würde zweifellos noch festgestellt werden. Er war sodann auf den Fahrersitz seines Leihwagens gesetzt worden. Die Sprengstoffladung, die ihn zerrissen hatte, war an dem diagonalen Abschnitt seines Sicherheitsgurtes, dort, wo dieser seinen Bauch kreuzte, angebracht gewesen. Seine Handgelenke waren mit Draht ans Lenkrad gefesselt. Ein Zeitzünder war benutzt worden, um die Ladung zur Explosion zu bringen. Es mochte beabsichtigt gewesen sein, daß er das Bewußtsein wiedererlangen und sich darüber klarwerden sollte, was mit ihm geschah, bevor er starb. Alles deutete auf einen Mord aus Rache hin. Es erschien wahrscheinlich, daß mehr als ein Täter – und mit Sicherheit ein zweites Automobil – zur Ausführung des Verbrechens erforderlich gewesen waren. Die Leiche, die von der Sprengladung übel zugerichtet – tatsächlich so gut wie mittendurch gerissen – worden war, wurde gegenwärtig gerichtsmedizinisch aufs sorgfältigste untersucht. Von den Ergebnissen der Autopsie sowie der wissenschaftlichen Untersuchung des Wageninneren versprach man sich dringend benötigte Hinweise auf die Identität derjenigen, die für das Verbrechen verantwortlich waren.

»Bestialisch!« sagte Melanie. »Das sind niederträchtige Gangster.«

»Die es begangen haben, sind es fraglos, würde ich sagen. Aber wie nennen wir so reizende Menschen wie beispielsweise Mat und Frank, die genaue Anweisungen gaben, was zu geschehen habe und wie, *und* dafür zahlten, daß sie befolgt wurden? Wie nennen wir die?«

»Fragen Sie Professor Krom. Er hat für alles und jedes ein Wort parat. Fragen Sie ihn, Paul, und schicken Sie mir eine Postkarte mit der Antwort.«

»Sie wollen also nicht mit mir nach Brüssel gehen?«

»Danke. Ich ziehe es vor, meinen Bauch zu behalten.« Sie warf mir einen Seitenblick zu. »Werden Sie gehen?«

Ich brachte ein dünnes Lächeln zustande. »Mr. Williamson scheint seinen Standpunkt sehr deutlich gemacht zu haben. Bis die Placid-Island-Verhandlungen sicher unter Dach und Fach sind, wird mir angeraten, mich an keinem der üblichen Orte blicken zu lassen. Ich muß gänzlich unerreichbar bleiben, *physisch* unerreichbar, für jegliche Befragung durch jedweden wißbegierigen Journalisten, der irgendwelche von Kroms Zeugen ausgestreuten Gerüchte gehört oder den schnapsseligen Weitschweifigkeiten des Großen Alten Mannes gelauscht haben könnte. Dasselbe gilt für Sie. Meine Tätigkeit für Symposia wird eine Weile lang delegiert werden müssen.«

»An wen? Frank Yamatoku?«

Ich kicherte doch tatsächlich. »Wir werden sehen. Einstweilen möchte auch ich meinen Bauch behalten. Wir müssen beide verschwinden. *Natürlich* werde ich nicht nach Brüssel gehen.«

»Krom wird darüber nicht erfreut sein.«

»Dann muß ich lernen, mit seinem Mißfallen zu leben.«

Warum habe ich versagt?

Möglicherweise, weil die Form, die Kroms Mißfallen annahm, mich nicht sonderlich zu dem Versuch ermutigte, damit zu leben.

Es gibt gewisse Dinge, die *jemals* zu lernen einem Mann meines Schlages allzu schwer fällt. Zu ihnen zählt die Kunst, mit dem Mißfallen eines Narren zu leben.

Seine Wut darüber, daß ich es unterließ, Selbstmord zu begehen – indem ich ihn und seine Zeugen in Brüssel traf –, wurde prompt zum Ausdruck gebracht.

Zwei Monate später kam *The New Sociologist* als Sonderheft heraus, das ausschließlich einem Aufsatz von Krom gewidmet war. Sein Titel lautete: »*Der Kompetente Kriminelle* – Anmerkungen zu einer Fallstudie.«

Ich unternahm damals nichts dagegen.

Das lag nicht nur daran, daß ich mich, um Mat Williamson willfährig zu sein und ihn davon abzuhalten, mich umbringen zu lassen, rar machte. Ich mag zwar unter der von mir selber verhängten Kontaktsperre unerreichbar gewesen sein, aber ich war meinerseits nicht von allen Verbindungen abgeschnitten. Ich hätte Anwälte instruieren können, wenn ich gewollt hätte, oder ich hätte meine Leute bei der Symposia veranlassen können, Anwälte zu instruieren. In der Tat gab es einige unter ihnen, die mich drängten, das zu tun. Ich tat es nicht, weil ich es für das beste hielt, die Sache zu ignorieren. Internationale Justitiare sind zumeist allzusehr damit beschäftigt, sich über neue Steuergesetze, die ihre Klienten betreffen, auf dem laufenden zu halten, als daß sie sich mit der Lektüre von Periodika wie *The New Sociologist* abgeben könnten.

Ich bin nicht der erste verleumdete Mensch, der diesem Irrtum erlegen ist, und werde auch nicht der letzte sein. Aber erst, als das Erscheinen der deutschen Ausgabe von Kroms Buch *Der Kompetente Kriminelle* eine förmliche Flut von Artikeln zu diesem Thema in den internationalen Nachrichtenmagazinen sowie Handels- und Finanzblättern hervorrief, wurde mir klar, daß ich einen Irrtum begangen hatte.

Es ist daher Kroms unverantwortliches Buch, nicht sein unverantwortlicher Aufsatz, wogegen sich mein förmlicher Einspruch richtet.

Nicht daß zwischen beidem ein nennenswerter Unterschied bestände. Das Buch, das gegenwärtig in vier weitere Sprachen übersetzt wird, ist im wesentlichen eine aufgeschwemmte Version des Artikels, die mit Hilfe langatmiger Fußnoten und eines Anhangs mit Bibliographie und Register auf den gewünschten Umfang erweitert wurde. Es enthält wenig neues Material. Aus den journalistischen Zwischenüberschriften – Phrasen wie *Die Anarchie oder Das Prinzip Nötigung* und *Der Kriminelle als Moralphi-*

losoph –, die zur Auflockerung und Gliederung des Artikels in verdauliche Portionen dienten, sind Kapitelüberschriften geworden.

Ansonsten keine ins Gewicht fallenden Änderungen. Die Ungenauigkeit, Unrichtigkeit und totale Verlogenheit des Originals blieben unvermindert erhalten.

Frits Bühler Krom ist ein Schaumschläger.

Er kam, den Kopf voll vorgestanzter Meinungen, nach Brüssel, um mich zu sehen. Nichts konnte ihn dazu veranlassen, sie zu modifizieren. Er wußte, was er zu sagen hatte, um seine Theorien zu beweisen. Jetzt hat er es gesagt.

Wozu dann aber hat er auf dem Schlachtfeld von Cap d'Ail seine Haut riskiert? Wenn er auch nicht hatte wissen können, in welche Art von Gefahr er sich begeben würde, so war er doch fraglos auf gewisse Schwierigkeiten gefaßt gewesen. Das bezeugen die Vorkehrungen, die er in Brüssel gegen die Möglichkeit traf, daß ich ein Mann von jener Sorte sein könnte, die ihn gern beseitigen lassen würde. Wozu also?

Damit er jetzt das respektable Etikett »Fallstudie« auf den Quark kleben kann, den er geschrieben hat, dazu natürlich. Wozu sonst? Jetzt kann er vorgeben, daß er, nachdem er beherzt die Reise ins Unbekannte angetreten und dessen Wunder beobachtet hat, zum Zweck der Aufklärung gelehrter Kollegen lediglich berichtet, was er, und er allein, mit eigenen Augen hat sehen können.

Er ist, wie der ame Yves sagen würde, wirklich bloß »ein aufgeblasener alter Sack voll Piß und Wind«.

Denn was hat uns dieser kriminologische Münchhausen von seinen Reisen zu erzählen?

Nun, einstmals, als er in Zürich war, identifizierte er diesen Oberholzer. Jahre später sah er ihn wieder. Oberholzer, jetzt wie ehedem Drahtzieher einer weitverzweigten internationalen Erpresser-Verschwörung, erklärte sich bereit, als Gegenleistung für die zugesicherte Immunität gegen bestimmte Druckmittel, die anzuwenden Krom in der Lage war, auszupacken und sogar schriftliche Erklärungen über Techniken abzugeben, die von kompetenten Kriminellen angewendet werden. Unter den Opfern von Oberholzers Erpresser-Organisation gab es zwei, die Krom zufällig bekannt waren. Ihre Codenamen lauteten Kleister und Torten, und . . .

Und so weiter und so weiter. Bis wir zur scharfsinnigen Analyse meiner »Papiere« gelangen.

Musterfragen. Warum war es, wenn es sich bei dem Steuervermeidungs-Beraterservice nicht um eine bloße Fassade handelte, erforderlich, Informanten wie den unglückseligen Kramer anzuwerben? Einem echten Steuerberater würde natürlich Einblick in die Bankauszüge seiner Klienten von diesen selber gewährt werden. Ist es nicht offenkundig, daß Männer wie Kleister und Torten niemals Klienten waren, sondern nur Opfer?

Es kommt ihm nicht in den Sinn, daß Männer wie K und T – Männer, die er selber an anderer Stelle seines Buches als »betuchte Psychopathen« bezeichnet – die Berater, die sie beschäftigen, ebenso hemmungslos belügen, wie sie die Steuerbeamten belügen, die sie betrügen zu können glauben. Wenn einem derartige Klienten erklären, sie hätten drei Bankkonten, geht man ganz selbstverständlich davon aus, daß sie sechs haben. Im eigenen Interesse, wo nicht in ihrem, sollte man sich über den Stand der Dinge Gewißheit verschaffen.

Seine Welt ist eine monochrome Welt aus Gut und Böse,

Unschuld und Schuld, Wahrheit und Unwahrheit. Falls eine solche Welt existiert, und heimlich existiert sie vielleicht in einigen Köpfen, so soll er sie haben. Was er *nicht* tun sollte, nicht tun *darf*, ist, sie mit realen Menschen wie Paul Oh – beinahe – hätte – ich – seinen – Namen – genannt Oberholzer, mit realen Geschäftsunternehmen wie S . . . . . . a S.A. und realen professionellen Körperschaften wie dem Institut für Nein – den – Namen – sollte – ich – nicht – erwähnen zu füllen.

Es gibt ein paar Dinge, die er sehr geschickt ungenannt zu lassen versteht. Das sind die Dinge, die nicht für Ihre Ohren bestimmt sind.

Ungenannt bleibt Mat Williamson.

Ungenannt Placid Island.

Ungenannt Frank Yamatoku.

Ungenannt der Mord an Yves Boularis.

Ungenannt das uns von seinem Kollegen, Professor Langridge, zugedachte Geschenk einer Sprühdose mit Ninhydrin und einer Kamera.

Ungenannt geblieben ist eine Menge anderer Dinge.

Aber *nicht* unterblieben ist die Verleumdung, und ich bin deren Objekt.

Niemand, der Kroms Buch gelesen hat, jedenfalls keiner, der im Treuhand-Management-Bereich zählt, hat hinsichtlich der Identität des Mannes und der Gruppe, die Krom anklagt, irgendwelche Zweifel.

Und seine Entgegnung: »Wer glaubt, daß ihm die Jacke paßt, soll sie sich anziehen«, taugt nichts. Wie ich ihm in der Villa Esmaralda sagte, kann niemand, der mit der Verwaltung von Geldern anderer Leute befaßt ist, es sich leisten, eine Verleumdung zu ignorieren. Dazu sind wir zu verwundbar.

Ich habe genügend Narben und Verstümmelungen davongetragen, um den Nachweis dafür zu erbringen.

Wie hoch beziffere ich den Schaden?

Nun, noch ist keine der Klagen gegen Professor Krom und seine diversen Verleger *sub iudice*, und es kann daher nichts ausmachen, wenn ich hier eine überschlägige Schätzung folgen lasse. Es bleibt noch immer reichlich Zeit für einige von ihnen, auf die Veröffentlichung ganz und gar zu verzichten, und für andere, sich außergerichtlich zu vergleichen, nachdem sie das Buch zurückgezogen haben.

Die erste Auswirkung von Kroms Buch *Der Kompetente Kriminelle* bestand darin, daß innerhalb eines einzigen Monats nach dessen Erscheinen die Teilnehmerzahl der beiden anberaumten Symposia-Seminare um sechzig Prozent sank. Ein zeitweiliger Rückgang? Weit gefehlt. Während des darauffolgenden Monats blieben die Buchungen für unsere Hauptveranstaltung des Jahres, das jährliche Paris-Treffen, um siebzig Prozent unter denen des Vorjahres. Wir erhielten überdies mit einer einzigen Ausnahme von allen Stars unter den Rednern höflich bedauernde Absagen.

Ich beschloß daher, die Sache abzublasen.

Nehmen Sie das bitte zur Kenntnis. *Ich* beschloß es.

Ich habe von ›meinen Leuten‹ in Brüssel gesprochen. Damit waren natürlich meine engsten Mitarbeiter gemeint – der Leiter der Forschungsabteilung, der für die innere Sicherheit zuständige Mann, Leute, die von mir selber handverlesen worden waren –, an die ich von jeher Verantwortlichkeiten in gewissem Umfang delegiert hatte. Das Mat-Williamson-Ultimatum hatte mich dazu gezwungen, mehr zu delegieren, aber ich war ganz gut damit zurechtgekommen.

Ich war ganz gut zurechtgekommen, indem ich auf

Methoden zurückgriff, die Carlo und ich benutzt hatten, bevor ich so töricht gewesen war, Rosen zu Kramers Beisetzung zu schicken.

Ich benutzte einen Bürobetriebs-Service in einer Stadt, in der ich nicht bekannt war. Es war ein ausgezeichneter Service, mit Telefonanschlüssen, Fernschreiber und geschultem Personal hinreichend versehen und effizient geleitet. Auf diese Weise erhielt ich meine Verbindungen aufrecht. Auf diese Weise fuhr ich fort, die wichtigen Entscheidungen zu treffen. Einige würden es gar nicht als Delegierung bezeichnet haben.

Das war offenbar nicht, was Mat vorgeschwebt hatte.

Ich ging täglich gegen Mittag zum Bürobetriebs-Service und sah die Fernschreiben durch, die im Lauf des Vormittags für mich gekommen waren. Dann rief ich, sofern mir das nötig erschien, Brüssel an und sprach mit einem von meinen beiden dortigen Leuten.

Drei Monate nach dem Erscheinen von Kroms Buch hatten wir eine ganze Menge zu besprechen. Das einem Boykott gleichkommende Ausbleiben von Teilnehmern unserer Seminare war nur der Auftakt zu unseren Schwierigkeiten gewesen. Ein alter und hochgeschätzter Geschäftspartner, ein Steuerrechtexperte, mit dem wir viele Geschäfte abgewickelt hatten, schilderte die Art unserer äußerst mißlichen Lage unumwunden in dürren Worten:

»Nein, mit Paul Firman wage ich keine Geschäfte mehr zu machen, und ebensowenig mit irgend jemandem, der mit ihm in Verbindung steht. Die Banken wollen nichts von ihm wissen. Niemand will etwas von ihm wissen. Das wundert mich nicht. Ich habe das Krom-Buch ebenfalls gelesen.«

Das war der Augenblick, in welchem ich beschloß, etwas

zu unternehmen: als ich hörte, was ein intelligenter Mann, der mich kannte, von Krom zu schlucken bereit war, den er nicht kannte.

Es war Mittwoch. Ich wollte wissen, was Symposias westdeutscher Anwalt beim Meeting an jenem Morgen zu sagen gehabt hatte. Ich rief Brüssel kurz vor zwölf Uhr mittags an.

Keiner meiner Leute meldete sich.

Ich wartete zwanzig Minuten und rief dann nochmals an. Natürlich kannte unsere Mitarbeiterin in der Telefonzentrale meine Stimme, aber ihre klang seltsam. Ich begriff sehr rasch, warum. Es war Frank, zu dem sie mich durchstellte.

»Hallo, Paul.«

Unwillkürlich spannten sich Muskeln, aber es gelang mir, meine Stimme gleichmütig klingen zu lassen. »Da scheint etwas mit der Leitung nicht in Ordnung zu sein. Ich rufe Brüssel an.«

»Mit der Leitung ist alles in Ordnung, Paul, aber mit Ihnen nicht. Ich sitze in Ihrem ehemaligen Büro.«

»Ich verstehe.«

»Nun, genau das scheint mir der Kern des Problems zu sein. Sie verstehen *nicht*.«

»Dann werden Sie's mir erklären. Dreht es sich darum?«

»Nein, Paul, darum dreht es sich nicht. Niemand gibt Ihnen noch irgendwelche Erklärungen. Sie hören nicht zu. Niemand gibt Ihnen noch irgendwelche Ratschläge. Sie nehmen sie nicht an. Deswegen habe ich den Auftrag, Ihnen zu sagen, *was* Sie von jetzt ab kriegen werden.«

»Ich höre da ein quietschendes Geräusch, Frank. Das ist nicht bloß Ihre Stimme. Sie müssen sich auf meinem Stuhl hin und her wiegen. Das würde ich lassen. Ich habe es immer so gehalten, daß der Hebel zum Regulieren der Federung auf ›hart‹ eingerastet blieb. Sobald Sie sich zu weit zurücklehnen, kippt das ganze Ding nach hintenüber. Sie könnten sich weh tun.«

Ich versuchte meine Besorgnis echt klingen zu lassen. Sie klang echt genug, um zu bewirken, daß er die Beherrschung verlor.

»Werden Sie nicht drollig, Opa. Halten Sie jetzt mal die Klappe und versuchen Sie zur Abwechslung, mir zuzuhören. Sie waren angewiesen, hübsch dichtzuhalten. Sie haben sich nicht daran gekehrt. Sie haben gequatscht. Wenn Krom Sie ernst genommen hätte, wäre ne Menge Schaden angerichtet worden. Zum Glück haben Sie ihn nicht beeindruckt. Aber jetzt haben Sie Ihr Fett bekommen. Sie sind extra scharf verwarnt worden letztes Mal. Eine Zeitlang dachten wir, Sie hätten es endlich kapiert. Aber nein. Sie sind genau so einer wie all die anderen alten Säcke. Man sagt Ihnen Bescheid, Sie benehmen sich, als hätten Sie verstanden, und dann vergessen Sie, was Ihnen gesagt worden ist.«

»Was habe ich vergessen, Frank? Meinen Sicherheitsgurt anzulegen?«

»Witzeln Sie nicht über ernste Dinge, Paul. Sie haben sich auf ein riskantes Spiel eingelassen, und Sie haben noch mal Glück gehabt. Die Krom-Situation ist eingedämmt worden, *nicht* durch Sie. Und was geschieht *jetzt*? Jetzt wollen Sie diesen alten Hornochsen verklagen und die ganze Büchse mit all den Würmern drin wieder aufmachen.«

»Sie mixen Metaphern, Frank, und das auf einer nicht abhörsicheren Leitung.«

»Sie haben nichts mehr übrig, was Sie noch verstecken

könnten, Alterchen. Es hängt alles raus zum Angucken für jedermann, die Anteilseigner eingeschlossen, und den Anblick findet niemand erfreulich. Also, mit Wirkung von heute mittag sind Sie draußen. Über den Stuhl, auf dem ich sitze, brauchen Sie sich keine Gedanken mehr zu machen. Es ist alles eingerenkt worden, und falls Sie noch immer meinen, daß es wieder ausgerenkt werden könnte, dann vergessen Sie's! Sie sind draußen, und zum Draufsitzen haben Sie jetzt nur noch Ihren eigenen Arsch.«

Das konnte ich ihm wohl glauben. Die Verbindung zu halten ist nie das gleiche wie die Stellung zu halten, und was Buchführung betrifft, ist Frank um Einfälle nie verlegen gewesen. Wie ich mir habe sagen lassen, hat er noch andere Fähigkeiten. Wenn Unterschriften von Personen benötigt werden, die nicht umgehend greifbar oder bereit sind, sie zu leisten, ist er imstande, ausgezeichnete Fälschungen zu liefern.

»Ihnen ist nicht etwa entfallen, daß ich selber Eigner eines größeren Anteils bin, oder?«

»Was Sie haben, sind zwanzig Prozent, und ich werde Ihnen sagen, wie es damit aussieht. Ist von ganz oben abgesegnet worden, also können Sie's mir schon glauben. Wollen Sie's hören?«

»Ich höre.«

»Lassen Sie Krom ungeschoren, kaufen Sie sich das hübsche Ruheständler-Eigenheim im lieben alten Seniorenstädtchen, von dem Sie schon immer geträumt haben, und Sie kriegen den goldenen Händedruck. Wir kaufen Ihnen diese zwanzig Prozent zum Nennwert ab, zum in *Ihren* Büchern angesetzten Nennwert. Na, was sagen Sie dazu?«

»Scheren Sie sich zum Teufel.«

Eine Pause entstand. Dann: »Paul, dies Angebot ist ganz

und gar echt. Wir meinen es in vollem Ernst. Aber lassen Sie von Krom ab.« Die Anstrengung, die es ihn kostete, umgängliche Formen zu wahren, war nahezu hörbar.

»Scheren Sie sich zum Teufel.«

»Paul, ich fände es besser, wenn Sie sich diese Antwort nochmals überlegten.«

»Okay, ich habe sie mir nochmals überlegt. Die Antwort ist nein.«

»Weil es, wenn sich jemand zum Teufel schert, keiner von uns hier sein wird.«

»Frank«, sagte ich, »Sie haben Ihr Geld an Yves verschwendet. Warum mußten Sie Leute anheuern, um ihn zu killen? Sie hätten ihn nur zu fesseln und unentwegt auf ihn einzureden brauchen. So wie Sie jetzt auf mich einreden. Es wäre kein angenehmer Tod gewesen, kein angenehmerer, als plastiqué zu werden, aber um vieles billiger für Mat. Und es hätte keine Spuren hinterlassen. Nun ja, so gut wie keine. Bloß den aufgerissenen Mund, den ein Mann hat, wenn er von einem Giftpfeil getroffen worden oder mitten im Gähnen gestorben ist.«

Wiederum trat eine Pause ein. Mein Sessel am anderen Ende der Leitung hatte aufgehört zu quietschen.

»Paul«, sagte er dann, »ich werde Ihnen jetzt ein paar Zahlen vorlesen. Sie kennen sich mit Kommunikationscodes aus. Gut, dies ist Ihrer, Ihr derzeitiger. Er lokalisiert Sie und Ihre Kraut-Hilfswillige als per Auto in etwa vier Stunden erreichbar und in etwa drei Stunden von den Jungens mit dem Know-how, von dem Sie mir erzählen, daß es so ineffizient und überzahlt sei. Dann holen Sie am besten erst mal tief Luft. Wenn Sie auch jetzt wieder davonrennen wollen, werden Sie diesmal ziemlich weit laufen müssen. Fertig? Okay. Dies ist Ihr Code. Das Präfix lautet . . .«

Ich hörte mir die ersten sieben Zahlen an, nur um Gewißheit darüber zu erlangen, ob mein alter Sicherheitsmann nicht vielleicht geglaubt hatte, er sei es mir schuldig, einen kleinen Fehler einzuschmuggeln.

Er hatte es nicht getan. Der Brüsseler Pakt der alten Kumpane war aufgekündigt worden. Es wurde Zeit, daß ich das Weite suchte.

Ich legte auf und rief Melanie an.

Sie weiß immer am besten, welche Reisevorbereitungen zu treffen sind.

Elf

Carlos Haus riecht wie ein Taschentuch, das lange in der Schublade einer alten Kommode gelegen hat. Selbst als es gerade erbaut war, hatte man einen gewissen Modergeruch wahrgenommen. Carlo hatte ihn damals dem brackigen Wasser zugeschrieben, das zum Anrühren des Betons verwendet worden war, und gemeint, mit der Zeit würde sich das schon geben. Es hat sich niemals gegeben; sondern der Geruch ist voll herangereift. Das verbenenduftende Anti-Moder-Spray das Melanie in dem Laden für alles auf dem Out Island besorgt, verschlimmert die Sache nur.

Sie macht die Fahrt in unserem Boot mit Jake, der es steuert und die Maschine wartet, allwöchentlich; und allwöchentlich kehrt sie mit unserer Post und unseren Lebensmitteln und unseren Drinks und mit Verwünschungen auf den Out-Island-Damenfriseur zurück. Gleichfalls allwöchentlich sagt sie, daß es das letzte Mal gewesen sei und daß sie nächste Woche, gleichgültig, welche Risiken damit verbunden seien, nach Nassau oder Miami und zu den Wohltaten Elizabeth Ardens abreisen würde. Sie fügt hinzu, daß schlechtes Essen einen ebenso gewiß umbringen kann wie plastique.

Sie hat mein Mitgefühl. Es ist jedoch möglich, daß ich ihr heute abend, sobald ich alles nochmals durchdacht und dreifach überprüft habe, endlich einen fertigen Fluchtplan vorlegen kann.

Gestern bestand die Post, die sie mitbrachte, aus zwei Briefen.

Der eine kam von einem Immobilienhändler in Kingston, und er besagte, daß der von mir geforderte Verkaufspreis für die Insel ein bißchen zu hoch sei. Wir bekommen solche Briefe in Mengen. Ich erwähne es lediglich, um zu erklären, wie wir vorgegangen sind. Für den Fall, daß jemand, der irgendwie und irgendwo für Mat oder Frank arbeitet, durch Zufall davon erfahren haben sollte, daß ich als einer von Carlos Treuhändern Zugang zu einem karibischen Eiland habe, unterhalten wir ein Frühwarnsystem. Rings um uns herum gibt es Hunderte von kleinen Inseln, die sich in Privatbesitz befinden; und da die Grundstückshändler darüber, wer welches wirklich besitzt, genauer informiert sind als das Grundbuchamt der Regierung, sind sie diejenigen, die es als erste wissen, wenn jemand Erkundigungen einzuziehen beginnt. Wer sonst als ein prospektiver Käufer sollte Erkundigungen anstellen? Also bin ich, obschon ich nicht das mindeste Recht dazu habe, ein prospektiver Verkäufer. Auf diese Weise mache ich mir das Informations-Spionagenetz der Immobilienhändler zunutze. Bislang ist nur ein einziger prospektiver Käufer tatsächlich bis zu unserer verträumten Lagune vorgedrungen. Nach einem von Carlos Köchin – sie ist jetzt ein bißchen alt geworden, dabei aber unbeirrbar schlecht geblieben – zubereiteten Spezial-Lunch reiste er ab, ohne je wieder von sich hören zu lassen.

Wir sind vor so ziemlich allem einigermaßen sicher gewesen, ausgenommen vor qualvoller Langeweile, schlechter Ernährung und der Möglichkeit, daß diese Bedingungen zu permanenten Begleitumständen dessen werden könnten, was uns noch vom Leben bleibt.

Darum war der zweite Brief so wichtig.

Er kam von dem Mann, der mir dabei geholfen hat, diesen Bericht über die ›Belagerung der Villa Esmaralda‹ zur Veröffentlichung einzurichten.

Ich hatte mich für ihn entschieden, weil mir etwas gefiel, was er geschrieben hatte, und ich daraus schloß, daß er jemand sei, der nicht dazu neigte, sich hochherzig oder auf sonstwie ermüdende Weise in Positur zu werfen. Meine Kontaktaufnahme erfolgte, indem ich ihm ein Exemplar von Kroms Buch mit einem Kommentar zusandte, welchen ich über den im *New Sociologist* erschienenen Originalbeitrag geschrieben hatte. Zugleich ließ ich ihn als mögliches Sicherheitsrisiko überprüfen.

Bei unserem ersten Treffen auf dem Out Island erreichten wir ein Übereinkommen. Und ich schätze mich glücklich, sagen zu können, daß keiner von uns beiden seither Anlaß gehabt hätte, den anderen an dessen Bedingungen erinnern zu müssen. Unsere Beziehung hat sich bemerkenswert entwickelt. Von meinem Sekretär ist er zu meinem literarischen Mentor geworden, sodann zu einem geschäftlichen Vermittler, der in meinem Namen und Auftrag mit Verlegern verhandelt, und schließlich zu meinem verläßlichen juristischen Berater.

Er nahm diese endgültige Rolle bei diversen Gelegenheiten während der Niederschrift des Buches vorweg, indem er mir Warnungen zukommen ließ – ›Sie können derartige Dinge nicht sagen‹ oder ›Niemand wird dafür einstehen‹ –, die ich schlichtweg ignorierte. Als unserem Verleger dann der erste englischsprachige Text vorgelegt wurde, fiel der Schlag. Der Verleger machte die Annahme von den rechtlichen Unbedenklichkeitserklärungen abhängig, die von denjenigen Personen einzuholen waren, die nach Meinung seiner Anwälte in der vorliegenden Fassung des Buches beleidigt wurden; nämlich von Connell, Henson, Langridge, Williamson, Yamatoku, Symposia S.A. und, natürlich, Krom.

Von mir aus hätte das das Ende der Angelegenheit sein können. Ich war müde und ungewöhnlich deprimiert. Tatsächlich sagte ich ihm, bei einem trübsinnigen letzten Treffen mit meinem Berater auf dem Out Island, daß er all diese kostspieligen Typoskripte – kostspielig, weil sie auf diesem Spezialpapier getippt waren, das sofort schwarz wird, wenn jemand den Text zu fotografieren oder fotokopieren versucht – zurückfordern und vernichten solle.

Er überredete mich, nichts zu übereilen. Lassen Sie den Verleger, der entschlossen ist, an dem Buch festzuhalten, doch ruhig versuchen, die Genehmigungen zu bekommen. Falls massive Streichungen oder sonstwie gravierende Änderungen verlangt werden würden, könnten wir dann immer noch entscheiden, ob sie vertretbar seien oder nicht. Möglicherweise genügten schon ein paar Namensänderungen. Es konnte nicht schaden, das in Erfahrung zu bringen.

Ich ermächtigte ihn, in diesem Sinne vorzugehen und abzuwarten, was geschehen würde. Er bekommt einen Prozentsatz von allen Tantiemen, die das Buch möglicherweise abwerfen wird, daher leuchtete mir sein Standpunkt ein. Meiner war der, daß ich ihm und dem Verleger, sofern das Buch nicht vollständig kastriert werden müßte, lieber freie Hand lassen sollte, für das, was sie höflicherweise als ›Meine Sache‹ bezeichneten, ihr Bestes zu tun.

Die erste Reaktion, die wir erhielten, war ermutigend, wenn auch ein bißchen überraschend. Sie kam von Connell und lautete kurz und bündig: »Veröffentlichen Sie in drei Teufels Namen.«

Ein Begleitbrief von meinem Berater führte aus, daß Dr. Connell jetzt an einer anderen Universität lehre und auch von seiner zweiten Frau geschieden sei. Die Anwälte schienen jedoch der Ansicht zu sein, daß seine kurze Verlautbarung eine Unbedenklichkeitserklärung darstelle.

Dr. Hensons Antwort gab mir ein Rätsel auf.

»Veröffentlichen Sie es unter allen Umständen«, schrieb sie. »Heutige Schulabgänger und Studienabbrecher dürfen einige Passagen des Buches ermutigend und instruktiv zugleich finden. Ulkiger als Smiles' ›Self-help‹ und aussichtsreich, zur Lieblingslektüre moderner Teenager-Leser erkoren zu werden. Bewährungshelfer allerorten werden es lieben.«

Ich fragte mich, ob ihr das falsche Buch zugeschickt worden war, aber man versicherte mir, dem sei nicht so. Es wurde angenommen, daß ihre Antwort möglicherweise darauf abziele, dem Dekan ihrer Fakultät Ärger zu bereiten.

Er verwahrte sich heftig gegen die Nennung seines Namens und die Zuschreibung gewisser Äußerungen. Sein Name wurde in ›Langridge‹ abgeändert, und einige Anspielungen, die sich auf das Personal britischer Sicherheitsdienste bezogen, wurden getilgt.

Die Antwort von Mat war höchst seltsam. Mir wurde eine Fotokopie zugeschickt.

Das wunderschön getippte Schreiben trug den in diskreten Kapitälchen gesetzten Briefkopf: Government House, Placid Island. Es war von einem persönlichen Referenten unterzeichnet.

»Auf Weisung Seiner Exzellenz Mathew Tuakana übermittle ich Ihnen seine besten Empfehlungen. Seine Exzellenz hat das als redigierte Erinnerungen Paul Firmans bezeichnete Manuskript gelesen. Nach Meinung Seiner Excellenz dürfte es für Soziologie-Spezialisten, ganz besonders für solche, die auf dem Gebiet psychiatrischer Sozialarbeit tätig sind, von gewissem Interesse sein. Es ist dies kein Gebiet, mit dem vertraut zu werden Seine Exzellenz Gelegenheit gehabt hat. Auf Placid Island sind Geisteskrankheiten selbst in ihren milderen Formen praktisch unbekannt. Mr. Firmans Schilderung einer kriminellen westlichen Subkultur erscheint ebenso sehr an den Haaren herbeigezogen wie diejenige, die er von Placid Island und seinen Bewohnern zu geben beliebt, und dies möglicherweise aus den gleichen Gründen. Es steht zu hoffen, daß seine Erinnerungen an die erstere sich ebenso sehr auf unzuverlässiges Hörensagen gründen wie seine Spekulationen über letztere.

Da es sich bei Seiner Exzellenz unmöglich um den in diesem Buch beschriebenen Mr. Williamson handeln kann, sieht sich Seine Exzellenz außerstande, es eingehender zu kommentieren. Ich bin angewiesen, zu Ihrer Information hinzuzufügen, daß es nicht weniger als zwanzig Familien namens Williamson mit Placid-Island-Staatsangehörigkeit gibt. Sofern der Autor oder Mr. Firman selber Wert darauf legt, mit unserem Informationsamt direkt in Verbindung zu treten, ließe sich möglicherweise jedwede in Mr. Firmans Vorstellungen bestehende Verwirrung beseitigen, zumindest was diesen Punkt anlangt.

Ich bin des weiteren ermächtigt zu erklären, daß der einzige Mr. Yamatoku, der als in Diensten Seiner Exzellenz stehend bezeichnet werden könnte, als Finanzberater zu den Mitgliedern der Placid-Island-Delegation bei den Vereinten Nationen zählt. Staatsrat Yamatoku ist derzeit in New York akkreditiert.«

Mein Berater fand das Schreiben drollig; meinte jedoch, daß meine Glaubwürdigkeit eine Einbuße erlitten habe.

Zwanzig Williamson-Familien auf Placid? Hatte ich das nicht gewußt?

Ich erläuterte den Scherz, den Mat einstmals mir erläutert hatte. Auf Placid war das Ändern von Familiennamen ein beliebter Volkssport, weit beliebter noch als der in Europa praktizierte politische Sport des Änderns von Straßennamen. Im Jahr 1946 mußte ein Statut verabschiedet werden, das für die Dauer von zwei Jahren über Namensänderungen ein Moratorium verhängte. Anlaß hierzu gab die Tatsache, daß jeder Familienname auf Placid plötzlich MacArthur lautete. Die vielen Williamsons bedeuteten schlichtweg, daß Mat sich anschickte, zu einer mächtigen Kultfigur zu werden.

Und ich erachte besagtes Schreiben keineswegs als drollig. Ich meine, es gibt mir unverblümt zu verstehen, daß ich, Buch hin, Buch her, noch immer auf der Flucht bin; und daß ich, wann immer es mir einfiele, hierüber anderer Auffassung zu sein, diese meine Auffassung jederzeit einem Test unterziehen konnte, indem ich direkt an Mats Informationsbüro schrieb.

Nun, ich könnte mich jetzt entschließen, genau das zu tun.

Die einzige Antwort von der Symposia S.A. war ein von einem Justizangestellten unterfertigtes hektografiertes Schreiben eines Amtsgerichts. Es besagte, daß die Symposia sich in freiwilliger Liquidation befände und daß Forderungen gegen sie bis zu dem und dem Datum geltend zu machen seien. Sehr traurig; aber, wie mein Berater mit pietätloser Genugtuung bemerkte, nach angelsächsischem Gesetz kann man Tote gar nicht verleumden.

Blieb noch Professor Krom.

Er hatte es nicht eilig zu antworten; und nach einigen

Wochen des Schweigens wurde befürchtet, daß er nicht beabsichtige, es zu tun. Nachforschungen ergaben jedoch, daß er in den Vereinigten Staaten gewesen war, um einer weiteren seiner internationalen Polizei-Konferenzen beizuwohnen, und anschließend eine Urlaubsreise angetreten hatte.

Seine Antwort ist jetzt eingetroffen. Eine Kopie davon war dem Brief beigelegt, der gestern kam.

Was ich – bestenfalls – erwartet hatte, waren verbale Ausfälle gegen mich und das unnachsichtige Verlangen nach Tilgung aller derjenigen Erwähnungen seiner Person und seiner Arbeit, die er als respektlos erachtete. Was ich statt dessen erhielt, war – nun, ich bin mir darüber noch nicht ganz klar geworden.

Die Genehmigung, die er erteilt, ist eine bedingte, und mein Berater findet sie in gewisser Hinsicht ganz amüsant. Die Bedingungen, die der Professor stellt, gehen dahin, daß zugleich mit meinem Bericht, in demselben Band und als Postskriptum oder Anhang, sein eigener kurzer Kommentar dazu veröffentlicht werden muß. Der Kommentar muß genau so veröffentlicht werden, wie er geschrieben wurde, ungekürzt und als geschlossenes Ganzes. Ferner darf ich in dem ihm bereits vorgelegten Text – meinem Text – nichts ändern oder modifizieren, beispielsweise als Reaktion auf irgend etwas, was er darüber zu sagen hatte, oder aus irgendeinem anderen Grund. »All diese falschen Hoffnungen, trügerischen Erwartungen, nachweislichen Lügen und unbeabsichtigten Irrtümer müssen in ihrem Originalzustand verbleiben, ungemildert und unverschleiert von aus nachträglicher Einsicht Darübergekritzeltem.« Sofern diese Bedingungen akzeptiert werden, will er alle Bedenken, die er gegen den ihm vorgelegten Text gehabt haben möchte, zurückstellen.

Es gibt noch eine abschließende Bedingung. Wiewohl Professor Krom für das betreffende Verlagshaus nur die allergrößte Hochachtung hege und sich des hohen Ansehens, das es seiner Integrität wegen genieße, sehr wohl bewußt sei, müsse er darauf bestehen, vor Drucklegung des Buches einen Satz druckfertiger Korrekturabzüge zur Durchsicht zu erhalten. Er will sich persönlich davon überzeugen, daß der nominale Preis, den er für seine Absegnung gefordert hatte, auch ordnungsgemäß und voll erlegt wird.

Das Verlagshaus läßt mich mit offenkundiger Befriedigung wissen, daß es die Bedingungen des Professors ganz und gar akzeptabel findet.

Es geht davon aus, daß seine Bedingungen auch für mich akzeptabel sind.

Nun, selbstverständlich sind sie akzeptabel. Sie müssen es sein. Wenn ich will, daß meine Stimme überhaupt gehört wird, bleibt mir in dieser Angelegenheit ganz offenkundig gar keine andere Wahl.

Der Kommentar des Professors wurde aus dem originalen Niederländischen übersetzt.

Ich habe [schreibt er] die druckfertig redigierte Fassung von Paul Firmans Buch mit größtem Vergnügen, lebhaftestem professionellem Interesse und, ja, auch einem Gutteil widerwilliger Belustigung gelesen.

Es enthält so vieles von dem, was, wie ich immer empfunden, aber selber überhaupt nicht herauszubringen vermocht habe, tatsächlich da war. Die Gründe für mein Unvermögen sind offenkundig. Wenn die Ermittler-Subjekt-Beziehung von einem fundamentalen persönlichen

Konflikt überschattet wird, bleibt bestenfalls zu hoffen, daß es dem Ermittler gelingt, als Katalysator zu fungieren. In diesem bescheidenen Ausmaß zumindest behaupte ich, erfolgreich gewesen zu sein. Meine beiden Kollegen Henson und Connell hielten dieses Subjekt für ungewöhnlich schwierig, wobei der letztere hierbei so weit ging, zu sagen, daß man sich angesichts einer derart in der Tiefe gestaffelten Verteidigung nicht bloß fragen müsse, was sich dahinter befände, sondern auch, ob dort überhaupt noch genügend Raum verbleibe für ein als solches erkennbares mitmenschliches Geschöpf. Das Gleichnis, das er benutzte, jenes nämlich von einem Panzer mit derart dicken Stahlplatten, daß er nur einer Besatzung von einschlägig ausgebildeten Mäusen Platz bot, erschien keineswegs abwegig.

Nun, was das betrifft, hat uns Mr. Firman jetzt beruhigt. Die Befestigungen sind beängstigend, ja, aber es steckt ein Mensch dahinter. Welche Art von Mensch, bleibt, so meine ich, noch immer abzuwarten; aber wir haben jetzt eine viel klarere Sicht auf ihn. Eine den eigenen Zwecken dienende Ergießung wie diese, geschrieben von einem hochkarätigen Delinquenten vom seltenen Kaliber Mr. Firmans, wird stets mehr von der inneren Welt ihres Autors enthüllen als der von einem ebenso komplexen, aber verantwortungsbewußteren Geist unternommene Versuch der Selbsteinschätzung. Die skatologischen Exzesse eines Genet verraten uns mehr als die kontrollierten Einsichten eines Gide.

Sehen wir uns das für Firmans äußeres Verteidigungssystem relevante Material einmal genauer an. In der Villa Esmaralda habe ich seine verbalen Wolken mit Oktopustinte verglichen, ein Vergleich, von dem der Oktopus selber wahrheitsgetreu berichtet. Es ist jedoch überraschend, festzustellen, daß der Vergleich auch für sein geschriebenes

Wort zutrifft. Jedes gesprochene – dessen Bedeutung sich vermittels Stimmlage und Körpersprache seines momentanen Sprechers so mühelos ändern läßt – leistet naturgemäß der Täuschung Vorschub. Komödianten, Evangelisten, Wahrsager, Demagogen, alle, die menschliche Persönlichkeit zu verkaufen haben, hängen davon ab und wissen das. Das geschriebene Wort ist dazu gemeinhin weniger geeignet. Es kann mehr als einmal untersucht werden. Es kann analysiert und zerlegt werden. Zweifler, die weiche Stellen vermuten, können darin herumstochern und es sondieren. Nur diejenigen, die gewohnt sind, auf Halbgebildete Eindruck zu machen, oder diejenigen, die so massiv Galle und Adverbien verspritzen wie Mr. Firman, können dem Irrtum erliegen, zu meinen, daß eine Erklärung, wenn sie nur mit entsprechender Vehemenz und ausreichendem rhetorischem Schwung abgegeben wird, dank der Überzeugungskraft, von der sie getragen zu sein scheint, grundsätzlich nicht mehr in Zweifel gezogen werden wird.

An einer Stelle seines Buches hat Mr. Firman viel über die Technik der ›Verleumdung‹ zu sagen. Keineswegs alles davon wurde, wie er behauptet, in der Villa Esmaralda gesagt, aber egal. Ich bin bereit, allem, was Mr. Firman über Wege und Möglichkeiten, einen Gegner zu verleumden, zu sagen hat, zuzuhören. Er ist ein Experte auf diesem Gebiet.

Erwägen Sie einen Augenblick lang seine Schilderungen von mir und der Art und Weise, wie ich mich aufführe, gesellschaftlich sowohl als auch beruflich.

Wenige Männer sind bar aller Eitelkeiten, Idiosynkrasien und läßlicher Schwächen. Viele, und ich zähle mich zu ihnen, wiewohl ich keineswegs abnorm gehandikapt bin, besitzen überdies sichtbare physische Absonderlichkeiten. Über seine äußere Erscheinung wird sich ein vernünftiger

Mann meines Alters nur noch spärliche Illusionen machen; und wenn er auf Konferenzen häufig fotografiert wurde und seine eigene Vortragsstimme wiederholt über Fernsehen und Rundfunk selber zu hören bekommen hat, wird er aller Wahrscheinlichkeit nach auch jene spärlichen Reste von Eitelkeit abgelegt haben.

Ich habe einen überstehenden Oberkiefer und was man gemeinhin ›Raffzähne‹ nennt. Weil sie so stark vorstehen, versuche ich, sie stets sehr sauber zu halten. Ich pflege Abscheu und Unglauben durch ein kehliges Räuspern zum Ausdruck zu bringen. Als wir jung waren, versuchte meine Frau vergeblich, mich von dieser Angewohnheit zu heilen, die ihrer Ansicht nach ungünstig und zuweilen verletzend wirkte. Ich leide überdies an einer arthritischen Verformung des Rückgrats, die mein Arzt ›Papageienschnabel‹ nennt und unter der medizinischen Bezeichnung Spondylitis bekannt ist. Sie macht vielen Menschen meines Alters zu schaffen, indem sie ihnen in unterschiedlichem Grad Unbehagen und Unwohlsein verursacht. Lange, heiße Fahrten in kleinen, unbequemen Wagen sind Gift für Papageienschnäbel. In meinem Fall wird eine derartige Fahrt Muskelkrämpfe und Schmerz im unteren Rücken hervorrufen; und solange ich keine Erholungspause habe einlegen können, ist mein Gang beeinträchtigt.

Was macht Mr. Firman aus alldem?

Ein Monster natürlich; ein blauäugig starrendes Monster mit blitzend weißen Hauern und einer zirkumflektierten Oberlippe, ein Monster, das all den köstlichen Wein hinunterschlabbert wie Wasser, seine zurückschaudernden Gefährten fröhlich mit Speichelsalven besprüht, das Essen mißachtet und dann davontaumelt, wobei er sich zur Stabilisierung seines Abgangs mit geübter Geläufigkeit auf diverse Möbelstücke stützt, während er abzieht, um seinen Rausch auszuschlafen. Das Monster redet nicht, es bellt, kläfft und trompetet nur. Das Monster nimmt kein Bad, wie dies Dr. Henson zum Nutzen der eingeschalteten Mikrophone tut, es läßt bloß Winde.

Wie der Monster-Schöpfer selber sagen würde: ›Und so weiter.‹ Mr. Firmans Ausführungen müssen mit vielen Körnchen Salz genommen werden.

Wo also, mag ich gefragt werden, bleibt das menschliche Wesen, das uns versprochen wurde? Ist hier überhaupt keine Wahrheit zu finden? Handelt es sich bloß um Zusammenphantasiertes, um Material für eine klinische Fallstudie, das erst brauchbar wird, wenn es bearbeitet und interpretiert worden ist?

Keineswegs. Wie Mr. Firman einräumt, ja behauptet, wurden viele der Unterhaltungen, die er wiedergibt, von den Tonbändern transkribiert, die er aus der Villa mit sich nahm. Ich habe meine Kollegen Henson und Connell über diesen Punkt konsultiert, und sie stimmen beide mit mir überein. Solange man Firmans interpolierten Kommentaren, wenngleich einigen von ihnen das Verdienst beweiskräftiger Evidenz gebührt, keine Beachtung schenkt, sind seine Schilderungen dessen, was gesagt wurde, im großen und ganzen akkurat.

Sobald er jedoch aus dem Gedächtnis berichtet, müssen wir sehr viel mehr auf der Hut sein.

Die Erinnerungen an seine Jugendjahre bedürfen noch der Überprüfung. Die seine Kriegserlebnisse betreffenden Passagen wurden von einem deutschen Wissenschaftler gegengelesen, einem Freund von mir, der auf dem italienischen Kriegsschauplatz von 1943 bis 1945 als Infanterist kämpfte. Er meldet einen Irrtum. Die einzigen deutschen

Offizierspistolen, die seiner Erinnerung nach heeresamtlich ausgegeben wurden, waren die Walther und die Sauer. Als Kriegsgefangener der Amerikaner hatte er jedoch gehört, daß von deutschen Pistolen als von ›Lugers‹ gesprochen wurde, als sei dies eine Gattungsbezeichnung für deutsche automatische Handfeuerwaffen aller Typen. Firmans Erwähnung von ›Lugers oder Walthers‹ kann daher als ein aus einer anderen Epoche und von einem anderen Schauplatz herrührender Irrtum abgetan werden. Nicht sein Gedächtnis ist es, das sich hier als unzulänglich erweist.

Das gleiche kann von seinen gewisse entscheidende Daten betreffenden Irrtümern nicht gesagt werden. Hier ist er ganz unvermittelt höchst unzuverlässig. Nicht einmal das Jahr seiner durch mich erfolgten Identifizierung in Zürich kann er richtig angeben!

War der Schnitzer ein vorsätzlicher? Ich glaube nicht wirklich, daß er das gewesen sein kann. Zum einen, weil ich das korrekte Datum bereits in meinen ›Anmerkungen zu einer Fallstudie‹ veröffentlicht hatte, und ich kann mir nicht denken, daß er eine Gelegenheit versäumt haben sollte, irgendeine von mir aufgestellte Tatsachenbehauptung, mit der er nicht übereinstimmt, mit Spott und Hohn zu übergießen. Zum zweiten, weil Mr. Firman viel zu gerissen ist, Fehler zu begehen, die aussehen, als seien sie beabsichtigt, es sei denn, er wünschte aus irgendeinem Grund, besondere Aufmerksamkeit auf sie zu lenken. Aber warum sollte er? Die Zürich-Datierung zählt allemal zu den ›wertneutralen‹ Fakten, die niemand in Zweifel zieht. Demnach also ein Versehen der Sekretärin? Nein, denn das übrige Typoskript ist in einzigartiger Weise fehlerlos. Der herausgeberische Berater muß diese falschen Daten ebenfalls akzeptiert haben, also werden sie ihm vermutlich von Mr. Firman eingegeben worden sein.

Ich werde noch auf dieses Problem zurückkommen. Es berührt eine von Firmans grundlegenden Behauptungen, das Ausmaß der Schuld des Mannes betreffend, den er ›Williamson‹ nennt. Unter den Anschuldigungen, die sich gegen mich richten – andere als die, welche mit meinen Zähnen zu tun haben, meiner Betrunkenheit, meiner unter Raketenbeschuß gezeigten Ängstlichkeit oder meinen beharrlichen Weigerungen einzuräumen, daß Schwarz Weiß sei –, befindet sich eine Liste einiger meiner Unterlassungssünden.

In einem Punkt ist seine Klage zweifellos berechtigt.

Bedauerlicherweise habe ich von dem Mord an Yves Boularis erst einige Monate nach dem Geschehen gehört. Es wurde, soweit ich weiß, außerhalb Frankreichs nicht gemeldet. In einem französischen medizinisch-juristischen Fachblatt, das ich normalerweise nur in Digestform lese, stieß Dr. Henson auf einen Hinweis darauf. Sie schrieb mir, um mich sowohl auf die Abartigkeit der angewandten Methode als auch auf den Zeitpunkt des Mordes hinzuweisen.

Sollte es also doch möglich sein, daß die Villa Esmaralda tatsächlich belagert worden war? Und konnte es tatsächlich einen bösen Mr. Williamson geben? Der politische Führer, der, nachdem er die Macht erlangt hatte und zum Retter seines Volkes proklamiert worden war, alle Spuren seiner korrupten oder kriminellen Vergangenheit zu tilgen wünscht, ist eine sattsam bekannte Figur in der Geschichte der Nationen.

Die Möglichkeit, Mr. Firman auch nur geringfügiges Unrecht getan zu haben, war beunruhigend. Die wahre

Identität des Sprechers festzustellen, den er auf der Tonband-Kassette der telefonischen Unterhaltung, die ich in jener Nacht aus der Villa mitnahm, mit ›Mat‹ anredete, erwies sich als unmöglich. Dessenungeachtet unternahm ich, ob Mr. Firman mir dies nun glaubt oder nicht, jede nur denkbare Anstrengung hierzu.

Durch Freunde in London konnte ich eine Kopie einer BBC-Tonarchivaufnahme von Mathew Tuakanas Stimme erhalten. Es handelte sich um einen Ausschnitt aus einer Huldigungs- und Begrüßungsrede an Häuptling Tebuke aus Anlaß von dessen Amtseinführung als Staatsoberhaupt bei der Placid-Island-Unabhängigkeitsfeier. Die Rede war in der Placid-Island-Sprache gehalten worden.

Ein Kollege, der auf die Techniken des sogenannten ›Stimmenspur‹-Vergleichsverfahrens spezialisiert ist, begutachtete beide Stimmen für mich. Er identifizierte den Mann, der auf dem Kassettentonband mit Firman sprach, als Briten aus den English-Midlands. Dr. Henson hatte auf Coventry oder Birmingham getippt. Die Tuakana-Aufnahme dagegen bereitete ihm Schwierigkeiten. Nicht weil er die Sprache nicht verstand, sondern weil sie nicht zum Zweck des Vergleichs benutzt werden konnte. Der Klang der Stimmenmuster ist es, der analysiert und verglichen wird. Diese beiden Klangkomplexe entstammten zwei gänzlich verschiedenen Kategorien: die eine größtenteils labial und nasal, die andere ganz und gar glottal. Man kann keinen Fingerabdruck mit einem Handflächenabdruck vergleichen, selbst wenn beide von derselben Hand stammen. Eine beglaubigte Aufnahme, auf der Mr. Tuakana Englisch oder irgendein anderes phonetisch vergleichbares Idiom sprach, war nicht aufzutreiben.

Der Zweifel nagte jedoch an mir, und nach der Konferenz in San Francisco vor zwei Monaten stimmte meine Frau meinem Vorschlag zu, den mir zustehenden Urlaub darauf zu verwenden, etwas von der Südsee zu sehen. Wir kamen um Visa für das zu den Fidschis zählende Placid Island ein und flogen in trautem Verein mit geladener Fracht in einer der vierzehntägig von Insel zu Insel hopsenden Maschinen dorthin.

Das Hotel ist nahezu fertig eingerichtet, aber noch nicht eröffnet. Das alte Gasthaus ist primitiv, aber wir wurden dort sehr herzlich aufgenommen.

Als eingefleischter Gegner und Kritiker dessen, was Mr. Firman das ›Steuerparadies-Geschäft‹ nennt, bin ich denen, die ihren Unterhalt damit verdienen, namentlich ziemlich gut bekannt. Es überraschte mich keineswegs, daß der kanadische Anwalt, der als Placid-Island-Vizekonsul in Suva fungiert und uns die Visa erteilte, unserem Besuch eine Vorwarnung vorausgeschickt hatte. Schreiben von Mr. Tuakana und von einer Tochter Häuptling Tebukes erwarteten uns bei der Ankunft. Beide waren Einladungen zum Lunch am darauffolgenden Tag. Die Gastgeberin meiner Frau würde die Leiterin der neuen Höheren Schule für Mädchen der Insel sein. Mr. Tuakana freute sich darauf, mit mir zu einer zwanglosen Unterredung über Themen von gemeinsamem Interesse zusammenzutreffen. Er hoffte, mich und Vrouw Krom dazu bewegen zu können, im weiteren Verlauf der Woche einem von Häuptling Tebuke gegebenen Empfang beizuwohnen. Das Mittagessen im Government House indessen werde à deux sein. Ein Wagen mit Fahrer werde mir während meines Aufenthaltes zur Verfügung stehen.

Der Government-House-Komplex besteht aus einem zweistöckigen Gebäude und vier Bungalows, die dem – in den Zeiten der Kolonialherrschaft dort residierenden – Gouverneur und seinen leitenden Beamten als Wohnsitz dienten. Als Erster Minister beansprucht Mr. Tuakana den größten Bungalow, in welchem sich sowohl seine Amtsräume als auch seine Dienstwohnung befinden. Sein Hauspersonal schien mir ungewöhnlich gut geschult zu sein.

Beim Studium von Mr. Firmans Buch habe ich mich von Anfang an bemüht, objektiv zu bleiben und mir in regelmäßigen Abständen vor Augen zu halten, daß alle darin abgegebenen Erklärungen so lange als falsch zu gelten haben, als kein Nachweis des Gegenteils vorliegt. Wenn ich daher erkläre, daß Firmans Beschreibung Mat Williamsons Mathew Tuakana wie angegossen paßt, will ich damit sagen, daß die Beschreibung nicht bloß visuell zutreffend ist – es mag zwei Namen geben, aber es gibt nur einen Mann –, sondern daß sie auch einen Eindruck vermittelt, den ich wiedererkannte, den nämlich von einem Mann, der sich seiner Fähigkeit, mit Untergebenen fertig zu werden, um einiges zu bewußt ist.

Die Art und Weise jedoch, in der er sich mir vorstellte, ließ den Charme, den zu erwarten mich Firmans Darstellung bewogen hatte, weitgehend vermissen.

»Ich bin der Tuakana, dessen christlicher Taufname Mathew Williamson ist«, sagte er. »Ich bin nicht der Williamson aus dem Buch von diesem Firman, so wenig wie Sie, würde ich meinen, der Professor Krom sind, den er darin karikiert. Solange wir in diesem Punkt übereinstimmen, sehe ich keinen Grund, warum wir uns nicht einigermaßen frei und offen unterhalten sollten.« Er klingelte mit einer kleinen gläsernen Glocke, die neben ihm auf dem Tisch stand. »Was trinken Sie? Schnaps?«

»Nein danke, Herr Minister.«

Als der Butler erschien, bestellte er Eiswasser. Ich sollte hier anmerken, daß seine Stimme ganz anders klang als diejenige auf der Kassette. Im allgemeinen kann ich zwischen amerikanisch und britisch gesprochenem Englisch durchaus unterscheiden. Seines klang eher amerikanisch, aber ich bin mir da nicht wirklich sicher. Firmans Behauptung, daß der Mann ein gerissener Schauspieler sei, war offenkundig unüberprüfbar.

Nachdem er sich hatte bestätigen lassen, daß wir uns im Gästehaus wohlfühlten, fuhr er fort: »Herr Professor, sagen Sie mir eines. Sie und Ihre Frau haben heute morgen eine Rundfahrt gemacht. Sie haben sich hauptsächlich den Hafen und die Anlagen der alten Phosphat-Compagnie angesehen. Was halten Sie von dem bißchen, was Sie von uns haben sehen können?«

»Irgendwo in dem Buch unseres Freundes wird diese Insel mit einer Mondlandschaft verglichen. Das scheint mir eine zutreffende Beschreibung für das Tagebergbaugebiet zu sein. Aber ich habe auch Dinge bemerkt, die mir nach Bemühungen, die Verhältnisse zu bessern, aussahen. Gehen die auf Sie zurück?«

Sein flüchtiges zufriedenes Lächeln verriet, daß das, was ich gesehen hatte, eine mir zu Ehren verordnete Schau und der Fahrer entsprechend instruiert gewesen war. »Nicht allein auf mich, Herr Professor. Ich habe eine Vielzahl solcher Personen zu Helfern, die Sie so ausdauernd mißbilligen.« Er schenkte mir ein Glas Wasser aus dem Krug ein, der gebracht worden war. »Ich meine diejenigen, die Sie als Steuerschwindler bezeichnen.«

Ich stellte mich dumm. »Die Männer an den Erdaufschüttungsmaschinen sahen mir ganz nach Inselbewohnern aus.«

»Das sind sie. Aber kennen Sie das Verfahren der Registrierung einer Gesellschaft oder der Gründung eines Konzerns auf Placid?«

»Ich könnte die einschlägigen Paragraphen der Körperschafts- und Konzerngesetze von einem halben Dutzend Ihrer Konkurrenten auf diesem Gebiet auswendig hersagen, Herr Minister. Ich wäre überrascht, wenn Ihre wesentlich anders lauteten.«

»Nicht wesentlich anders, nein, aber ein bißchen schon. Ein Teil der Körperschafts- und Konzerngründungs-Gebühren muß in Form von Sachleistungen erlegt werden.«

»Ein hübscher Trick. Fabriken und Maschinen?«

»Mutterboden. Placid Island ist größtenteils von der Bergwerkgesellschaft abgetragen und vernichtet worden. Eine Anlieferung von fünftausend Tonnen fetten, schwarzen Mutterbodens gewährleistet für eine frisch eingetroffene Gesellschaft, die sich hier etablieren will, das Beste vom Besten. In den darauffolgenden Jahren geben wir uns dann mit eintausend Tonnen jährlich zufrieden, solange die Qualität gut bleibt. Die einzige Uhr, die wir hier zurückzustellen entschlossen sind, ist die ökologische. Und ich glaube, uns bleibt gerade genügend Zeit, um es zu schaffen.«

»Ist Ihnen eine Frist gesetzt, Herr Minister?«

Ich wurde mit einem kühlen Blick bedacht. »Leute, die so denken wie Sie, setzen uns die Frist, Herr Professor. Die Flammenschrift an der Wand ist deutlich genug. Überall, besonders in den Ländern mit hohen Steuersätzen, gehen die Steuerbehörden jeden Tag schärfer vor. Und die Flammenschrift wird nicht nur auf Wände geschrieben. Im amtlichen Journal des europäischen Gemeinsamen Marktes wurde der Sünde, die wir begehen, dem Verbrechen, das Sie so sehr verabscheuen, eigens ein neuer Name gegeben – Anstiftung zu antisozialer Steuervermeidung! Klingt das nicht verworfen? In zehn Jahren werden wir auf gesetzgeberischem Weg aus unserer wirtschaftlichen Existenz vertrieben worden sein, wenn ein kriminalisierter Kurs der einzige geblieben ist, den wir zu steuern wissen. Wir haben keinerlei Illusionen, kann ich Ihnen versichern. Wenn wir den Westmächten als neokoloniale Dritte-Welt-Pensionäre lieber sind denn als Selbstachtung besitzende Exporteure fiskalischer Dienstleistungen, müssen wir uns anderweitig nach Rettung umsehen. Aber wo? Ja, wir könnten unsere Hafenanlagen dem meistbietenden Interessenten verkaufen und irgend jemandes nukleare Marinebasis werden. Oder wir könnten uns selber als Raketenabfang- oder Mikrowellenstation verpachten. Schicksale, schlimmer noch als der Tod, fürchte ich. Nein! Mit ausreichendem Mutterboden und einem auf gründlicher Forschung fußenden Entwicklungsprogramm können wir unsere sündigen Steuervermeidungs-Jahre sicherlich dazu nutzen, uns eine bessere Zukunft zu kaufen. Was meinen Sie, Herr Professor?«

»Es ist viel Wahres an dem, was Sie sagen, Herr Minister.«

Die Arroganz seines huldvollen Lächelns war unerträglich. Ich traf eine Entscheidung. Wenn er Firmans Urteil über mich verifizieren zu können glaubte, indem er mir in impertinenter Weise Schnaps anbot, konnte ich Firmans Klatsch über ihn verifizieren, indem ich ihm impertinente Fragen stellte.

»Wie aktiv ist die Pfadfinderbewegung hier auf Placid, Herr Minister?«

Er zuckte nicht mit der Wimper. »Hier auf Placid gibt es derzeit noch keine Pfadfinderbewegung. Die gesetzgebende Versammlung ist gebeten worden, die Gründung einer hiesigen Bewegung zu genehmigen. Wie ich höre, ist der neue protestantische Pfarrer interessiert, aber wir haben gegenwärtig wichtigere Dinge, auf die wir unsere Zeit verwenden müssen.«

Beim Lunch – Dosenschinken, Salat, Pulverkaffee – erzählte er mir von den öffentlichen Vorhaben, die er geplant habe, und den Schwierigkeiten, Anleihen zu niedrigen Zinssätzen zu bekommen.

Ich fragte, ob Mr. Yamatoku ihn in allen derartigen Dingen berate.

Er sah verblüfft aus. »Mr. Yamatoku ist Mitglied unserer Delegation bei den Vereinten Nationen in New York.«

»Herr Minister, ich werde über New York heimfliegen. Meinen Sie, daß es für mich möglich sein wird, Mr. Yamatoku zu sprechen?«

»Wenn Sie seine Sekretärin anrufen, würde ich denken, daß er sich die Zeit nehmen wird, Sie zu sehen. Natürlich ist er ein vielbeschäftigter Mann.«

Hier verließ mich nachgerade die Geduld. Über die folgende Unterhaltung machte ich mir eingehende Notizen, sobald ich ins Gästehaus zurückgekehrt war.

»Aber nicht so beschäftigt wie Sie, Herr Minister, da bin ich mir ganz sicher. Wo und wann sind Sie Mr. Firman erstmals begegnet?«

Er starrte einen Augenblick lang in einer Weise über meine rechte Schulter hinweg, die mich fast dazu veranlaßt hätte, mich umzuwenden, um zu sehen, wer dort sein könnte. Derart abgestandene Interviewtricks nehmen sich bei einem so anspruchsvollen Mann seltsam aus. Als er merkte, daß ich nicht reagieren würde, begann er, angelegentlich seine Serviette zu falten, während er sprach.

»Der Ort des Zusammentreffens war der von ihm angegebene«, sagte er. »Port Vila auf den Neuen Hebriden. Er nannte sich Perry Smythson. Nahezu alles andere, was er sagt, ist zur Gänze oder in Teilen glatt gelogen. Wenn es das nicht wäre, würden wir nicht miteinander reden. Ich bin mir ganz sicher, daß Sie nicht glauben, wir säßen hier privat zusammen, wie wir das tun, weil ich begierig bin, Ihre Ansichten über die Methodologie internationaler Steuerplanung kennenzulernen.«

»Nein, Herr Minister, aber Sie sind möglicherweise neugierig auf meine Absichten, soweit sie Firmans Buch betreffen. Selbstverständlich bin ich neugierig auf die Ihren. Ich hoffe, daß sie es mir erleichtern könnten, mir schlüssig zu werden. Für einen Mann in Ihrer Stellung ist eine öffentliche Kontroverse von der Sorte, wie sie durch verleumderische Behauptungen hervorgerufen werden kann, eine Sache, die vermieden werden muß, denke ich mir.«

»Vermieden werden muß wie die Pest, Herr Professor. Das gleiche gilt für Publikationsverbote durch gerichtliche Verfügung oder Zensur durch legale Erpressung. Meine Absicht ist, nichts zu tun, und ich will Ihnen sagen, warum. Als ich das Firman-Manuskript gelesen hatte, ließ ich sofort sowohl nach Ihrem Buch als auch nach dem *New Sociologist* mit Ihrem Essay schicken. Das Deutsch des Buches war mir ein bißchen zu hoch, aber der Essay hat mich fasziniert. Ja, fasziniert! Er bestätigte etwas, das ich seit langem geargwöhnt hatte.«

»Essays, die das tun, sind immer faszinierend.«

Ich erntete nur ein flüchtiges Lächeln. »Sagen Sie mir eines, Herr Professor. Firman zitiert eine Definition des kompetenten Kriminellen, von der er behauptet, es sei Ihre. Ist sie das?«

»Es ist die vereinfachte Vorlesungspodium-Version, die ich üblicherweise benutze.«

»Dann kann sie, fürchte ich, auf Smythson-Oberholzer nicht angewendet werden.«

»Sollten wir ihn nicht schlicht Firman nennen, Herr Minister?«

»Ich bitte darum. Er hat allzu viele Alias-Namen, da stimme ich Ihnen zu. Aber Sie können ihn, welchen Namen Sie ihm auch geben, nicht als den wohlangepaßten, emotional stabilen Mann Ihrer Definition bezeichnen. Der ist Firman mit Sicherheit nicht. Das war eines der ersten Dinge, die mir an ihm auffielen.«

»Könnten Sie etwas Genaueres darüber sagen?«

»Gewiß. Carlo Lechs Tod war ein schwerer Schlag für ihn. Ich weiß es, denn ich war dabei, als er die Nachricht erhielt.« Er hob abwehrend die Hand, als hätte ich ihn unterbrechen wollen. »Lassen Sie mich bitte ausreden. Lech war nie die Vaterfigur, die Firman porträtiert. Darin stimme ich mit Ihnen überein. *Aber* Firman zog es stets vor zu glauben, er sei es. Das Kind beschuldigt ein passendes Alter ego für seine eigenen Missetaten. Das ist ganz natürlich. Der neurotische Erwachsene, der Knabe, der nie erwachsen wird, fährt fort zu projizieren, aber er tut das in einem anderen Maßstab und benutzt andere Mechanismen. Einen dieser Mechanismen nennt man Rollentausch, glaube ich.«

»Bitte fahren Sie fort, Herr Minister.« Der Amateur-Psychiater ist selten so gefährlich, wie häufig behauptet wird. Solange er keine Patienten hat, werden die Schäden, die er verursacht, eher schmerzhaft als folgenschwer sein, wie Schläge gegen den Ellenbogen. Die Sorte Unsinn jedoch, die er daherredet, kann einem eine ganze Menge über ihn verraten.

»Der Lech, den Sie zu Recht als Phantasie-Produkt abtaten, war für Firman unerhört wirklich. Ist *das* Ihr emotional stabiler, perfekt angepaßter Mann, Herr Professor?«

»Es klingt nicht danach, nein. Haben Sie irgendwelche weiteren Beispiele für seine Instabilität?«

»Aus jeder Seite seines Buches starren uns weitere Beispiele an. Er zitiert Ihren angeblichen Ausspruch, daß Lech vor fünf Jahren gestorben sei. Falsch. Er selber sagt, daß Sie ihn vor fünf Jahren bei der Zürcher Trauerfeier gesehen haben. Wieder falsch. Aber warum?«

»Diese Datierungsfehler haben auch mir Rätsel aufgegeben, Herr Minister. Lech ist vor sieben Jahren gestorben, nicht vor fünf. Ich habe Firman in Zürich acht Monate vor Lechs Tod identifiziert. Diese Fakten sind nie in Zweifel gezogen worden. Was hatte es mit der Zahl fünf so Besonderes auf sich? Warum die Irrtümer?«

»Wollen wir sie Freudsche Fehlleistungen nennen, Herr Professor?«

»Unabsichtliche Irrtümer können unterlaufen, wenn das Manuskript von einer Sekretärin abgetippt wird, die eine neue Brille braucht, oder wenn sich ein Verlagslektor nicht mit Einzelheiten abgeben kann.«

»Aber diese Irrtümer nicht, Herr Professor.« Er war froh über meine schwerfällige Beschränktheit; sie machte aus mir einen besseren Zuhörer. »Ich weiß mit Bestimmtheit, daß dieses ›vor fünf Jahren‹, von dem wir jetzt sprechen, für ihn von eminenter psychologischer Bedeutung war. Ich bin kein Kaffeesatz-Analytiker, Herr Professor, und ich weiß nur, was ich über abnormes Verhalten gelesen habe. Aber über Paul Firman hätte sich damals niemand täuschen können. Das gehört nicht zu den Dingen, die man vergißt. Er reiste weder nach Zürich noch sonst irgendwohin nach Europa. Er verbrachte das Jahr damit, zwischen Singapur, Sydney und Hongkong zu pendeln. Das war das Jahr, von dem sein eigener mysteriöser Mat Williamson, der Mann am Telefon, der mit einem Birmingham-Akzent spricht, zu reden scheint. Er erwähnt einen Augenblick des persönlichen Verlustes und der Trauer oder der Trauer und des Verlustes. Ich habe es mir irgendwo notiert. Es steht auf Seite . . .«

»Danke, Herr Minister. Ich weiß, welche Stelle Sie meinen. Wie kam es, daß Sie ihn in jenem Jahr so häufig sahen? War das der Zeitpunkt, zu welchem Ihre Partnerschaft begann?«

»Partnerschaft?« Das Wort sagte ihm nicht zu. Es ging mir plötzlich durch den Kopf, daß Mr. Tuakana eine Position bekleidete, die es ihm erlaubte, mich verhaften, ins Gefängnis werfen und der Beleidigung seiner Regierung anklagen zu lassen, wenn ihm danach zumute sein sollte. »So nennt er es jetzt. Ich arbeitete für ihn als das, was er einen Talentsucher nannte. Ich verfügte über kein nennenswertes Geld, und eine Gesellschaft wie die Anglo-Anzac als Lobbyist dahin zu kriegen, daß sie sich mit dem Unvermeidlichen abfindet, kostet, selbst an einem Flecken wie diesem, viel. Firman bezahlte mich gut, aber ich mußte auch arbeiten dafür. Es gab ein paar Firmen, Gesellschaften, die ihn interessierten. Gewöhnlich waren sie in Schwierigkeiten. Ich untersuchte sie für ihn. Er war das, was einige Leute einen Macher nennen. Schnell rein, schnell wieder raus. Manchmal gab es Vermögenswerte, die ausgeschlachtet werden konnten. Manchmal gab es einen Verlustposten, über den verhandelt werden mußte. Manchmal gab es andere Dinge. Partnerschaft? In dem Licht habe ich es nie gesehen. Ich war sein Blitz-Buchprüfer. Wir sind nie dazugekommen, über meine langfristigen Pläne zu diskutieren. Das war das Jahr seines Zusammenbruchs.«

»Ein physischer Zusammenbruch oder ein geistiger, Herr Minister?«

Er legte seine gefaltete und geglättete Serviette ordentlich neben seinen Teller.

Die Hand, die sie dorthin gelegt hatte, zuckte einen Augenblick lang und war dann ruhig. Möglicherweise hatte er sich dagegen entschieden, im Takt der Wörter auf den Tisch zu klopfen.

»Herr Professor, gewiß sehen wir jetzt klar. Ist es nicht offenkundig genug, wie es dazu kam, daß diese Datierungsfehler gemacht wurden? Fünf war die böse magische Zahl, weil vor fünf Jahren die böse magische Zeit gewesen war. Das war das Jahr des allerschrecklichsten Todesfalls und des katastrophalen Unglücks. Das Resultat war, daß es als das Jahr *allen* Todes und *allen* Unglücks endete – das Jahr von Lechs Tod, des Kramer-Narrenspiels, der Begegnung mit Ihnen, des Exils aus Europa, das Jahr allen Übels. Das Jahr des allergrößten Verhängnisses! Und das war übrigens das Jahr, in dem er Ärger mit der Polizei in Neu-Süd-Wales bekam. In Sydney war zeitweilig ernsthaft davon die Rede, ein Ausweisungsverfahren gegen ihn in Gang zu setzen, um ihn aus Hongkong zu vertreiben.«

»Wissen Sie, weswegen, Herr Minister?«

»Und ob ich das weiß. Sie fragten nach weiteren Beispielen seiner Instabilität. Ich kann Ihnen ein erstklassiges nennen. Es handelt sich um einen weiteren seiner Rollenwechsel-Tricks. Sie erinnern sich an den langen Vortrag, den er angeblich diesem mythischen Mr. Williamson gehalten haben will? Erinnern Sie sich, Herr Professor? An den über die Gefahren internationalen Betrugs und das schreckliche Schicksal, das diejenigen erwarte, die sich nicht an die Gesetze hielten?«

»Ich erinnere mich.«

»Herr Professor, diesen Vortrag habe ich *ihm* gehalten.« Er machte eine Pause, zuckte leicht die Achseln und starrte mir dann mit jenem ganz eigentümlichen Ausdruck gewinnender Offenheit in die Augen, den mit Schuld zu assoziieren ich gelernt habe – mit Schuld, die sich abgesichert weiß und vollkommen gelassen gibt.

»Mein Job«, fuhr er fort, »bestand in der Erkundung, und ich konnte das Gesamtbild überblicken. Einige Stellen darin waren ziemlich trübe, glauben Sie mir. Was den Vortrag provozierte, war ein multinationaler Taschenspielertrick, den er sich ausgedacht hatte. Es handelte sich um eine Kette von zwanzig verschiedenen Gesellschaften, die allesamt getürkte Aktiva aufwiesen – Bergwerke, Immobilien, Kokosnußplantagen – und allesamt auf dem Papier Reingewinne machten. Diese Kette bestand bloß aus den Trümmern, die seine Aktiva-Plünderungsmachenschaften zurückgelassen hatten. So hat er denn diesem Tohuwabohu einen neuen Anstrich gegeben. Wozu? Er hat, scheint's, diese kleine vormals britische Versicherungsgesellschaft erworben, die im vormals britischen Singapur registriert ist und dort noch immer nach den alten britischen Grundsätzen des uneingeschränkten freien Wettbewerbs operiert. Das bedeutet nach amerikanischen Maßstäben ein Minimum an Regelungen. Das Geschäft wird größtenteils in Malaysia und auf den Inseln abgewickelt, und es hat einen hübschen chinesischen Namen, der ›treuer Tiger‹ bedeutet.

Raten Sie mal, wem alle diese bloß auf dem Papier existierenden Firmen gehören. Ja, dem treuen Tiger, nur daß er jetzt ›Fidelity Lion‹ heißt und seine Investitionen über Strohmänner tätigt. Der einzige Fehler, den Firman dort machte, war, diesen räudigen Löwen Annuitätengeschäfte in Australien ausschreiben zu lassen. Man wird ihn dort nie wieder reinlassen. Sie mögen keine Versicherungsbetrüger, besonders nicht, wenn sie ihnen nichts nachweisen können.«

»Kein Land mag sie. Aber Sie sprachen von einem schrecklichen Todesfall und einem katastrophalen Verhängnis, Herr Minister. War es das, was Sie meinten? Der Zusammenbruch einer betrügerischen Versicherungsgeschäfts-Methode?«

»Oh, nein. Seine chinesischen Direktoren hätten ihn fast in Schwierigkeiten gebracht, aber er war schnell genug, heil aus der Geschichte herauszukommen. Es war die Sache mit seinem Sohn, die ihn so vernichtend traf.«

»Er erwähnte ein Kind aus seiner zweiten Ehe.«

»Das war eine Tochter. Der Sohn stammt von seiner ersten Frau. Brillanter Junge, gut aussehend, gewinnend, sehr charmant. Von einem der Ivy-League-Colleges angenommen. Firman strahlte. War schrecklich stolz auf ihn. Trug doch tatsächlich ein Foto von dem Burschen in der Brieftasche mit sich herum.«

»Was passierte?«

»Er starb ganz plötzlich. War schon sehr bedauerlich, das alles.«

»Drogen? Alkohol? Ein Autounfall?«

»Nichts derart Einfaches. Der Junge beging Selbstmord, erhängte sich. Eine Zeitlang war Firman total vernichtet. Ich habe einen derartigen Zusammenbruch noch nie gesehen. Nahezu vollständige Apathie. Er saß bloß noch teilnahmslos herum.«

»Gab es irgendeine Erklärung?«

»Für den Selbstmord? Das College hatte eine. Überarbeitung, Prüfungsdruck, ungerechtfertigte Ängste, den hohen Erwartungen anderer nicht gerecht zu werden. Die meisten dieser Institute müssen ein Standardschreiben haben, das sie verschicken. Aber Firman war überzeugt, der einzig Schuldige zu sein. Wenn er überhaupt etwas sagte, dann immer dasselbe. ›Ich scheine es mir zur Gewohnheit gemacht zu haben, die Menschen zu enttäuschen, die mich lieben.‹ Das war ihm nicht auszureden. Ich jedenfalls wäre nicht überrascht, wenn Firman beschließen würde, sich umzubringen. Es gibt da eine selbstmörderische Ader in ihm.«

Er stand auf. Es war Zeit für mich zu gehen. Ich fragte, ob ich Kopien von einigen seiner Reden haben könne. Ein persönlicher Assistent wurde angewiesen, mich zum Informationsbüro zu geleiten.

Ich bat um Tonbänder.

Im weiteren Verlauf des Tages wurden zwei Umschläge durch Boten zum Gästehaus befördert. In dem einen befanden sich die ins Englische übersetzten Texte einer Anzahl von Mr. Tuakanas Reden. Ein kurzes Begleitschreiben des Informationsbeamten besagte, daß in keiner Sprache, die ich verstände, Tonbandaufnahmen von den Reden erhältlich seien.

Der zweite Umschlag enthielt die angekündigte Einladung zu einem Empfang, den Häuptling Tebuke Ende der Woche gab.

Ich hatte auf Placid Island nichts mehr zu tun. Es gab eine Maschine, die am darauffolgenden Tag flog. Mit

Zustimmung meiner Frau beantwortete ich die Einladung mit einem um Verständnis bittenden Brief, in welchem ich erklärte, daß wir in Suva zurückerwartet würden und es außerordentlich bedauerten, an dem Empfang daher nicht teilnehmen zu können.

Firmans Mr. Williamson kann meiner Meinung nach nicht als kompetent bezeichnet werden.

Er ist nicht einmal ein guter Lügner.

Melanie beendete die Lektüre des Kommentars in einem Zustand beträchtlicher Erregung.

»Wenn Sie diese Firmenbilanzen tatsächlich noch haben«, sagte sie, »ist dies ein wundervolles Geschenk, das Krom Ihnen da geschickt hat.«

Schlafenszeit auf der Insel war normalerweise halb zehn gewesen; aber an diesem Abend – Melanie rauchte, um uns die Insekten vom Leibe zu halten – blieben wir länger auf.

»Es ist nicht bloß ein Geschenk«, sagte ich, »es ist ein geschenkter Gaul, dem ich ins Maul schauen werde. Oh, ja, diese Firmenbilanzen habe ich allerdings. Ich hatte sie damals in Hongkong alle auf Mikrofilm aufnehmen lassen. Mats Bilanzen waren ausgezeichnet frisiert, aber nicht für jemanden, der bei Carlo gelernt hat, Zahlen zu lesen. Das einzige, was ich nie herauskriegen konnte, war der Name der Tölpel, den seine Strohmänner benutzten. Jetzt haben wir den Namen – Fidelity Lion. Kein Wunder, daß die Australier Mat auf den Fersen waren.«

Zweifel überkamen sie. »Es ist jetzt mehrere Jahre her. Was ist mit den Verjährungsbestimmungen?«

»Mit dem, was wir wissen, könnten wir ihn jederzeit in Schwierigkeiten bringen, und das wird ihm klar sein.«

»Dem ungekrönten König von Placid?«

»*Besonders* dem ungekrönten König von Placid. Er ist ganz und gar verwundbar. Für einen des Betrugs verdächtigen Mann wird es keinen Mutterboden mehr geben. Alles was wir tun, ist, was Professor Krom in Brüssel getan hat. Wir hinterlassen Fotokopien von allem Beweismaterial in versiegelten Umschlägen, zu öffnen im Falle meines, Ihres oder unserer beider plötzlichen Todes und insbesondere für den Fall, daß mein plötzlicher Tod nach Selbstmord aussehen sollte. Und dann brauchen wir das Mat bloß noch wissen zu lassen. Perfekt!«

»Wenn es perfekt ist, warum sind Sie dann nicht fröhlicher?«

»Weil zusammen mit dem Geschenk eine beunruhigende Nachricht gekommen ist. Krom hat endgültig über jeden Zweifel hinaus die Wahrheit von etwas bestätigt, was ich mit Entschiedenheit bestritten habe. Er beschuldigt mich nochmals, die ganze Zeit über die Nummer Eins gewesen zu sein. Der Anarchist Nummer Eins!«

»Warum sollte Sie das stören?«

»Es ist eine Lüge.«

»Sie haben zuviel getrunken, Paul.«

»Sehr wahrscheinlich. Man sagt, Wodka schmecke nach nichts. *Dieser* Wodka schmeckt aber nach etwas. Nach abgebranntem Lack.«

Sie füllte nochmals ihr eigenes Glas. »Haben Sie das wirklich gesagt?«

»Was?«

»Daß Sie die Menschen, von denen Sie geliebt werden, immer enttäuschen?«

»Ich mag etwas in der Art gesagt haben. Ich habe mich damals im Selbstmitleid gesuhlt. Dennoch klingt mir Mats Version ein wenig zu abgeschmackt.«

Wenn Melanie angestrengt nachdenkt, läßt sie den Unterkiefer ein bißchen hängen, was ihr einen Ausdruck von tiefer Mutlosigkeit gibt. Den hatte sie jetzt.

»Menschen enttäuscht, die mich liebten, das ist etwas, was ich nie getan habe«, sagte sie nach einer Weile.

»Um so besser für Sie.«

»Ganz und gar nicht.« Ihr Mund nahm wieder seine normale Form an. »*Ich* bin immer diejenige gewesen, die liebte.«

»Oh.«

Sie wechselte entschlossen das Thema. »Essen, das ist es, worauf's ankommt.« Sie leerte ihr Glas erneut und stellte es unsanft auf den Tisch zurück. »Ich muß Ihnen sagen, Paul, daß ich heute nacht sehr viel ans Essen denken werde. An das gute Essen, das ich genießen werde, wenn wir von hier weg sind.«

»Ja. Ja, ich werde es ebenfalls.«

Ich tat es.

Ich dachte an gutes Essen, kühle Tage und anständigen Wein.